CW00704031

LE SERVITEUR DE DIEU

JOSEPH-MARIE FAVRE

MAITRE ET MODÈLE

DES OUVRIERS APOSTOLIQUES

8°
Ln 27
48164

LE SERVITEUR DE DIEU

JOSEPH-MARIE FAVRE

MAÎTRE ET MODÈLE

DES OUVRIERS APOSTOLIQUES

(1791 — 1838)

PAR

Le Père Fr. BOUCHAGE, Rédemptoriste

Membre agrégé et Lauréat de l'Académie de Savoie

INIMICOS SUPERABIS
VIRTUTE

PARIS

GABRIEL BEAUCHESNE ET Cⁱᵉ, ÉDITEURS

83, rue de Rennes, 83

1901

APPROBATION.

La vie du Serviteur de Dieu Joseph-Marie **Favre, maître et modèle des ouvriers apostoliques,** par le Père Fr. Bouchage, Rédemptoriste, *a été examinée par deux théologiens de notre Congrégation. Sur leur rapport favorable, et en vertu des pouvoirs qui nous ont été conférés à cet effet par notre Rᵐᵉ Père Général, nous permettons volontiers l'impression de cet ouvrage.*

Saint-Étienne, le 8 septembre 1900.

J.-B. GODART C. SS. R.
Sup. Prov.

Imprimatur :

Parisiis die 1 Octobris 1900.

A. BUREAU,
V. G.

DÉCLARATION DE L'AUTEUR.

Je déclare qu'en appliquant dans ce livre les qualificatifs de serviteur de Dieu, de vénérable et surtout de saint, comme aussi en appelant miraculeux un fait extraordinaire, je veux le faire dans un esprit de conformité et d'obéissance absolue aux décrets d'Urbain VIII — 1625, 1631. Je suis heureux d'ajouter ici le témoignage public de mon entière soumission à tous les enseignements de notre Mère la Sainte Église dans l'amour de laquelle je désire vivre et mourir.

François BOUCHAGE.

LETTRE

DE

S. G. MONSEIGNEUR MICHEL ROSSET

ÉVÊQUE DE MAURIENNE

A L'AUTEUR

BIBLIOTHÈQUE NATIONALE R. F. IMPRIMÉS

———

ÉVÊCHÉ
DE MAURIENNE   St-Jean de Maurienne, le 17 février 1901.

MON CHER RÉVÉREND PÈRE,

Je suis heureux de vous avoir engagé à écrire la Vie du célèbre Missionnaire Favre, et je vous félicite vivement d'avoir achevé cette bonne œuvre. J'ai lu votre livre sans désemparer, tant il m'a édifié et inspiré d'intérêt. Je puis bien dire que je l'ai en quelque sorte dévoré. Il est très instructif, surtout pour le Clergé.

Vous appelez M. Favre votre *Héros*. Ce terme n'est pas trop fort. M. Favre a été un héros par la grandeur et la fermeté du caractère, un héros par la mortification, un héros par l'humilité, un héros dans la défense de la saine doctrine, un héros par le zèle à gagner les hommes à Jésus-Christ. Il aurait pu dire en toute vérité, comme saint Paul : *Charitas Christi urget nos.* Aussi Dieu a visiblement béni son apostolat. Que d'âmes il a ramenées dans le chemin du ciel !

Les campagnes de ce conquérant ont été les missions et les retraites. Il les a menées avec tant d'habileté, de force et de suavité, de dévouement et d'esprit de sacrifice, que je les mets bien au-dessus des campagnes des plus illustres guerriers, ces grands ravageurs de provinces. Mes prêtres liront avec bonheur le récit de quelques-unes de ces missions données dans la Maurienne.

Le plus grand service rendu à la Savoie par M. Favre a été de combattre le rigorisme du jansénisme, qui, hélas! avait infesté notre cher pays et y avait poussé de profondes racines. Pour un prêtre isolé, sans appui et sans autorité, comme l'était M. Favre, c'était une entreprise héroïque, je dirai même colossale, d'autant plus qu'il avait contre lui ses supérieurs ecclésiastiques et l'enseignement donné dans les grands séminaires de la Savoie. Lui, il tenait, du fond de ses entrailles, à la théologie du grand saint Alphonse-Marie de Liguori, soit parce qu'elle était approuvée du Saint-Siège, soit parce qu'il avait expérimenté qu'elle fait naître l'espérance et la piété dans le cœur des fidèles, et qu'elle leur fait goûter et voir combien le joug du Sauveur est doux et son fardeau léger, tandis que la rigueur et l'aridité de la doctrine janséniste dessèche le cœur et jette dans le désespoir. Et c'est cette doctrine de saint Alphonse qu'on voulait le contraindre de mettre de côté pour lui faire adopter ce que l'on appelait alors et ce que l'on a continué longtemps à appeler *la morale du diocèse.*

La théologie de Bailly mise à l'Index, en 1852, par ordre de Pie IX, était encore enseignée trois ans plus tard dans le grand Séminaire de Chambéry. Les professeurs mettaient de la bonne volonté à la corriger, mais on était encore si loin d'adopter la théologie de saint Alphonse, que celle-ci fut qualifiée de *scandaleuse* dans une des leçons qu'on appe-

lait *les diaconales*. Et cependant la Sacrée Pénitencerie avait
depuis longtemps déclaré qu'on peut la suivre *tuto pede*.

Quelle scène admirable que celle de la défense de cette
théologie par M. Favre devant le clergé réuni pour les exercices de la Retraite ! Il m'a semblé voir saint Paul devant
l'aréopage d'Athènes. L'archevêque était là, entouré de ses
vicaires généraux, de son chapitre et d'une grande couronne de prêtres, et c'est lui-même qui formulait les objections contre la morale de saint Alphonse. M. Favre,
modeste et respectueux, mais intrépide, les résolvait avec
autant de force que de clarté. Cependant quelles angoisses
que les siennes ! Etre contredit par ses égaux, c'est facile à
supporter ; mais être contredit par ceux qui devraient vous
appuyer quand on sème la doctrine que Rome approuve et
encourage, oh ! comme c'est pénible !

Cette peine, M. Favre l'a endurée jusqu'à la fin de sa vie.
L'archevêque lui ayant signifié d'aller manger son pain hors
du diocèse, puisqu'il ne voulait pas enseigner *la théologie
du diocèse*, il se retira dans la ville d'Albertville, où il passa
les dernières années de sa vie dans les austérités de la pénitence, partageant son temps entre la prière et la composition de ses ouvrages admirables qui continuent son apostolat.

Le Pape saint Grégoire VII, mourant hors de ses Etats,
a prononcé cette parole célèbre : *Dilexi justitiam, et odivi
iniquitatem ; propterea morior in exilio*. M. Favre aurait
pu dire en toute vérité : J'ai aimé la doctrine qui sauve les
âmes et j'ai détesté l'erreur qui les perd ; c'est pourquoi je
meurs hors de mon diocèse. Or, il ne laissa échapper de
ses lèvres ni un blâme ni une plainte contre ceux qui
l'avaient frappé d'ostracisme. Quelle âme magnanime et
sainte !

Au fond du calice de ses tribulations restait encore la lie, et cette lie, il devait la boire. Il était à son lit d'agonie, quand l'ange de l'église de Tarentaise vint le voir et lui dit : « Il est encore temps, rétractez vos enseignements, sinon je crains pour votre salut. — *Doctrina mea non est mea*, répond M. Favre. J'ai enseigné la morale de saint Liguori, je ne crains pas de paraître devant Dieu en si bonne compagnie. » Ne dirait-on pas saint Paul fulminant l'anathème contre celui qui annoncerait un autre évangile que celui qu'il a prêché, fût-il un ange descendu du ciel ?

M. Favre a vécu en saint et est mort en odeur de sainteté. Il a passé en faisant le bien et sa mémoire est en bénédiction.

En racontant sa vie, vous avez écrit une belle page d'histoire ecclésiastique ; et vous n'avez rien épargné pour rendre votre livre agréable et digne du sujet : beauté du papier, caractères nets, nombreuses illustrations. Vous avez fait connaître un apôtre qui est la gloire de la Savoie, l'honneur du clergé et la joie du peuple fidèle. C'est vous dire que je souhaite à votre livre la plus large diffusion.

Veuillez agréer, mon cher et révérend Père, l'assurance de mes sentiments respectueux et affectueusement dévoués.

† MICHEL, *Evêque de Maurienne.*

AVANT-PROPOS

———

Quel est l'homme dont nous voulons faire revivre la mémoire en ce livre? Pourquoi avons-nous jugé utile d'écrire sa vie? Comment, ou d'après quel principe cette vie est-elle présentée? Voilà, cher lecteur, trois questions que nous vous prions d'examiner pour votre satisfaction et la nôtre.

Joseph-Marie Favre est un prêtre apostolique né avant la Révolution et mort en odeur de sainteté l'an 1838.

Théologien solide, il ramena aux vraies doctrines le clergé de son temps, malgré les plus tenaces oppositions. Missionnaire de génie, il créa de réels perfectionnements dans l'art difficile de convertir le peuple. Directeur éminent il conduisit à la sainteté bon nombre d'âmes, parmi lesquelles la Vénérable Mère Barat, Fondatrice des Dames du Sacré-Cœur. Ecrivain digne du Docteur de l'Eglise Saint Alphonse de

Liguori, il nous a laissé des ouvrages non encore surpassés sur les points les plus pratiques de la théologie morale et pastorale. Homme héroïque dans la vertu il vécut et mourut comme vivent et meurent les saints. Voilà l'homme que nous présentons au public.

Nous avons jugé bon, pieux et utile d'écrire sa vie pour une foule de raisons.

L'Esprit-Saint nous invite à louer les hommes célèbres et M. Favre mérite ce titre à tous égards.

Les générations qui viennent ont besoin comme les autres de maîtres et de modèles et M. Favre est tout ensemble l'un et l'autre. Toute la Province ecclésiastique à laquelle il appartenait réclame cette vie depuis soixante ans par la bouche de ses meilleurs prêtres ; et cette vie, ébauchée par le chanoine Pont, de Tarentaise, était encore à faire. Enfin, le savant et saint Evêque de Maurienne, prévoyant que cette vie comblerait une lacune dans l'histoire ecclésiastique de la Savoie, nous fit l'honneur de nous exhorter vivement à l'écrire. Cet ensemble de motifs nous parut exprimer une volonté providentielle de Dieu. C'est la grande raison qui nous fit prendre la plume.

Quant à la manière dont cette vie est présentée la voici en deux mots.

Initié par l'Académie de Savoie à la manière précise, impartiale et sobre qui convient aux vrais travaux d'histoire, nous avons commencé par nous munir de tous les documents authentiques et inédits qu'il nous a été possible de découvrir. Voyages, lectures, consultations de témoins, conseils d'hommes expérimentés et savants, nous n'avons rien omis. Ce travail dura près de dix années. Qu'il nous soit permis de remercier ici les amis auxquels nous sommes le plus redevables à cet égard : MM. H. Tavernier, juge à Taninge, Bouchage et Burlet du diocèse de Chambéry, Ducis et Feige du diocèse d'Annecy, Collomb et Charles, de Tarentaise.

Notre gerbe documentale une fois complète, nous avons étudié toutes ces pièces avec la plus consciencieuse attention. Nous les avons classées dans un ordre convenable et transcrites, le plus souvent intégralement.

Est-ce à dire que nous adoptons toutes les idées contenues dans ces documents, que nous partageons toutes les vues de notre héros, ou que nous croyons devoir en écarter quelques-unes? Nous pensons peu nécessaire au lecteur de connaître là-dessus notre sentiment personnel.

L'historien chroniqueur ou l'auteur de Mémoires doit au public qui l'honore de son attention la vérité telle quelle. Aux lecteurs de juger.

Ecrit avec l'unique préoccupation d'être vrai, ce livre peut néanmoins renfermer quelques inexactitudes : *Errare humanum est.* Nous les désavouons d'avance, notamment en ce qui regarde les faits qualifiés de miracles et le titre de saint donné à notre héros, si l'Eglise devait y trouver à redire.

Puisse notre travail servir à édifier les vaillants soldats de Jésus-Christ et à préparer au monde un protecteur de plus.

Saint-Etienne (Loire),
en la fête de Saint François de Sales,
29 janvier 1901.

Fr. BOUCHAGE.

LIVRE PREMIER

DEPUIS LA NAISSANCE JUSQU'A L'APOSTOLAT

1791 — 1821

Le bourg de Samoëns et le coteau de Vercland.

CHAPITRE PREMIER.

LIEU D'ORIGINE — FAMILLE — PREMIÈRES ANNÉES.

Les nombreux touristes qu'attire dans nos régions la majestueuse beauté des Alpes semblent avoir leur lieu de rendez-vous fixé d'avance dans la cité de Genève. Ceux qui, de là, partent pour faire l'ascension du Mont-Blanc, laissent la Suisse et s'engagent dans la vieille province de Savoie. La vallée d'Arve les conduit bientôt en plein pays de Faucigny et leur offre un facile chemin jusqu'à Chamonix, pied du Mont-Blanc.

Parallèlement à la vallée d'Arve, et, comme elle, au sud-est de Genève, s'ouvre la vallée du Giffre, dont l'extrémité est fermée par le Fer à cheval, grandiose amphithéâtre de rochers coupé de cascades, qu'on appelle à bon droit la perle des Alpes et

dont le cirque de Gavarnie ne fait point oublier les
charmes.

C'est par cette pittoresque vallée que nous vous
conduirons, cher lecteur, si vous désirez monter
jusqu'au lieu de naissance de Joseph-Marie Favre,
notre illustre missionnaire. Traversant tour à tour
Annemasse, petite ville célèbre par les Quarante-
Heures qu'y prêcha saint François de Sales ; Saint-
Jeoire, patrie de Sommeiller, l'inventeur des ma-
chines à perforer les montagnes ; et Taninge, près
de laquelle se tient debout encore la Chartreuse cinq
fois séculaire de Mélan, nous atteindrons, en une
journée de marche et à 720 mètres d'altitude, le gros
bourg de Samoens, patrie du cardinal Gerdil.

Assise comme une reine au milieu de sept montagnes, cette importante et hospitalière commune
aime à vanter l'église, le château et jusqu'aux tilleuls
plusieurs fois séculaires qui ornent son chef-lieu.
Les touristes qui y séjournent en été se plaisent
particulièrement à habiter le hameau du Bérouse
et à gagner de là les pentes ombragées du coteau de
Vercland.

Savent-ils que ce coteau d'aspect sévère mériterait
de porter la statue d'un héros ?

Pensent-ils que sous les grands noyers du hameau dit les Bollus, se cache une humble maison
rustique où naquit un des plus fermes esprits de ce
siècle ? Non, l'idée ne vient pas facilement qu'une
aussi âpre colline ait pu voir grandir un enfant de
génie. C'est pourtant là que fit son entrée au monde
et que passa ses jeunes années l'homme dont nous
écrivons la vie.

Ni riches ni distingués selon le siècle, ses humbles parents n'eurent d'autre noblesse que l'honnêteté, l'amour du travail et, par dessus tout, la robuste foi des anciens. Claude-Joseph Favre, son père, exerçait le métier de charpentier-maçon. Sa mère, Josephte-Anne-Françoise Renaud, femme de caractère et de piété, fut mère de quatre enfants : Michel, Joseph, Josephte et Claudine-Françoise. Le second des fils, celui qui devait mériter à ses vertueux parents les honneurs de l'histoire, naquit le 7 novembre 1791.

Par une faveur que beaucoup de chrétiens n'estiment plus assez, il fut présenté à l'église paroissiale et baptisé le jour même (1). On lui donna le nom de Joseph, nom que portaient à la fois son père, sa mère et sa marraine. Il ne s'en contenta pas. Dès son entrée au grand séminaire (2), nous le verrons adjoindre à ce beau nom celui plus doux de la Vierge Marie et commencer ainsi à imiter saint Alphonse-Marie de Liguori qui, on le sait, portait lui-même le nom de la Sainte-Vierge avec une dévotion toute spéciale.

Quoique perdu dans les montagnes, le berceau de notre intéressant enfant n'échappa point aux secousses de la Révolution. Au lieu des couplets joyeux et naïfs que les mères fredonnent pour endormir leurs enfants, l'oreille du futur apôtre entendit bientôt des chuchotements inquiets.

---

(1) **Archives** presbytérales de Samoëns. L'acte est signé : Blanc, archiprêtre.
(2) **Archives** du grand séminaire de Chambéry.

C'était les recéleurs de prêtres qui venaient conter
à sa digne mère les horreurs de la Convention.

Malgré les réserves expresses faites par de nombreuses communes de Savoie en faveur de la religion, dans son vote pour l'annexion à la France
(octobre 1792), la liberté religieuse, en Faucigny
comme ailleurs, ne fut bientôt qu'un mot déri-
soire. A Samoëns, notamment, le culte public
avait été violemment interrompu dès le 11 avril
1793. La Révolution, fille posthume des Néron et
des Julien l'apostat, prouva dans la Savoie aussi
bien sinon plus que dans les autres pays de France,
que pour dépasser les massacres de la Saint-Bar-
thélemi, les Dragonnades et les excès de l'Inquisition, il ne lui fallait qu'un jour.

Mais la Providence semble avoir voulu faire servir la Terreur elle-même aux desseins qu'elle for-
mait pour son jeune élu. Bien des fois, dit-on,
elle amena sous le chaume de ses pères les missionnaires qui, au péril de leur vie, desservaient la
paroisse. Les parents du jeune Favre, écrit le chanoine Pont, « accueillirent avec autant d'amour
que de respect les prêtres français que la Révolution
de 1789 avait jetés sur ces hauts parages (1). » Et
ainsi presque encore au berceau, cet enfant prédes-
tiné à la lutte reçut les bénédictions de ces confesseurs de la foi.

D'ailleurs, à quelques cent mètres plus haut que
la maison Favre, vivait retiré le vieux chapelain

_____

(1) *Vie de l'Abbé J.-M. Favre*, p. 1.

de Vercland qui ne manquait pas d'initier les petits
enfants aux exercices du culte sacré (1). Rien de
surprenant dès lors de voir le petit Joseph-Marie
préluder inconsciemment à sa vocation de prêtre
en disposant chez ses parents de petits escabeaux
en forme d'autel, et en s'essayant à la prédication
au milieu des bambins de son âge. Ce qui mérite
mieux notre attention, c'est le recueillement et la
piété avec lesquels il accomplissait ce ministère
enfantin. L'église de Samoëns ayant été réouverte
pour un temps, le 13 novembre 1796, et sa pieuse
mère l'ayant conduit à la messe du dimanche, il
s'y attacha tellement que son unique plaisir était
d'aller « *voir le prêtre du bon Dieu et les belles cérémonies de la religion.* »

Ces détails, dont sourit un sceptique, firent comprendre à la mère du jeune Favre que son fils avait
de réelles dispositions pour la vie ecclésiastique.
Elle tressaillit d'aise à cette pensée ; bien mieux,
elle redoubla de zèle pour tourner vers Dieu et
l'Eglise les premières lueurs de sa raison, les premières aspirations de son cœur. L'enfant atteignit
ainsi sa dixième année.

---

(1) *Chapelle de Vercland.* — Vercland possède une chapelle
sous le vocable de la Conception de la glorieuse Vierge Marie et
de Saint Symphorien martyr, fondée et dotée par Pierre à feu
Humbert Veisy, du village de Vercland, en 1626.

Cette chapelle eut un prêtre recteur jusque vers 1860. L'un
d'eux, Rᵈ Henri Jaccoux, institué le 26 février 1757, est décédé le
17 septembre 1800.

La fête patronale de Vercland se célèbre le jour de Saint-Sym-
phorien, 22 août.

(Note H. TAVERNIER.)

Hélas, les rêves d'avenir sont si aléatoires ! On songeait à peine à mettre aux études le cher enfant que de soudaines convulsions s'emparent de son corps et semblent détruire à jamais pour lui tout espoir de sacerdoce. Une contrariété lui fait prendre mal ; même pour changer son linge, il faut profiter du temps où il est endormi. Bientôt la manie le prend de ronger des braises éteintes dans l'eau. Que va-t-il devenir ? se demandent ses parents anxieux. Qui procurera la guérison d'un mal si étrange ?... La réponse était à Dieu. Elle se fit attendre environ deux ans, mais elle fut heureuse et complète, car une guérison radicale s'opéra en lui et nulle trace de ce mal ne reparut jamais.

Sans préjuger en rien de ce fait, nous aimons à citer ici la parole frappante que notre missionnaire se plaisait à répéter dans le cours de ses missions : « Trente-quatre fois dans ma vie, disait-il, je me suis trouvé en un danger de mort si pressant que je n'ai pu y échapper que par une miraculeuse assistance d'En-Haut. » — Ainsi en use quand il lui plait Celui qui seul tient dans ses mains divines la vie et les destinées des fragiles mortels.

Ecole et Chapelle du Bérouse.
Ancien hôpital Bernard Ducis (1660).

CHAPITRE II.

PREMIÈRE COMMUNION — ÉTUDES PRIMAIRES.

(1804 — 1809)

Les époux Favre étaient trop chrétiens pour penser qu'un homme puisse entrer heureusement dans la vie s'il n'est pourvu d'une solide instruction chrétienne et sans fréquenter dignement les sacrements de l'Eglise. D'ailleurs, pressentant les desseins de la Providence, ils ambitionnaient pour leur enfant la gloire du sacerdoce. Aussitôt leur petit Joseph bien guéri, ils le conduisirent chez le zélé curé de la paroisse, M. l'abbé Michaud, en le

priant de s'intéresser plus spécialement à son éducation. Celui-ci accepta volontiers cette mission;
d'autant plus que l'œuvre des vocations — précieuse toujours — constituait alors l'œuvre première de tout prêtre sérieux. Il était urgent de remplir les vides trop nombreux creusés par la Révolution dans les rangs du clergé. Ce fut donc résolu,
l'enfant serait envoyé à l'école et au catéchisme
avec prière au maître d'avoir pour lui tous les égards
dus à une âme innocente et à de précoces épreuves.

L'école en question, fondée et dirigée par
M. Rouge, en vue surtout de favoriser le prompt
recrutement du clergé, était située à un kilomètre en
avant de Samoëns, au lieu dit le Bérouse. Admis à en
suivre les cours, le nouvel élève apprit d'abord son
catéchisme, et au bout de quelques mois, fit sa première communion. Nous dirions volontiers qu'il
accomplit ce grand acte avec la ferveur propre aux
âmes délicates, mais nous n'avons pu recueillir
aucune note à ce sujet. Ce que nous savons, c'est
que, aussitôt après, il se mit à l'étude, plein du désir d'apprendre. Cette disposition lui était nécessaire au milieu des difficultés qui s'élevaient contre
lui, difficultés assez grandes, on va le voir. Chaque
matin, il devait pour se rendre à l'école descendre
une côte abrupte par des chemins à peine pratica-
bles, passer le dangereux torrent du Giffre sur quelques poutres mal affermies, et faire encore plus
d'un kilomètre à travers une plaine souvent cou-
verte de neige, de glace ou de boue. Le soir, il
regagnait péniblement la maison paternelle. Comme
nourriture, il emportait avec ses livres de classe

quelques mets qu'il mangeait froids pendant la récréation. Assez souvent, M. Rouge, qui avait pris
intérêt à cet enfant et qui trouvait trop rudimentaire
son dîner, y ajoutait un peu de vin et de dessert.

D'autre part, la torpeur intellectuelle où la maladie dont nous avons parlé avait plongé ses facultés
lui rendait l'étude de la grammaire pénible et peu
fructueuse. Ce fut bientôt une crise de découragement général. Son maître et protecteur, voyant que,
malgré sa grande application, il n'avançait presque
pas, songea à le renvoyer aux champs. Le digne
curé de la paroisse n'osait pousser au latin son pu-
pille. Les parents ne savaient que penser. Mais le
jeune élève — à l'encontre des enfants de son âge —
les supplia de le laisser poursuivre ses classes et
montra en cette circonstance la ténacité de volonté
qui, plus tard, le fera nommer l'*homme barre de fer*.

Quelques mois après, une transformation impossible à prévoir s'accomplit dans tout son être.
Son corps, jusque-là chétif, se redresse, son esprit
se réveille, sa mémoire devient facile et solide, et,
par une suite naturelle, ses progrès sont tels que le
maître surpris et charmé lui fait commencer son
latin. Bientôt le jeune Favre est passionné pour la
science. Les auteurs désignés par le maître ne suffisent plus à son ardeur. Après avoir étudié à fond
ses moindres leçons, qu'il récitait sans hésiter, il
lisait tous les livres qu'on daignait lui prêter. Un
jour, on le surprit copiant les *Nuits d'Young*. « Bientôt, affirme M. Gondran, il donna des preuves de
ce jugement solide, de ce sens droit, de cette vivacité d'imagination, de cette singularité d'esprit qui

ont toujours été le fond de son caractère (1). »
Inutile de dire qu'il termina ses études primaires
avec un plein succès. Il atteignit ainsi sa dix-huitième année.

Avant de le suivre au petit séminaire où il va entrer, nous croyons devoir dire un mot de sa vertu :
« Sa conduite, écrit le même auteur, fut constamment religieuse et irréprochable. » Ce jugement est
confirmé par l'affection croissante que M. Rouge,
son maître, et M. Michaud, curé de Samoëns, ne
cessèrent de lui témoigner.

Pour nous, visitant un jour la petite mais gra-
cieuse chapelle du Bérouse, où le cardinal Gerdil,
enfant, Mgr Biord et d'autres vrais ouvriers de
l'Eglise aimaient à venir prier et chanter, il nous
sembla que, bien des fois, l'âme du pauvre petit écolier dut y tressaillir à l'ombre des autels. Et même,
en cherchant à nous expliquer comment cet enfant, naguère si obtus, était devenu tout à coup
le plus ouvert de la classe, nous ne pûmes nous
empêcher de croire que les saints Pierre et Paul,
titulaires de cette chapelle, avaient dû intervenir.
Le jeune Favre, en effet, était appelé à porter au
gallicanisme de Savoie un de ces coups profonds,
dont l'hérésie ne se relève pas.

---

(1) *Eloge hist.*, p. v.

Taninge et l'ancienne Chartreuse de Mélan.

CHAPITRE III.

MÉLAN — ÉTUDES SECONDAIRES — PHYSIONOMIE MORALE.

(1809 — 1813)

Les vertueux, mais pauvres parents de Joseph-Marie Favre, plus étonnés et non moins heureux que MM. Rouge et Michaud, des progrès de leur fils, n'osaient cependant s'abandonner tout à fait aux espérances que de tels débuts forçaient de concevoir : « Pour élever un homme jusqu'à la prêtrise, se disaient-ils, il faut tant d'argent, et nous en avons si peu ! » M. Rouge ne se laissa point effrayer par cette difficulté. Payer de ses deniers une partie de la pension, obtenir une bourse diocésaine pour le reste, et faire face aux frais supplémentaires par quelques offrandes en nature que fourniraient les parents, tel fut le moyen terme auquel il s'arrêta (1).

A la rentrée d'automne de l'année 1809, **notre nouveau** séminariste se rend à Mélan, près Taninge. Cet établissement qui comptait alors une centaine d'élèves, était dirigé par des prêtres studieux et appliqués. On y trouvait deux choses surtout : la formation sérieuse du caractère chrétien et une instruction réfléchie. Comment le premier de ces points eût-il été négligé à Mélan?... M. Ducrey qui venait d'y installer les études (1803) était de ces héros qui traversèrent les jours de la Révolution *sans peur et sans reproche*. Il savait, comme on ne le sait plus autant, que, pour former des hommes à Jésus-Christ, il faut tremper les caractères dans une foi éclairée, dans une piété convaincue, dans une vertu simple mais austère. Et puis les murs même de Mélan, d'où la Révolution venait de chasser les nobles Chartreuses qui y avaient vécu durant cinq siècles, transpiraient encore de la foi des aïeux. Quant à l'instruction donnée à Mélan, elle était réfléchie. « Ici point de dorures, écrira un jour Louis Veuillot : du latin tout nu, la vie toute crue (2). » Le système de forcer la mémoire au détriment de la réflexion et du jugement n'était pas encore inventé. Telle fut l'école

---

(1) Les livres de compte de Mélan 1809-1810 portent ceci : M. Rouge, du Bérouse, doit pour Joseph Favre 205 livres ; le reste de la pension est couvert par une bourse diocésaine de 60 livres et quelques menues offrandes faites par les parents.

(2) *Çà et Là*.

de vie élevée et sévère où Dieu conduisit son futur
apôtre.

Admis après examen à suivre le cours des humanités, Joseph-Marie Favre donna d'abord l'exemple d'une extraordinaire application à s'instruire,
écoutant bien les explications du professeur, prenant des notes pour se les rappeler et les méditer,
cherchant à se rendre raison de tout ce qui était
enseigné. Cette ardeur au travail raisonné ne le quit-
tera jamais. Nous verrons même qu'elle abrègera
sa vie. En attendant, elle lui valut de remarquables
succès durant les quatre années qu'il passa à Mélan.

En humanités, il emporte le prix ; en rhétorique,
il partage avec deux condisciples la note très bien ;
en physique et en philosophie, il l'obtient seul.

Mais tout l'homme n'est pas dans l'intelligence
ou le savoir. La société, malade, est encombrée
de bacheliers : il faut du caractère et de la vertu,
deux choses rares. Notre jeune héros n'arrivera
pas aussi vite à réprimer les écarts de son imagination qu'à résoudre une équation algébrique. Il n'obtient encore pour la piété que des notes médiocres.
Rien sans doute ne fait soupçonner en lui le vice,
mais rien non plus ne le montre uni à Dieu. Aujourd'hui il est turbulent et tapageur : grimper sur
les arbres, escalader les rochers, dénicher même de
pauvres petits oiseaux, voilà son plaisir. Demain,
on le verra s'écarter de ses camarades de jeux et
s'abandonner à la rêverie. Il est fier, un mot le fait
bondir. Un mot pareillement le ramène au devoir,
car il reste soumis. Aussi lui pardonne-t-on aisé-

ment les saillies d'une nature trop vive et encore
indomptée. Toujours faudra-t-il qu'il se corrige
ou du moins qu'il veuille se corriger.

Une nouvelle maladie fut l'instrument dont Dieu
se servit pour le dompter et le mûrir. C'était l'année
1811, une fièvre brûlante s'empare de lui, le cloue
sur un lit de douleurs, l'agite avec violence, l'épuise
et le dessèche enfin avec une rapidité si effrayante,
qu'au bout de quelques jours le médecin déclare
n'avoir plus d'espoir. — A moins d'un miracle,
dit-il, cet enfant n'en reviendra pas. — Ses supérieurs et ses compagnons atterrés le pleurent déjà
comme mort. Tout le séminaire exprime l'affection
et les regrets qu'une aussi belle âme emportera
dans l'éternité. Et puis soudain, la vie, que dis-je, la
santé, la vigueur reparaissent dans toute sa personne. Il se déclare guéri, on croit à du délire.
C'était pourtant la guérison.

Mais le coup avait porté, l'œuvre de la Providence
était accomplie. Notre étourdi rhétoricien a senti la
mort le frôler de son aile ; il a compris au froid
toucher du tombeau que la vie est un souffle ; il a
reconnu la voix mystérieuse de Dieu ; et lui qui
hésitait entre le monde et l'Eglise, finit par se faire
inscrire l'année même sur le registre des « élèves
qui étudient pour l'état ecclésiastique. » Joseph-
Marie Favre montra dès cette époque une préoccupation plus vraie de son avancement spirituel.
C'était un grand pas.

Un nouvel élément s'introduisit dans son existence morale : celui de l'amitié. — Aux jours de
l'adolescence, l'amitié force la porte des cœurs :

Vertueuse, elle les épure ; vicieuse, elle les flétrit.
Ici surtout, le Père que nous avons aux cieux veil-
lait sur son enfant. Une page de l'*Eloge historique*
nous dépeint le premier ami intime de notre héros.
« M. Dunoyer, de Samoëns comme M. Favre,
écrit M. Gondran, M. Dunoyer avait un goût décidé pour le travail ; son esprit, la douceur de son
caractère, ses manières affables et prévenantes, la
pureté de ses mœurs, l'innocence de sa vie, la régularité exemplaire de sa conduite le rendaient cher
à ses maitres et à ses condisciples. Il y avait en
lui quelque chose de si aimable, une candeur si
attrayante, son âme laissait paraitre tant d'abandon, tant d'aménité, qu'il eût été difficile de le
connaitre sans l'aimer. Ajoutez à cela une rare
finesse d'esprit, une conception facile, un tact
exquis, une intelligence élevée, des sentiments toujours purs, toujours grands, et vous n'aurez qu'un
faible portrait de celui que M. Favre rendit dépo-
sitaire de ses pensées. Ces deux élèves étaient faits
pour vivre de la vie l'un de l'autre. Leur caractère
différait en quelques points, mais leurs vues étaient
les mêmes, et leurs talents, leur vertu devaient les
rapprocher. Aussi, l'amitié qui les unit dure autant
qu'eux. Ils se voient fréquemment, s'encouragent,
se soutiennent d'une mutuelle ardeur ; ils n'ont
rien de secret l'un pour l'autre, leurs pensées sont
communes, leurs joies, leurs petites peines, tout
se partage entre eux ; ils n'ont qu'un seul objet
d'émulation, c'est l'acquisition de la science et de
la vertu. Pendant les vacances, époque malheureuse de relàchement et de dissipation pour la

2.

plupart des élèves, ils ne cessent pas leurs relations amicales ; quoique une heure de distance sépare les lieux qu'ils habitent, ils se visitent chaque jour (1). »

Un dernier trait du caractère de notre séminariste est le dévouement à son prochain. Voici ce qu'il écrivait à M. Fr. Riondel, propriétaire à Vercland :

« Mélan, le 10 mai 1813. Cher ami, il me paraît que vous êtes déterminé à faire abandonner les études à votre neveu... Dans un tel cas je vous invite à venir prendre au plus vite son trousseau. Les écoliers de son dortoir avaient jeté tout son lit par les fenêtres. J'en fus instruit par un de ses professeurs et j'allai aussitôt ramasser ce que je trouvai. Je l'ai retiré dans mon dortoir, malgré qu'il nous soit défendu de rien laisser hors des malles »

Ainsi, caractère vertueux, quoique turbulent, étonnante aptitude aux études, cœur sensible à l'amitié et porté au dévouement, tel nous apparaît dès le petit séminaire l'homme remarquable dont nous étudions la vie.

---

(1) M. l'abbé Dunoyer devint plus tard aumônier de Mgr de Maistre, évêque nommé d'Aoste. Nous le retrouverons comme professeur et supérieur au petit séminaire de Saint-Louis-du-Mont, près Chambéry. Il mourut de la poitrine en 1828.

Grand séminaire de Chambéry

CHAPITRE IV.

LES DEUX PREMIÈRES ANNÉES DE GRAND SÉMINAIRE.

(1813 — 1815)

La Révolution de 1789, on le sait, a profondément bouleversé le monde. De nos jours encore, le désordre d'idées et de choses qui en résulta est difficile à concevoir. Aussitôt après le Concordat, les supérieurs du clergé entreprirent de relever sur toutes ses bases l'ancien édifice religieux. Mais ils furent arrêtés par des difficultés si graves que plusieurs semblent n'avoir jamais été totalement surmontées.

En Savoie, la restauration du grand séminaire eut pour agent principal le vénérable abbé Guillet,

auteur méritant des *Projets d'instructions familières*.
Pendant vingt ans, les quatre diocèses de Savoie
n'eurent qu'un grand séminaire, celui de Chambéry.
On y vit affluer par centaines les aspirants à l'état
ecclésiastique. Avec des éléments si divers, il était
difficile d'unir les esprits dans une vraie communauté d'idées. Il aurait fallu un corps enseignant *unius labii*. C'est ce qui fit défaut. Parmi les
dignitaires ecclésiastiques de ce temps, les uns
avaient apporté de la Sorbonne des idées jansénistes et gallicanes ; les autres, venus du Piémont
où ils s'étaient réfugiés pendant les cruelles
années de la Terreur, tenaient pour les saines
doctrines de Rome et notamment pour la théologie de saint Alphonse. Si on ajoute à ces diver-
gences de vues les mesquines rivalités de clocher,
on conçoit que, à cette époque, le grand séminaire
ait été le théâtre de discussions d'autant plus vives
et de divisions d'autant plus profondes que, de
part et d'autre, les intentions étaient droites et
pures.

Joseph-Marie Favre fut admis vers la mi-octobre
1813 par le digne M. Collet, récemment nommé
supérieur, à suivre le cours de théologie que professait alors M. Billiet, mort cardinal-archevêque
de Chambéry.

Il commença par décevoir les espérances de ses
maitres, quant à la piété. Son espièglerie, quoique
sans malice, allait jusqu'à la dissipation. Un jour
même, de concert avec un étourdi de son âge,
M. Dalby, plus tard excellent Père de la Compagnie de Jésus, il se permit de tourner en ridicule

la congrégation d'élèves plus pieux formée et dirigée par M. Billiet.

Cet écart ne fut heureusement pas de longue durée, nous le verrons bientôt ; et c'est à cette période d'effervescence un peu inconsciente que fera allusion plus tard notre héros, quand il parlera de sa conversion.

D'ailleurs, il n'avait pas de rival dans l'ardeur au travail et nul ne pouvait lui disputer le premier rang dans les sciences sacrées et naturelles. L'astronomie, la botanique, la minéralogie, etc., occupaient ses loisirs. Du premier au dernier jour de son séminaire, il reçoit la note très bien pour les études (1). Loin de se contenter d'exercer sa mémoire, il disséquait les thèses pour en voir le fond, et une critique modérée mais implacable caractérisait sa manière d'apprendre ; ses cahiers en font foi.

Un tel talent fit dire un jour à M. Billiet « qu'il avait dans sa classe douze élèves capables d'enseigner la philosophie et la théologie, mais que M. Favre pouvait être leur maître à tous ». « J'ai connu M. Favre, écrivait plus tard un de ses compagnons de classe ; nous avons fait toute notre théologie ensemble. Sur deux cents séminaristes il était habituellement maître des conférences (2). » Qu'on le remarque cependant, le talent, surtout s'il est d'une vraie indépendance, a coutume de placer

---

(1) Registre de M. Collet, supérieur
(2) *Vie,* par M. Pont, p. 27.

celui qui le possède entre deux partis : ceux qui
le jalousent et ceux qui le suivent. On verra bientôt que Dieu appelait son serviteur à se mesurer
aux plus redoutables difficultés.

L'ordre chronologique nous fait noter ici une
épreuve nouvelle pour le cœur de l'ardent séminariste. On était aux sombres jours de décembre
1814 quand il plut au Seigneur de lui enlever sa
bonne mère à peine âgée de 49 ans. La seule consolation mêlée à cette douleur fut que cette vertueuse chrétienne était morte entourée de tous les
secours de la religion. C'était beaucoup pour la foi
du lévite, l'âme si sensible de l'enfant n'en demeura
pas moins déchirée et bouleversée. Un fait nous
montre jusqu'où pénétra le glaive. Huit mois
s'étaient écoulés depuis ce jour amer, et le serviteur de Dieu a besoin de témoigner à celle qu'il
pleure la grandeur de son amour. Rentré pour ses
vacances au foyer paternel, il ne peut supporter le
vide qu'y a creusé la mort. Il va s'installer dans
une petite grange appartenant à son père et située
à un quart de lieue de son village. Il s'y enferme
pour faire une neuvaine de pénitence et de prières
pour l'âme de sa mère. Une botte de paille lui sert
de lit ; un crucifix, son chapelet, quelques livres
de piété lui tiennent lieu de compagnie. Un peu
de soupe à midi, du pain et de l'eau le soir, que lui
apporte sa belle-sœur, sont toute sa nourriture.
Et, détail que je tiens du fils de cette femme, elle
déposait cette maigre pitance sur le rebord de la
la fenêtre, et, loin de causer avec l'austère retraitant, elle ne parvenait pas même à l'entrevoir.

Cette neuvaine achevée, Joseph-Marie Favre
retourne à la maison paternelle, rejoint son ami
M. l'abbé Dunoyer, passe son temps à faire quelques expériences de physique, s'essaie à la peinture, et surtout commence à mettre à la raison
ceux qui osent devant lui faire les esprits forts.
Du reste, il conserve encore sa native espièglerie. En voici un échantillon. Voulant attraper
un paysan qui se croyait malin, il peignit un
papillon, le découpa, et le déposa au bord du
chemin où devait passer son homme; puis, il
se blottit derrière un buisson pour assister à la
scène. Le paysan arrive, voit le papillon, le trouve
superbe, s'approche lentement de lui, retenant
son souffle pour ne pas le manquer, et triom-
phant lui met la main dessus! Un éclat de rire
parti de derrière le buisson l'avertit en même
temps qu'il a été joué par notre espiègle qui, on
le pense bien, s'en amusa plus d'une fois. Le lecteur nous pardonnera de mêler d'aussi minimes
détails à l'histoire sérieuse du plus sérieux des
hommes. Nous cherchons à ne pas fatiguer son
attention.

Les vacances de l'année 1815 sont finies. De
retour à ses chères études du grand séminaire,
Joseph-Marie Favre, qui avait déjà pénétré le désaccord de ses maîtres sur certains points de
théologie, se remet au travail avec son ardeur naturelle. Il veut savoir où est la vérité. Les questions
de l'usure, de l'obligation du jeûne ecclésiastique,
du refus d'absolution, de la communion fréquente,
de l'autorité du Pape en France, en Savoie sur-

tout (1), l'intriguent par dessus toutes les autres.
Ennemi de cette politique qui sacrifie la vérité à
l'intérêt personnel, il discute tout haut l'enseignement du professeur et demande sans pitié la pure
et immaculée doctrine, protestant que, pour lui,
la sainte Eglise seule aura le don de régler ses
croyances. Il n'arrivera que peu à peu à se con-
vaincre que certaines erreurs s'étaient glissées
dans l'enseignement officiel du séminaire, mais il
y arrivera.

Voici comment nous l'ont dépeint ceux de ses
condisciples que nous avons interrogés : M. Favre,
en classe, écoutait avidement le professeur, prenait
des notes, interrompait rarement, mais, quand il
le faisait, c'était avec une telle netteté d'argumen-
tation que le maître, visiblement ému, remettait
ordinairement la réponse à plus tard.

Ainsi, dès le grand séminaire, le serviteur de
Dieu laissait voir qu'un jour il s'élèverait comme un
adversaire contre l'enseignement erroné de Bailly
et de ses trop dociles disciples. Et parce qu'il
était aussi éclairé que ferme dans son opposition,
les camps se tranchaient autour de lui, sans qu'il
se souciât d'ailleurs de capter les jeunes ou de
s'aliéner certains anciens.

Disons maintenant à la gloire de saint Alphonse
de Liguori d'où venait au jeune abbé Favre tant
d'audace et de succès. Il étudiait en secret la Morale

_____

(1) Après le traité de 1815, la Savoie fut rendue aux rois de
Piémont qui, en fait de gallicanisme, ne l'ont jamais célé à la
France.

du saint docteur. Cette Morale plaisait au digne
supérieur, M. Collet, mais offusquait M. Billiet,
professeur. Il fallait un jeune assez intelligent et
assez indépendant tout ensemble pour faire une
bonne fois la trouée à saint Alphonse Cet honneur
était réservé à notre héros. Par la suite, d'autres
élèves l'imitèrent dans sa courageuse opposition.
Citons, parmi ces braves, M. le chanoine Dompmartin. « Ayant acheté, nous disait-il, la théologie
de Liguori *(sic)*, sur le conseil de M. Collet, supérieur, j'opposai plusieurs fois les raisons de ce
docteur aux opinions de Bailly, que soutenait mon
professeur, M. Charvaz, plus tard évêque de Pignerol. Un jour ce professeur me prit à part et me
dit : D'où tirez-vous les objections que vous me
faites ? — De Liguori. — Et il ajouta : Prêtez-moi
çà, car il ne l'avait jamais consulté. »

Joseph-Marie Favre devint dès lors une sorte
d'oracle pour ses condisciples. Un fait vint confirmer sa juste réputation. Le professeur de philosophie étant tombé malade, on désigna notre
séminariste pour le remplacer, tout en lui faisant
suivre le cours de théologie. Il s'acquitta si bien
de cette charge que le professeur, étant guéri,
on eut toutes les peines du monde à le réintégrer
dans sa chaire. « Qu'on nous laisse M. Favre ! »
criaient les élèves. Plusieurs d'entre eux écrivirent
des paroles semblables sur les portes de la classe
et jusque sur les murs. Pour lui, sans s'enor-
gueillir de ce succès, il reprit sa place sur les
bancs. Le lecteur s'étonnerait à bon droit qu'un
élève si acclamé ait pu échapper à l'orgueil, si

nous n'ajoutions que, depuis la mort de sa mère,
surtout depuis la retraite dont nous avons parlé,
quelque chose de profondément religieux s'était
emparé de son âme. Son biographe a pu écrire que
dès lors il édifiait tout le séminaire par sa modestie,
sa simplicité, son amour des souffrances.

Les vacances de l'année 1816 furent marquées
comme les précédentes par la retraite de neuf jours
dans la grange de son père. En étudiant le sujet
qui nous occupe, nous avons cru discerner que ces
retraites procurèrent au serviteur de Dieu des lumières et des grâces peu communes.

Maison natale de M. Favre.

Voyant cet amour de la solitude, et aussi par
respect pour sa qualité de clerc, le père du jeune
abbé lui construisit à deux pas de sa maison une

cellule que nous avons eu le bonheur de visiter.
Longue de cinq mètres, large et haute de deux mètres vingt centimètres, elle est éclairée par une
fenêtre étroite et basse. Ce fut la seule habitation
qu'il posséda en ce monde. Bien que M. Favre ne
l'ait occupée que pendant ses vacances nous aimons
à marquer cette modeste chambre comme un souvenir et un témoin des jours de sa première ferveur !

CHAPITRE V.

CONVERSION — PROGRÈS SPIRITUELS — PRÉMICES
D'APOSTOLAT — ORDINATION.

(1815 — 1817)

Dans la vie de tout aspirant au sacerdoce, l'heure du sous-diaconat est à jamais solennelle. M. Favre reçut cet ordre aux Quatre-Temps de décembre 1815. A partir de cette époque, on sent en lui un mouvement spirituel marqué : les notes données par le pieux supérieur du séminaire en témoignent. Elles vont pour la piété jusqu'à très bien (1). Avant tout, l'élève frondeur qui, trompé par ses bonnes intentions, se permettait de critiquer publiquement ses maîtres, a compris et reconnu ses torts. Il devient d'une obéissance ponctuelle, il cherche toujours à purifier son intention, il offre enfin par sa piété un sujet constant d'édification. « J'ai eu, dit un de ses condisciples, le bonheur de faire la connaissance de M. Favre pendant mon

---

(1) *Notes accordées à M. Favre par M. Collet, supérieur du grand séminaire.*

Années.	Piété.	Talent.	Application.	Progrès.
1813	c (médiocre)	a	a	a
1814	c	a	a	a
1815	æ (bien)	a	a	a
1816	æ	a	a	a
1817	a (très bien)	a	a	a

(Archives du Grand-Séminaire de Chambéry.)

séminaire à Chambéry. Les avis et les consolations qu'il me donna dans un entretien particulier sont demeurés et demeureront gravés dans mon cœur jusqu'au dernier soupir. »

« Tout ce que je puis attester de M. Favre, écrivait un autre de ses condisciples, que nous croyons être Mgr Gros, ancien évêque de Tarentaise, c'est que, ayant été son compagnon de chambre, au grand séminaire, j'ai vu qu'il passait ordinairement plusieurs heures en oraison, à genoux contre son lit; et plus d'une fois je me suis aperçu qu'il se donnait une rude discipline. » Cette déposition portant sur les deux grandes vertus qui font les saints, l'oraison et la mortification, est suffisamment éloquente. Ajoutons qu'il jeûna deux années entières pour se convertir.

Cet élan vers la perfection durera autant que la vie de notre héros. C'est ce que lui-même appelait couramment sa conversion. Voici un des moyens employés par Dieu pour amener son serviteur à cet état de ferveur. M. Dalby, son confrère en étourderie, étant tombé malade, et les supérieurs l'ayant envoyé rétablir sa santé dans sa famille, le nouveau sous-diacre se lia d'amitié avec le plus vertueux des élèves du grand séminaire, M. l'abbé Lefebvre (1). Il prit à ce contact un tel goût pour la vie intérieure que sa conduite en fut bientôt entièrement transformée. De retour au séminaire,

---

(1) M. Lefebvre est le seul de son temps qui obtint pour la piété la note *excellent*. (Reg du grand séminaire.)

M. Dalby, que cette conversion laissait incrédule, essaya de plaisanter son ancien compagnon d'espièglerie ; mais l'abbé Favre, loin de revenir sur ses pas, entraîna après lui dans la piété celui qu'il avait trop longtemps suivi dans la dissipation. C'est ainsi que, dès le printemps 1816, MM. Lefebvre, Favre et Dalby formèrent une association de vie fervente qui embauma de piété tout le grand séminaire.

Voulant témoigner à Notre Seigneur et à sa Très Sainte Mère la reconnaissance qu'il leur devait pour une si grande faveur, M. Favre entreprit de gagner à leur amour tous ceux qui hésitaient encore à embrasser la ferveur. Du reste, il avait à cœur de réparer les scandales qu'avait pu donner l'irrégularité de sa conduite. Outre l'oraison et la mortification auxquelles il se livrait avec une sorte d'excès, il employa pour cette fin les conversations spirituelles. Ramener les entretiens aux choses de Dieu fut dès lors son grand souci, au point que, pour être chéri de son cœur, il suffisait de parler de spiritualité et de cultiver l'examen particulier.

Il devint ainsi sans y songer le directeur spirituel d'un bon nombre de ses condisciples ; tant l'amitié, si elle est surnaturelle, peut opérer d'heureux effets. Et parce que d'ordinaire, les meilleures amitiés se forment dans la jeunesse, Dieu préparait ainsi à son futur apôtre une phalange d'élite qui le secondera puissamment dans les rudes entreprises de son ministère. Un de ces disciples et amis, interrogé par M. Gondran, sur son maître

spirituel du grand séminaire, lui fit cette réponse :
« J'ai été pendant cinq ans à même de le juger par
suite des rapports intimes qui m'unissaient à lui.
Que de courage et de bonnes pensées j'ai puisés à
son école ! Quelle était belle son âme, que de trésors y étaient cachés ! Oh ! si chacun eût eu l'occasion de l'apprécier comme moi ! Qu'on fasse
beaucoup pour M. Favre : on ne fera pas encore
tout ce qu'il a mérité, et les hommes seront impuissants à lui rendre le bien qu'il leur a fait (1). »

Admirateur et disciple de saint Alphonse de
Liguori, notre fervent sous-diacre était à trop
bonne école pour borner son zèle à édifier ses
condisciples. Comme lui, il devait descendre jusqu'aux petits et aux abandonnés. « C'est ainsi,
nous dit M. Gondran, que les domestiques de la
maison, les pauvres qui y venaient à des heures
réglées chercher leur nourriture, trouvèrent en lui
un consolateur et un soutien. Il leur enseignait
les vérités de la religion, leur prêchait le salut,
parlait avec eux un langage approprié à la faiblesse
de leur intelligence, s'efforçait de semer ou d'entretenir en eux la crainte du péché, le désir de
vivre chrétiennement, et goûtait une satisfaction
bien vive lorsqu'il croyait s'apercevoir que ses
exhortations ne restaient pas sans fruit.

« Les prisons elles-mêmes devinrent le théâtre
de sa charité. C'était la coutume alors d'y envoyer
plusieurs fois la semaine deux séminaristes pour

---

(1) *Eloge hist.*, p. xi.

faire le catéchisme aux détenus. La nouvelle que
les supérieurs l'avaient choisi pour remplir cette
tâche fut pour lui la nouvelle du bonheur. Le
dégoût naturellement attaché à un semblable ministère ne fit qu'augmenter sa joie. Ce qu'il y avait
de plus rebutant, était l'objet de ses préférences
Sa douceur, sa patience lui concilièrent toujours
l'estime des prisonniers, si elles n'obtinrent pas
toujours leur conversion. On a vu parfois quelques-uns de ces malheureux fondre en larmes et
témoigner hautement la reconnaissance dont ils
étaient pénétrés. »

Son zèle n'oubliait pas la terre natale. Connaissant pour en avoir pâti la difficulté et parfois l'impossibilité morale qu'éprouvaient les gens de son
village pour assister aux offices du Dimanche —
l'église paroissiale étant éloignée — il s'occupa de
faire ériger en paroisse la chapellenie de Vercland
et ne craignit pas d'entreprendre cette œuvre auprès
des autorités du diocèse.

Un séminariste aussi précoce pour l'apostolat
aurait dû, semble-t-il, attendre avec impatience le
jour de l'ordination sacerdotale. Le contraire se
produisit. Dieu qui voulait le rendre apte à consoler et à diriger les âmes éprouvées par le scrupule,
voulut l'initier par une expérience personnelle à
ces peines cruelles.

Sa dernière année de séminaire fut marquée par
des appréhensions terribles. La grandeur du sacerdoce épouvantait cette âme réfléchie. Suis-je
appelé à un ministère que saint François d'Assise
n'osa jamais accepter ? Et si je suis ordonné sans

vocation, comment éviterai-je l'enfer ? Que si je
déserte les camps du Seigneur, où irai-je ?... O per-
plexités affreuses ! Ceux-là seulement vous comprennent que vous avez réduits à l'agonie noire de
l'esprit. Ne pouvant croire certaine sa vocation
sacerdotale, il essaie de persuader à ses supérieurs
qu'ils ne sauraient le faire ordonner encore. Un
jour, il se présente à M. Collet, muni d'un dossier
mystérieux. « Que demandez-vous ? lui dit le supérieur. — La faveur d'être entendu un moment »
Et il déroule une longue liste de soi-disant motifs devant établir son incapacité à recevoir la
prêtrise. — « Monsieur l'abbé, reprend alors le supérieur d'un ton sévère, est-ce à vous, ou à vos
supérieurs, qu'il appartient de prononcer sur votre
vocation ? » — Cette parole d'autorité obtint l'effet
qu'elle devait produire. M. Favre baissa la tête,
adora les desseins de la Providence, et ne pensa
plus qu'à se préparer par un redoublement de ferveur au sacrement redoutable que l'obéissance lui
imposait.

L'ordination fut faite le 3 août 1817 par Mgr Yves-
Irénée de Solle, archevêque de Chambéry (1). Nous
n'entreprendrons pas de peindre les émotions de
ce jour : Il est des secrets que Dieu se réserve.

_____

(1) Né à Auch (Gers) en 1744, Mgr Irénée-Yves de Solle fut
sacré évêque de Digne le 11 juillet 1802, préconisé évêque de
Chambéry le 22 mars 1805 et décoré du titre d'archevêque de cette
ville l'an 1817. Démissionnaire en novembre 1823, il mourut à
Paris en 1824. Le zèle pour l'enseignement religieux et l'esprit
d'organisaion caractérisent son bienfaisant passage en Savoie.

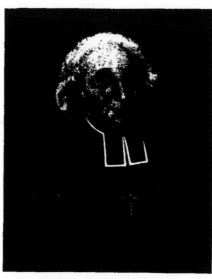

Mgr Yves-Irénée de Solle.

Nous nous bornons à signaler, sur la foi de M. Pont, que la piété de M. Favre, en cette circonstance, éclata comme un vif rayonnement du ciel et provoqua l'admiration. Un prêtre assistant voulut savoir son nom et, dans son pieux enthousiasme, il répétait : « Je veux le faire connaître partout sur mon passage (1). »

Pour nous, mon cher lecteur, il ne nous reste qu'à bénir Dieu d'avoir élevé à l'honneur du sacerdoce le pauvre enfant de Vercland et à voir comment le nouveau prêtre répondit à cette sublime vocation.

_____

1) _Vie de l'Abbé J.-M. Favre,_ p. 12.

Sallanches actuel et le Mont-Blanc.

CHAPITRE VI.

LE VICARIAT DE SALLANCHES.

(1817 — 1819)

Joseph-Marie Favre allait avoir vingt-six ans. Il était de taille élevée, d'ossature forte, d'aspect bilieux, ardent et plutôt sévère. Sa figure allongée, son front extraordinairement développé, ses yeux vifs et profonds, ses cheveux bruns, ses lèvres serrées, donnaient à toute sa personne un air de maturité peu commune à cet âge, et que rehaussait encore la simplicité, la pauvreté même de ses habits.

Il fut presque aussitôt après son ordination

nommé vicaire à Sallanches, petite ville du Faucigny. Un cahier de notes intitulé : *Pratum spirituale*
(Pré spirituel), et consacré par un directeur du
séminaire à recueillir les exemples de vertus de
M. Favre, nous apprend qu'il fit pour se préparer
aux fonctions de vicaire dans cette importante
localité deux retraites successives, l'une à Samoëns, l'autre à la Grande-Chartreuse, celle-ci de
quinze jours. C'est dire qu'il passa presque toutes
ses vacances dans la prière, le jeûne et les œuvres
de pénitence, car, dès la fin de septembre, il se trouvait à son poste. Il y fut reçu comme un ange de
Dieu, tant était grande sa réputation de sainteté.
Le dévouement qu'il montra aussitôt en se sacri-
fiant jour et nuit pour les nombreux malades qui
l'attendaient, une épidémie sévissant alors, prouva
aux moins crédules la réalité de sa vertu.

Plusieurs conversions notables s'opérèrent dans
la paroisse. L'humilité de M. Favre les attribuait
au zèle des autres vicaires. Mais les pécheurs les
plus éloignés de Dieu n'hésitaient pas, en cas de
maladie, à dire : Je me confesserai pourvu qu'on
appelle M. Favre.

Le jour même de son arrivée à Sallanches, il se
passa un fait extraordinaire, attesté par plusieurs
témoins dignes de foi. Nous laissons la parole à
M. Bugand, ancien directeur du collège de Conflans : « C'était, dit ce judicieux ecclésiastique, une
pauvre fille à laquelle le démon faisait éprouver
toutes sortes de peines. Comme Job, elle était re-
butée de tout le monde, même de ses proches. Le
vendredi elle souffrait tant, qu'il lui semblait que

tout ce qu'on lui donnait était insupportable ; une
main invisible la forçait quelquefois à manger de
la suie. Le démon lui apparaissait de temps en
temps sous la forme d'un animal qui s'élançait
sur le lit et la précipitait sur le plancher. On lui
dit qu'un nouveau vicaire plein de zèle était arrivé
à Sallanches ; elle voulut le voir. Lorsque M. Favre
fut entré dans son appartement, elle s'écria tout à
coup : « Oh ! c'est lui, oui c'est lui que j'ai vu, il y
a deux ans. Dieu m'a annoncé que celui-là me déli-
vrerait de mes tourments (1). » Elle fut, en effet,
bien vite rétablie, et toutes ses peines disparurent
pour ne plus revenir jamais. Assez souvent, nous
verrons le serviteur de Dieu opérer des prodiges
pareils et les raconter lui-même aussi naïvement
que s'il se fût agi de choses tout ordinaires.

C'est ainsi que l'auteur du recueil dont nous
avons parlé (2) lui entendit raconter que, pendant
son vicariat de Sallanches, il avait vu un exemple
frappant de l'efficacité du chapelet pour convertir
les pécheurs. « Une femme, disait-il, vivait depuis
longtemps sans religion et dans le désordre. Un
jour il lui prit fantaisie de réciter un chapelet. Dès
lors, plus de repos pour elle : il faut qu'elle fasse
pénitence ; quelque chose d'irrésistible la presse de
revenir à Dieu. Enfin, n'y tenant plus, elle vient
me trouver, se confesse, et commence une vie tout
à fait chrétienne. »

---

(1) *Vie*, par M. Pont, p. 14.
(2) *Pratum spirituale.*

Toutefois, le nouveau vicaire s'appliquait principalement à former dans les familles l'esprit de séparation du monde, de pénitence et d'oraison. Ainsi réussit-il à créer dans la paroisse plusieurs centres de ferveur qui, par l'heureuse contagion du bon exemple, ne contribuèrent pas peu à restaurer à Sallanches la véritable vie chrétienne. Le caractère dominant de son ministère était l'horreur du demi-bien, comme dit notre chroniqueur (1) : il voulait qu'on fût saintement passionné pour la perfection en toute chose.

Lui-même n'était-il pas la réalisation vivante de cet esprit de sainteté? Tout en continuant de visiter les pauvres et les malades avec une rare charité, il se souvient qu'un prêtre doit avant tout rester homme de prière et d'étude. Fatigué par ses travaux et ses austérités, il prend néanmoins sur ses nuits pour s'appliquer aux choses de Dieu. Citons à ce propos un détail qui le peint au naturel.

Il y avait près de la cure un forgeron matineux qui, dès le petit jour, prenait plaisir à réveiller tout le voisinage par les coups redoublés de son bruyant marteau. Au lieu de se plaindre, M. Favre voit en cet homme un émule. Pourquoi, se dit-il, resterais-je au fond d'un lit, moi qui dois sauver des âmes, alors que cet ouvrier devance le jour pour gagner de l'argent? Aussitôt, il résout de rivaliser de zèle avec son forgeron et de se mettre au travail avant lui. — La théologie et la pastorale

---

(1) *Pratum spirituale.*

étaient son étude favorite. Sans compter saint
Alphonse, son maître, il lut et analysa plusieurs
auteurs. Aussi, ses instructions avaient-elles un
ton chrétien et édifiant que donne seule une doctrine vraiment claire et solide. Visant au genre
populaire que recommande tant le fondateur des
Rédemptoristes, il en ressentit la difficulté. Jamais
satisfait de ses compositions, il les faisait et refai-
sait, avoua-t-il lui-même, sans parvenir à se fixer.
La grosse cloche annonçait-elle l'heure du sermon,
il en frissonnait d'émotion ; mais, écrit son biographe, « à peine avait-il commencé de parler,
c'était des tonnerres » (1). Tonnerres, ajouterons-
nous, qui ébranlaient les cœurs, y jetaient les
éclairs de la vérité, et les inondaient de cette onction qui convertit pour toujours.

Non moins zélé à catéchiser les enfants, il fit une
expérience à leur sujet qui servit à le guider toute
sa vie de missionnaire. Voyant qu'ils ne compre-
naient qu'à moitié leur catéchisme, il se mit à les
instruire au confessionnal. Il les prenait là, tous
les jours, l'un après l'autre, et leur expliquait à chacun l'essentiel des croyances et des devoirs qui
font les bons chrétiens. Ce procédé lui réussit au-
delà de ses espérances. Il l'appliqua peu à peu à
tous ses pénitents, et finit par regarder comme un
principe de pastorale qu'on n'instruit à fond ses
ouailles qu'au tribunal de la pénitence. Si nous
disons que, malgré de tels travaux, il ne savait pas

---

(1) M. Pont.

refuser aux curés voisins l'aide de ses prédications,
le lecteur comprendra pourquoi dans toute la vallée on enviait aux habitants de Sallanches leur
admirable vicaire. Quant aux prêtres du pays, tous
le reconnaissaient pour un modèle. Le seul reproche qu'on lui fit était que, avec un pareil dévouement, il serait vite épuisé. Mais le serviteur de
Dieu ne comprenait pas autrement le ministère
d'un vrai pasteur.

Sallanches avant l'incendie de 1842.

Que se passait-il cependant au fond de cette
âme ardente ? Ce prêtre de 28 ans, vénéré et consulté déjà par les vétérans du sacerdoce, devait
être sans doute violemment tenté de suffisance et
d'orgueil... Non, les hommes de Dieu passent par
des chemins que le vulgaire ne soupçonne pas.

Parlant un jour à M. Plassiard, archiprêtre de
Bozel, de son vicariat de Sallanches, il apprécia
ces deux années si fécondes par ce mot étonnant
d'humilité : « Je n'y ai fait que des sottises. » A
un directeur de séminaire il dit cette autre parole :
« Sallanches a été pour moi comme une fournaise ;
j'y ai vécu sur les braises. » Enfin, à un troisième
confident, il parlait en ces termes : « Mes peines
étaient quelquefois si vives, si accablantes, qu'elles
m'enlevaient toute espèce de repos : l'étude et la
soumission à la volonté de Dieu ont seules pu
m'en délivrer. » Ainsi, pareil à l'arbre bienfaisant
qui, tout en donnant l'ombre et la fraicheur autour
de lui, voit ses feuilles se consumer aux rayons
brûlants du soleil, Joseph - Marie Favre consolait
les autres, et se sentait dévoré d'ennui.

Bientôt c'est de l'accablement. Sa conscience tor-
turée lui persuade qu'il n'est pas apte encore au vrai
ministère des paroisses, et, par l'entremise de deux
amis, MM. Geoffroy et Dalby, celui-là supérieur,
celui-ci professeur au petit séminaire de Saint-
Louis-du-Mont, il obtient de son archevêque la
faveur d'entrer dans l'enseignement. Justes appréciateurs de son talent, les supérieurs le nommèrent
professeur de rhétorique à Saint-Louis-du-Mont.
Aussitôt cette nomination reçue, M. Favre, redou-
tant les émotions que son départ ne pouvait manquer de produire et laissant à la Providence le soin
de justifier sa conduite, quitte Sallanches inopiné-
ment. C'était en août 1819. La population ne pouvait croire à ce départ. Beaucoup pleuraient, entre
autres le curé ; tous en témoignaient un visible

regret. On connaissait trop la maturité du saint
vicaire, pour soupçonner un coup de tête. Il devait
avoir eu ses raisons pour agir de la sorte ; mais
quelles étaient ces raisons, son directeur seul
aurait pu le dire.

Voici comment lui-même les exposa plus tard à
M. Jacquier, curé de Sallanches. « J'étais sorti du
séminaire, disait-il, avec les principes qu'on nous
avait enseignés. Ces principes me disaient : Arrête-
toi ; ma conscience reprenait : marche ! Ne pouvant plus soutenir cette lutte continuelle, j'ai
quitté Sallanches pour étudier à mon aise, former
ma conscience sur des principes moins rigides, et
parvenir ainsi à sauver un plus grand nombre
d'âmes. » Ces raisons étaient, on le comprend,
plus que suffisantes pour légitimer un si brusque
départ (1). Néanmoins, l'humble serviteur de Dieu
éprouva quelquefois de l'inquiétude au sujet de sa
détermination. Il craignait d'avoir devancé les
ordres de la Providence. Nous y voyons pour notre
part la sage conduite d'un esprit logique, jointe à la
délicatesse de conscience d'un homme craignant
Dieu.

---

(1) La théologie, dont les principes torturaient ainsi M. Favre,
est celle de Bailly, mise plus tard à l'*index:* Décret du 7 déc. 1852.

Petit séminaire de Saint-Louis-du-Mont.

CHAPITRE VII.

SAINT-LOUIS-DU-MONT — ENSEIGNEMENT — PRÉLUDE
DE DIRECTION SPIRITUELLE ET PRÉPARATION AUX MISSIONS.

(1819 — 1821)

Passer du ministère paroissial à l'enseignement des belles-lettres est un changement trop notable pour n'avoir pas troublé quelque peu notre héros. Mais si la nature, comme dit saint François de Sales, a formé les diamants au sein des grands orages, Dieu se sert également des tempêtes qui bouleversent la vie pour jeter dans les âmes héroïques ses perles précieuses; nous voulons dire un surcroît d'esprit surnaturel et d'aptitude aux mâles travaux. C'est ce qui arriva pour son serviteur. Outre les ressources que puise le ministère de la prédication dans une étude approfondie de la langue et des maitres, Joseph-Marie Favre trouvera dans ses deux années de professorat une connaissance précieuse de l'art de la direction. A la fin des vacances de 1819, deux mois après son départ de Sallanches, il quitta donc son hameau des Bollus, sa chapelle de Vercland, sa chère cellule domestique, enfin le rude pays de Samoëns, pour l'un des plus beaux sites de Savoie, la colline de Saint-Louis-du-Mont. Le petit séminaire de ce nom avait servi autrefois de maison de campagne aux Pères Jésuites du collège de Chambéry, comme il est encore aujourd'hui celle du grand séminaire et de l'archevêque de cette ville. M. Louis Geoffroy le dirigeait, assisté de nombreux professeurs, presque tous anciens condisciples de M. Favre. On devine l'accueil qu'il reçut en y entrant. Du reste, chacun comptait sur son talent pour rehausser le niveau des études. Les faits justifièrent ces espérances.

Pour donner plus de précision à son enseignement, il rédigea d'abord tout un cours de littérature ; car il enseignait ensemble les humanités et la rhétorique. Il composa en outre un recueil de morceaux choisis d'éloquence sacrée. A ces deux ouvrages, il ajouta un traité élémentaire de politesse et d'éducation. Nous verrons plus loin les autres travaux auxquels il se livra pour se préparer à l'apostolat proprement dit.

« Son enseignement, lisons-nous dans l'*Eloge historique*, fut toujours empreint de cette clarté, de

cette précision, de cette solidité qui furent toute sa
vie les compagnes assidues de sa parole... Peut-être
aussi, le raisonnement eut-il une trop large place
dans sa manière de présenter à la jeunesse stu-
dieuse les principes de la littérature ; peut-être ne
donna-t-il pas au goût tout ce qu'il est en droit de
réclamer. Habitué qu'il était à ne voir, à ne chercher, nous allions dire à n'estimer que les idées, il
n'est point étonnant que la rhétorique dont il rédigea les leçons eût rapport à un traité de philosophie autant qu'à un traité de belles-lettres. »

Ainsi caractérise l'enseignement littéraire de
M. Favre, un bon auteur d'*Etudes littéraires,* plus
tard supérieur de Saint-Louis-du-Mont. Sans
essayer d'adoucir ce jugement, nous aimons à le
compléter par ces autres paroles du même auteur :
« Nous sommes bien loin de lui en vouloir faire
un crime : le fonds est préférable mille fois à la
forme comme les pensées le sont aux mots qui les
expriment. Il est d'ailleurs des défauts qui tiennent à un excès de qualités précieuses et sur
lesquels on n'ose pas déverser le blâme (1). »

Un détail montrera d'ailleurs combien ces leçons de M. Favre étaient appréciées. Les élèves qui
les avaient copiées ne voulaient pas s'en dessaisir.
M. Maitral, professeur, désirant les posséder et sachant que l'élève Philippe en avait relevé un bel
exemplaire, lui offrit de le lui payer. « Oh ! dit ce
lui-ci, croyant effrayer par son prix, je ne le céde-

---

(1) *Eloge,* p. xix.

rais pas quand on m'en donnerait douze livres. »
Ce prix qui correspondrait à 25 francs de notre
monnaie, fit sourire le professeur. « Les voilà, ré-
pliqua-t-il aussitôt en tirant sa bourse, et il enleva
le manuscrit. » Cet élève, mort chanoine de Chambéry, nous avouait naïvement qu'il avait toujours
regretté d'avoir cédé un aussi beau travail (1).

Cependant, plus que le talent du professeur, ce
que nous devons relever dans ces années passées
à Saint-Louis, c'est le soin consacré par l'abbé
Favre à la formation religieuse de ses élèves. Il
étudiait le caractère de chacun, gagnait leur confiance en les encourageant dans leurs difficultés et
en les consolant dans leurs peines, puis les incli-
nait doucement à la piété, à l'oraison, à l'amour de
Jésus-Christ, à la dévotion envers la Très Sainte
Vierge, et au zèle apostolique. Maintes fois on le
vit réunir ses élèves et les conduire devant le Saint-
Sacrement pour les exciter à l'aimer de toutes leurs
forces. D'autres fois, il leur expliquait familière-
ment quelle douceur il goûtait, chaque matin avant
leur lever, à parler durant une heure au bon maître
Jésus. Ces jeunes âmes en étaient tout impré-
gnées de dévotion. Elles ne se lassaient plus de
l'entendre parler de choses spirituelles et notamment des gloires de Marie. Quoi d'étonnant dès
lors qu'au bout de quelques mois, la voix publique
honorât M. Favre du beau titre de Père spirituel

---

(1) Nous croyons qu'une copie de ce traité se trouve entre les
mains du distingué Père Athanase, maître des novices au couvent des Capucins de la Roche-sur-Foron.

du séminaire ? Presque tous les élèves voulurent se confesser à lui ; les professeurs, le supérieur même le prirent pour directeur, et l'autorité ecclésiastique se fit un devoir de reconnaître qu'il avait transformé l'esprit de la maison. L'émulation pour la piété alla si loin qu'il fallut interdire les conversations spirituelles en récréation parce que, pour s'y livrer, les élèves commençaient à négliger les jeux, si nécessaires à leur âge.

Le serviteur de Dieu n'obtenait pas de tels résultats sans s'appliquer lui-même à une vie profondément cachée en Dieu. Au dire de M. Gondran, il consacrait six heures par jour aux devoirs de piété et donnait l'exemple d'une constante mortification. Il se refusait le feu en hiver et restreignait au court espace de six heures le repos de ses nuits.

Sa réputation de sainteté allait donc s'affermissant. Aussi, un de ses élèves, affligé d'un mal d'oreilles qui le rendait sourd et dont il n'espérait plus guérir, lui demanda-t-il un jour tout simplement de lui rendre l'ouïe. Surpris et charmé de cette enfantine simplicité, le serviteur de Dieu répondit en souriant : « Mais, mon cher enfant, que me demandez-vous là ?... Je ne puis pas faire cela ; seulement je connais quelqu'un qui en a le pouvoir : c'est votre bonne mère, la Très Sainte Vierge. Faites une neuvaine en son honneur, et je dirai la sainte messe pour vous obtenir cette grâce, car j'attends tout de sa bonté. » La neuvaine n'était pas achevée que le jeune homme, pendant la messe, se trouve complètement guéri. — M. Favre racon-

tait lui-même ce fait au cours de ses missions,
pour exciter la confiance envers la reine des élus.

Le travail de la grâce dans son âme fit croire un
moment au serviteur de Dieu qu'il était appelé à
la vie religieuse. La Compagnie de Jésus avait
gagné ses prédilections. Non content d'avoir dirigé
vers elle ses meilleurs amis, MM. Geoffroy et
Dalby entre autres, lui-même pensa devoir s'y
présenter. Dieu le voulait ailleurs : *Segregatus in
Evangelium.*

Son départ de Sallanches ayant été inspiré par
la conviction que l'enseignement théologique du
temps était entaché de rigorisme, le premier soin
de M. Favre, dès son arrivée à Saint-Louis-du-
Mont, fut de reprendre en sous-œuvre ses études
du grand séminaire. Analyser les meilleurs moralistes, saint Alphonse surtout, se rendre maître de
leur doctrine, se faire une conscience capable de
choisir une opinion : tel fut le laborieux travail
auquel il consacra toutes ses heures de loisir et
même une partie de ses nuits. On conserve aux
archives de la Feuillette chez les missionnaires
d'Annecy plusieurs résumés de théologie faits par
notre professeur à cette époque.

A l'étude il joignit la pratique, allant fréquemment évangéliser les paroisses voisines. Les pasteurs de ces paroisses, édifiés de son zèle éclairé,
lui demandaient son secret pour remuer aussi
profondément les masses. On trouve des traces de
la direction qu'il donna ainsi à plusieurs prêtres.
Au confessionnal, il avait changé complètement de
méthode. Lui, si fidèle jusque-là aux enseigne-

ments rigoristes du diocèse, était doux comme son maître préféré, le bienheureux Liguori. Quand les jansénistes lui reprochaient cette variation comme une preuve d'inconstance, il répondait : « Je ne connais que trois sortes de personnes incapables de varier : Dieu, parce qu'il est parfait ; les orgueilleux, parce qu'ils s'opiniâtrent, et les sots, parce qu'ils sont incapables de s'instruire plus à fond. »

L'étude et la pratique ne suffisaient point encore à la préparation apostolique de ce vrai missionnaire, il s'exerçait à donner sa vie pour les âmes, estimant que, pour en sauver une seule, son temps et ses peines étaient trop peu. Mais, nouveau trait de ressemblance avec saint Alphonse, il avait une sympathie marquée pour les pécheurs abandonnés. Le fait suivant, tout en rappelant une défaite, fera voir jusqu'où le serviteur de Dieu poussait les efforts de son zèle.

Un pauvre, étranger à la paroisse, avancé en âge et surtout en corruption, était universellement repoussé à cause de ses vices honteux. Se trouvant à bout de forces et incapable d'aller mendier son pain de village en village, il avisa la ferme d'une dame noble et pieuse (1), sachant bien que la religion ne va jamais sans la pitié. Ayant trouvé sous un hangar ouvert un tas de feuilles sèches, il s'y jette découragé, prêt à y mourir de faim. M. Favre, qui passait, s'approche de lui, et lui promet de le

---

(1) Mme d'Aviernoz, plus tard assistante au Sacré-Cœur de la villa Santa à Rome.

4.

faire accueillir au petit séminaire. Le malheureux
se relève et suit ce nouveau Samaritain qui, du
consentement du supérieur, l'installe dans un coin
des dépendances et se met à le soigner avec la
tendresse d'un fils. Après quelques jours d'un
dévouement fait pour toucher un cœur de bronze,
M. Favre essaie de réveiller la foi dans l'âme de
son protégé. Il n'obtient que des injures. Il imagine alors de lui faire parler par les plus pieux de
ses élèves. Ceux-ci lui donnent le crucifix à baiser ;
le misérable s'en moque. Notre jeune apôtre poursuit son dessein d'arracher cette âme à l'enfer. Il
organise des neuvaines parmi ses élèves, va solliciter des prières auprès de plusieurs communautés,
se répand lui-même en supplications devant le
saint autel... hélas ! le vieux pauvre est endurci.
« Chante bien, mon merle, répond-il aux instances
de son bienfaiteur, chante bien, tu ne me confes-
seras pas. » Et il meurt, se moquant de M. Favre
et insultant son Dieu. On l'enterra civilement, au
pied d'un arbre, dans un coin reculé qui, dès lors,
devint pour tous un lieu d'horreur. Cet échec ne
servit qu'à exciter davantage le zèle du serviteur de
Dieu pour le salut des âmes abandonnées. Il y vit
la justice de Dieu à l'égard de ceux qui remettent
toujours à plus tard leur conversion. Et maintes
fois dans ses travaux apostoliques il évoqua le souvenir de ce malheureux.

La proximité de la ville lui fournit un autre élément de formation à l'apostolat. La chaire de la
Métropole à Chambéry était occupée par des prédicateurs en renom. Il ne manquait pas d'aller les

entendre. Parfois, il en revenait content. Citons entre autres le carême prêché par le Père Eugène, capucin. D'autres fois, il s'écriait navré : « Faut-il donc parler pour ne pas se faire comprendre ! Voilà une multitude affamée qui ne peut même pas rompre le pain qu'on lui distribue! » Quand le prédicateur prêchait simplement et à l'apostolique, il conduisait au sermon les grands élèves du collège afin de les initier à la vraie éloquence.

Nous l'avons dit, M. Favre appelait vraie éloquence celle qui s'exprime en termes compréhensibles pour les auditeurs, celle qui répond par la simplicité de ses applications aux besoins de leurs âmes, l'éloquence en un mot qui consiste à instruire, à décider, à conduire pratiquement les foules chrétiennes par le vrai chemin de l'Evangile. Ce point — capital pour le prédicateur — était à noter. Trop d'hommes, séduits par une fausse notion de l'art chrétien, prennent en effet la rhétorique humaine de Cicéron pour la vraie manière de prêcher éloquemment la parole de Celui qui ne parlait pas sans familières et profondément simples paraboles.

Enfin, voyant de plus en plus clairement que le principal besoin des âmes est de connaître par le menu les principes fondamentaux de la vraie conversion, il conçut la première idée d'un *Manuel du Pénitent* et en fixa les grandes lignes étant encore à Saint-Louis-du-Mont. Il comprenait déjà cette vérité que pour s'instruire parfaitement de leur religion, les fidèles ont besoin comme tout étudiant d'un *texte* à méditer.

Ce flair symptomatique joint aux autres qualités de M. Favre nous montre en lui un homme prêt aux rudes et nobles travaux de l'apostolat, un homme surtout apte à faire progresser autour de lui l'art divin de convertir, un apôtre mûr pour l'action.

Comme Notre-Seigneur, au début de ses prédications, M. Favre a trente ans. Son âme de feu a peine à contenir le zèle qui la dévore. Nous allons le voir entreprendre la restauration religieuse de son pays avec l'ardeur et la sagesse qui sont la caractéristique des saints.

LIVRE DEUXIÈME

DÉBUTS APOSTOLIQUES DE M. FAVRE

1822 — 1825

Vue de Chambéry au temps de M. Favre.
Le château.
A droite, la chapelle du Saint-Suaire de Notre-Seigneur.

CHAPITRE PREMIER.

LE JANSÉNISME EN SAVOIE — ÉTAT DU DIOCÈSE DE CHAMBÉRY APRÈS LA RÉVOLUTION.

Si M. Favre eût été de ces hommes zélés mais ordinaires qui se contentent d'approfondir le sillon commencé, sans trop regarder ni voir s'il est bien ou mal tracé ; sans oser surtout déplacer la charrue ni porter le soc dans une terre inaccoutumée aux labours, il suffirait, pour déterminer son action en Savoie, d'exposer les travaux qu'il entreprit et les fruits qui en résultèrent. Je n'aurais donc ici qu'à montrer cet apôtre allant de paroisse en paroisse prêcher le nom de Jésus-Christ.

Mais, le lecteur l'a déjà pressenti, le rôle de simple missionnaire, si beau soit-il, ne fut pas le

principal rôle de M. Favre. La Providence voulait
faire de cet homme un rejeton de saint Alphonse
de Liguori en-deçà des monts. Elle lui demanda de
réaliser pour la Savoie la plupart des œuvres
accomplies au royaume de Naples par le Docteur
du xviiie siècle. Elle attendait de notre nouvel
apôtre des prodiges contre le jansénisme, en faveur des âmes abandonnées, et même du clergé.
Faire triompher les directions de Rome, apprendre
aux prêtres la vraie manière de traiter les âmes,
assainir la morale, l'apostolat et le ministère,
aviver surtout le zèle pastoral, telle fut son œuvre.

Sans doute, l'épiscopat et le gouvernement conservateur de cette époque travaillaient au même
œuvre, et mon intention n'est point d'attribuer à
M. Favre tout le bien qui se fit alors en Savoie.
Néanmoins, l'on verra par cette histoire qu'il fut
le plus grand ouvrier de notre restauration religieuse et que parfois il dut réaliser le bien contre le
sentiment des évêques eux-mêmes.

Le diocèse de Chambéry comprenait les deux
départements actuels de la Savoie, Genève et le
département du Bugey: environ un million d'âmes.
Le jansénisme et le gallicanisme y avaient jeté de
profondes racines; le ministère y était assez fréquemment exercé d'une manière aveugle et abu-
sive, l'Eglise de Savoie ressemblait à une vigne
mal cultivée dont les ceps, à-demi desséchés, ne
portaient que des fruits malingres et sans saveur.

Pour apprécier l'œuvre de régénération accomplie par M. Favre, pour expliquer surtout certaines
difficultés, toujours pénibles à raconter, qu'il ren-

contra sur sa route, il est indispensable de bien
connaître ces plaies spirituelles dont souffrait
alors la Savoie, d'en constater la réalité, d'en sonder
la profondeur.

Le jansénisme pénétra dans nos montagnes par
plus d'une porte, mais la principale fut celle du
gallicanisme. Jaloux d'être tout dans ses états —
pape et Dieu au besoin — le roi de Piémont, Victor-
Amédée II (ou plutôt le sénat de Savoie régnant
sous son nom) se crut le droit d'empêcher le souverain pontife de surveiller et de rectifier la foi
dans le royaume. Quand parut la bulle *Unigenitus*,
bulle que le peuple acclamait déjà, le gouvernement commanda le silence sur cette affaire, sous
le prétexte que le peuple n'en avait pas même la
notion ; il empêcha l'évêque de Grenoble, duquel
relevait alors Chambéry et son décanat, d'exiger
des ordinands le serment que tout le clergé de
France prêtait au sujet de cette bulle. Cependant,
Grenoble avait eu le malheur de voir son siège
épiscopal occupé pendant trente-six ans (1671-1707)
par un janséniste de race, le cardinal Le Camus,
qui ne seconda pas à demi les menées de l'erreur.
Dès les premières années de son élévation, on vit
les Pères de l'Oratoire enseigner les propositions
de Jansénius au grand séminaire de Grenoble, et
les Barnabites d'Annecy, les imiter au collège
Chappuisien.

Chambéry fut notre principal champ de bataille.
Le cardinal Le Camus y venait prêcher trop sou-
vent ses doctrines malsaines, et, plus ami de Port-
Royal et de Louis XIV que de Rome et du pape,

il accomplissait — sans le vouloir peut-être —
l'œuvre de Satan.

Heureusement pour la Savoie, Chambéry possédait une chaire de théologie vraiment orthodoxe et
romaine, fondée au collège des Pères Jésuites en
1664, par Louis de Chevron-Villette.

Il faut lire dans l'histoire du cardinal Le Camus
par l'abbé Bellet (1) avec quelle savante et sainte
indépendance ces excellents Pères défendirent la
bonne cause et prémunirent contre l'hérésie tous
ceux qui ne fermaient pas obstinément les yeux à
la lumière. Persécutés par le cardinal, ils le déférè-
rent lui-même au tribunal du saint-siège pour avoir
à s'expliquer sur « *dix-huit propositions promulguées
en Savoie, particulièrement dans les deux diocèses de
Grenoble et Genève, en outre des cinq de Jansénius.* »

Mais la lutte ne devait pas finir si tôt. Le cardinal mort, restaient le sénat et les écoles jansénistes.
Celui-là pas plus que celles-ci ne désarmèrent ; et
tout en louant extrêmement les Pères Jésuites de
leur amirable conduite, il faut reconnaître que
l'erreur continua ses ravages.

Vers 1710, le Jésuite La Tournelle ayant soutenu
devant ses élèves de Chambéry la bulle *Unigenitus,*
proscrite par le roi, une tempête éclata. Condamner
les erreurs du Père Quesnel sur le Nouveau Testament et prêcher l'infaillibilité doctrinale du pape,
c'était un attentat impardonnable contre la supré-
matie du pouvoir civil.

----

(1) Paris, Alphonse Picard, 1886.

A peine l'effroyable nouvelle parvenue aux oreilles du roi, les ordres les plus comiquement absolus sont donnés. Un sénateur et un secrétaire civil du sénat sont chargés de tuer l'hydre naissante dans son affreux berceau. Ils opèrent une descente héroïque au collège des Jésuites, saisissent les cahiers de tous les étudiants en théologie — anarchistes d'alors — les déposent au greffe, et les soumettent à l'examen des chambres gouvernementales. En présence de ces engins de mort, celles-ci, bien entendu, se montrent indignées, effrayées même du danger que court la paix publique, et rendent un arrêt solennel, daté du 1er mai 1719, par lequel il est sévèrement défendu aux Pères de ne rien enseigner ni dicter sans l'avoir préalablement soumis à l'approbation du sénat. En vrais soldats du chevalier de Loyola, les Jésuites ne reculèrent pas. Assez perspicaces pour discerner la fourberie des hérétiques, ils eurent trop d'esprit pour croire qu'on ait à soumettre l'enseignement de l'Eglise à l'approbation de civils quelconques, ces civils fussent-ils des rois. Ils n'étaient donc bons qu'à être boutés hors. Moins de dix ans après, c'était chose faite. L'on remplaça les intransigeants logiciens et les fidèles disciples du pape, par des professeurs plus souples vis-à-vis du gouvernement, plus respectueux des prétentions royales. Le collège des Jésuites devint ainsi une université d'Etat. Cette exécution lamentable et absurde n'aurait cependant pas suffi au triomphe de l'hérésie, sans les agissements et les enseignements de certains religieux égarés. Le premier en ligne — si toutefois on a raison de lui imputer des doctrines absolument jansénistes — fut le Père René Drouin, dominicain professant la théologie à Chambéry. Ce maître était d'autant plus dangereux qu'il possédait une grande science et beaucoup d'érudition, comme le prouve son *Traité dogmatique et moral des Sacrements*, imprimé à Venise en 1737. Le second était un carme de la Rochette nommé Constantin. Cet exalté, chassé de France pour ses déclamations contre la bulle *Unigenitus*, avait été reçu au Pont-de-Beauvoisin (Savoie) et continuait, malgré les remontrances, d'ailleurs très bénévoles, du sénat, à jeter feu et flammes contre Rome, se vantant « d'écrire un livre qui pulvériserait la constitution. »

Ainsi la double hérésie du jansénisme et du gallicanisme avait pris pied en Savoie, et elle ne cessera, durant tout le dix-huitième siècle, de s'y enraciner toujours davantage. Les meilleurs esprits eux-mêmes ne surent se défendre entièrement de la contagion de l'erreur. Le pouvoir civil si jaloux de se garantir contre toute ingérence du saint-siège, ne manquait pour sa part aucune occasion d'empiéter sur les prérogatives de l'autorité ecclésiastique (1). Par une aberration plus étrange encore, des évêques en vinrent à oublier certains droits réservés au pape seul. Ainsi, en 1765, un prélat d'ailleurs très respectable, Mgr Biord, se crut le droit de transférer et même de suppri-

---

(1) V. BURNIER, *Histoire du Sénat de Savoie*, t. II, ch. XIII et XIV.

mer des fêtes de l'Eglise dans son diocèse d'Annecy sans la permission du souverain pontife.

La Révolution française ne devait pas améliorer
la situation. La perfide hérésie résista longtemps
aux coups portés par les vrais théologiens de
Chambéry, notamment Mgr Conseil. De 1782 à
1793, la secte janséniste comptait parmi ses membres M. Ducret et le Père Lassale, cordelier, professeur de théologie au collège royal de Chambéry,
M. Panisset, curé de Saint-Pierre-d'Albigny, le Père
Caffe et le Père Saillet, dominicains, et surtout
M. Velat, grand vicaire de Tarentaise. Ainsi parle
le cardinal Billiet, archevêque de Chambéry (1). —
Ecoutons M. Dépommier, supérieur au grand séminaire, portraiturant l'odieuse secte, au temps
de MM. de la Palme, Rey et Guillet : « Non contente, dit-il, de nous inonder de ses livres, qu'elle
avait l'art de glisser partout, jusque dans les cloî-
tres, jusqu'au fond de nos vallées, elle nous expé-
diait encore ses faux dévots qui se mêlaient à nos
étudiants et se liaient d'intimité avec les professeurs et avec les religieux qui laissaient apercevoir quelque goût pour les nouveautés. Les
sombres et rebutants mystères de l'Augustin
d'Ypres n'étaient pas précisément ce qui lui gagnait des disciples parmi nous ; mais le dénigre-
ment et les déclamations contre la cour de Rome,
contre les premiers pasteurs, contre les usages les
plus respectables de la sainte Eglise, qu'on tradui-

---

(1) V. Cardinal BILLIET, *Mémoires.*

sait comme autant d'abus ; tout ce bourdonnement de l'erreur faisait tourner les têtes mal affermies dans l'esprit de foi et d'obéissance (1). »

Cette dernière remarque est la preuve que de tous temps, le gallicanisme, l'esprit de soumission incomplète au pape a ouvert la porte aux plus tristes excès ; tant Dieu est prompt à abandonner les téméraires qui manquent de foi pleine et entière au chef de son Eglise.

Voulons-nous dire que tous les prêtres de Savoie sans exception étaient contaminés ? Non ; moins encore qu'ils voyaient clairement leur tendancielle insoumission au pape. Notre dessein est de faire sentir que — sauf de rares exceptions — les prêtres de Savoie formés à l'école de leurs évêques croyaient bien faire de suspecter, ou détourner, ou appréhender les directions pontificales. En voici une preuve tirée du moins gallican des évêques de Savoie, Mgr Rey. Il écrit : « Mgr Martinet craint qu'en demandant l'approbation des Règles de saint Joseph, Rome ne les soustraise *(sic)* à l'ordinaire et ne change la nature de leurs vœux. De cette sorte, je suspends ma requête et je continuerai à profiter du bien tel qu'il est dans la crainte du mieux (2). » Nous n'ajouterons rien à ces citations assez éloquentes.

Retenons de ce qui précède une première consta-

---

(1) *Vie de M. Benoît Guillet.*

(2) Lettre à Mgr Billiet, du 14 déc. 1828. Mgr Rey parle ici des Sœurs de Saint-Joseph établies à Chambéry par Mgr de Solle quelque dix ans auparavant.

tation, à savoir que, malgré les qualités sérieuses, le zèle et la bonne foi de ses évêques, la Savoie, au temps où M. Favre entreprit les missions, était gravement contaminée de jansénisme, de rigorisme et de gallicanisme. Retenons surtout le mot de M. Favre : « En Savoie, pas une âme en paix ; il n'y a que de la piété noire (1). » Une cause d'abus particulière à la Révolution s'ajoutait aux précédentes. Au rétablissement du culte (1802), les évêques crurent devoir, vu la pénurie de prêtres et de vocations ecclésiastiques, confier des paroisses à plusieurs sujets naguère schismatiques. Celui de Chambéry notamment se vit dans la quasi nécessité d'utiliser les débris des ordres religieux et d'accélérer les ordinations nouvelles.

On imagine déjà combien mélangé était le clergé avec lequel M. Favre devait avoir à compter. Il est bon cependant de montrer, par quelques détails, la manière déplorable avec laquelle une trop grande partie d'entre ces pauvres prêtres exerçaient les fonctions du ministère paroissial. Quelque cent ans avant la Révolution, le cardinal Le Camus écrivait à M. de Pontchâteau : « On ne connait de la religion que confréries, indulgences et congrégations. Il y a tous les jours mille communions et autant de confessions à Chambéry. Les Jésuites y dominent et y enseignent toute la morale qui a été reléguée deçà la Loire (2). » Le 6 août 1676, le car-

---

(1) *Pratum spirituale.*
(2) *Port-Royal*, par SAINTE-BEUVE, t. IV, p. 541.

dinal écrivait de la Chartreuse au même abbé de Pontchâteau : « Nous avons ici M. Nicole... J'ai été très édifié de ses observations... J'ai fait ce que j'ai pu pour le retenir, comptant comme un très grand avantage de pouvoir conférer avec une personne aussi éclairée et dont les lumières sont si pures (1) ».

Vue de Chambéry au temps de M. Favre.
La place aux herbes.
A droite, maison natale des frères Joseph et Xavier de Maistre.

S'il était revenu à Chambéry quelques années après le Concordat, l'inconscient et dévot janséniste n'aurait pas trouvé pour s'édifier les lumières *si pures* de M. Nicole, mais oui bien les effets désastreux de ces prétendues lumières. Au lieu de

---

(1) *Port-Royal*, par Sainte-Beuve, t. IV, p. 478.

milliers de fidèles se pressant tous les jours à la Table sainte, il aurait rencontré un peuple dégoûté du Dieu qu'on ne cessait de lui dépeindre comme un maître impitoyable. Il aurait rencontré, non plus des Jésuites attirant les âmes au saint Tribunal, mais des prêtres austères au point de rebuter leurs propres ouailles et apportant dans les fonctions du ministère trop de raideur et d'insensibilité.

Encore une fois, tous les prêtres n'en étaient pas là, mais il y en avait beaucoup. Et ce fait ne saurait tourner au discrédit du clergé de Savoie. L'esprit de foi qui l'a toujours distingué l'empêchait de suspecter l'enseignement officiel de ses professeurs. M. Favre lui-même, malgré ses répugnances, exercera plusieurs années le saint ministère conformément aux principes de son éducation sacerdotale. Et, qu'enseignait-on au grand séminaire? Collet, Bailly et autres rigoristes. Que disait la constitution synodale du diocèse en 1803? Qu'il fallait, malgré l'évidence des dispositions, différer de temps en temps l'absolution, pour que le pénitent apprit à traiter les choses saintes saintement. Que disait-elle encore? Qu'il fallait prendre des mesures pour obliger chacun à faire sa confession annuelle à son propre curé.

Quant au jeûne, au prêt à intérêt, à la fréquente communion et à la discipline pastorale, il n'y avait pas moins d'excessive rigueur; quelques faits, dont plusieurs à nous contés par le savant évêque de Maurienne, Mgr Michel Rosset, le feront sentir. Un jour, c'est un évêque de Chambéry qui fait refuser l'absolution à deux pénitents prêtant de l'ar-

gent au cinq pour cent. Un autre jour, c'est un
prêtre de la ville qui laisse mourir sans viatique
une pénitente autrefois débauchée, crainte de
manquer de respect envers la sainte Eucharistie,
en la donnant à cette ancienne pécheresse. Ici, des
confesseurs refusent toute absolution aux enfants
qui n'ont pas encore fait la première communion ;
là, des curés empêchent les jeunes gens de s'approcher des sacrements plus d'une fois l'année.
Ailleurs, c'est le refus de l'absolution pour les parents qui ne permettent pas à leur fille de faire la
pénitence publique imposée par le curé, en pleine
grand'messe du dimanche, ou encore pour des
mourants dont les dispositions semblaient douteuses à ces rigides moralistes.

A Montaimont, un jeune homme se vit refuser
l'absolution après un an et demi d'efforts victo-
rieux sur ses habitudes passées, sous le prétexte
que peut-être il retomberait encore.

Un ecclésiastique, d'ailleurs très zélé, s'expri-
mait ainsi : « J'ai dans ma paroisse des personnes
qui ne commettent pas un péché mortel pendant
l'année. Cependant, je préfère garder la sainte communion dans mon tabernacle, plutôt que de la leur
administrer sans les avoir éprouvées longtemps ! »
De quel droit agissez-vous ainsi, aurait-on pu
répondre à ce brave janséniste ; mais cela ne l'eût
pas éclairé. Collet, son maître, ne se gênait pas
davantage. « Un homme est-il soupçonné de péché
mortel, disait plaisamment M. Favre, Collet déclare plus sûr de l'en croire coupable. Hésite-t-on
à le juger digne du ciel ? Pour plus de sûreté, met-

tons-le en enfer. » Voilà quels principes déplorables régissaient nombre de pasteurs.

De son côté, le gouvernement prohibait l'importation de la Morale de saint Alphonse, et plus d'une fois M. Favre dut se la procurer par contrebande ; contrebande que, du reste, on qualifiait de péché.

Le gallicanisme savoyard donnait une preuve frappante de sa vitalité plus tard encore, et nous avons le devoir de l'enregistrer. Sur les instances du roi Charles-Albert, le pape Grégoire XVI institue, par bref du 28 septembre 1831, une délégation apostolique chargée de prendre connaissance exacte des affaires ecclésiastiques dans les Etats Sardes, de constater les abus qui se seraient glissés dans la discipline et de rechercher les moyens pour les extirper. Le sénat de Savoie, considérant : que le clergé de Savoie était irréprochable, parfois même trop zélé, que les évêques étaient suffisamment armés pour réprimer les abus, et que, sous prétexte d'affaires ecclésiastiques, la commission pontificale pourrait bien inquisitionner sur la presse et même sur les personnes civiles du royaume — ce qui achèverait de révolter les citoyens — déclare cette délégation « inutile, dangereuse pour le repos public et blessante pour la magistrature. » Conclusion : la délégation n'eut plus qu'à se dissoudre et le pape qu'à s'en rapporter au roi tant pour connaitre les abus de discipline ecclésiastique que pour y porter remède. Voilà qui s'appelle signifier au souverain pontife qu'il n'était pas pape en Savoie et que, aidés, sinon dirigés par l'auguste sénat, les évêques de ce pays possédaient assez de prudence et de forces pour mener leur église tout seuls (1).

Il est superflu après cela de peindre le misérable état des âmes en Savoie. Nous observerons seulement qu'une direction aussi dure et aussi maladroite devenait tout particulièrement regrettable après les désastres moraux amoncelés par la Révolution.

Nous devions établir que la Savoie à l'époque de la Restauration, et malgré le mérite et les bonnes intentions de ses évêques, souffrait de jansénisme et de gallicanisme, que le ministère était trop souvent mal compris et infructueux, que les fidèles désertaient de plus en plus le chemin de l'Eglise : Notre tâche est remplie.

----

(1) Cf BURNIER, *Histoire du sénat de Savoie*. — Voir aussi *Les Evêques d'Annecy*, par M. MUGNIER, p. 310, deux auteurs dont nous ne saurions partager, en matière ecclésiastique, la manière de voir.

CHAPITRE II.

L'ŒUVRE DES MISSIONS EN SAVOIE — PROJET DE MÉLAN —
PREMIERS TRAVAUX — M. FAVRE EST PRÉPOSÉ
AUX MISSIONS DE CHAMBÉRY.

(1822)

Les évêques et les prêtres influents de Savoie
qui se montrèrent plus ou moins entachés de gallicanisme et de rigorisme restaient, avons-nous dit,
des pasteurs zélés à leur manière et dignes d'une
assez grande estime. L'état déplorable dans lequel
la Révolution française avait plongé leurs diocèses
ne les trouva ni découragés, ni présomptueux. On
aurait de belles pages à écrire, s'il fallait compter
les travaux qu'ils entreprirent pour y porter remède. Nous nous bornerons à toucher les points
qui regardent notre héros ; je veux dire le projet
d'une fondation de missionnaires à Mélan, les
missions de la Motte et du Châtelard, surtout la
nomination de M. Favre à la direction des missions de Chambéry.

Il serait inexact de penser que la Savoie resta
privée de missionnaires depuis la Révolution jusqu'à M. Favre. Sans parler des héros et des martyrs qui l'évangélisèrent sous la Terreur, on y voit
fréquemment des prêtres occupés à donner des
missions. Mais ces prêtres, curés ou vicaires, plus
zélés qu'éclairés, manquaient de loisirs et souvent
d'entente dans leurs travaux. Cette observation
m'a été faite par l'un d'eux, M. Dompmartin.
« Les curés ou vicaires, disait-il, se prêtaient vo-

lontiers aux missions, mais cela allait Dieu sait comment ! A Cusy, trois curés prêchèrent l'un après l'autre le même sermon ; ils venaient et partaient sans se concerter. »

M. Ducrey, propriétaire de l'ancienne chartreuse de Mélan, transformée par lui en collège, prit alors la généreuse résolution de céder au souverain pontife ces vastes immeubles, dans le but d'y installer un corps de missionnaires et de professeurs pour toute la Savoie. Le cardinal Castracane, de la Propagande, vint visiter l'établissement. On allait conclure, lorsque la crainte de porter ombrage au pouvoir civil, en donnant au pape des propriétés en Savoie, fit évanouir le projet. Le vénérable fondateur de Mélan chercha alors à attirer auprès de lui M. Dunoyer, supérieur de Saint-Louis-du-Mont. Celui-ci s'excusa, et mit en avant M. Favre. « Si Dieu, écrivait-il, vous favorise d'une petite congrégation, appelez-y M. Favre. Quand il n'y resterait que peu de jours, il y ferait un grand bien, car c'est un homme extraordinaire. » Nous avons la réponse de M. Favre à la proposition de M. Ducrey. Elle est datée de Saint-Louis-du-Mont, le 5 septembre 1821 :

« Monsieur le Supérieur, je m'empresse de répondre à l'aimable lettre dont vous avez bien voulu m'honorer. J'ai été fort sensible à l'invitation que vous me faites et à la confidence de vos louables projets. Si je n'écoutais que mon inclination, l'attachement que je conserve pour la maison de Mélan, l'estime et l'affection que j'ai toujours eues pour son fondateur, l'amour que j'ai pour tout ce qui concerne la régularité, le salut des âmes et la bonne éducation, vous me verriez après-demain à Mélan et je n'en sortirais plus. Mais, toutes les fois que je m'envoie moi-même, je m'en trouve fort mal et je me repentirai toute ma vie d'avoir contribué à mon changement de poste lorsque j'étais à Sallanches. Ce repentir m'est une leçon continuelle qui m'avertit de suivre constamment la voie de mes supérieurs et de ne pas faire un seul pas pour m'en écarter sans la décision d'un directeur. J'ai trouvé en un mot que toutes les fois que je me suis conduit moi-même, j'ai été conduit par un maître bien sot. Je me croyais appelé chez les Jésuites, mon directeur m'avait confirmé dans cette opinion. J'ai sollicité mon entrée dans cet ordre, on m'a répondu que Dieu ne m'y voulait pas. Dès lors, j'ai pris la résolution de me mettre à la disposition de mes supérieurs et de ne plus penser à d'autre parti. S'ils m'envoyaient à Mélan, je m'y rendrais avec un grand plaisir, mais je ne saurais prendre sur moi de solliciter pour y aller. J'approuve, j'estime et je loue beaucoup vos vues ; je désire d'en voir l'exécution ; si un tel projet s'exécute, votre maison est la première de Savoie, elle deviendra un principe de vie, de zèle, de lumières, de régularité qui se répandra peu à peu dans toute la Savoie et passera au-delà. C'est en effet un des plus grands vides de notre pays que le manque de missionnaires et de professeurs. Nous avons beaucoup d'établissements, mais nous en avons bien peu qui soient en état de donner une éducation propre aux besoins de notre siècle. Le bon Dieu a,

jusqu'ici, singulièrement béni vos saintes entreprises ; j'espère qu'il bénira celle-ci qui est la plus
grande, et la couronnera de succès. C'est bien là le
vœu sincère de celui qui vous estime, vous aime
et vous embrasse comme un de vos enfants.

« Votre très humble et très obéissant serviteur
et enfant : FAVRE, prêtre. »

M. Ducrey sentit à cette réponse que l'abbé Favre appartenait pour toujours à son archevêque ;
que loin d'ambitionner le rôle de fondateur, il
préférait pour sa sanctification celui de serviteur.
Devant cette déclaration, le supérieur de Mélan
comprit aussi combien il est difficile de fonder une
œuvre d'apostolat sans l'initiative ou tout au moins
l'appui de ceux que l'Esprit-Saint a constitués
pour régir son Eglise. Il jeta les yeux sur une congrégation existante, celle des Pères rédemptoristes. Etablis à Fribourg, en Suisse, depuis 1811,
ces fervents missionnaires lui parurent destinés à
réaliser pour sa chère patrie tout le bien qu'il lui
désirait. Les négociations conduites par le Père
Czech, plus tard fondateur du couvent de Contamine-sur-Arve (Haute-Savoie), parurent un jour
près d'aboutir.

« Je viens de recevoir, lui écrivait ce dernier, le
24 août 1827, une lettre à votre adresse de la part de
notre vicaire général résidant à Vienne (le Rᵐᵉ Père
Passerat), que je prends la liberté de faire passer
sous ce pli. Quant à lui, il est très content du projet en question, et il ne doute aucunement de
l'approbation de notre Père général à qui nous
avons écrit tous deux. J'espère recevoir sa réponse

dans quelques semaines. Nous avons eu à Fribourg le cardinal Morozzo qui doit avoir un grand crédit à la cour de Sardaigne. Monseigneur de Lausanne, sans me connaître, a bien voulu me ménager une audience auprès du cardinal et nous recommander lui-même à sa protection. Cette heureuse rencontre pourrait nous devenir utile avec le temps. En attendant, non sans impatience, le moment d'aller vous présenter quelques-uns de mes confrères, je vous prie d'agréer, etc. (1). »

L'entente désirée et espérée de part et d'autre ne parvint cependant pas à se faire. M. Ducrey voulait des prêtres missionnaires et professeurs tout ensemble, la congrégation du T. S. Rédempteur n'entendait pas sortir du cadre qui lui a été fixé par son fondateur et se confinait dans les œuvres d'apostolat.

Mélan passe alors entre les mains de M. Mermier, supérieur du grand séminaire, et plus tard fondateur des missionnaires d'Annecy. Il y allait établir ses premiers compagnons lorsqu'un contre-ordre de l'autorité diocésaine leur substitua les Pères Jésuites. Ceux-ci tinrent l'établissement depuis 1832 jusqu'à la révolution de 1848. Ils en firent un collège de premier ordre où l'on accourait de toute la Savoie et d'où sortirent en grand nombre des hommes éminents.

Cependant, Mgr de Solle n'avait pas attendu jusque-là pour tenter la création d'un corps de mis-

---

(1) Archives de Mélan.

sionnaires diocésains. Dès l'année 1820, l'œuvre
était en projet; maintes fois déjà le digne prélat,
frappé du zèle de M. Favre, lui avait manifesté un
ardent désir de fonder l'œuvre des missions, et, si
elle n'a pas abouti, nous verrons bientôt que la
cause principale en fut la division de la Savoie en
quatre diocèses.

On prit à la Métropole de Chambéry Mgr de
Thiollaz pour l'évêché d'Annecy, rétabli par
Pie VII le 15 février 1822, M. Billiet et M. Martinet pour ceux de Maurienne et de Tarentaise,
érigés par Léon XII le 5 août 1824.

Ceux qui connaissent les hommes et les affaires
n'auront aucune peine à comprendre que cette division d'un petit pays en quatre diocèses ait créé
aux œuvres d'ensemble des difficultés insurmon-
tables et non encore surmontées.

Mais il est temps de quitter les multiples sentiers de l'histoire générale pour revenir à notre
héros. Voyons comment il fut appelé et préposé
aux missions de Chambéry.

Une mission remarquable donnée à La Motte-
Servolex, près Chambéry, nous semble avoir fixé
sur lui les vues des supérieurs ecclésiastiques.
Ces exercices s'ouvrirent fin janvier 1821 par un
discours de M. Rey, vicaire général de Chambéry.
Six missionnaires y prirent part. Elle eut un succès extraordinaire, comme en témoigne le *Journal
de Savoie* du 4 mai 1821.

« Pendant un mois, dit ce journal, l'église a été
remplie deux fois par jour, comme aux grandes
solennités. L'on a écouté la parole sainte avec un

empressement, avec un enthousiasme qui tiennent
du prodige.

« C'est par des gémissements de pénitence qu'on
a vu le peuple
de La Motte
applaudir aux
touchantes ex-
hortations de
ses mission-
naires. San-
glotant, les
yeux baignés
de larmes, il
courait cher-
cher du repos
et des espé-
rances au tri-
bunal de la
miséricorde.
Neuf ecclé-
siastiques
constamment
occupés à en-
tendre les con-
fessions ont

Croix de La Motte-Servolex.

eu peine à suffire à l'empressement des fidèles.
L'assiduité, le bon ordre, la tenue édifiante ne se
sont pas démentis un instant.

« Enfin, le mardi 27 février, ont eu lieu la procession générale et l'érection solennelle de la
croix. M. le vicaire général, un nombreux clergé
et presque tous les fidèles des paroisses environ-

nantes ont encore rehaussé l'éclat de cette religieuse cérémonie.

« Une colonne de pierre travaillée avec goût
porte la croix qui est en fer et très bien exécutée.
Ce monument religieux est dû à la générosité de
M. le marquis de Costa dont tous les jours sont
marqués par des bienfaits et des vertus. »

Nos recherches auprès des vieillards de la localité nous ont fourni quelques détails sur le rôle
que joua M. Favre en cette mission. Le nommé
François Chevelard, de Montarlet-sur-Trembley,
âgé de 92 ans, et bien vigoureux encore quand nous
l'interrogeâmes, nous parla de lui en ces termes :
« Oui, j'ai vu la grande mission de 1821. Il y avait
plusieurs missionnaires. Celui que je me rappelle,
c'est M. Favre. Un soir, ayant prêché le service de
Dieu, il termina ainsi : « Quoi donc! C'est Dieu
qui vous a créés, Dieu qui vous a élevés, Dieu qui
vous conserve tous les jours, et vous ne voulez pas
le servir? Eh bien! qui voulez-vous mettre à sa
place? Si c'est Satan, dites-le! » Là-dessus, il des-
cendit de chaire, laissant à un confrère le soin de
relever l'auditoire consterné et de lui faire prononcer un acte public de repentir. »

De son côté, Mme la comtesse de Buttet de Boigne
nous a signalé comme ayant été créée par M. Favre en cette même mission, une œuvre ou association pieuse dite des *Filles de la Croix*. « J'ai connu,
ajouta-t-elle, la dernière de ces bonnes filles morte
en 1887. La plupart ont persévéré jusqu'à la fin,
donnant à toute la paroisse l'exemple d'une vie
d'édification et de dévouement. »

Le succès de M. Favre inspira à plus d'un curé le désir d'avoir une mission prêchée par lui. La première et la plus retentissante fut celle du Châte-

Le Châtelard-en-Bauges.

lard-en-Bauges, paroisse où M. Mermier était alors curé. Elle commença le 18 novembre 1821. Huit jours se passèrent à prier, à prêcher, à inviter le peuple aux exercices; l'ébranlement n'eut pas lieu. Humiliés et attristés, le curé et le missionnaire se demandent s'il faut continuer ou abandonner les prédications. « Ni l'un, ni l'autre, dit M. Favre, dont la ressource infaillible dans les grandes diffi- cultés était de faire violence au ciel par ses austé- rités et ses prières. Partons, allons demander à Dieu la conversion de votre peuple! » Et tous deux gagnent à pied le désert de la Chartreuse. Surpris de cette brusque interruption de la mission, les

habitants du Chàtelard demandent ce que sont devenus curé et missionnaire. « Ils sont allés prier et
jeûner pour votre conversion, » répondent les con-
fidents du secret. Le coup porta juste. La paroisse
entière, doucement émue, réclama le retour de
ses deux saints et, quelques jours plus tard, la mission recommença. Elle porta les fruits les plus
abondants. Tout le diocèse admira le zèle des missionnaires, l'originalité sainte du moyen employé
et le résultat qui s'ensuivit. Mais, le plus beau
fruit de cette mission mémorable fut de décider
l'un par l'autre ces deux hommes à l'œuvre exclu-
sive de restauration religieuse que demandait la
province de Savoie. Ils s'unirent là d'une indis-
soluble amitié. M. Mermier se mit sous la direction de M. Favre et, peu de temps après, quitta
sa cure. M. Favre, encouragé par M. Mermier,
s'affermit pour toujours dans la pensée de se donner entièrement à l'organisation des missions. Et
de ces deux ouvriers vraiment apostoliques vivent
encore nos différentes sociétés de missionnaires
de Savoie.

A ceux qui nous demanderaient de caractériser
en un mot leur rôle respectif, nous pourrions répondre que M. Favre ressuscita en Savoie le véritable esprit des missions et que M. Mermier in-
carna cet esprit dans un corps apostolique sagement organisé. Toutefois, et si vraie que nous
estimions cette réponse, nous croyons plus sage de
ne voir en ces deux hommes qu'un seul et même
cœur, suscité par Dieu pour le salut de la Savoie
toute entière. *Quod Deus conjunxit homo non separet.*

Bientôt M. Mermier, qui avait commencé de missionner avec notre héros, sera nommé supérieur du grand séminaire d'Annecy sur la recommandation de M. Favre entre autres ; ce dernier voulant et pensant lui faciliter ainsi la création d'un corps de missionnaires. Il éprouvera dans cette charge diverses velléités de vie religieuse. Toujours son ami, qui par humilité s'appelait son fils et son disciple, le retiendra dans sa vraie vocation de missionnaire et de fondateur.

Pendant l'hiver de 1821-1822, aidés par plusieurs prêtres dévoués, ils donnèrent quelques missions extraordinairement fructueuses, parmi lesquelles nous citerons celles de La Compôte, de Saint-François-en-Bauges, des Chapelles, de Lescheraines et d'Aillon-le-Jeune. L'une de ces missions des Bauges fut marquée par un fait que le R. P. Zozime, capucin à Chambéry, nous a conté ainsi d'après témoin digne de foi : Voyant que tout le monde courait entendre M. Favre, un impie s'en moqua. Il faudra, dit-il, y conduire les bêtes. De fait, entrant à son écurie, il crie à son mulet : Viens, que je te détache, allons à la mission ! Et comme il approchait pour le délier, le mulet lui lance un coup de pied terrible qui l'étend par terre, raide mort. Les témoins de ce fait y virent un châtiment de Dieu ; et la renommée, déjà grande, de M. Favre s'en accrut rapidement.

L'ardeur de son zèle, la largeur de ses vues, la simplicité savante de ses conférences, tout lui conquit bientôt l'estime des plus difficiles. Il n'en fallait pas davantage pour confirmer pleinement la

confiance des supérieurs dans sa valeur apostolique.

A partir de ce jour, l'administration du diocèse
pouvait dire : Nous avons un homme. L'œuvre
diocésaine des missions de Chambéry fut donc décidée. Le 30 octobre 1822, Mgr de Solle, ayant entendu son conseil, confie à notre héros la direction
des missions de Chambéry et lui assigne pour résidence provisoire le grand séminaire de cette ville.

Voici la réponse de M. Favre à sa Grandeur :

« Chambéry, le 20 décembre 1822. Monseigneur,
le zèle ardent que votre Grandeur m'a souvent manifesté pour l'œuvre des missions, m'engage puissamment à reprendre aujourd'hui une œuvre aussi
utile et aussi nécessaire. L'utilité des missions est
une vérité d'expérience. Quinze jours ou trois semaines, tout au plus, de mission bien concertée et
bien exécutée, suffisent pour instruire une paroisse
ignorante, pour y détruire des abus que le zèle de
plusieurs pasteurs n'avait pu faire disparaître,
pour la renouveler. Il serait impossible de calculer
le nombre des restitutions, des réconciliations,
des conversions qu'opère une mission bien faite.
Les curés des paroisses où nous en avons donné
en ont été étonnés, au point qu'ils nous priaient
avec les plus vives instances de leur promettre de
revenir dans deux ou trois ans. Depuis une année
que je suis dans les missions, je ne puis pas encore
revenir de la surprise que produit en moi le souvenir délicieux des effets prodigieux et sans nombre
de nos missions.

« Quant à la nécessité des missions, l'état pitoya-

ble où se trouvent aujourd'hui les peuples ne la
prouve que trop. Elles sont presque le seul moyen
d'exercer avec fruit le saint ministère. Car l'ignorance est si grande et si générale, les préjugés contre la religion et ses ministres si enracinés et si
répandus, la corruption et les scandales si universels, que les hommes se damnent pour ainsi dire
en masse, tout en se rassurant les uns par les autres. Les maximes du monde et les préjugés du siècle tiennent lieu d'évangile ; la conduite du monde
est la règle qu'on suit, et vouloir lutter contre ces
maximes et ces scandales à moins d'avoir un
ascendant extraordinaire par ses lumières et sa
réputation de vertu, c'est vouloir passer pour exagéré, pour tête exaltée, pour homme rigide et trop
exigeant. A ces scandales et à ces préjugés, se joint
l'ignorance la plus crasse et la plus universelle.
Aujourd'hui on ne sait plus de religion. Et où l'apprendrait-on? A la première communion ? on n'a
ni le temps ni la raison suffisante pour l'apprendre,
la comprendre et la retenir. Aux instructions ordinaires de l'année ? on ne les écoute pas, ou on ne
les écoute que par routine, sans y mettre aucune
importance ; et on ne s'en préoccupe plus au sortir
de l'église. De ses parents ? ils ne savent rien. Au
saint tribunal? on se confesse rarement. D'ailleurs, on croit plutôt le monde que le pasteur, et
les scandales et les préjugés du siècle rendent
presque nulle la parole d'un pasteur, quelque zélé
qu'il soit, à moins qu'il ne domine puissamment
sa paroisse par la grande idée qu'on a de lui, ce
qui est extrêmement rare. Tel est l'état actuel de

toutes nos paroisses à l'exception d'un bien petit
nombre qui ont conservé la foi antique de nos pères. Or, pour les tirer de cet état d'ignorance, de
préjugés et de corruption : 1° Il faut un ensemble
de lumières tel, que chacun reconnaisse évidemment la vérité au milieu des ténèbres qui l'enve-
loppent et reconnaisse l'état pitoyable où il se
trouve ; 2° il faut une force extraordinaire pour
s'élever au-dessus de la critique et de l'exemple
d'un grand nombre. Ces lumières extraordinaires,
devenues nécessaires aujourd'hui pour dissiper
l'ignorance et les préjugés du siècle, ne peuvent
guère se rencontrer que dans une mission. D'un
autre côté, il est très peu d'âmes capables de s'élever au-dessus de la censure et de l'exemple du
monde. Il s'agit donc, ou de changer une paroisse
en masse, ou de la laisser toute, à peu d'exceptions
près, dans l'ignorance, les préjugés et la corruption. Cela est si vrai que le grand nombre des pasteurs peuvent à peine ramener dans la voie du
salut quelques âmes qu'ils cultivent avec tous les
soins possibles, depuis nombre d'années.

« Qu'on interroge la plupart des curés et vicaires,
et on aura lieu de s'en assurer par des témoignages sans nombre. Mon peu d'expérience ne me
laisse pas le moindre doute là-dessus. Aussi, le
saint ministère n'a peut-être jamais été aussi difficile à exercer qu'il l'est aujourd'hui. Pour bien
l'exercer, il faudrait élever chaque pénitent au-
dessus des idées et de la conduite du monde, et il
y a très peu d'âmes qui en soient capables. Pour le
commun des âmes, il s'agit ou de les *passer* sans

changer leur esprit, leur cœur et leur conduite, ce
qui serait les asseoir et les endormir dans la voie
de perdition, ou de les *arrêter* sans changer leurs
idées, sans lever leurs préjugés ; alors on s'expose
à les décourager, à les rebuter, à les éloigner pour
toujours du tribunal, comme cela n'arrive que
trop. Toutes ces considérations font voir qu'on ne
peut changer les individus qu'en changeant les
paroisses en masse, qu'en donnant des missions.
Toutes ces raisons et une infinité d'autres qui me
font gémir depuis bien longtemps sur la triste position des campagnes, les succès inouïs et sans
nombre obtenus jusqu'ici par nos missions, les
vœux d'un grand nombre de pasteurs qui réclament ce puissant secours, mais surtout les vœux
de votre Grandeur, Monseigneur, me sollicitent,
me pressent jour et nuit de reprendre le cours interrompu de nos missions. La divine Providence
suscitera des hommes capables de me seconder
dans cette œuvre importante. En attendant ces secours, je demande à votre Grandeur la permission
de m'associer l'abbé Hybord, vicaire de Chevron,
pour donner avec votre agrément, Monseigneur,
des missions à différentes paroisses qui nous demandent.

« La première mission à faire est celle de Grésy-
sur-Isère qui va commencer le 29 de ce mois.
L'abbé Hybord y sera nécessaire ; je prierai donc
votre Grandeur de vouloir bien le remplacer et de
le laisser libre pour ce temps-là. Si la Providence
bénit votre œuvre comme je l'espère, nous pourrons proposer à votre Grandeur plusieurs plans

que nous méditons depuis plusieurs années. Nous
n'avons pas d'autre vues que de faire tout le bien
que nous pourrons, mais nous ne voulons le faire
que d'après l'agrément et la direction de notre premier pasteur. L'essentiel est de commencer, afin
que l'œuvre nous attire des ouvriers puissants en
action et en paroles. Nous pourrons ensuite nous
ériger en corps de missionnaires fixes et uniquement consacrés à l'œuvre des missions.

« Agréez les sentiments de respect et d'attachement avec lesquels je suis, Monseigneur,

« De votre Grandeur,

« le très humble et très obéissant serviteur,

« FAVRE, prêtre. »

Le lecteur a remarqué dans cette lettre le passage
où M. Favre parle de plans qu'il méditait depuis
plusieurs années ; il aura été frappé surtout par
cette déclaration nettement formulée : « Nous n'a-
vons pas d'autres vues que de faire tout le bien que
nous pourrons, mais nous ne voulons le faire que
d'après l'agrément et la direction de notre premier
pasteur. » Ces deux phrases, banales sous la plume
de beaucoup, sont pour M. Favre une profession
de foi où se révèle toute son âme et à laquelle il
sera fidèle jusqu'à la mort. Il est nécessaire de les
bien comprendre, si nous voulons saisir le véritable esprit de cet homme de Dieu. D'abord,
quels étaient ces plans divers formés depuis plusieurs années par notre apôtre ? Des plans de mission à la façon ordinaire ? Non. Lui-même écrira
bientôt à M. Mermier : « Je ne suis pas missionnaire, je ne le serai jamais. »

Simple élève de théologie, on l'a vu critiquer au nom du bienheureux Liguori l'enseignement rigoriste donné au grand séminaire. Vicaire à Sallanches, son manque de vraie formation pastorale lui fait endurer une sorte de martyre. Professeur à Saint-Louis-du-Mont, il éprouve le besoin d'élever le niveau des études et de transformer en direction réelle l'esprit régimentaire du petit séminaire. Missionnaire depuis une année seulement, il veut renouveler l'esprit du clergé plus encore que celui des simples fidèles. En un mot, les plans qu'il a formés sont d'un restaurateur vrai, savant, brûlant de zèle, et que nul obstacle ne fera reculer.

N'en soyons point surpris. Notre nouvel apôtre est un homme d'oraison et de pénitence. Chaque année, il consacre de longues semaines à la retraite, soit à l'hospice du Mont-Cenis et Novalèse, soit à la Grande-Chartreuse. Avant de recourir aux moyens humains, il use largement des moyens divins. Parfois il dépasse la mesure des austérités permises. L'auteur du *Pré spirituel* nous rapporte que, au sortir d'une retraite au Mont-Cenis, il était si exténué de jeûnes et de veilles qu'il ne put descendre que porté sur une monture. Mais ce vrai disciple des maîtres apostoliques le savait : Moïse avant de donner au peuple Hébreu les Tables de la Loi s'était approché de Dieu sur la montagne, avait parlé à Dieu, l'avait entendu, consulté, prié, quarante jours durant. Avant de reproduire ses travaux d'évangélisation, M. Favre voulait imiter aussi le divin Rédempteur au désert.

Voyons-le surtout se retirer à la Grande-Char-

treuse et notons en passant ce lieu béni et sanctifié.
Nous serons moins étonnés de la sagesse précoce
qu'y puisait notre héros. « Il serait difficile, écrit
Dom Cyprien-Marie Boutrais, de rencontrer une
communauté plus vénérable que celle de la Grande-
Chartreuse après la restauration du monastère
(1816). Parmi les Pères, plusieurs avaient confessé
leur foi dans les prisons ou sur les navires. Dom
Ephrem, condamné à mort, n'échappa que par
miracle au dernier supplice. Presque tous connaissaient, pour les avoir éprouvées, les douleurs et
les privations de l'exil; les autres, restés en
France, y avaient exercé le saint ministère au
péril de leur vie (1). »

L'histoire nous montre saint Jean-Chrysostôme
passant deux ans au milieu des Pères du désert;
Saint Ignace, saint Alphonse de Liguori, élabo-
rant dans la solitude et l'oraison le plan de leurs
œuvres. M. Favre fit de la Grande-Chartreuse son
désert, son Manrèse et sa grotte de Scala. Et il étudiait là sous le regard de Jésus et de Marie le plan
de la réforme qu'il devait opérer

Pour mieux atteindre son but, le moyen principal qu'il veut mettre en jeu, c'est d'agir sur le
clergé séculier par le clergé séculier lui-même. Il
veut créer un corps de missionnaires qui soit, si
j'ose ainsi parler, le prolongement de l'évêque ; qui
en porte la surveillance et l'action dans les séminaires et jusque dans les dernières paroisses du

---

(1) *La Grande-Chartreuse*, par un chartreux.

diocèse, pour aider les bons prêtres, secouer les indolents, corriger les mauvais.

La réalisation d'un tel dessein parait de nature à amener des empiètements sur l'autorité épiscopale ; aussi, M. Favre, en prêtre non moins obéissant qu'entreprenant, ajoute-t-il à la déclaration expliquée plus haut, celle-ci qui la complète : « Nous n'avons pas d'autres vues que de faire tout le bien que nous pourrons, mais nous ne voulons le faire que d'après l'agrément et la direction de notre premier pasteur. »

Qu'on se représente donc M. Favre comme un prêtre instruit, pratique et zélé, voulant donner aux évêques une corporation de prêtres apostoliques dirigeant, sous leur propre mouvement, les établissements ecclésiastiques, les prêtres, et par là tout leur diocèse : on aura une idée vraie de l'esprit principal qui anima constamment notre saint missionnaire. — Il est le temps de le voir à l'œuvre dans le champ des missions.

CHAPITRE III.

MISSIONS DONNÉES PAR M. FAVRE EN **1823**.

Aux premiers jours de l'année 1823 commençait la mission de Grésy-sur-Isère.

Un trait nous en a été conservé par le chanoine Bouchage, dans sa biographie de la Révérende Mère Marie-Félicité, supérieure générale des Sœurs de Saint-Joseph de Chambéry, détail où se peint la douce bonté de notre apôtre.

« Comme l'hiver était très froid, dit l'auteur cité, le célèbre fondateur des missions de Savoie avait accepté de faire les catéchismes dans une grande salle de la maison Veyrat qui avait été mise à sa disposition. Vu l'étroitesse du local, les enfants n'y étaient pas admis. Un jour, Joséphine Veyrat (enfant de la maison, devenue plus tard supérieure générale), échappe à la surveillance et vient frapper à coups redoublés à la porte, demandant à entrer pour entendre elle aussi l'instruction. Cet acte de turbulence attira l'attention de l'homme de Dieu, qui voulut voir son bruyant disciple, l'interrogea, le bénit, et lui recommanda de se préparer soigneusement à sa première communion. L'enfant, ravie, n'oublia jamais cette rencontre, et nous pouvons présumer que la parole ardente de l'apôtre éclaira vivement sa jeune âme et lui imprima une très forte impulsion vers la vertu. »

Les exercices de cette mission donnés par MM. Favre et Hybord furent, si nous en croyons l'humilité de notre héros, « assez mal concertés. » Cependant, de l'aveu du même M. Favre, ils produisirent nombre de conversions dont plusieurs frappantes. Le peuple s'y affectionna au point d'exprimer le désir de les voir se poursuivre jusqu'à la fin de l'année. Malgré ce succès, M. Favre écrit à son archevêque : « Il nous manque un prédicateur. Je ne suis pas assez puissant, ni de corps ni d'esprit, pour ce rôle important et pénible. Tout en me sentant un grand attrait pour les missions, je n'y vaux rien que pour commander et trouver à redire. Il serait bien à souhaiter d'avoir un homme puissant en œuvres et en paroles. »

P. Eugène, de Rumilly, capucin,
mort général de l'Ordre.

L'effet de cette lettre fut d'adjoindre à MM. Favre et Hybord, le R. P. Eugène, capucin, homme de talent et vraiment apostolique, avec lequel ils partirent pour la mission de Sainte-Hélène-des-Mil-

lières vers la fin de janvier. Le R. P. Eugène
devait prêcher les grands sermons. Tout alla d'a-
bord pour le mieux, mais, le troisième jour, des
raisons imprévues rappelèrent à Chambéry le vaillant religieux. Peut-être faut-il dire de ces deux
apôtres ce qui est écrit de saint Paul et de saint
Barnabé : *Facta est autem dissensio.* — Notre missionnaire était trop éclairé pour se troubler de cette
séparation. « Sans nous décourager, écrit donc
M. Favre, nous avons suivi notre manière simple
de prêcher. » Dieu bénit la foi de ses ouvriers par
des conversions éclatantes. Un bourgeois, entre
autres, jusque-là mécréant, devint tout à coup
assez dévot pour se prêter à orner les autels. On
voyait se terminer chaque jour des procès invé-
térés. Les restitutions abondèrent et les inimitiés
prirent fin. La plupart des fidèles jeûnèrent tout le
temps de la mission. Dès quatre heures du matin,
l'église était envahie. Notons la cérémonie de la
Sainte Vierge, dont l'effet fut tel que jusqu'à la clôture des exercices la chapelle du Rosaire ne dé-
semplit ni jour ni nuit. Hommes et femmes, enfants même allaient demander la grâce de la conversion à ce puissant Refuge des pécheurs.

Non moins efficace fut la « fête ou cérémonie de
la Croix. » On avait dressé un calvaire près du
banc de communion ; au-dessus un grand crucifix
blanc sur un fond noir. Toutes les croix de mission destinées aux hameaux étaient appuyées sur
la table de communion. La chaire était tendue de
noir. On sonna les cloches comme pour le jour des
morts et l'on fit la procession de plantation de

croix en ornements noirs. Cet appareil de deuil joint aux chants lugubres qui furent exécutés impressionna jusqu'aux larmes cette population. Le sermon et l'érection de la croix achevèrent de remuer les cœurs. Au départ des missionnaires, la foule les arrêtait pour leur dire des paroles touchantes : Que le bon Dieu vous accompagne, pauvres prêtres ! Sans vous, nous étions perdus ! Hélas ! quand vous reverra-t-on ?...

Ces démonstrations faisaient dire à M. Favre : « Ah ! que les gens de la campagne sont aimables ! Que leur manière de parler est sincère et touchante ! » Elles le dédommagaient amplement de certaines critiques aujourd'hui encore formulées par les hommes sans zèle. D'ailleurs, notre missionnaire était soutenu par des motifs bien supérieurs. Il écrivait à son évêque : « La plupart des curés savent apprécier les missions, ils les désirent et en sollicitent coup sur coup. Quelques-uns cependant les décrient, sous prétexte que le bien qui s'y opère n'est pas de longue durée. C'est injuste à eux de tenir ce langage. Quand le bien est fait, il faut vouloir le maintenir par la confession fréquente, et ne pas prétendre le conserver sans continuer le travail des missionnaires. Au reste, qu'on parle des missions comme l'on voudra, la volonté de mes supérieurs sera toujours ma règle, et leur approbation me tiendra lieu de toutes les autres. »

A partir de la mi-février, nos missionnaires évangélisent la paroisse de Montcel, non loin d'Aix. L'enthousiasme y fut porté au comble, et,

résultat autrement sérieux, on y termina des procès qui duraient depuis plus de dix ans. Près de
4,000 personnes, dont beaucoup venues d'Aix et
des environs, prirent part à la plantation de la
croix. Le dernier jour, on cerna le presbytère pour
empêcher l'homme de Dieu de partir. Celui-ci ne
savait expliquer pareil succès que par la folie de
la croix. « Ce qui me surprend le mieux, écrivait-
il, c'est de voir que notre manière de parler si simple, si grossière, sans apprêt, sans phrases, fasse
tant d'impression Ah ! que la folie de la croix, si
peu connue, est cependant puissante ! »

La fin du mois de mars ménageait une épreuve
à nos ardents apôtres. La mission qu'ils prê-
chaient alors à Nàves fut loin de produire des
fruits aussi consolants. Ils n'en continuèrent pas
moins leurs travaux. Dieu les en bénit aussitôt
après, par le succès qu'ils obtinrent en la paroisse
de Bonneval. Ce fut, selon le mot de M. Favre, un
triomphe complet, tant la population montra d'empressement à suivre les exercices, d'ardeur à jeûner
et à prier, de docilité à se réconcilier et à opérer
les restitutions jugées nécessaires. Seul un original refusa de se confesser. Même succès à Longefoy (mi-avril) et mêmes fruits de pénitence.

La mission de Queige qui eut lieu ensuite, fut,
comme celle de Nàves, difficile. Elle était, disons-
le, bien combattue. Nous voici en effet au mois de
mai, temps de grand travail pour la campagne,
difficulté rarement surmontable. Des préventions
s'ajoutent à ce premier obstacle. Un revendeur de
chapelets raconte dans le pays que les nouveaux

missionnaires font perdre la tête aux gens par des
cérémonies démesurément impressionnantes, prêchant sur des fosses ouvertes, une tête de mort à
la main (1). Le syndic s'oppose d'avance à la cérémonie du jour des morts, on en réfère même au
gouverneur d'Albertville (alors l'Hôpital et Conflans). Tout le peuple réclame des capucins ou
quelque vieux curé pour diriger, à la place du
jeune abbé Favre, les exercices de la mission.
Notre directeur tient bon ; la population fait mine
de se rendre, mais aux premiers reproches un peu
vifs que leur fait le prédicateur, elle se soulève,
et déjà s'apprête à chasser de l'église les missionnaires. Pour mettre les curés de la partie, les
meneurs prétendent que ces nouveaux venus mé-
prisent et diffament les vieux prêtres. Des hommes
se liguant contre la mission, tournent en ridicule
les nouvelles cérémonies et jurent de n'y pas mettre les pieds. Les vraies causes de tout cet orage
étaient les trafics usuriers et le libertinage des meneurs. Le curé, Cl.-F. Ducis, venait seulement d'arriver dans la paroisse et n'avait pu encore que bien
peu réagir contre tant de misères ; quoique M. Favre fasse son éloge à cet égard dans une lettre du
1er juin 1823 à l'archevêque.

Le plus grand obstacle à la mission fut un souffle d'incrédulité et d'orgueil répandu sur la paroisse

---

(1) S'inspirant de l'exemple de saint Alphonse et d'autres missionnaires italiens M. Favre, en effet, prêcha ou fit prêcher l'une
ou l'autre fois avec une tête de mort à la main. Les inconvénients que souleva cette pratique la lui firent bientôt abandonner.

par les mauvais livres et plus encore par certains
impies qui, pour avoir été cirer les parquets ou pé-
trir le pain des parisiens, se croyaient obligés de
railler tout ce qui touchait à la religion, principalement la parole simple des missionnaires. « Tous,
ici, écrivait M. Favre, discutent sur la religion,
jusqu'aux pauvres servantes qui ne savent pas
seulement bien filer. »

Malgré tant d'efforts, l'enfer fut vaincu. L'enquête
du gouverneur, dirigée contre les missionnaires,
finit par établir leur innocence et le mérite de leur
apostolat. L'élan religieux fut assez vif pour rompre la digue du respect humain, et la mission
porta beaucoup de fruits. M. Favre aurait aimé la
prolonger pour en affermir les heureux effets. Mais
il était engagé pour la mission de Valloire. Dans
cette dernière paroisse, il eut plusieurs consolations telles que l'affluence à l'église et la docilité
des paroissiens, malgré l'indifférence de beaucoup
d'hommes « ayant roulé par la France et en ayant
rapporté plus de vices que d'argent. » Entendons-le
expliquer à son archevêque la principale de ces
consolations, celle que lui procura le clergé.

« La mission de Valloire que nous venons de terminer a duré trois semaines. Nous y avons été se-
condés par des prêtres d'une simplicité, d'une
obéissance, d'un zèle vraiment distingués. Je n'a-
vais pas encore rencontré de prêtres de cette
trempe. Jamais accord plus parfait, jamais édification plus grande et plus universelle, jamais surtout
soumission plus entière. J'étais roi et roi despote.
On ne faisait rien, ni dans l'église ni hors de l'é-

glise, sans m'en demander avis. Vous ne sauriez croire, Monseigneur, combien ces vertueux prêtres avaient de confiance en nous, soit pour la direction de leur conscience, soit pour la conduite des âmes. Ils nous ont prié d'obtenir de votre Grandeur la grâce ou la permission de venir encore dans quelques-unes de nos missions. Ils ont été émerveillés et comme stupéfiés de notre manière de missionner. Tous l'ont adoptée, tous se la sont fait expliquer dans trois ou quatre conférences. Ils ne revenaient pas de leur surprise. Tous désirent faire cet automne une retraite sous notre direction. Si Votre Grandeur l'agrée, nous l'entreprendrons volontiers. Rien ne forme tant et plus vite que ces retraites particulières. On ne saurait le croire sans en avoir fait l'expérience. Plusieurs pensent à se faire missionnaires. Ah ! les aimables prêtres que j'ai vus à la mission de Valloire ! (1). »

Le lecteur se demande sans doute quels étaient les procédés de M. Favre dans ses missions, pourquoi ils avaient le don de susciter de si vives oppositions chez les mauvais et de produire de si heureux résultats parmi les vrais fidèles. Nous satisferons là-dessus son intelligente curiosité dans le chapitre suivant.

Qu'on nous permette une remarque avant de clore celui-ci. La joie éprouvée par notre missionnaire à la vue de prêtres dociles et laborieux n'était pas celle d'un ambitieux. M. Favre n'a jamais

---

(1) Lettre du 25 juin 1823.

voulu commander à personne. Ce qui le consolait
en cela, c'est qu'il y voyait le moyen principal de
restaurer la ferveur dans le peuple de Dieu.

Les missionnaires passent, disait-il, ils emportent avec eux la confiance des populations. Si le
clergé à demeure n'a pas le même esprit, s'il ne
jouit pas de la même confiance auprès des fidèles,
ceux-ci ne viennent point à lui et le bien n'est que
commencé. De tels principes méritent qu'on y
fasse attention. N'est-ce pas aussi pour communiquer à tous les prêtres l'esprit et les procédés du
véritable apostolat que saint Alphonse a écrit son
livre des missions ? Notre héros, en digne disciple
de ce grand saint, avait compris que tout missionnaire est incomplet, s'il ne cherche pas discrètement à communiquer aux prêtres qu'il rencontre en
mission, le feu qui l'anime et les pratiques d'où il
tire le meilleur de ses succès.

CHAPITRE IV.

SIMPLE COUP D'ŒIL SUR LA MÉTHODE APOSTOLIQUE
EMPLOYÉE PAR M. FAVRE.

Avant les détails de la méthode employée par M. Favre il convient de signaler l'esprit de cette méthode, nous voulons dire l'esprit de miséricorde et de confiance. — Saint Alphonse, convaincu par l'expérience que, pour ramener le pécheur, il faut avant tout exciter sa confiance en Dieu, exige toujours le sermon sur la bonté toute-puissante de la sainte Vierge. M. Favre commençait toutes ses missions par une grande cérémonie en l'honneur de cette auguste Mère. Il nous semble que cette pratique

Notre-Dame de Myans,
Résidence actuelle des missionnaires
de Chambéry.

7.

BIBLIOTHÈQUE NATIONALE R. F. IMPRIMÉS.

empruntée à saint Alphonse a dû être confirmée par
Notre-Dame de Myans, patronne de la Savoie, et
nous ne faisons pas difficulté de croire que, dans
les nombreux pèlerinages de notre apôtre au sanctuaire de Myans, d'abord, puis au cours de la mission donnée par lui dans cette paroisse, la sainte
Vierge lui fit entre mille autres faveurs celle de lui
dire à sa manière ce mot — précieux à coup sûr
pour tous les convertisseurs : — Veux-tu ramener
facilement les enfants de Dieu au foyer qu'ils ont
déserté ? Fais briller à leurs yeux l'image de leur
mère.

M. Favre avait donc pour grand moyen d'apostolat Marie, la confiance en Marie, la prière ins-
tante et publique adressée à Marie.

En outre de la prière publique, moyen capital de
tout apostolat, M. Favre ramenait à neuf articles
principaux l'ensemble de sa méthode apostolique.
Les catéchismes, les confessions préparatoires,
l'explication du saint Evangile, les arbitrages, les
sermons, les cérémonies, les conférences privées
au clergé local, la visite des malades, les œuvres
paroissiales.

La nécessité de saisir cet ensemble pour bien
comprendre l'action de notre apôtre, et l'utilité
que les missionnaires peuvent trouver dans cette
étude sont évidentes. Nous tâcherons d'être clair
et concis.

I. — PRIÈRE PUBLIQUE. — On l'a vu au chapitre
précédent, M. Favre commençait ses missions par
une fête en l'honneur de la sainte Vierge afin de
créer dans tous les cœurs un courant de prières et

une atmosphère d'inébranlable confiance. Il nous apprendra bientôt le détail de cette fête, à laquelle il tenait d'autant plus fort qu'il professait pour la sainte Vierge une dévotion personnelle toute filiale.

II. — LES CATÉCHISMES — L'ignorance religieuse que M. Favre attribuait au genre phraséologique des prédicateurs et aux objections colportées par les impies revenus de Paris, était le premier rempart auquel il s'attaquait. Ecoutons-le nous expliquer sa tactique sur ce point généralement trop négligé.

« On fait trois catéchismes par jour. Un pour toute la paroisse. On parcourt en abrégé, d'une manière suivie et méthodique, le dogme, la morale, les sacrements et la prière; de manière à faire voir l'ensemble et le plan admirable de la religion. » Le deuxième catéchisme est pour les ignorants. Il se divise en quatre sections.—Vieillards ignorants : on en charge le prêtre le plus prudent et le plus âgé. - Femmes ignorantes : on en charge l'ouvrier le plus patient et le plus clair. — Garçons ignorants : catéchisme confié au prêtre le plus actif et le plus affable. — Filles ignorantes : cours enseigné par le prêtre le plus austère et le moins avenant. Ces catéchismes se font dans des locaux séparés, pendant que le prédicateur le plus instruit fait le grand catéchisme de paroisse dont on a parlé plus haut. Les confesseurs trouvent-ils des pénitents trop peu instruits pour suivre le grand catéchisme, ils les envoient à la section des ignorants qui leur convient. Du reste, dans chaque cours, c'est le même exposé du symbole, du décalogue, des sacrements et de la prière, avec plus ou moins d'insistance sur les points essentiels ou d'aperçus complémentaires. Le troisième catéchisme est pour les idiots. On en charge le prêtre le plus habile, et il se borne à inculquer, à force d'explications et de patience, les vérités et les devoirs essentiels.

III. — LES CONFESSIONS PRÉPARATOIRES. — M. Favre, nous l'avons vu, estimait qu'on n'instruit à fond qu'au confessionnal, parce que là on instruit son homme face à face et pour son état particulier. Sans s'interdire ni se prescrire d'absoudre dès la première entrevue, sans partager *systématiquement* la confession en trois, quatre aveux ou plus (ce qu'ont pensé des disciples quelque peu automates), il s'enquérait de l'état du pénitent, lui enjoignait de revenir autant de fois que besoin en était, traitait en un mot chacun selon les nécessités particulières de son âme, soit pour l'instruction, soit pour les autres dispositions.

IV. — L'EXPLICATION DU SAINT ÉVANGILE. — C'était sous forme de rosaire expliqué, médité, parfois même entrecoupé de chants, un traité des vertus de Notre-Seigneur et de la sainte Vierge approprié aux fidèles ordinaires, une sorte d'ascétique populaire sur la vie illuminative. Pas n'est besoin d'insister pour faire remarquer l'importance de ce cours, auquel saint Alphonse donnait aussi tous ses soins.

V. — LES ARBITRAGES. — Ils se faisaient à la cure et consistaient à entendre les plaideurs, à juger leurs cas et à trancher à l'amiable leurs différends.

VI. — Les sermons ou discours solennels. — Exposé pathétique des grandes vérités.

VII. — Cérémonies. — Nous en parlerons plus loin.

VIII. — Conférences privées au clergé local. — Ce point, très soigné, était la part choisie de notre missionnaire. Aux vicaires et curés voisins, qu'il s'associait comme auxiliaires de la mission, M. Favre donnait un vrai cours de pastorale : manière d'instruire, de convertir, de sanctifier une paroisse ; oraison, rubriques, administration des sacrements, confréries, etc. L'homme de Dieu exposait à ses frères les principes de la théologie Alphonsienne et les industries employées par les saints tant pour leur propre avancement que pour le salut des pauvres pécheurs.

IX. — Visite des malades à domicile, les jours de congé. A propos de cette visite, citons une note qui montre à quel point M. Favre était pratique. « Au commencement de la dernière semaine, on visitera toutes les familles de la paroisse : 1° pour s'assurer si tout le monde a fait sa mission ; 2° pour prendre connaissance des abus, des différends, et les terminer ; 3° pour rechercher les mauvais livres et les brûler ; en faire acheter de bons à tous ceux qui savent lire. — Si l'argent manque, placer un tronc ou faire une cueillette — prendre en note les familles et le nom des livres à acheter ; 4° recommander la prière en famille devant le crucifix, une image de la sainte Vierge, de saint Joseph, du patron de la paroisse ; placer à côté un bénitier ; 5° recommander aux mères d'envoyer leurs enfants

demander pardon de leurs désobéissances devant
le crucifix ; 6° donner des avis particuliers aux pères, mères, enfants, filles, garçons, domestiques,
malades, infirmes.

« Outre les livres procurés à chaque famille,
établir dans chaque paroisse une bibliothèque
commune ; dresser un règlement pour les prêter,
en confier la garde à un homme de confiance, ajouter chaque année quelques volumes (1). »

X. — ŒUVRES. — Ce dernier article, plus encore
que tous les autres, préoccupait l'intelligent directeur. Il voulait des corporations privées : hommes,
femmes, jeunes gens, jeunes filles ; il les groupait
pour la fréquentation des sacrements. Il fonda
dans beaucoup de paroisses l'association des *Filles
de la Croix*, œuvre dont nous parlerons en son
temps, ainsi que l'œuvre de la bibliothèque commune ou paroissiale.

Voici les sujets des sermons et autres règles de
missions tels que M. Favre les expose dans une
lettre du 25 juin 1823 à Mgr de Solle :

1. *Fin de l'homme*. — S'il ne sert Dieu, l'homme
mène une vie inutile.

2. *Péché mortel* — Même il fait le mal de Dieu et
le sien.

3. *Nombre des péchés*. — Que dis-je ? Il est dans
un péché qui se multiplie sans fin.

4. *Mépris des biens de ce monde*. — Et qu'est-ce

_____

(1) *Vie*, par M. PONT, p. 327.

qui le pousse à un tel désordre ? L'amour exagéré de biens méprisables et passagers.

5. *Mort.* — Biens que la mort enlève au pécheur comme au juste pour les changer en enfer éternel, si on y tient trop.

6. *Jugement particulier.* — Que chacun s'examine et se juge sévèrement.

7. *Jugement général.* — Les hypocrites, récalcitrants, impies, auront leur tour au dernier jour, et les bons auront leur triomphe.

8. *Purgatoire.* — Si Dieu traite ainsi ses amis, que sera-ce des damnés ?

9. *Enfer (peines).* — Châtiment inconcevable, pour le corps et pour l'âme.

10. *Eternité (damnée).* — Mal sans remède et sans fin.

11. *Damnés.* — *Quis habitare poterit ?* Personne ! et pourtant les vindicatifs, luxurieux, avares, etc., y habiteront.

12. *Deux étendards.* — Méditation de saint Ignace, suivie de la rénovation des promesses du baptême.

13. *Enfant prodigue.* — Modèle des pécheurs qui reviennent.

14. *Pénitence.* — Pour expier et se prémunir contre la rechute.

15. *Amour de Dieu.* — Pour adoucir les âpretés de la pénitence.

16. *Paradis.* — Consommation de l'amour de Dieu.

17. *Persévérance.* — Condition de salut.

On prêche encore, suivant le temps et les paroisses, des sujets comme *la Passion de N.-S.*, *le Sacrilège*, *l'Impureté*, *le Scandale*, *l'Orgueil*, etc.

RÈGLEMENT DES MISSIONNAIRES.

A quatre heures moins un quart, lever, méditation ou matines.

A 5 heures, entrée à l'église au son d'une clochette.

A 10 heures trois quarts, sortie de l'église au son de la clochette.

A 11 heures, dîner : une soupe, trois plats, ni sucreries, ni café.

A 2 heures après-midi, retour à l'église.

A 7 heures du soir, rentrée au presbytère et souper.

A 8 heures trois quarts, coucher.

EXERCICES DE LA MISSION.

A 5 heures et demie, explication de la prière ou méditation.

A 7 ou 8 heures, examen, messe et grand sermon.

A 3 ou 4 heures après-midi, catéchisme, conférence, bénédiction.

De 5 à 10 heures trois quarts et de 2 à 7 heures, confessions, sauf le temps des exercices.

De midi et demi à 2 heures, audition des plaideurs.

ORGANISATION DU CHANT.

On forme trois chœurs : un de prêtres, un d'hommes, un de filles.

Le matin, on chante un cantique en rapport avec le discours comme suit : la moitié avant l'examen, c'est-à-dire à 7 ou 8 heures, deux couplets après, et le reste avant le sermon ou même après l'exorde.

Avant la conférence, un cantique analogue au mystère traité.

Pendant le salut, on chante un acte de contrition.

CÉRÉMONIES PRINCIPALES.

1. *Sainte Vierge.* — On annonce cette fête la veille et le jour par des carillons. On dresse une pyramide (tables superposées), aussi richement parée et éclairée que possible, sur laquelle on place la statue de la très sainte Vierge. Ce jour-là, messe avec diacre et sous-diacre, sermon sur la dévotion à Marie, puis consécration de la paroisse à cette bonne mère. Le soir, conférence sur les pratiques de dévotion à la sainte Vierge ; après la conférence, amende honorable à Marie. Tout le clergé est au pied du trône.

2. *Le jour des morts.* — Après le sermon fait à la messe, on va au cimetière devant une fosse récemment creusée et une tête de mort à la main ; on fait constater *de visu* le néant de la vie présente. On fait cette cérémonie autrement quand elle serait gênante : catafalque à l'église, tentures mortuaires et absoute.

3. *Plantation de croix.* — Sermon sur la Passion, procession au lieu fixé pour ériger le Calvaire.

4. *Amende honorable* à Notre-Seigneur.

5. *Rénovation des promesses du baptême.*

DIRECTION DONNÉE AU SAINT TRIBUNAL.

Outre l'examen prêché avant la messe, chaque confesseur en fait un à ses pénitents avant d'entrer au confessionnal, c'est-à-dire il leur récite une partie de l'examen (composé par M. Favre). Après chaque question, on laisse les pénitents s'examiner. En attendant son tour de confession, chaque pénitent s'exerce à méditer le point de méditation qu'on a exposé.

On prescrit le jeûne et la mortification selon l'état de chacun. *Item* pour l'aumône et autres bonnes œuvres.

Abordons maintenant le point capital, soit la manière de confesser. Nous transcrivons littéralement l'exposé de notre missionnaire, faisant observer avant tout que M. Favre, pour appliquer sa méthode de confession, exigeait un confesseur par cent habitants.

« La sixième chose que nous faisons pratiquer tous les jours ou tous les deux jours, c'est la confession. On prescrit à tous des confessions générales excepté dans des cas bien extraordinaires. Dans la première entrevue, on entend la confession ordinaire pour voir ce qu'ils savent et où ils en sont. On examine ensuite les principaux obstacles à la conversion : ignorance, injustice, rancune, habitude, procès, occasions, pour les lever dès le commencement. On leur fixe les points sur lesquels ils doivent s'examiner. Enfin, on leur assigne les six occupations de la mission qu'on leur répète plusieurs fois, afin qu'ils puissent les retenir. On

gagne de prime abord leur confiance et on les renvoie ainsi.

Dans la seconde entrevue, on les examine sur
les points assignés, en commençant par le premier
commandement. S'ils ne savent rien dire, on leur
redonne les mêmes points ; on examine ensuite s'ils
ont levé les obstacles, fait les choses prescrites et
comment ; on les leur répète jusqu'à ce qu'ils les
comprennent. On continue ainsi jusqu'à la fin.

Avec les âmes converties, on avance à grand
train en les tenant plus longtemps, afin de s'en
débarrasser au plus vite et de les faire communier
plusieurs fois dans la mission. Ces communions
fréquentes, faites en bon état, font une impression
si vive, si délicieuse sur les bonnes âmes, qu'elles
nous restent fortement attachées ; de là vient
qu'elles nous courent après comme des enfants
courraient après leurs mères.

Ces âmes, une fois expédiées, il nous reste du
temps pour travailler celles qui sont en arrière, et
on avance ainsi plus ou moins selon les progrès
de la grâce. Quant à celles qui sont tout à fait
ineptes ou ignorantes, on les renvoie de suite à
ceux qui peuvent s'en charger, ou on prend ses
mesures pour les soigner en particulier. Pour les
jeunes gens, on décide leur vocation lorsqu'ils se
trouvent vraiment convertis et on la leur fait suivre le plus promptement possible.

On apprend aux mères de famille la manière
d'élever leurs enfants, on soigne le plus possible
la confession des personnes âgées, comme étant
le dernier compte qu'elles règlent ici-bas.

Dès que la confession générale est bien faite,
nous sommes très coulants pour les confessions
ordinaires. Nous suggérons la même marche à
MM. les curés afin de faciliter la pratique de la
confession fréquente que nous recommandons
tant. »

Pour achever cet aperçu de la méthode apostolique employée par M. Favre, ajoutons deux choses :
La première, que cet ouvrier de Dieu n'acceptait
ni dons des fidèles ni honoraires des fabriques ;
la deuxième, que pour rendre possibles aux
pénitents les actes qu'il leur demandait, il mettait
entre leurs mains un manuel spécial où tout était
détaillé et dont nous parlerons bientôt.

CHAPITRE V.

L'aperçu donné au chapitre précédent, concernant la méthode apostolique de notre héros, suffit à montrer le zèle et la science de cet homme de Dieu. Quelques détails glanés dans ses principales missions achèveront de mettre en évidence sa manière de travailler au salut des âmes. Ils feront voir en outre les fruits étonnants de son apostolat.

Dans une lettre du 10 avril 1824 à M. Martinet, vicaire général de Chambéry, M. J.-F. Ducis, recteur ou desservant de Saint-Bon, s'exprime en ces termes : « Un des grands biens de la mission est de laisser dans la paroisse une espèce de faim de la parole de Dieu. On voit les gens s'attrouper autour des confessionnaux quand on y fait l'examen de conscience. Ils sont plus souples. La mission les a remués et secoués fortement, de manière que le ministère pastoral est beaucoup plus facile. Je n'aurais pas eu le courage de rester plus longtemps à Saint-Bon, sans la mission. Il y a encore du mal, c'est vrai, il s'y fait encore des choses bien affligeantes, mais en comparant l'état actuel avec celui d'auparavant, je me trouve bien consolé. »

Pour apprécier ce témoignage à sa juste valeur, il faut observer qu'il est extrait d'une lettre adressée à un dignitaire du diocèse. Soucieux de savoir le fruit vrai des missions de M. Favre, inquiets même au sujet de sa morale réputée large, MM. les grands vicaires de Chambéry avaient demandé aux curés chez lesquels passaient les missionnaires un rapport impartial sur leurs travaux. MM. Billiet et Martinet, plus encore que Mgr l'archevêque, tenaient à ces enquêtes, vu la divergence de leurs opinions personnelles avec celles du vaillant missionnaire, touchant l'usure, le jeûne, les récidifs et autres points de la *théologie du Diocèse.*

Citons encore le recteur de Saint-Bon : « Quant à ce qui regarde l'usure, ils exigent que l'on se conforme à ce qui est enseigné dans le diocèse, mais il m'a semblé que pour ce qui était passé, ils étaient plus coulants que je ne croyais pouvoir l'être. En cela, j'ai trouvé leur conduite conforme à celle de plusieurs ecclésiastiques instruits et pieux du Diocèse. On est quelquefois sévère, pour comprendre mal la juste application des principes. Quoi qu'il en soit, je voudrais avoir encore ces Messieurs pendant quelques jours. S'ils semblent moins pointilleux sur des cas particuliers, ils sont très exigeants sous le rapport de l'instruction et des dispositions du cœur et ils réussissent bien à les augmenter. Je crois que Dieu bénit leur travail. »

La mission dont se montre si satisfait ce digne pasteur, ne manqua pas de consoler notre ardent missionnaire. Mauvais livres brûlés en grand nombre, réconciliations et restitutions notables, établissement des quatre confréries ordinaires d'hommes, de femmes, de jeunes filles et d'enfants de la première communion, tels furent ses fruits principaux. Une guérison miraculeuse vint mettre le comble à la joie de tous. Voici comment M. Favre

la raconte lui-même, dans une lettre du 6 juillet
1824, à son nouvel archevêque de Chambéry,
Mgr Bigex : « A Saint-Bon, une fille de Bozel
(localité voisine), âgée de dix-sept ans, était
malade depuis dix ans. Elle n'avait point d'appétit. Elle avait continuellement mal à la tête et à
la poitrine. Elle était toutes les nuits oppressée au
point de ne jamais dormir. Sa confiance en la
mère de Dieu était grande. Nous avons fait sur
elle la cérémonie que nous avions déjà faite sur
l'enfant de Bellentre. Dès ce moment, elle s'est
trouvée parfaitement guérie. Son mal de tête et
d'estomac a disparu ; son oppression pendant la
nuit également. L'appétit lui est revenu, elle reprend des forces à vue d'œil. Deux jours après,
elle est venue nous remercier toute transportée de
joie. En entrant dans la chambre, elle s'est cou-
chée par terre en pleurant et en nous baisant les
pieds. On a eu mille peines à la relever et à tarir
ses larmes. Elle ne se possédait pas de joie et de
reconnaissance. Jamais je n'ai rien vu de si touchant. Le bruit s'en est répandu. On nous a amené
dix autres malades. Nous avons fait la même cérémonie sur tous. Je ne sais pas quels en ont été les
résultats : nous sommes partis le lendemain. »

L'autre guérison, dont parle l'abbé Favre, est racontée par lui dans les termes suivants : « Nous
avons obtenu deux miracles de la sainte Vierge :
le premier s'est fait à la Côte-d'Aime sur un enfant
de neuf ans. Cet enfant était sujet à des accès de
délire furieux, et ces accès revenaient plusieurs
fois par jour. Dans ces moments de fureur, il dé-

chirait tous ses habillements. on ne pouvait rien
lui tenir dessus. Après avoir mis en pièces tout le
linge qui le couvrait, il se déchirait la figure, les
bras, et se mettait tout en sang. Sa mère nous l'a-
mena un jour. Nous fûmes touché de compassion
pour elle et pour son enfant dont la robe était
encore toute rapiécée. Nous avons dit une messe
à l'autel du Rosaire pour cet enfant. La mère y a
assisté avec l'enfant et y a communié. Après la
messe, nous avons lu un des exorcismes du baptême sur ce pauvre furieux. Dès ce moment,
l'enfant n'a plus rebougé. Trois semaines après, la
mère, contente on ne peut plus, est venue à Bellentre nous faire mille remerciements. »

Notre missionnaire ne faisait pas de ces miracles un cas extraordinaire. « Si nous avions plus
de foi, disait-il à un des professeurs du grand séminaire, nous en verrions bien d'autres. Quant à moi,
ajoutait-il, ce qui m'a encouragé à prier ainsi pour
obtenir la guérison des malades, ce sont les lettres
du prince de Hohenlohe qui affirme que les prêtres feraient bien des miracles si leur foi était plus
vive. »

Au sortir de Saint-Bon, l'abbé Favre et ses compagnons se rendirent successivement à Grand-
Cœur et à Bonneval, deux paroisses où ils avaient
donné la mission un ou deux ans auparavant.
Ayant constaté la persévérance des fidèles dans la
ferveur, ils y établirent les quatre congrégations.
Une centaine d'âmes y furent enrôlées. Même retour à Bonvillard où les hommes, retombés en
grande partie, revinrent aux bons sentiments de la

mission. La congrégation de la Sainte-Croix fondée par M. Favre dans cette localité y avait prospéré. Les missionnaires y agrégent trois nouveaux membres

L'homme de Dieu porta ensuite le précieux secours de son ministère à Chamoux. La mission y avait été prêchée un peu auparavant. Il retrouva les bons chrétiens de cette paroisse plus fervents et les mauvais plus haineux. Laissons-le nous peindre cette situation. « Dans cette paroisse, ce qui est bon est tout à fait bon ; mais les méchants le sont aussi pour tout de bon. Jamais paroisse où les braves soient plus raillés, critiqués, bafoués. Les vauriens enragent contre les bons. La guerre est continuelle et universelle. On est allé jusqu'à composer une chanson contre la mission. Nous avons fait une conférence sur les ruses du monde corrompu et corrupteur et sur la manière de le combattre. Nous avons mis à la confusion tous ces méchants enragés, en dévoilant leur faiblesse et leur folie. Ils s'en souviendront longtemps. Les bons triomphèrent et sentirent s'accroître leur courage. Cette conférence était bien nécessaire. La congrégation de la Sainte Croix y fait très bien. Huit nouvelles congréganistes y ont été agrégées. La cérémonie de l'endurcissement a mis toute l'église en pleurs et renouvelé toute l'impression de la mission. »

La paroisse de Grésy-sur-Aix offrit plus de consolations à nos missionnaires. Dans son compte rendu au vicaire général Billiet, M. Perrollaz, recteur, s'exprime ainsi : « Mes paroissiens sont

8.

devenus plus instruits, beaucoup meilleurs et
prodigieusement portés à la piété et aux sacrements. M. Favre a fait des merveilles par les sujets
de méditations qu'il a proposés, par l'examen de
conscience et par les conférences. C'est à ces trois
moyens que j'attribue principalement le succès de
la mission. » (Lettre du 29 avril 1825.)

Le compte rendu de M. Cutet, recteur de Saint-
Colomban-des-Villards (8 juillet 1825), est enthousiaste : « L'œuvre des œuvres, dit ce vertueux
pasteur, est l'œuvre des missions ! En disent ce
qu'ils voudront certains ecclésiastiques. » Il termine en exprimant le désir d'aller faire une retraite sous la direction de M. Favre, à Chambéry.

Des rapports étudiés par nous, la plupart font
l'éloge de M. Favre et de ses travaux. Quelques-
uns, sans blâmer sa méthode, expriment certains
desiderata. Tel M. Larmaz, curé de Beaufort, écrivant à M. Billiet le 13 avril 1825 : « Je proposai,
dit-il, à M. Favre et à M. Mermier, pendant qu'ils
étaient à Hauteluce, des missions de provinces, de
vallées et d'archiprêtrés pendant deux, trois ans
consécutifs, ou interrompues après les premiers
coups. La ronde serait plus longue, il faudrait
deux ou trois corps de missionnaires pour avancer
un peu, mais cette manière doit atteindre tous les
buts utiles. Quels fruits ne retireraient pas eux-
mêmes les missionnaires s'ils suivaient longtemps
les mêmes âmes ? »

Nous verrons plus loin M. Favre donner suite
à cette proposition.

D'un autre côté, Antoine Plassiard, recteur de

Bellentre, formula une sorte de blâme. Le voici tel qu'il fut écrit le 15 avril 1825 au même M. Billiet : « Ce qui a fait un peu de mal à ma mission, c'est que M. Favre a froissé un peu rudement l'amour-propre de nos paroissiens. C'est bien un peu ma faute. Ils sont un peu Français ; ils n'aiment pas à être heurtés. Un bon nombre d'entr'eux ont passé des 20 à 30 ans au service des grands en France, ils sont venus s'établir au pays avec 100 et 200 francs de rente et de plus avec une religion française. Rien ne peut démarrer ces bons vieux. Extérieurement, ils sont bons, honnêtes, ils rendent service. Je pense qu'ils ont encore la foi, mais ils supposent qu'on leur fait la vérité plus terrible qu'elle n'est. Encore de nos jours, plusieurs de nos jeunes gens s'en vont à Paris pauvres et ils en reviennent de même. Là, ils ont passé un an, deux ans sans messe, sans instructions, mangeant gras tous les jours, et ils reviennent avec de mauvais principes. Comparant ce qu'ils ont vu à Paris, avec ce qui se fait à Bellentre, ils prennent nos braves chrétiens pour des imbéciles qui se laissent mener par un curé. A mon avis, la France, Paris surtout, est la peste de la Savoie. »

Cette peinture n'étonnera personne. On comprend que des Messieurs de Bellentre, retour de Paris, se soient crus blessés par certaines boutades apostoliques de l'abbé Favre. Reste à savoir ce qu'eût produit sur eux la parole de certains prédicateurs parisiens. Quoi qu'il en soit, M. Favre, d'abord enfant du tonnerre comme les apôtres, se fit bientôt un langage plus approprié à la faiblesse et aux

susceptibilités des pécheurs. C'est ce que le même
Antoine Plassiard nous dit en ces termes imagés :
« M. Favre a déjà mélangé de miel son vinaigre. »
M. J.-F. Marquet, archiprêtre de Novalaise, écrit à
son tour : Que la mission a beaucoup augmenté
l'instruction et grandement diminué le respect humain dans sa paroisse (1).

A la date du 31 mai 1825, M. Vuagnoux, recteur,
écrit de Séez au
même, la lettre
suivante , que
nous croyons
devoir trans -
crire dans toute
sa teneur, afin
de montrer au-
thentiquement
le zèle et les
œuvres de M.
Favre :

Mgr Billiet, évêque de Maurienne.

« Vous trouve-
rez sans doute
que j'ai beau-
coup tardé à vous parler de la mission de Séez ; mais
je n'ai pas eu un moment depuis, car des missions
de ce genre laissent au curé un travail inouï.

« M. Favre ne sera peut-être guère content de
Séez ; cependant, moi qui connais le poste, j'ai été
étonné et surpris, en bien, des effets précieux du

(1) Lettre du 13 avril 1825, à M. Billiet.

travail de ces hommes vraiment apostoliques, car il n'y a que l'esprit de Dieu qui puisse leur inspirer les moyens simples qu'ils emploient dans leurs missions.

« J'ai vu la généralité de mon peuple rentrer dans le sentier de la vertu, mais d'une manière réelle. Les personnes sur lesquelles je comptais le moins ont surpassé celles que je croyais déjà un peu avancées : j'ai été témoin de restitutions et de réconciliations sans nombre. Grand nombre de procès éteints ; des larmes, des gémissements de toutes parts sur le passé, des excuses sans fin au pasteur.

« Je puis vous assurer que je ne reconnais plus Séez. Lorsque je suis en chaire, je suis étonné du recueillement des fidèles, qui ne cessent de méditer et de se disposer à rendre plus fréquentes leurs communions. Oh! que je tremble de ne pouvoir pas maintenir une telle ferveur et un aussi grand empressement! J'ai bien besoin des prières des bons prêtres et surtout de ceux qui sacrifient tout pour le bien du diocèse qu'ils administrent.

« J'ose vous assurer, Monsieur, que je suis content, émerveillé de la conduite de ces saints missionnaires. Ce sont des trésors pour notre pays. Rien de ce qu'ils ont fait chez moi qui ne m'ait édifié, instruit et porté à former de nouvelles résolutions pour l'exercice de mon pénible ministère. Qu'il fait bon avec eux, sans gêne, contents de tout, gaieté agréable et toute en Dieu ! Mes paroissiens ne peuvent se lasser d'en parler. Si vous aviez été présent à leur départ, vous auriez été tou-

ché jusqu'aux larmes, en voyant une population
de plus de deux mille âmes qui, non seulement
pleuraient, mais qui hurlaient et qui se pressaient
autour de leur pasteur en lui disant : Pourquoi
les laissez-vous partir sitôt ? Cette scène a converti
trois fameux étourdis, qui, le même jour, se sont
venus jeter à mes pieds en pleurant pour que je
voulusse bien me charger de leurs âmes :

« Après leur départ, nous avons encore continué
pendant huit jours les mêmes exercices, où mes
zélés coopérateurs se sont distingués. Cela a beaucoup contribué à consolider les fruits de la mission. Je vous fatigue peut-être, et pourtant je ne
vous fais qu'une faible peinture de tout ce qui s'est
passé. »

Nous ne continuerons pas ces citations. Le lecteur peut voir combien notre Directeur et ses missions étaient appréciés de la majorité du clergé.

Un des principaux moyens de conversion employés par M. Favre, en outre de la méditation et
de la fréquentation des sacrements, qu'il exigeait
avant tout, ce sont les confréries ou associations
pieuses. Il y en avait quatre ordinaires et une
extraordinaire. Les associations ordinaires com-
prenaient l'ensemble de la paroisse, la spéciale
était celle des Filles de la Croix.

Voici comment en témoigne le digne curé de
Bellentre, cité plus haut, pour ce qui regarde sa
petite paroisse :

« Le premier dimanche de chaque mois, les Filles
de sainte Marie, aujourd'hui Enfants de Marie, font
leurs dévotions. Elles sont environ quarante.

« Le deuxième dimanche appartient aux hommes ; vingt hommes environ font leurs dévotions.

« Le troisième dimanche c'est le tour des femmes, dites de Sainte-Monique (mères chrétiennes); elles sont une cinquantaine.

« Le quatrième dimanche est réservé aux garçons et filles qui ont fait depuis peu leur première communion. Ils sont environ soixante.

« De quinze en quinze jours vient la congrégation de la Croix, composée de dix-huit filles appelées à l'état de virginité, sous la direction d'une religieuse. Cette congrégation soutient toutes les autres par son édification, sa conduite extérieure et la fuite des mauvaises compagnies. Je confesse cette congrégation le samedi, réservant les dimanches matins et les fêtes pour les autres associations. »

Interrogés par M. Billiet sur les moyens à prendre pour améliorer encore la méthode apostolique de l'abbé Favre, la plupart des curés répondent : Rien de mieux que les quatre congrégations. Bornons-nous à citer M. Reymond, recteur de La Côte-d'Aime.

« Je n'ai pas assez de pénétration ni d'intelligence, dit-il, pour indiquer des moyens de rendre les missions plus fructueuses ; mais, puisque vous voulez mon sentiment à cet égard, je me contenterai de dire que le meilleur moyen de rendre plus durables leurs résultats est d'établir les quatre congrégations, comme M. Favre a coutume de faire à la fin de chaque mission. Je trouve cet établissement si avantageux que sans cela le fruit de ma mission serait déjà peut-être tout perdu. La fréquentation des sacrements et l'*assemblée*, soit la réunion de tous les membres, prescrite chaque mois, contribuent beaucoup à ranimer ceux qui seraient tentés de se relâcher. On les encourage, on leur fait des instructions propres à leur état, on leur montre les dangers de fréquenter le monde, les avantages de servir Dieu, etc., etc. De sorte qu'ils paraissent touchés au sortir de l'assemblée, et s'il y en a qui, de temps en temps, manquent à la règle ou tombent dans quelques fautes, ils se relèvent facilement; tandis que ceux qui ne sont point agrégés aux congrégations croupissent souvent dans le vice et pour le moins dans la tiédeur sans penser à en sortir (1). »

Des témoignages aussi favorables à notre missionnaire n'étaient pas pour ralentir son ardeur. Sans parvenir à dissiper tous les préjugés, ils avaient au moins pour résultat de faire éclater au grand jour la sagesse et le zèle des missionnaires. Ceux-ci étaient demandés partout, et partout les fidèles couraient à M. Favre comme s'il n'y eût eu que lui dans le pays.

La mission de Bramans attira les gens d'Aussois et de Sollière en leur presque totalité. Cela faisait trois paroisses pour une. Ajoutons que des groupes de pénitents venaient de Modane, de Termignon et même de Lanslebourg. « Nous y avons eu des

_____

(1) 10 juin 1825.

pénitents de presque toutes les paroisses comprises entre La Chapelle et le Mont-Cenis », tel est le mot du missionnaire Golliet.

M. Favre profita de cette affluence « pour voir jusqu'où pourraient aller ses forces. Outre ses autres occupations, toujours fort nombreuses, il confessa au moins 400 personnes, ce qui donne un minimum de 1,000 entretiens au saint Tribunal, car M. Favre absolvait rarement la première fois et souvent faisait revenir le pénitent trois ou quatre fois durant la mission. Il ne sortait du confessionnal que pour dire la sainte Messe et aller prendre un frugal repas vers midi. L'autel où il devait dire la messe, fut plus d'une fois entouré de malades, de sourds, d'aveugles, d'enfants dits possédés qui avaient une confiance naïve en ses prières. A Bramans, un homme obtint ainsi sa guérison par les prières du serviteur de Dieu. Cet infortuné, sujet à des vomissements presque continuels, n'avait pu être admis à la communion depuis dix-huit ans ; on devine sa joie.

Malgré un si héroïque labeur, M. Favre ne parvint pas à gagner les bonnes grâces des ecclésiastiques voisins. La plupart décriaient son zèle comme intempestif. On ne vit à la mission que le vicaire de Termignon et le curé de Lanslevillard.

En quittant cette paroisse, les missionnaires s'arrêtèrent à Saint-Michel. Ils apprirent là que le clergé de ces parages leur reprochait d'être laxistes. Monseigneur l'archevêque, lui-même, les ayant vus quelques jours après à Saint-Colomban, le leur avoua. Voici leur crime. A Bramans, ils avaient négligé de donner le billet de confession à quelques étrangers ou d'inscrire le nom du pénitent. A Saint-Colomban (mars, avril 1825), ils avaient admis à la première communion plus de cent personnes que leur curé en avait jugées incapables. Le plus jeune de ces communiants avait 18 ans, d'autres étaient mariés et pères de famille. M. Golliet, de son côté, voulut recommander à leur pasteur quelques pécheurs délaissés. Ils se présentèrent effectivement à M. le curé. Celui-ci, refusant de les croire convertis, se contenta de leur reprocher leurs égarements passés et les renvoya en disant : « Non, vous ne ferez jamais rien de bon ! »

Notre héros ne se laissa ni exalter par le succès, ni abattre par la contradiction. Toujours il passa ferme et humble comme les vrais ouvriers de l'Evangile, laissant à Dieu le soin de le justifier devant les hommes.

Quant à la résultante des rapports du clergé sur ses travaux nous la trouvons dans une lettre de Mgr Bigex au ministre des Etats sardes. Cette lettre, tendant à obtenir « une dotation pour un corps de prêtres séculiers missionnaires », reconnaît aux missions de M. Favre un tel succès que, pour la seule année 1825, plus de quarante paroisses demandaient avec instance le secours de son ministère (1).

---

(1) Archives archiépiscopales de Chambéry.

CHAPITRE VI.

APOSTOLAT AUPRÈS DU CLERGÉ.

La vie du missionnaire est coupée en deux parts : l'apostolat public ou l'œuvre des missions proprement dites et l'apostolat qu'on peut appeler privé et qui se compose de différentes œuvres personnelles : écrits, directions des âmes, retraites surtout. M. Favre n'est pas moins admirable à ce second point de vue. Les efforts inouïs qu'il tenta pour élever le jeune clergé à la hauteur de sa vocation en sont un témoignage éclatant.

Maison Raymond à Nezin.

Il faut dire avant tout que M. Favre, logé provisoirement au grand séminaire de Chambéry, essaya d'établir en 1824 la résidence des mission-

naires dans un faubourg de la ville. Il occupa
quelque temps la maison dite de l'avocat Raymond,
située à l'entrée du faubourg Nezin. Pour des raisons que nous n'avons su découvrir, cet essai ne
put aboutir. Ce fut regrettable. Dans sa maison de
Nezin, M. Favre aurait pu donner un champ plus
libre à sa direction privée, tant des prêtres, ses
compagnons et autres, que des laïques de choix ;
et surtout il aurait pu jeter les bases d'une société
durable. Mais encore une fois, il dut en sortir.
Rentrons donc avec lui au grand séminaire.

Tout d'abord, il signala le défaut capital du
règlement : l'absence de méthode pour former les
jeunes clercs à une solide piété et au véritable
zèle. Cette lacune, grave au premier chef, lui paraissait intolérable. Croyant ouvrir les yeux des
supérieurs en la faisant remarquer à tout propos,
il en parlait librement comme d'un abus de l'administration. « Toute la direction spirituelle du
séminaire, disait-il, se borne à maintenir l'ordre
matériel. On n'apprend aux jeunes lévites ni à faire
oraison, ni à connaître leurs défauts, ni à pratiquer
les solides vertus. Et comme la vie du clergé dépend beaucoup de la formation spirituelle reçue
au séminaire, on perd le clergé plutôt qu'on ne le
forme. »

« Ces abus, écrit un des directeurs alors en fonction au grand séminaire, étaient réels, mais les
critiques de M. Favre ne suffisaient point à les
corriger, tandis qu'elles affaiblissaient le prestige
de l'autorité. On le lui fit savoir. Humble comme
il l'était, il s'efforça de garder le silence. Cet effort

dura trois ans, après lesquels on ne l'entendit plus
dire un mot de blâme au sujet de l'administration. » Le directeur, auquel nous devons ce détail, ajoute ceci : « Il me dit un jour : Vous n'avez
pas encore l'idée de ce que doit être un directeur
de séminaire. Il doit être une victime immolée
au bien de la maison, un homme plus joyeux et
plus affectueux que les autres au dehors, mais
dévoré d'un saint zèle au-dedans (1). »

Ne parvenant point à obtenir des directeurs qu'ils
s'occupassent plus activement de la vie intérieure
au grand séminaire, il entreprit de suppléer à ce
déplorable défaut par des retraites particulières
qu'il dirigeait pendant les vacances et auxquelles
prirent part de nombreux ecclésiastiques. Afin de
mettre entre les mains de ces retraitants d'abord,
de tous les séminaristes ensuite, un livre conforme
à ses vues, il fit rééditer la retraite du Père Judde.
Le premier volume de cette retraite était à ses yeux
le meilleur *Pensez-y bien;* et le second, un miroir
achevé du prêtre intérieur. Du reste, il était épris
de la formation des Pères Jésuites. « Ce sont des
soldats exercés, disait-il, nous ne sommes, nous,
que des paysans armés. »

On ne lira pas sans intérêt l'une des premières
lettres qu'il écrivit à M. Dunoyer, directeur de
Saint-Louis-du-Mont, au sujet de cette retraite à
réimprimer.

« Châtelard, le 2 avril 1822. — Mon cher ami en

_____

(1) *Pratum spirituale.*

J.-C., je veux que vous m'aidiez à faire une bonne
œuvre, afin que vous en partagiez avec moi le mérite. Je vous la propose sans façon comme à l'un
de mes meilleurs amis et à un homme qui a
l'amour du bien. J'ai en tête de faire imprimer les
deux premiers volumes du Père Judde, qu'on inti-
tulera : *Retraite du Père Judde*. M. Puthod s'en
charge à 3 francs et 10 sols l'exemplaire, broché,
pourvu qu'on lui trouve 400 souscripteurs. Nous
avons chacun cinq exemplaires pour notre peine.
Je vous prie en conséquence d'engager M. le directeur du grand séminaire à faire souscrire tous
les séminaristes, ce qui fera plus de 200 souscripteurs. La dépense n'est pas bien grande ; elle ne
saurait être mieux employée. Vous engagerez ensuite ceux de vos élèves qui sont à même d'en
profiter à souscrire pour un ouvrage aussi excellent. Plusieurs des philosophes de Chambéry, vos
connaissances et amis prêtres souscriront. Je
compte sur vous pour la moitié des souscripteurs.
Je chercherai l'autre moitié à Saint-Pierre, à Conflans, à Moûtiers, à Annecy, à La Roche, à Mélan
et à Thonon. Vous pourriez encore prier M. le directeur d'écrire à M. Jourdain, qui souscrirait et
ferait certainement souscrire dans son pays. Dans
deux mois, je pense, notre tâche sera accomplie. Il
nous restera à poursuivre notre entreprise auprès
de M. Puthod (1). Les listes des souscripteurs vous

---

(1) Le premier volume de cette retraite parut le 22 août 1823 ;
le second, en 1824. A la fin du premier volume, l'éditeur ajoute
un opuscule précieux : *Le bon emploi du temps*. Au commence-

seront toutes adressées, vous les ferez réunir sur
un même cahier par un élève. Je crois donc la
chose très faisable et très utile. Je prendrai souvent
la liberté de vous associer à mes petites vues pour
le bien, vous y entrez si bien à ma guise. Je vous
regarde comme un de mes intimes amis : votre
zèle, vos bonnes vues, vos idées justes m'ont singulièrement attaché à vous. Un prêtre de plus dans
le diocèse, Dieu soit béni ! Ils sont si rares que
nous avons peine à trouver des confesseurs pour
nos missions, quoi qu'on les cherche avec le plus
grand soin. »

M. Favre ne se contentait pas de faire méditer
cet ouvrage à ses retraitants, il leur prêchait des
conférences, les voyait l'un après l'autre dans leur
cellule, et les suivait pas à pas, tous et chacun,
dans la voie des saints exercices avec un zèle indicible.

Ecoutons là-dessus son biographe, M. Pont :
« Le grand nombre des prêtres qui, chaque année,
venaient de Grenoble, de Lyon, de Savoie et des
diocèses voisins, se mettre sous sa direction, faire
des retraites de dix, quinze jours au grand séminaire de Chambéry, sont une preuve éclatante de
son savoir, de son mérite et de son habileté. On
compta une fois jusqu'à vingt-huit retraitants.
L'infatigable directeur traçait à chacun son règlement. Il portait lui-même la lumière pour le lever.

---

ment du second, il insère un traité du Père Huby, sur l'utilité
et la nécessité de la retraite. Sauf ces deux additions, l'édition
est conforme à celle publiée par Petit, à Besançon, en 1815.

Son grand talent était de relever ceux qui étaient
abattus. Il avait au suprême degré le discernement
des esprits. Il exposait les devoirs du prêtre avec
une incomparable lucidité. « Ses conseils sur la
manière de sanctifier une paroisse étaient surtout
pratiques, s'étendant à tous les détails. La méthode à suivre pour la direction des âmes avait un
caractère tout particulier de précision, de science
et de sainteté (1). »

Au dire de M. Mermier, M. Favre, prêchant un
jour la méditation sur l'oraison dominicale, la prolongea pendant cinq heures sans lasser le moins
du monde ses auditeurs. On eût dit un ange (2)?

Il écrivait lui-même à M. Mermier : « Chambéry,
le 3 septembre 1823. Mon bien cher ami, je vous
renvoie votre Petitdidier, après m'en être bien
servi pour moi et pour les autres. Il m'en est
arrivé une dizaine d'exemplaires qui me serviront.
Je suis occupé à donner des retraites particulières. Le supérieur est tout à fait pour cette œuvre ; les ecclésiastiques aussi. Il y en a plus de
quarante qui en feront une cette année. Oh ! que
ces exercices feraient de bien s'ils étaient bien dirigés ! Priez un peu saint Joseph, patron des
directeurs, de m'obtenir une grâce de cette nature. »

Les témoignages que nous avons recueillis de la
bouche de plusieurs ecclésiastiques ayant pris part

---

(1) *Vie*, p. 60-61.
(2) *Ibid.*, p. 25.

aux retraites particulières de M. Favre, confirment
de point en point les éloges que l'on vient de lire.
M. Charbonnier, archidiacre de Chambéry, et M. le
chanoine Philippe, entre autres, nous affirmèrent
que seul M. Favre leur avait fait sentir toute la
puissance des saints exercices pour conduire un
prêtre à la sainteté de son état. C'est lui, ajoutaient-
ils, qui a créé ce genre de retraites parmi nous.
J'ai vu en outre, encadré respectueusement et reli-
gieusement conservé par l'un de ces heureux retraitants, le règlement de vie que lui avait tracé
M. Favre à la fin de la retraite.

Voici le libellé de l'un de ces règlements. Nous
copions l'autographe :

J. M. J. J.

1. Méditation d'une heure, préparée dès le soir.

2. Demi-heure d'examen, un quart d'heure avant
dîner, un quart d'heure avant coucher.

3. Présence de Dieu, le long du jour.

4. Travail continuel.

5. Mortification chaque jour, et, le vendredi,
jeûne.

6. Confession de tous les huit jours, autant que
possible.

Hoc fac et vives.

FAVRE, missionnaire.

On conçoit, si même on ne les excuse, les reproches que pouvait faire à la direction du séminaire
un homme aussi largement éclairé sur la formation
spirituelle du clergé. Les supérieurs ne purent
s'empêcher de recourir fréquemment à son mi-

nistère pour les retraites préparatoires aux ordinations. M. Favre s'y prêta avec zèle et humilité.

Le même zèle éclatait dans les retraites générales, auxquelles il prenait part en qualité de
confesseur ; et, disons-le, le même succès couron-
nait de si ardentes dispositions. Citons à l'appui
une note d'un directeur du grand séminaire (29
août 1824) : « A la retraite ecclésiastique, M. Favre avait à confesser de quatre heures du matin
jusqu'à onze heures du soir ; il ne soupait point,
et cependant plusieurs de ceux qui voulaient
s'adresser à lui attendirent en vain leur tour.
Après les retraites publiques, les retraites particulières recommencèrent. Il était encombré surtout
par les jeunes ecclésiastiques et l'on peut dire
qu'il a la confiance publique plus que les supérieurs, car on ne va pas à eux de cette manière (1). »
Voulant affermir les fruits de ces retraites privées
et donner un corps à sa direction, M. Favre faisait
copier à ses retraitants un cahier qu'il avait écrit
pour eux et où l'on reconnait d'emblée la touche
d'un maitre. Cet écrit est intitulé : *Devoirs d'un
prêtre.* Cinq mots résument ces devoirs : se former
à la vertu, se former à la science ecclésiastique,
instruire sa paroisse, la convertir et la soutenir.
C'est, en une centaine de petites pages, une pastorale de valeur qui, malheureusement, n'a jamais
été publiée. Heureusement nous avons pu nous la
procurer grâce à M. Peronnier, vicaire général de

---

(1) *Pratum spirituale.*

Moûtiers. Cet opuscule révèle un esprit de zèle et de sagesse pratique peu commun ; il fait comprendre l'influence qu'exerça l'auteur sur les prêtres de son temps.

Au cours de la retraite générale dont nous avons parlé plus haut survint un incident qui fit éclater l'antagonisme plus ou moins couvert du clergé gallicano-janséniste avec le clergé bien pensant dont M. Favre était l'inspirateur. Averti un jour par M. Billiet que, à la conférence, il serait question du bienheureux Liguori et de sa morale, notre missionnaire s'y rend en disciple convaincu de ce

M⁏ DE LA PALME

dernier, bien décidé à ne pas laisser battre en brèche l'autorité de sa doctrine. D'autre part, et comme si l'administration diocésaine eût voulu combattre les opinions alphonsiennes de l'abbé

Favre dans un tournoi solennel, le champion de
Collet-Bailly fut Mgr Aubriot de la Palme, évêque
démissionnaire d'Aoste, retiré au grand séminaire.
Tout en gardant le respect dû aux saints, le pieux
mais trop sévère prélat se crut obligé d'attaquer
la théologie de saint Alphonse et d'infirmer le
poids de ses décisions morales. Il parla en
homme bien préparé à traiter sa matière, car il
venait d'éditer une dissertation sur la doctrine du
bienheureux Liguori, doctrine qu'il représentait
mélangée de graves erreurs (1). Favre l'écoute
avec plus d'attention que personne, mais, à peine
l'orateur malencontreux a-t-il terminé son attaque,
il se lève comme mû par un ressort : « Monseigneur, dit-il, je tiens à protester énergiquement
contre le discours que vient de prononcer votre
Grandeur. Ou le bienheureux Liguori a vécu selon
la morale qu'il enseigne, ou non : si oui, cette
morale est excellente, puisqu'elle l'a conduit aux
honneurs de la béatification ; si non, Liguori n'est
qu'un hypocrite ; et l'Eglise s'est trompée en le
déclarant bienheureux ». Ce coup de massue asséné
avec tant de vigueur sur la tête d'un respectable
évêque et devant plus de deux cents ecclésiastiques, les uns favorables à saint Alphonse, les

---

(1) Cette dissertation fait suite à un opuscule latin : *De spiri-
tuali Romani Pontificis auctoritate;* Lyon, imp. Rusand, 1824. —
L'anonyme qui la réfuta (Lyon, Périsse, 1825) affirme que l'auteur
emploie toute sa tactique pour vilipender et décréditer *(sic)* la
doctrine du saint prélat, et qu'on y apprend à faire moins de cas
des décrets particuliers de la Cour pontificale que des conseils
donnés à leurs élèves par les professeurs ecclésiastiques.

autres tenant pour le jansénisme diocésain, produisit une impression terrible. Favre allait continuer, il énonça les mots essentiels de sa thèse : Liguori est un auteur plein d'expérience, très savant, dont les écrits ont été jugés indemnes de censure par l'Eglise... Les supérieurs lui fermèrent la bouche. Notre apôtre se tut, mais son silence non moins éloquent que l'eût été sa parole acheva de gagner l'auditoire. Cet incident aujourd'hui presque banal fut un événement pour le temps et le pays où il eut lieu. Nous verrons plus tard combien M. Favre eut à souffrir de sa chevaleresque sortie.

Non content d'agir sur le clergé par le moyen des retraites, le grand missionnaire savoyard ne perdait pas une occasion de discuter avec les professeurs du séminaire. Les points théologiques, où l'enseignement du diocèse contredisait saint Alphonse et les autres maîtres de la saine doctrine, revenaient dans la plupart des conversations communes. On devine combien peu goûtée des professeurs devait être cette manière de batailler. M. Favre essaya pourtant d'arriver jusqu'au cœur de la citadelle, je veux dire Mgr l'archevêque.

Laissons un témoin nous conter l'un de ces essais : « C'est aussi vers le même temps qu'il a fait un petit écrit sur l'usure, tendant à faire tolérer le taux de la loi. Je ne voudrais pas, dit M. Favre, qu'on refusât l'absolution pour une chose qui n'est que d'opinion. Il est certain d'une part que le péché mortel n'est pas, règle générale, remis sans l'absolution; il est non moins certain d'ailleurs

que l'Eglise n'a pas décidé ce qui regarde l'usure.
Cet écrit devait être communiqué à l'archevêque,
mais il vit que l'affaire ne prendrait pas, M Billiet
lui ayant reproché d'avoir détruit, sur ce point
entre autres, l'uniformité de la pratique diocésaine (1). »

En réalité, la lumineuse science et les vertus
du serviteur de Dieu commençaient à améliorer
le clergé au grand profit de tous les fidèles. Cette
amélioration qui inquiétait l'administration diocésaine, laquelle croyait y voir un glissement
vers le laxisme, était loin de contenter le zèle du
sage réformateur. Il se mit à célébrer des messes
en l'honneur de la T. S. Vierge, afin de parvenir
à grouper les prêtres dans une sorte d'association
d'édification mutuelle. L'étude, la piété, l'assistance des confrères malades, telles étaient les obligations qu'il voulait imposer à ces associés. Chaque
année, ils traiteraient ensemble une question vi-
tale de la théologie, feraient une fervente retraite,
et se concerteraient sur les moyens à prendre pour
secourir les prêtres infirmes. Cette œuvre, nouvelle pour le temps dont nous écrivons, réussit-
elle à vivre ? Je ne puis l'affirmer. Les renseignements dont je dispose me permettent tout au plus
de penser qu'elle a existé et fonctionné secrètement
durant quelques années. Chose certaine, l'abbé
Favre fut bientôt l'oracle du clergé. En mission,
il profitait des conversations à table pour l'ins-

_____

(1) *Pratum spirituale.*

truire des rubriques. Maintes fois il dirigea la
retraite de quelque prêtre en même temps que les
exercices de la mission. Un jour, un ecclésiastique
vint lui demander de lui faire faire la retraite à
l'occasion de la mission: « Je le veux bien, répondit notre missionnaire, mais à la condition que,
logeant au galetas et vous nourrissant de pain et
d'eau, vous ne sortirez pas de votre réduit. » Quelque dure que fût cette condition, posée sans doute
par M. Favre pour échapper à une besogne intem-
pestive, l'ecclésiastique accepta et fit une retraite
dont il ne perdit jamais le souvenir. Notons en
passant que bon nombre de ses retraitants continuaient de le consulter par lettres, nous compren-
drons quel surcroît de fatigue mais aussi quelle
heureuse influence lui procurait cet apostolat.

Du reste on ne saurait dire tout ce que sa prodi-
gieuse activité accomplissait de bonne et solide
besogne. Il faut se borner à toucher les points
essentiels. Voyons donc le grand moyen d'action
qu'il employa pour ramener à la morale de toute
l'Eglise le jeune clergé et pour augmenter ainsi
le nombre d'âmes sauvées par son admirable charité. Le lecteur l'aura remarqué, quoique directeur
des missions du diocèse M. Favre n'était pas supérieur de communauté. Quelques simples ecclésiastiques mieux doués et surtout assez dévoués
pour travailler aux missions lui étaient adjoints
à titre de collaborateurs. C'était loin de suffire, si
nous considérons que, à côté et au-dessus du ministère de la prédication, les missions exigent le
ministère de la confession. C'était plus insuffisant

encore pour les missions telles que les voulait
notre apôtre, c'est-à-dire aussi parfaites que possible et avec confessions multipliées. Il lui fallut
donc de toute nécessité, pour chaque mission un
peu importante, le concours volontaire des meilleurs prêtres voisins du lieu où se donnaient les
exercices. Grâce à son prestige personnel, les auxiliaires de bonne volonté ne manquaient pas. Mais
ces auxiliaires étaient-ils suffisamment préparés
au difficile labeur du confessionnal?.... Au lieu
de s'arrêter à cette difficulté, M. Favre la surmonta
et en prit occasion de former d'habiles confesseurs.
Le moyen fut aussi sage que simple. Ayant rédigé, sous le titre *Devoirs et Manquements*, un examen général de conscience de 40 à 50 pages, où se
trouve résumée avec une réelle clarté toute la morale chrétienne, il le faisait copier par quiconque
voulait confesser d'après ses principes. Expliquant
ensuite à ces prêtres dociles le système moral de
saint Alphonse, il cherchait à leur former une
conscience aussi éloignée de l'excessive raideur
que de l'excessive largeur. Ces bons prêtres, timi-
des pour la plupart, s'enhardissaient, faisaient
leurs premières armes sous la direction du jeune
maître et, la mission finie, ne cessaient plus de
suivre la sage méthode à laquelle M. Favre les
avait non seulement initiés mais dont il leur avait
donné sur place l'intelligence et la mesure exacte.

Ce n'est pas tout; le prudent directeur enjoignait
à ces novices de l'apostolat de rester au saint Tribunal durant les prédications, non certes pour
continuer d'entendre les confessions, mais afin de

prendre des notes sur les sujets que l'on prêchait et de se former ainsi à la parole simple et pratique qui seule édifie et convertit. Ainsi formés, ces jeunes prêtres donnaient les retraites pascales, sorte de petites missions où commença de revivre enfin dans les paroisses du diocèse le vrai ministère pastoral. « Par cette création de missionnaires au sein du clergé paroissial, me disait un contemporain, M. Favre a renouvelé le zèle des pasteurs. »

Belle œuvre que celle-là ! Œuvre d'un cœur d'apôtre voulant suppléer au travail que les évèques n'ont pas toujours le moyen d'accomplir, œuvre plus haute que nos éloges et capable, si elle était largement propagée, de sauver les âmes par millions.

CHAPITRE VII.

Tandis que notre pieux directeur s'exténuait aux missions pendant l'hiver et aux retraites ecclésiastiques durant les vacances, le démon amassait sur sa tête une tempête. A part quelques heures passées à diriger les âmes pieuses qui s'adressaient à lui dans la chapelle de la Charité, M. Favre ne trouvait à Chambéry que des jours et des nuits d'angoisse et de combat. *Foris pugnæ, intus timores.* Bien des causes y contribuèrent; nous nous plaisons à relever la cause supérieure à toutes les autres, cette loi providentielle qui veut faire partager la Passion du Rédempteur à tous ceux qui doivent un jour participer à ses triomphes. De M. Favre comme de saint Paul, Dieu avait dit : *Ostendam ei quantum oporteat eum pro nomine meo pati.* C'est à la lumière de ce grand et perpétuel principe que nous étudierons les premières épreuves de notre héros.

Il est assez difficile à un homme jeune de ne pas exciter l'envie des anciens et d'échapper à leurs malignes persécutions, alors qu'il s'est acquis la confiance du peuple au point de se voir amener des malades, comme cela avait lieu pour M. Favre même à Chambéry ; cependant nous répugnons à voir et surtout à montrer dans ces tristes côtés de l'âme déchue la source principale des épreuves de notre missionnaire.

Leur première cause apparente fut le projet qu'il

avait manifesté d'épurer le vieux clergé, de réunir
dans une maison de retraite les prêtres incapables
d'administrer leur paroisse, et de faire adjuger les
meilleures cures aux prêtres les plus méritants.

Pour ce qui regardait la création d'une sorte
d'hospice des prêtres infirmes, voici ce qu'il écrivait
dans une lettre où il expose son projet (1) : « J'ai
trouvé nombre de prêtres qui m'offrent des sommes
considérables ; d'autres me sollicitent sans cesse
à y travailler : mais on attend le démembrement
des diocèses de Tarentaise et de Maurienne et
l'œuvre est déclarée impossible. » Première et immense déception, car M. Favre, sa lettre très moti-
vée en fait foi, regardait comme bien difficile sans
cette épuration le relèvement vrai de la religion en
Savoie.

Quant à donner les meilleures cures aux plus
dignes, la chose, toujours bien délicate, fut très
mal prise par les ambitieux, les illusionnés, les
intrigants et cette classe de prêtres partout trop
nombreux qui, d'un bénéfice, redoutent plus la
pauvreté que les responsabilités. Apprenant que
l'abbé Favre avait présenté à Mgr Bigex, pour
des cures importantes, les sujets qu'il croyait plus
capables de les bien administrer, un certain nombre de prêtres s'élevèrent contre lui avec une
aigreur mal dissimulée et ne cessèrent plus de le
desservir auprès des autorités. « C'est là, nous disait
M. Dompmartin, une des choses qui attirèrent le

---

(1) Lettre à Mgr Devie, 14 octobre 1823.

plus d'ennuis et de persécutions à M. Favre. » Le
lecteur n'en sera pas plus étonné que nous, et sans
doute il persistera à donner raison quand même à
notre intrépide directeur.

On le comprend trop bien, « faire des affaires »
à un conseil administratif dont les membres étaient
alors occupés à scinder le diocèse et dont chacun
pouvait, d'un jour à l'autre, être nommé évêque,
n'était pas précisément adroit. D'autre part, briser
les intrigues des téméraires pour favoriser le mérite caché des vrais pasteurs ne fut jamais une
entreprise facile. Et pourtant que deviendrait la foi
des peuples et où iraient s'abîmer les âmes si, de
temps à autre au moins, quelques hommes de Dieu
ne se donnaient la mission de réaliser, sans outre-
passer d'ailleurs leurs devoirs d'état, ces opérations
nécessaires ?... M. Favre ne l'ignorait pas, souvent
le ciseau se brise sans entamer profondément la
pierre, mais il savait aussi que sur les cadavres des
vaincus du devoir s'élèvent les grandes œuvres.

Voilà pourquoi, n'écoutant que son zèle, il se
jeta seul et tête baissée à travers les difficultés. On
dira peut-être que cela regardait l'archevêque et
non le missionnaire. C'est vrai, mais il faut savoir
que Mgr Bigex, alors archevêque, loin de désapprouver cette conduite en était reconnaissant. Les
épreuves vinrent à M. Favre sous l'administration
de Mgr Martinet lequel, tout en demandant et uti-
lisant l'ardent concours de M. Favre pour l'amélioration du clergé, se montra plus sévère que Mgr
Bigex à l'égard de la doctrine Alphonsienne et
plus réservé dans sa confiance personnelle.

Ecoutons M. Favre confier sa peine à l'auteur du *Pré spirituel* que nous avons déjà maintes fois cité. « Je suis toujours assez contrarié, disait-il ; M. Rochaix, vicaire général, a écrit à Saint-Jean de Maurienne qu'il faut se défier de moi, que je soustrais les religieuses de Saint-Joseph pour en faire des Carmélites. Il y a peu de jours, il disait en pleine conférence : Il y a dans le diocèse des brouillons qui font un mal effroyable. Dans ce moment (mai 1827), M. Favre n'a pour lui au chapitre que M. Revel et un peu M. Turinaz. » Cette opposition persistante fut pour notre vaillant apôtre un crève-cœur qu'il n'aurait aucunement pu supporter s'il n'avait été homme d'oraison et de solide abnégation.

Autre épreuve. Un jeune officier, M. de la Place, récemment converti à la vie fervente et déjà si pieux qu'il passait des nuits entières au pied d'un autel de la sainte Vierge, à Myans, demanda à M. Favre de se faire missionnaire avec lui. M. Favre l'accepta à titre d'épreuve en sa maison particulière. Mais hélas ! tout à coup, pendant que son maître donnait une mission, ce jeune homme resté seul à la maison tombe malade, d'une maladie extrêmement grave, et l'on dut au plus tôt le rendre à sa famille. D'un fait aussi simple, qu'un physiologue avancé aurait pu prédire, le monde voulut faire un crime. — Pourquoi M. Favre a-t-il écouté la ferveur inconsidérée de cet officier ? Où est son discernement ? N'a-t-il pas sacrifié cette santé à ses principes de dévotion outrée ? Comment permet-on des abus pareils, etc.? — Le monde

est coutumier du fait. Ses folies ne sont rien, mais
si un ecclésiastique a commis une imprudence, le
cas est pendable. Toutefois, ce qui dans les circonstances d'alors fut plus pénible à M. Favre que
les inévitables critiques du monde, ce fut la sévérité de ses supérieurs. Mgr Martinet le manda un
jour auprès de lui pour avoir à s'expliquer sur sa
manière d'entendre la question des vocations. Plusieurs ecclésiastiques, MM. Vignet, Maitral, Raymond avaient, en effet, sur son conseil, quitté le
diocèse pour la compagnie de Jésus et beaucoup
de ses pénitentes se faisaient religieuses. L'archevêque était assisté de M. Billiet et d'un autre ecclésiastique. « Il n'y a que moi, dit-il à M. Favre, qui
sois juge des vocations. — Pourquoi donc, réplique
modestement notre missionnaire, donnez-vous aux
prêtres le pouvoir de confesser ? — Mais, reprit
M. Billiet, à quelles marques reconnaissez-vous
une vocation religieuse ? — Au goût constant et
éprouvé pour cette vie, aux qualités qui rendent
apte à en remplir les obligations, à l'amour de la
pauvreté et de l'obéissance. — Vous influencez les
âmes, dit alors l'archevêque. A Mélan et dans les
autres collèges, nulle vocation ne s'est déclarée,
c'est seulement à Saint-Louis-du-Mont. — Réponse : Cela prouve que les élèves n'ont pas été
instruits ou pas convertis suffisamment. — Mais
si on les instruisait comme vous le voudriez, tous
les séminaristes se feraient religieux. — Je ne le
crois nullement (1). » Après cet interrogatoire,

(1) *Pratum spirituale.*

M. Favre « fut congédié plus ou moins poliment,
pour la forme, mais anathématisé pour le fond »,
selon le mot de M. Charbonnier. On devine qu'une
telle attitude à son égard dut le blesser profondément. Car enfin si M. Favre était un théologien
suspect ou déséquilibré, pourquoi le maintenir directeur des missions du diocèse ? Et s'il était un
prêtre capable de diriger les missions de tout le
diocèse, comment lui faire sans injure la scène
qu'on vient de lire ? Lui-même en écrit un mot à
son ami M. Mermier : « Je suis poursuivi pour les
vocations comme si j'en étais l'auteur. » Il faut
le croire : dans ce temps-là, les administrations
ecclésiastiques se souciaient trop peu de la doctrine admirable de saint Thomas (1) et de toute
l'Eglise sur la vocation à l'état religieux, puisque,
au dire de l'archidiacre cité plus haut, envoyer
une vocation hors du diocèse était un crime impardonnable.

· Une épine non moins cruelle au cœur de notre
zélé missionnaire, c'était l'impossibilité où il se
trouvait de réaliser le plus cher de ses désirs, la
création d'une communauté de missionnaires.

L'administration lui avait adjoint, nous l'avons
dit, quelques jeunes prêtres, pieux et intelligents,
sans doute, mais dont l'ensemble était loin de
constituer un bataillon sérieux. L'un de ces premiers prêtres était l'abbé Ducis, frère du recteur
de Saint-Bon dont le lecteur peut se ressouvenir.

_____

(1) *Sum. Theol.*, 22 ᵃ, q. 189.

Il mourut en 1873 à Saint-Sigismond près Albertville. Ce prêtre n'avait pas la santé nécessaire au
labeur des missions : « Le bien qu'il fait est très
bien fait, écrit M. Favre à Monseigneur (1er janvier
1825), mais il en fait trop peu pour les missions. »
— « L'abbé Richard, continue-t-il en parlant de
ses compagnons, a de l'aisance, de la santé et de
la bonne volonté, mais pas assez de simplicité ni
de vigueur dans ses instructions. L'abbé Golliet
n'a pas encore le talent de se faire écouter. Vous
n'avez, Monseigneur, qu'un missionnaire : c'est
l'abbé Hybord. » — Malheureusement, M. Hybord,
prédicateur ardent, bras droit de notre héros, ne
s'entendait pas complètement avec son chef et se
sentait appuyé en haut lieu. Aucun n'était lié par
une obéissance obligatoire à celui qui pourtant
était chargé de les commander. Dieu sait le zèle
qu'il fallut à M. Favre pour continuer dans de si
mauvaises conditions l'œuvre héroïque de la restauration des saintes missions !

« M. Hybord lui désobéissait quelquefois pour
des motifs qu'il croyait plausibles, surtout quand
il était question d'entendre les confessions aux
temps défendus par le règlement de la mission et
parce que l'heure du départ était sonnée. Après
l'avoir averti à plusieurs reprises, il en vint une
fois ou l'autre à partir de mission sans le prévenir,
le laissant au confessionnal. M. Hybord ne se
corrigeait point. A la fin le directeur lui tint ce
langage : Je vous ai mis dans le cas de pratiquer
la vertu d'obéissance et d'acquérir par là de très
amples mérites. Je vous ai réglé toute votre con-

.duite. Vous n'avez pas su en profiter, je ne vous
dirai plus rien. — Il tint sa parole et pendant toute
une année refusa ses conseils à ce collaborateur
trop indépendant. Celui-ci était triste de se voir
abandonné. Une rupture semblait devoir s'en suivre. M. Favre patienta dans son rôle de directeur
sans pourtant se départir de sa ferme manière
d'agir. Enfin, un an après, l'abbé Hybord, au cours
d'une retraite où M. Favre ne lui prêcha guère
que l'obéissance, parut convaincu de cette vérité :
Vir obediens loquetur victoriam. — Notre missionnaire en agissait de même sorte avec M. Billiet,
lequel dans les moments d'embarras lui demandait instamment ses conseils, notamment pour
la direction des collèges ecclésiastiques, puis n'en
faisait ni plus ni moins. Un jour, les prédictions de M. Favre s'étant réalisées et les collèges
donnant une réelle inquiétude, M. Billiet sollicita
le conseil de M. Favre qui le lui refusa (1). »
Le directeur du séminaire auquel nous empruntons ces détails ajoute cette remarque : « Il faisait
tout cela sans orgueil ni opiniâtreté, mais uniquement pour faire comprendre et sentir que l'on ne
doit pas se contenter de faire le bien à moitié. »

Sentant de plus en plus vivement la nécessité
d'un corps régulier de missionnaires, M. Favre se
mit en retraite pour un mois afin d'obtenir lumière
et grâce à l'égard de cette capitale question. On
l'encourageait d'ailleurs à essayer. Une grande

---

(1) *Pratum spirituale.*

                                    10.

perplexité s'empara de lui. Devait-il s'allier aux
Jésuites, se constituer en tiers-ordre des Capucins
ou même des Rédemptoristes ? Valait-il mieux
fonder de toutes pièces un nouvel institut ?...
Croyant trouver un bon conseil auprès de ses
supérieurs, il s'ouvrit de ses projets à Mgr de
Thiollaz, nouvel évêque d'Annecy. Ecoutons-le
raconter lui-même l'entrevue : « Je viens de voir
Mgr de Thiollaz pour l'établissement d'un corps
de missionnaires. Il ne m'a dit que des choses
contraires à l'Evangile ou à l'Eglise : Des missionnaires sans argent sont impossibles. — J'ai
répondu : *Omnia possibilia sunt credenti.* — Les
capucins dans notre siècle sont une caricature...
Réponse : L'Eglise les encourage. — Les missions
ne sont qu'un vain épouvantail ; il faut instruire
et non terroriser. — Réponse : *Initium sapientiæ
timor Domini ;* et l'homme frappé par les grandes
maximes se décide à écouter la vérité. »

Que faire avec des supérieurs ainsi prévenus ?
M. Favre usa d'un moyen digne de son humilité.
Connaissant le mérite de M. Mermier et son zèle
pour les missions, il le proposa, nous l'avons dit,
pour directeur du séminaire d'Annecy, espérant
lui faciliter ainsi la fondation d'une congrégation
apostolique. C'était prudent, car en la Savoie d'alors
Annecy seul offrait de vraies ressources. Il songea
même à rentrer lui aussi à Annecy, où l'appelait du reste Mgr de Thiollaz pour en faire son
prédicateur diocésain. « Il était en grande irré-
solution sur ce point, écrit le chroniqueur du *Pré
spirituel.* D'un côté, il voyait à Chambéry un cou-

vent qui avait besoin de lui (la fondation de
Nezin) ; de l'autre il voulait *élever* M. Mermier
qui ne voulait le faire par lui-même ; et surtout il
désirait porter le joug de l'obéissance sous l'autorité de M. Mermier. C'était une de ses plaintes
amères qu'à Chambéry il devait tout faire par lui-
même, ce qui, disait-il, l'exposait à commettre
bien des fautes et le privait des mérites de l'obéissance. »

Dans cette inextricable multiplicité d'oppositions, d'épreuves et de difficultés, M. Favre jouis-
sait-il au moins d'une forte santé ? Non ! Mais la
maladie, pas plus que les autres obstacles, n'avait
raison de son incroyable énergie. « Je l'ai vu,
écrit encore notre chroniqueur, sans forces, souffrant de la diarrhée, avec cela une hernie, et continuant le cours de ses missions. » Il s'abandonnait
héroïquement à Dieu, son seul refuge, et signait
volontiers ses lettres par le nom symbolique de
Jean de la Croix. Dieu lui avait signifié, sans doute,
sa volonté de le crucifier pour les âmes ; et ce
véritable amant de la croix répondait fermement :
Seigneur, mon cœur est prêt.

CHAPITRE VIII.

UN PIÉGE — NOUVELLES MISSIONS.

Au milieu des épreuves dont nous venons de parler, le démon avait caché une amorce funeste entre mille. M. Favre s'étant mis à prêcher aux dames de Chambéry des retraites particulières sur la vraie piété, vit bientôt ce ministère couronné d'un si agréable succès qu'il écrivait à M. Mermier : « J'en suis à me demander si je ne ferais pas plus de bien à prêcher et confesser toute l'année à Chambéry qu'en continuant les missions. » Tentation subtile, bien propre à séduire un homme fatigué déjà, contredit par

Chœur de l'église Notre-Dame
de Chambéry.

ses supérieurs, et convaincu de l'inutilité de ses efforts pour la création des œuvres qu'il projetait. L'esprit de Dieu la fit s'évanouir à peine formée. Écoutons notre héros : « Je me suis mis, depuis que je n'ai plus de prêtres en retraite, à donner des retraites aux personnes du sexe dans l'église Sainte-Marie (Notre-Dame). Je les confesse une fois par jour. C'est au Tribunal que je leur trace un règlement de vie et que je leur en fais rendre compte. Je trace leur règlement après avoir pris une connaissance exacte de leurs occupations, de leur état et de [leurs besoins. J'ai commencé par une à qui la Providence a inspiré la pensée de s'adresser à moi ; celle-là m'en a amené une autre ; celle-ci une autre ; une dame m'amène une dame, une mère son enfant, une fille sa mère, une épouse son époux, et j'en suis à ce moment pour dix heures de Tribunal chaque jour. Le grand nombre fait des progrès ; sauf trois ou quatre personnes dont je ne sais que faire, tout le reste a pris. Je me suis efforcé à rendre la confession aimable, ce qui est un point capital. Avec ce point, je me fais une réputation d'habile confesseur et on accourt de tous côtés. Je ne sais si je ne ferais pas mieux de m'asseoir à Chambéry et d'y confesser toute l'année. Mais les pauvres gens de la campagne me gagnent ! — Je donne pour méditation : aux unes le *Père Judde*, aux autres le *Pensez-y bien*, à d'autres la *Passion*, à quelques-unes la *Quatrième semaine*. A celles qui ne savent pas lire, j'expose le sujet de vive voix. J'en ai de tous les pays : Lyon, Arras, Rumilly, etc. Les unes veulent se faire religieuses,

d'autres rèvent les grands sacrifices ; toutes, de la
fureur pour se confesser... Elles se désolent déjà
de mon départ, et cela sans affection sensuelle, car
j'y tiens la main (1). »

Un tel succès aurait pu, disions-nous, séduire un
homme moins viril que M. Favre. Celui-ci n'en
retarda pas d'un jour la plus humble de ses missions de campagne. D'ailleurs, son œuvre providentielle étant la restauration du ministère paroissial par le moyen des missions et des séminaires,
comment aurait-il pu y pousser M. Mermier, si
lui-même se fût ensablé dans l'œuvre utile mais
moins nécessaire, de la direction des dévotes ?
Entendons ce vrai missionnaire parler en homme :
« Je vous prie et vous supplie, écrit-il à M. Mermier (26 juillet 1825), de soigner trois fois plus les
hommes que les femmes. C'est une honte pour le
clergé de ne cultiver que les femmes. Je veux
qu'on me tonde si, dès cette année, je n'emploie
pas deux missionnaires uniquement à soigner les
hommes. Partout les prêtres disent : J'ai de braves
filles, de braves mères de famille. — La belle consolation ! »

Notre ardent missionnaire poursuivit donc son
œuvre avec une application croissante. Avant de
rapporter les détails marquants de ses nouvelles
missions, voyons quel soin il apportait à ces sortes
de sièges spirituels.

A la date du 10 octobre 1823, il écrit au recteur

---

(1) Lettre du 31 octobre 1823.

de Gilly, près Albertville : « Mon bien cher ami, Votre mission est difficile à faire, vous le savez mieux que moi. Il importe de la préparer : 1° En prenant une connaissance exacte autant que possible de la paroisse : des ignorants, des jeunes gens en retard pour la communion, des procès, rancunes, divisions, cohabitations scandaleuses, scandales publics, occasions prochaines, injustices de tout genre ; des fondations retenues ou négligées, des abus particuliers, des confréries, des personnes trop faibles d'esprit pour pouvoir soutenir l'effroi des grandes vérités, et en tenir liste afin que nous puissions dresser nos plans d'après cette connaissance ; prendre surtout une connaissance détaillée de l'idée qu'on se fait de la mission et des missionnaires.

« 2° En disposant la population par une idée avantageuse de la mission, par l'accélération des travaux, par les restitutions, réconciliations, prières, examens, amendement, fuite des occasions, mortifications, qu'on recommande souvent et de toutes les manières convenables ; par la préparation d'une première communion, si intéressante dans une mission ; par la visite pastorale de toute la paroisse, faite huit jours auparavant, pour déterminer lesquels doivent se garder, pour donner des avis convenables aux pécheurs et à tout le monde.

« 3° En préparant l'église : beaux ornements, grand crucifix pour la chaire, tribunaux aisés, petite chaire, église débarrassée le plus possible ; *Pensez-y bien* nombreux à débiter (au reste nous pourvoirons à cela); tableaux de la Passion si vous en trouvez.

« Pour la cure : point de matelas, ni de volaille, ni de sucreries, ni de pâtisseries, ni de café ; pas même le matin au déjeuner.

« Quant aux pouvoirs, nous en serons munis pour nous et pour nos collaborateurs. M. Billiet vous désignera ceux-ci *ex-officio*.

« S'il y a d'autres difficultés, vous nous les exposerez lors de notre passage pour Bellentre. Recommandez votre pauvre paroisse à la sainte Vierge. Mais animons-nous tous d'une confiance plus grande que la malice des hommes. Avec cette confiance, qui pourra tenir devant nous ? Nous aurons la toute-puissance de Dieu entre les mains. L'abbé Richard n'est pas des nôtres, l'abbé André non plus. Peut-être M. le curé de Queige en sera-t-il. Je ne le sais pas encore. Préparons-nous tous à faire la guerre au démon, et Dieu nous enverra du renfort dans le besoin. Recommandez-moi un peu à la bonne Mère ; avec elle on ne périt jamais. C'est là une grande ressource. Je vous invite à y recourir souvent, vous vous en trouverez bien. Votre tout dévoué ami : FAVRE, prêtre. »

Notre apôtre préparait ses missions avec un soin aussi minutieux, parce que son zèle n'admettait pas le demi-bien, là où le bien complet peut être obtenu. Nous allons voir quelques détails des missions qu'il donna dans les années 1824 et 1825, sans trop nous y attarder du reste. Le lecteur nous pardonnera l'espèce de décousu de ces récits. Impossible de classer par ordre de date les faits que nous avons à raconter. Impossible même de tout signaler : les trois diocèses actuels de la Savoie

ont eu part aux travaux de notre infatigable ouvrier et, comme le disait un de ses contemporains,
il n'est peut-être pas une paroisse qu'il n'ait évan-
gélisée. Citons, pour simple mémoire, les missions
suivantes : Albiez-le-Jeune, Saint-Jean d'Arves,
Hauteville-Gondon, Villaroger, Bourg-Saint-Maurice, qui furent données à des dates que je n'ai pu
préciser ; Arvillard et Ruffieux, en 1824.

Beaufort-sur-Doron (Savoie) au temps de M. Favre.

La mission de Beaufort-sur-Doron eut lieu en
mars 1824. « Elle a été dirigée, écrivait en 1839
M. Noir, curé de cette belle paroisse, par M. l'abbé
Favre, célèbre missionnaire dont le zèle a produit
des fruits merveilleux de sanctification et dont les
ouvrages seront un monument éternel de sa science
théologique. » Cette note inscrite au *Registre* spécial
de la mission dont nous parlons, montre combien

était honorée la mémoire de notre missionnaire.
Une lettre de M. Favre à M. Lamouille nous fait
connaitre, entre autres particularités, le genre des
sermons prêchés par M. Hybord dans cette mission.

« J. M. J. — Beaufort, le 13 mars 1824. — Mon
cher ami, j'ai été fàché que vous soyez venu à
Queige pour nous voir, sans nous trouver. Nous
étions à Novalaise. Je veux y suppléer par une
lettre. Si vous étiez à Annecy dans trois semaines,
nous aurions le plaisir de vous y voir. Nous y
passerons pour aller au Noyer. En attendant, voici
ce que j'ai à vous dire. Je me relâche entièrement
dans les missions. J'y perds la crainte de Dieu et
du péché. Je ne sais pas ce que je vais devenir, si
je continue. Je pense à en sortir ces vacances. Mes
deux compagnons peuvent se passer de moi. L'abbé
Hybord fait à merveille. Sa manière de prêcher est
effrayante. Il bouleverse les consciences, les paroisses, il fait jeter des cris dans l'auditoire ; et ces
scènes de larmes, de cris, de hurlements se renou-
vellent presque tous les jours. On est obligé d'imposer silence, parce qu'on ne s'entend plus dans
l'église. Ses plans de discours sont simples et bien
conçus, bien exécutés ; il parle avec une abondance
et une simplicité admirables. Toutes ses phrases
portent coup ; par exemple, sur la pénitence : tout
nous prêche la pénitence, le ciel, la terre, l'enfer.
Et ce plan si simple est exécuté avec une aisance
et une variété qui étonnent. Il est fait pour prêcher et pour tout. Il réussit en tout et est devenu
fort obéissant. Il dirige admirablement bien. L'abbé
Ducis ne fait pas mal, mais il lui manque un peu

de nerf et de feu ; il se perfectionnera. La paraphrase de l'abbé Hybord sur les Lamentations de
Jérémie à la fin de la mission est des mieux trou-
vées. Il peint la misère du pécheur endurci de manière à arracher des larmes aux plus durs.

« Les examens qu'on fait vers les tribunaux font
plus de bien que la mission. On convertit en obli-
geant à méditer, en surveillant les paresseux. Ce
qui fait aussi un grand bien, ce sont nos cinq congrégations. Ce qui perd les hommes, c'est l'avarice :
de là la congrégation de Saint-Joseph, dont le but
est de se préparer à la mort en y pensant et en se
confessant. Ce qui perd les femmes, c'est la négli-
gence à élever leurs enfants : de là la congrégation
de sainte Monique, dont le but est d'apprendre
aux mères la manière de bien élever leurs enfants.
Ce qui perd les jeunes gens, c'est l'insubordina-
tion : de là la congrégation de l'Enfant-Jésus, pour
leur apprendre l'obéissance. Ce qui perd les jeunes
filles, c'est la vanité et l'impureté : de là la congrégation de Marie, pour leur apprendre la pureté
et la modestie.

« *Le règlement.* — Chaque jour, examen de prévoyance sur le but, méditation, examen de conscience, petite prière ; chaque mois, confession et réunion : médaille frappée pour chaque congrégation ;
chaque année, nous faisons l'examen de conscience
en forme de conférence : rien de plus utile (1).

_____

(1) L'*examen* dont parle ici M. Favre est une série de conférences morales éclairant l'âme sur ses devoirs et lui rappelant
l'éternelle sanction qui accompagne la loi de Dieu. Nous appel-

« Nous avons éprouvé un petit contre-temps à Chamoux. Un homme de race de fous est tombé dans un furieux délire le troisième jour de la mission. Ce fou furieux a tué deux de ses enfants. On nous calomnie à l'occasion de cet accident. Nous ne savons qu'y faire. Nous avons continué la mission comme si rien n'était.

« Nous sommes à la veille de réunir nos Carmélites. La maison est déjà ascensée, mais il nous manque de l'argent. Si vous pouviez en trouver pour une œuvre qui sera si utile aux missions, vous feriez un grand plaisir à votre ami. Engagez quelques braves gens à y contribuer, et si vous trouvez de l'argent, envoyez-le à M. Billiet pour le remettre à la sœur Dupuis. Voilà une œuvre à laquelle il faut que vous preniez part, puisqu'elle est toute pour les missions de la Savoie. En voici une autre : on est à la veille peut-être d'établir un corps de missionnaires stationnaires. On les enverra deux à deux dans les paroisses les plus abandonnées. Ils y resteront assez de temps, comme curés et vicaires, pour instruire, convertir et soutenir ces paroisses. Après quoi ils les laisseront à de bons successeurs et iront en défricher d'autres. Si ces missionnaires stationnaires ne peuvent pas dominer leurs paroisses, ils appelleront à leur secours les missionnaires voltigeurs, qui feront bande avec eux. Deux curés sont à la veille de demander une

---

lerions ces conférences : Retraite de l'année. M. Favre excellait dans ce genre d'exercices.

paroisse à défricher. J'ai proposé cette œuvre aux
supérieurs, qui l'ont agréée.

« Nous avons un marchand qui vend des livres
dans nos missions. Il nous rend de grands services. La maison de retraite des vieux prêtres est
bien du goût de tous les prêtres. Priez un peu le
bon Dieu pour moi et donnez-moi un peu de vos
nouvelles. Vous ferez tant plaisir à celui qui est
votre tout dévoué : FAVRE, prêtre. »

Voici un extrait du registre paroissial de Beaufort qui peint, en style de notaire, les sentiments
de la population après la mission :

« Anne-Marie, fille de défunt André Molliet-
Ribet, veuve de Nicolas Rey, née et habitante en
la paroisse de Saint-Maxime de Beaufort, où elle
est décédée en 1822, ayant donné pendant toute sa
vie l'exemple constant des plus solides vertus,
avait disposé par son testament, d'une somme
pour les frais d'une mission dans sa dite paroisse.

« Révérend Charles Larmaz, archiprêtre et curé
dudit Beaufort, ayant dans sa sollicitude pastorale
pourvu à l'accomplissement des intentions de ladite
bienfaitrice, la mission vient d'avoir lieu dans la
paroisse de la manière la plus édifiante.

« Elle a été commencée le jeudi 11 et finie le
mercredi 31 mars 1824.

« La croix, qui est le principal des monuments
de la mission, a été bénite, ainsi que les autres
objets présentés par les fidèles, par M. l'abbé Favre,
supérieur de la mission, le 26 dudit mois. Ensuite
on l'a portée solennellement en procession à Notre-
Dame de Pitié de la Marzellaz, où elle a été plantée

vis-à-vis de la chapelle en l'assistance d'environ deux mille personnes.

« De retour à l'église sur les deux heures de l'après-midi, cette mémorable cérémonie qui a été commencée dès le matin s'est terminée par la bénédiction du Saint-Sacrement.

« Le dernier jour de la mission, le peuple après avoir entendu les recommandations les plus pressantes et les avis les plus charitables des missionnaires touchant les moyens nécessaires à la persévérance, les a accompagnés jusqu'à la Marzellaz et c'est là, autour de la croix, qu'a eu lieu la scène la plus touchante de la mission, tant par les bénédictions que ces hommes apostoliques y ont souhaitées au peuple que par les protestations réitérées que le peuple, de son côté, y a faites unanimement à haute voix, d'être fidèle à ses bonnes résolutions.

« Enfin, les paroissiens de Beaufort encore tout occupés des pieux et salutaires exercices de la mission et touchés intérieurement des bons effets qu'elle produisait parmi eux ont pris la résolution de faire une fondation pour faire renouveler à perpétuité une œuvre si sainte dans la paroisse.

« A cette fin, après s'en être parlé mutuellement :

« Ils ont fait des contributions volontaires, chacun selon ses moyens et sa piété, à l'effet de former le capital... » Suivent les noms, prénoms, domicile et montant de l'offrande des donateurs. La liste s'ouvre par le nom de Marie-Marguerite Déville, simple servante, qui donne 100 francs, somme double de la plus forte cotisation qui suive. L'ensemble forme le capital de 1,571 fr. 02 sous pour une mission de neuf en neuf ans.

Nota. — « Les prénoms, noms et domicile des donateurs ainsi que le montant et la nature de leur contribution respective sont portés dans ce registre, non point par une orgueilleuse ostentation qui serait absolument contraire aux sentiments qui les ont portés à cette bonne œuvre, mais bien plutôt pour laisser à la postérité tant un monument perpétuel des grandes grâces qu'ils ont à rendre au Dieu des miséricordes, pour le bienfait de la mission qui vient d'avoir lieu, qu'un exemple de piété et d'émulation pour tout ce qui peut tendre au bien de notre sainte Religion.

« L'initiative de cette fonction est due aux officiers de la confrérie du Saint-Rosaire. On remarque que ceux qui n'avaient pas donné promettent de donner quelque chose à la prochaine mission, si les revenus étaient insuffisants. — Archiv. presbyt. de Beaufort. »

Vers le même temps eut lieu la mission de Grésy-sur-Aix, dont nous avons vu plus haut l'appréciation par son recteur, M. Pérollaz. Un témoin oculaire, plus tard sœur Michel, carmélite à Chambéry, nous en décrit quelques particularités.

« La première fois, dit-elle, que j'ai vu M. l'abbé Favre, cela m'a frappée et jamais je ne l'ai oublié. C'était l'an 1824, à la mission de Grésy-sur-Aix. A ce temps-là, tout le monde était dans une grande ignorance. Sauf les messieurs, personne ne savait lire ni écrire, parce que c'était peu de temps après la Révolution. On ne comprenait rien des com-

mandements de Dieu, de la vie et de la mort de
Notre-Seigneur. Un grand nombre avait oublié les
principaux mystères de la foi, parce qu'on était
resté longtemps sans prêtre.

« En commençant la mission, il a dit qu'il y
avait un grand trésor caché dans la paroisse ; le
trésor de la grâce.

« Il a fait faire à tout le monde une confession
générale. Pour la rendre plus facile, chaque confesseur, avant d'entrer au saint Tribunal, faisait à
ses pénitents l'examen sur quelques commandements. Quand M. Favre faisait le sien, il parlait
aussi fort que s'il eût été en chaire. « C'est vous
pauvres pécheurs, disait-il, qui avez crucifié Notre-
Seigneur, qui l'avez flagellé et couronné d'épines.
Oui, et vous lui avez craché au visage ! » — Les pénitents se mettaient à sangloter comme on pleure à
la mort d'un père ou d'une mère. Tous les pécheurs
se convertirent, les voleurs, les ivrognes, les rancuneux, les plaideurs et cent autres ; si bien que
cette mission a laissé dans cette paroisse un cachet
de piété qui s'est conservé jusqu'à nos jours.

« Le dernier jour de la mission, nous fûmes tous
l'entendre prêcher au cimetière. Il disait : Celui
qui a bien fait sa mission et qui persévérera, qu'il
soit béni ! Après quoi, il planta la croix, donna sa
bénédiction et, sans dire un mot de plus, quitta la
paroisse pour aller missionner ailleurs. »

Voyons une autre mission, donnée en avril
1824, à La Côte-d'Aime, en Tarentaise, et racontée
dans une lettre de M. Favre à M. Rey, vicaire
général.

« J. M. J. — Tignes, le 15 mai 1824. — Monsieur
le grand vicaire, la mission de la Côte a bien eu
des difficultés. En arrivant, l'abbé Hybord est
tombé sérieusement malade, il l'a été pendant quatre jours de manière à alarmer. Il s'est remis au
bout de six jours de manière à pouvoir prêcher
passablement ; il s'est ressenti de sa maladie tout
le temps de la mission. Je crois maintenant qu'il
a le dessus. L'abbé Ducis était resté en Bauges, je
me suis trouvé seul pour faire la mission pendant
six jours. Je ne m'en suis pas connu : ce qui m'a
fait voir que personne n'est nécessaire en ce
monde. Les travaux de la campagne se trouvaient
fort en retard pour la saison. La paroisse murmu-
rait contre la mission avant de l'avoir, et au commencement. Malgré ces travaux, le monde s'est
rendu à la mission au-delà de ce qu'on pouvait
attendre. Plusieurs ont laissé leurs vignes à provi-
gner, d'autres des semailles à faire, et la mission a
eu un si bon effet que la paroisse a été contente
de nous, on ne peut pas mieux. Tout le monde
nous bénit de nos travaux. Tout le monde s'est
présenté, à l'exception d'un seul que les remords
ont porté à abandonner sa femme et à quitter le
pays sans en rien dire à personne. La communion générale a été plus nombreuse que dans
toute autre paroisse. On n'a pas éprouvé la moindre résistance au saint Tribunal. Nous étions
maîtres souverains partout. Nous avons terminé
des différends que la première mission n'avait pu
jamais terminer. Nous y avons fait un grand nombre d'arrangements. La paroisse est méconnaissa-

11.

ble, tant elle a changé. La rancune, qui était le
grand mal du pays, y a presque disparu. L'injustice qui y fesait aussi un grand mal y a occa-
sionné un grand nombre de restitutions. Que le bon
Dieu maintienne tous ces heureux fruits. Malgré la
dureté de ses mœurs, la paroisse n'a pu tenir contre
nos instructions et nos cérémonies. Notre genre
de missionner y a développé des sentiments et une
sensibilité que je n'avais pas encore vus en Tarentaise.

« Nous y avons fait une cérémonie nouvelle,
c'est la *cérémonie de l'endurcissement*. En voici l'exécution. On avait exposé le saint Sacrement à une
hauteur considérable au-dessus du tabernacle, en-
vironné d'un grand nombre de lumières. L'appareil était imposant. Nous avons fait une conférence
effrayante sur l'endurcissement : Qu'est-ce que
l'endurcissement? D'où vient l'endurcissement
des pécheurs endurcis de la paroisse? Que doivent-
ils faire pour en sortir? Voilà le plan de la conférence. Après la conférence, j'avais distribué tous
les prêtres autour de l'église ; puis, sur le marche-
pied de l'autel, je me suis mis à demander grâce
pour la paroisse, grâce pour les pécheurs endurcis.
Après avoir demandé moi seul grâce à Jésus-
Christ, nous avons demandé grâce, tous les uns
après les autres en trois chœurs. Je disais: « grâce,
mon Dieu, pour les endurcis, grâce pour eux! »
Le clergé répondait: « grâce pour eux! » Le peuple
enfin répétait: « grâce pour eux ! » Je reprenais :
« grâce pour les impudiques endurcis, grâce pour
eux! » Le clergé: « grâce pour eux ! » Le peuple:

« grâce pour eux ! » — « grâce pour les ivrognes, pour les voleurs endurcis, pour les rancuneux... »

« Cette cérémonie a produit un effet admirable. Dès ce jour-là, le branle a été donné, la paroisse a été *désolée* : les hommes pleuraient comme les femmes. Un bourgeois d'Aime a été si fortement frappé, qu'il s'est mis le lendemain à aller à la messe et à se confesser. Cette scène de désolation et de larmes s'est renouvelée, au renouvellement des promesses du baptême, le jour de la Croix, le jour de la clôture où les bénédictions et les malédictions ont produit l'émotion la plus vive. Tout le monde fondait en larmes. On nous arrêtait sur le passage. Une femme criait tout haut : Je suis perdue ! Je n'ai pas encore fait mes pâques ! Il y a eu un concours d'étrangers inouï : il en venait des Chapelles, du Bourg, du Mont-Valesant, de Bellentre, d'Aime, de Granier, de Tessin, de Saint-Marcel, de Villette, de Longefoy, de Notre-Dame-du-Pré, de Saint-Jean-de-Belleville. Jamais tant d'étrangers. A Granier, trois personnes offrent 500 francs pour une mission. On nous demande à Aime, à Saint-Marcel, à Villette, à Mont-Valesant. Un particulier de Mont-Valesant s'offre à en faire les frais. Ceux du Bourg qui sont venus à notre mission, font les cent coups pour nous avoir, et disent partout : La mission de l'année passée ne nous a rien servi.

« Vous ne vous faites pas d'idée, M. le grand-vicaire, de l'avidité que les peuples ont pour les missions : c'est une espèce de fureur. Des femmes de Valloire y apportent des enfants qui sont encore

à la mamelle : des femmes y viennent au risque de
se brouiller avec leurs époux ; des hommes quit-
tent leurs affaires pour faire celle du salut. Ah !
que les missions sont puissantes, efficaces et
courues ! Les nôtres manquent encore du côté du
catéchisme : c'est l'ignorance aujourd'hui qui perd
les peuples. Il nous faudra cette année organiser
mieux ce rôle important. A notre départ de la
Côte, vous auriez dit que chacun perdait son père,
sa mère et tout ce qu'il avait. On ne s'entendait
pas, on courait après nous pour nous voir plus
longtemps. MM. les curés de Saint-Marcel, de
Villette, de Granier, de Longefoy se sont engagés
à continuer la mission encore pendant une semaine ; rien de mieux pour affermir et compléter
l'œuvre.

« Malgré le bien des missions, ce bien se réduit à
peu de chose à la longue, parce que les prêtres ne
sont pas assez formés pour le continuer, le conserver. Je vois toujours de plus en plus que le clergé
est manqué et du côté de la science et du côté de
la vertu. Parmi les prêtres il en est qui perdent les
paroisses ; d'autres sont trop ignorants, trop peu
exercés, trop peu laborieux pour instruire une paroisse ; d'autres, trop peu vertueux pour savoir former à la vertu. Le ministère s'exerce bien mal.
Encore une fois, le bien des missions ne sera
solide, durable, réel que lorsque le clergé sera bien
formé ; le clergé sera bien formé quand on prendra
d'autres moyens pour le former dans les petits et
les grands séminaires. C'est dans ces établissements que se forge tout le bien et tout le mal de

la Savoie. Que le bon Dieu améliore le clergé !
C'est mon grand désir, et je me réjouis de votre nomination parce que je sais que tout votre zèle se
porte sur ce point important (1). Continuez-moi
votre aimable souvenir dans vos bonnes prières,
et agréez, etc... — FAVRE, prêtre. »

Cette lettre datée de Tignes nous amène à placer
ici un trait rapporté ainsi par M. Plassiard, compagnon et ami de notre missionnaire : « Il m'a dit que
Dieu l'avait préservé plusieurs fois d'une mort im-
minente : entre autres, au torrent d'Arbonne. Nous
venions de Sainte-Foy ou de Tignes, tous à cheval.
Le torrent était furieux. Le cheval de M. Favre
s'abattit au milieu de l'eau. Nous le crûmes perdu
lui et sa monture, quand, tout à coup, tous deux se
trouvent transportés sur le bord opposé du torrent. »

Laissons notre missionnaire nous exposer une
autre de ses missions, celle de Saint-Michel en
Maurienne donnée en septembre 1824. Impossible, si on néglige ces citations, de saisir, au naturel, l'esprit, le caractère, la valeur apostolique de
M. Favre :

« J. M. J. — Arvillard, le 20 octobre 1824. — Monseigneur, la mission de Saint-Michel a été la plus
solennelle que nous ayons encore faite. Les cérémonies y ont été soignées et exécutées avec un éclat
qui nous a singulièrement concilié la confiance de
la paroisse et des environs. Celle du Sacré-Cœur
a été surtout la plus touchante et la plus brillante

_____

(1) M. Rey venait d'être nommé évêque de Pignerol en Piémont.

de toutes. Nous étions plus de vingt prêtres pour
l'exécuter. On avait construit un autel sur l'autel
même, avec des planches garnies de tapisseries.
Ces planches formaient une rampe d'escaliers qui
s'élevaient à une hauteur considérable Sur le plus
haut degré, était exposé un cœur transparent qui
au loin paraissait tout en feu, par le moyen des

Eglise et presbytère de Saint-Michel.

lumières qu'on y avait placées derrière. Sur ce
cœur, reposait l'exposition du saint Sacrement,
laquelle consistait en une ellipse garnie de bougies
lesquelles formaient une auréole de lumière magni-
fique. L'autel était tout illuminé, et nous avons eu
soin de faire ressortir cette illumination en fermant
les fenêtres du chœur avec des rideaux. Nous
avions huit thuriféraires, six prêtres chantres,
seize musiciens, un chœur de laïcs chantres placés

sur la tribune. La cérémonie s'est exécutée de la manière suivante : Nous nous sommes habillés à la cure, nous sommes sortis de la cure avec l'ordre le plus parfait. Un prêtre ouvrait et guidait la marche, huit enfants habillés en anges suivaient, portant des navettes ou des chandeliers. Après ces enfants venaient huit prêtres thuriféraires habillés en aube et ceints avec une écharpe. Ces huit thuriféraires étaient suivis de six prêtres chantres. Enfin, le célébrant fermait la marche. A notre entrée à l'église, les musiciens ont joué, et nous sommes allés encenser le Saint-Sacrement au pied de l'autel, après quoi le célébrant est allé prendre place en chaire. A son arrivée en chaire, le chœur des prêtres a chanté le *Vivat...* à trois voix. Après leur chant, le célébrant a paraphrasé : *Je vous salue, ô Roi du Ciel..... Gloire, honneur, bénédiction, action de grâces à Jésus, Roi du Ciel.* Les prêtres répétaient tous d'un ton posé : *Dans tous les siècles des siècles.* Le peuple répondait en masse : *Ainsi soit-il.* Après quoi une pause d'une seconde. Après la pause, les thuriféraires encensaient tous ensemble le Saint-Sacrement de neuf coups Après l'encensement, les chantres laïcs chantaient le *Vivat* à trois voix et les musiciens jouaient ensuite un air. Les mêmes cérémonies recommençaient ensuite dans le même ordre, elles ont été répétées jusqu'à cinq fois. Je n'ai jamais rien vu de si touchant; l'illumination, le mouvement simultané des encensoirs, le chant, la musique, la paraphrase, les répons, tout enthousiasmait et transportait de joie. Il y a des personnes vertueuses qui étaient comme

hors d'elles-mêmes par l'idée que la cérémonie leur
donnait du paradis. Le peuple est demeuré comme
stupéfait pendant une demi-heure après la cérémonie.

« Après cette cérémonie, celle de la communion
générale a été des plus frappantes que nous ayons
faites. Nous avions pris six soldats et deux carabiniers pour faire la parade. Nous avons défilé
par la grande porte, dans l'ordre suivant : Les deux
carabiniers ouvraient la marche, les six militaires
les suivaient. Après les six militaires, les thuriféraires, les chantres, le sous-diacre, le diacre, le célébrant. Les musiciens ont joué pendant notre entrée
solennelle dans l'église. Les deux carabiniers se
sont placés à l'entrée du chœur, les soldats aux
côtés de l'autel. Un chœur de prêtres chantres, placés aux stalles ; un chœur de filles, placées au milieu de l'église ; un chœur de laïcs chantres, placés
sur la tribune. Ces différents chœurs chantaient
tour à tour. On paraphrasait chaque acte de la
communion. On le chantait ensuite. On le terminait par un air de musique. Ces différents chœurs,
l'illumination, la musique, la paraphrase, l'ordre
admirable dans lequel montaient et descendaient
les communiants, la parade des militaires, ravis-
saient et faisaient pleurer de joie la plupart des
assistants, Les bourgeois ont tous communié, ce
jour-là ; rien de plus édifiant. Le concours du
monde était si grand que nous avons été obligés de
faire sortir les étrangers. Je ne finirais pas, Monseigneur, si je voulais vous parler de toutes nos
cérémonies.

« Cependant, malgré l'éclat de nos cérémonies, nous n'avons pas eu tout le succès que nous attendions. Cela vient : 1° de ce que nous n'étions pas assez pour confesser. Le nombre des pénitents était trop grand. Les étrangers surtout nous assiégeaient et nous avons été obligés de leur défendre de se présenter ; 2° de ce que nous n'avions pas le même esprit.

« En Maurienne, on est sévère dans la direction des âmes. L'exercice du ministère est plutôt repoussant qu'attirant. Nombre de prêtres se font une gloire de tenir longtemps les pauvres pécheurs. Ils voudraient que tous les pécheurs vinssent convertis au Tribunal ; ils ne savent point ménager leur faiblesse ; ils exigent de suite des sacrifices que les pénitents n'ont pas encore le courage et la force de faire, et éteignent ainsi la mèche encore fumante. Ils sont surtout inexorables à l'égard des habitudinaires : ils ne se contentent pas de la bonne volonté, mais ils veulent absolument une guérison entière avant de fortifier, et, par le moyen de ces épreuves meurtrières, ils font languir et mourir une infinité de pénitents. Ils ne veulent pas comprendre que la bonne volonté suffit pour absoudre : *Pax hominibus bonæ volontatis* ; que la volonté qui est bonne aujourd'hui peut devenir mauvaise demain, et devenir bonne après-demain pour se pervertir encore le jour suivant, etc... ; que l'inconstance est, dans tous les hommes, une maladie plus ou moins incurable jusqu'à la mort ; que les sacrements donnent à la bonne volonté la force de faire le bien qu'elle veut ; que, sans la prière et

les sacrements, il n'y a ni force ni courage, la volonté languit, l'âme meurt. Mais la plupart ne
croient pas à la grâce, ni à la prière, ni aux sacrements, ni au jeûne, ni à l'aumône, du moins dans
la pratique. De là vient qu'ils désespèrent de la
conversion des pécheurs Ils se contentent de diriger et de soigner un petit nombre de béates,
d'âmes d'élite Le pécheur est toujours mis de côté.
On ne sait ni le faire prier, ni le faire jeûner, ni
l'encourager, ni le faire méditer, ni ménager sa faiblesse, ni le faire souvent confesser, ni l'absoudre,
dès qu'il y a bonne volonté en lui. On l'échauffe,
et puis on le laisse refroidir.

« On fait un grand *quamquam* des cas de conscience, des difficultés qui n'arrivent presque jamais,
et tous ces prêtres casuistes ne savent ni connaître,
ni discerner le moment de la grâce, ni en profiter.

« Je vous parle, Monseigneur, avec franchise,
parce que votre zèle pour le bien des âmes me met
à mon aise en vous parlant. J'ai toujours cru, je
crois encore et je croirai longtemps que l'éducation
ecclésiastique porte à faux. On parle beaucoup de
ce qui ne sert pas à grand'chose, et on ne dit presque rien de ce qui est essentiel. Apprendre à bien
prier, à bien s'examiner, à devenir vertueux par
la pratique constante de la vertu, à bien catéchiser,
à connaître le cœur humain, à le diriger, à ménager sa faiblesse, etc..., voilà l'essentiel ; et voilà ce
qui n'est pas si bien soigné que l'*ergoterie* de la
philosophie et de la théologie, etc... Que j'en connais de ces casuistes fameux qui ne savent pas
gagner les pécheurs, soutenir les justes, perfec-

tionner les âmes d'élite! Qu'il y a peu de prêtres
selon l'esprit de Dieu!

« En vous disant tout ceci, Monseigneur, je ne
parle pas du curé de Saint-Michel. C'est un prêtre
zélé, laborieux, mortifié, tel que je n'en connais
pas de bien loin. Il lui manque peut-être un peu
d'onction et d'agrément pour attirer les grands pécheurs, un peu de compassion pour la faiblesse
humaine, un peu de facilité à absoudre plus souvent les pécheurs de bonne volonté.

« Les congrégations ont été mal organisées.
L'unité d'esprit est bien nécessaire pour faire le
bien. Les jeunes prêtres prennent tous notre manière de faire. Les vieux n'en comprennent que
l'écorce et n'en saisissent guère l'esprit, à part un
petit nombre qui l'admirent et la mettent à exécution tant bien que mal. Ils ne veulent pas comprendre que, pour convertir les pécheurs, il faut :
1º les instruire : *Ignoti nulla cupido.* Un pécheur qui
n'est pas instruit est une bête ; et comment convertir une bête? — 2º Qu'il faut les faire méditer. Se
convertir, c'est pleurer d'avoir perdu le ciel, fait
mourir Jésus-Christ, mérité l'enfer. Et comment
pleurer la perte du ciel, sans la connaître par la
méditation? Comment craindre l'enfer, sans le
méditer? Un pécheur qui ne médite pas est un
enfant qui ne sait ce qu'il a perdu, ni ce que c'est
que l'enfer qu'il a mérité, etc. Point de méditation,
point de conversion. Il est surprenant que les
prêtres ne veuillent pas comprendre un principe
si simple. — 3º Qu'il faut les faire prier et jeûner
pour attirer la grâce de Dieu sur leurs méditations.

— 4° Qu'il faut les confesser souvent pour les tenir appliqués au travail; sans quoi ils se relâchent et languissent dans leurs faibleses, sans pouvoir en sortir. — 5° Qu'il faut gagner leur confiance par la bonne grâce et le ton paternel quon doit prendre à leur égard — 6° Qu'il faut se les attacher en compatissant à leur faiblesse, en les ménageant, surtout en n'exigeant pas des sacrifices avant qu'ils aient la force de les faire. Jusque-là, les faire jeûner, méditer. A force de prier, de jeûner, de méditer, la bonne volonté vient. Dès lors absoudre et faire communier pour fortifier; ensuite soutenir le pauvre malade convalescent par la fréquente confession. S'il retombe, user des mêmes remèdes. Mais les renvois éternels qui rebutent sans convertir! — ce n'est pas le temps qui convertit mais le travail, autrement les plus vieux pécheurs seraient les plus saints ; — mais ces prières vocales qu'on donne pour convertir n'instruisent pas, ne touchent pas le cœur : ce ne sont, la plupart du temps, que des routines, et des routines ne sauraient déroutiner.

« Malgré ces obstacles, la mission a eu le dessus dans la paroisse ; il en est fort peu qui n'aient rien fait. La Providence m'a amené un certain bourgeois qui ressemblait à Nicodème pour le respect humain. Il vint me dire qu'il voulait se confesser en secret sans que personne le sût. Bien des prêtres avaient pris son respect humain pour une mauvaise disposition, mais moi qui connais un peu par mon expérience la faiblesse humaine, je l'ai reçu avec bonté, tendresse. Mon amitié l'a gagné ! Une fois gagné, il s'est montré ouvertement chrétien , il est

devenu missionnaire. Il s'est mis à parcourir les
maisons du bourg pour inviter tous les pécheurs
à se confesser. Vous ne sauriez croire, leur disait-
il, comme il fait bon faire avec un tel ! Il m'en
amena huit le lendemain, cinq le matin, trois sur
le soir. En certains endroits, on l'insultait, et
il en était content et continuait à missionner partout. — Un malade ne commence pas par la santé
mais par la convalescence, qui est plus ou moins
longue et plus ou moins dangereuse. Il est surprenant que les prêtres ne comprennent point ce principe : les maladies de l'âme viennent à cheval et
s'en vont à pied.

« Enfin, Monseigneur, je crains de vous ennuyer
par mes longueurs. Veuillez m'excuser et agréer en
même temps les sentiments de respect, d'attachement et de reconnaissance avec lesquels, je suis,
Monseigneur, de votre Grandeur, le très humble
et très obéissant serviteur.

« L'abbé FAVRE. »

L'année 1824 se termine pour M. Favre par les
missions d'Arith en Bauges, *mission pleureuse*,
comme il l'appelait en souvenir des lamentations
excessives de ce peuple. On avait beau lui recommander de contenir ses larmes et ses sentiments,
toute la population pleurait, criait. Cinq ou six personnes trop névrosées en tombèrent dans le délire.
Une entre autres se jeta dans le feu. Déclarée incurable par le médecin, elle allait servir d'occasion
aux impies pour déclamer contre les missions. Le
médecin avait déjà parlé dans ce sens. M. Favre,

voyant le péril, se jette à genoux, supplie la très
sainte Vierge de lui venir en aide et, le jour même,
toutes ces personnes furent guéries. Le bonheur
des parents n'eut d'égal que l'admiration générale.
C'était à qui se jetterait aux pieds du missionnaire pour les lui baiser : « On nous a regardé
comme des saints », disait-il ensuite à Monseigneur. — On l'eût fait à moins.

CHAPITRE IX.

En commençant l'année 1825, M. Favre reçut pour étrennes la mission facile et consolante de Châteauneuf. M. Grosset, pasteur de cette paroisse, et toutes ses ouailles, à part quatre-vingts *fortes têtes*, lui parurent des modèles. « Il me semblait, disait-il, que j'étais au milieu des chrétiens des premiers siècles .. Est-il possible que dans un siècle aussi corrompu il y ait des âmes si simples et si pures ?... M. Grosset a un tact exquis pour la direction des âmes. » Hélas ! ajouterons-nous, pourquoi de tels curés n'étaient-ils pas plus nombreux ? Pourquoi, tout à côté de Châteauneuf, fallait-il en voir de si différents ?

Il arriva pendant cette suave mission un fait déplorable, qui raviva encore le zèle de notre missionnaire à l'endroit des prêtres infirmes ou même scandaleux. Ce fut la mort sans sacrements d'un curé voisin. Ce pauvre prêtre ne jouissait pas d'une réputation sans tache. Son archiprêtre était allé le voir la veille, mais n'avait pas osé lui parler en prêtre. « Probablement, écrivait M. Favre à son archevêque, parce qu'il n'était pas son confesseur. » — « Le beau courage, ajoute-t-il, la belle charité ! Il meurt un grand nombre de prêtres sans sacrements parce que personne n'ose rien leur dire. Le curé de Bourgneuf est mort ainsi. Le curé de La Compôte serait mort de même, si je ne l'avais pas stimulé. » Après avoir montré le mal, il suggère le remède. « M. Canet, curé de Cruet, dit-il, nous a proposé un moyen qui m'a paru fort bon pour remédier à un si fâcheux inconvénient. Ce serait de charger le prêtre le plus zélé de chaque archiprêtré du soin de confesser ou de faire confesser les prêtres malades de l'archiprêtré. Il serait bon d'en nommer un second qui remplirait ce devoir auprès du premier ou des autres, lorsque le premier ne pourrait pas le faire : il faudrait leur en faire une obligation grave. »

On le sent, l'âme de M. Favre était de feu et toujours en quête d'un plus grand bien. Tant de zèle aurait usé un homme de fer ; aussi sa santé inspirait-elle déjà d'assez vives inquiétudes. Cette nouvelle était parvenue aux oreilles de Mgr Rey, alors évêque de Pignerol, qui en écrivit à M. Billiet le mot suivant : « J'exige de votre amitié que vous engagiez ce cher abbé Favre à venir se reposer quinze jours ou trois semaines chez moi. C'est une douceur que son cœur doit un peu au mien. » Monseigneur Bigex averti lui recommanda de se ménager davantage. Il reçut la réponse suivante : « Monseigneur, Je ne sais pas ce que ma santé a fait à mes confrères pour qu'ils la calomnient si souvent auprès de votre Grandeur. S'il fallait aller se reposer à Chambéry toutes les fois qu'on a quelque indisposition, il faudrait renoncer aux missions pour toujours. La vie est une agonie continuelle et c'est en souffrant qu'on fait les meilleures missions. On rachète les âmes comme Jésus-Christ les a rachetées, en souffrant et mourant pour elles.

Bonus pastor animam suam dat : si ce n'est pas en
gros, c'est au moins en détail. Je me trouve aujour-
d'hui aussi bien portant que je l'étais il y a quatre
ans. Je n'ai jamais su ce que c'est qu'avoir une
santé continue. J'ai toujours été maladif, mais
avec cela robuste. Quelquefois, j'ai l'air mort et, un
instant après, j'ai l'air plein de vigueur. Je me sens
capable de parcourir le cercle de nos missions et
au-delà. J'ai tantôt une colique, tantôt un rhume,
tantôt une esquinancie, tantôt un mal de dents, et
avec cela je me sens fort, infatigable. Je vais mon
train et j'espère vous montrer encore bonne mine
à la fin de nos missions. »

L'insistance de notre missionnaire au sujet des
forces qu'il croyait avoir est presque étonnante. A la
bien considérer, on soupçonne quelque arrière-pen-
sée dans l'intérêt que l'administration prenait tout à
coup pour M. Favre. Ses ennemis auraient-ils essayé
de l'écarter des missions en exagérant son état?
Lui, semble l'avoir craint. Voici la fin de sa lettre :

« J'ai donc le désir de faire les autres missions :
1° pour me former de plus en plus dans l'exercice
du saint ministère ; 2° pour travailler et perfectionner le cours de nos catéchismes qui est encore si
en arrière et que je regarde comme la chose la plus
essentielle ; 3° pour former bien des prêtres qui
viennent à nos conférences ecclésiastiques les
jours de congé (1). A moins que votre Grandeur ne

_____

(1) C'était une coutume immémoriale en Savoie que les missionnaires se reposaient le jeudi de chaque semaine. Nous en
avons donné une preuve documentaire dans notre *Histoire du
Prieuré de Contamine-sur-Arve*, p. 127.

m'ordonne absolument de quitter les missions,
j'irai jusqu'au bout: je m'en sens le courage (1). »

Paraître soupçonner Mgr Bigex d'avoir voulu
retirer des missions M. Favre, que nous avons
montré un peu plus haut comme l'un de ses pro-
tégés, semblera étrange à plus d'un lecteur. Nous
avons dit que Mgr Bigex encourageait M. Favre à
lui proposer pour les postes difficiles les hommes
de son choix mais non qu'il adoptât toutes ses
manières de voir et fût homme à ne le jamais sacrifier aux passions des professeurs de théologie et
autres adversaires du bienheureux Liguori. En
voici une preuve :

« Un jour, nous dit le *Pré spirituel*, Mgr Bigex
enjoignit à M. Favre de suivre la morale du diocèse. — Où est-elle ? demanda l'humble mais ferme
disciple de saint Alphonse. Et voyant que Monseigneur gardait un silence bien avisé, il ajouta :
Je puis démontrer à votre Grandeur que les professeurs du séminaire ne sont d'accord ni entre eux
ni avec eux-mêmes, ni dans leurs cours de l'année,
ni aux examens de fin d'année. — Vous avez dit,
reprit l'archevêque, que l'assistance à une messe
basse suffit pour sanctifier le dimanche. Douze
prêtres vous ont entendu. — Monseigneur, répliqua M. Favre, si deux d'entre ces prêtres peuvent
attester cela, je me soumets à la pénitence qu'il
vous plaira de m'infliger. » L'archevêque congédia
l'incorrigible Liguorien, lequel continua son œuvre

---

(1) Lettre du 12 février 1825.

d'éclaireur et de champion de la saine morale auprès du clergé savoyard.

La mission d'Argentine qui allait s'ouvrir (fin février 1825) lui en fournit une occasion toute particulière. Il trouva dans la paroisse de ce nom une quantité de personnes auxquelles le curé refusait l'absolution depuis de longues années. Un tel abus venait à point pour montrer à Monseigneur les fruits de la *morale du diocèse*. M. Favre ne manqua pas de saisir l'occasion, et l'on ne peut que gagner à lire la lettre qu'il écrivit à ce sujet.

« Il n'y avait pas, dit-il, le sixième de la paroisse qui eût fait ses pâques. Tous étaient en arrière, depuis un an, deux ans, vingt ans, trente, quarante et cinquante ans. Je ne sais pas pourquoi on détenait liées tant d'âmes en qui je ne trouvai ni ignorance essentielle, ni habitude mortelle, ni rancune, ni injustice ; en qui je remarquai au contraire de la bonne volonté, l'exactitude à se confesser quatre à cinq fois chaque année, sans pouvoir obtenir une absolution. J'en ai trouvé à l'agonie, renvoyés depuis quatre à cinq ans, sans aucune raison à moi connue malgré toutes mes recherches. Je ne sais pas si les prêtres qui les ont confessés ont vu ce que je n'ai pu ni su voir ; ou s'ils se sont cru le droit de donner l'absolution à qui bon leur semble. Pour moi, je crois qu'il faut avoir plus de raison pour refuser l'absolution que pour l'accorder, attendu que « *sacramenta propter homines* » et qu'une marque de conversion suffisamment probable pour un homme prudent suffit pour mettre un confesseur en sûreté de conscience.

« Ce qui est pire dans la *haute morale*, de la
Haute-Maurienne surtout, c'est qu'on ne se contente pas de la certitude morale de la disposition
actuelle du pénitent, mais qu'on exige presque la
certitude morale de sa persévérance. On ne le dit
pas, mais la pratique en revient là. Un tel est re-
tombé ? donc il n'était pas converti. Un tel ne s'est
pas représenté (au confessionnal) ? donc il n'était
pas converti. Un tel ne se confesse qu'à Pâques ?
donc il est indigne d'absolution. Un tel se présente
pour se marier ? donc il ne se convertira pas. Un
tel est un ivrogne ? donc il ne se convertira pas.
Un tel se confesse à Pâques parce que c'est la coutume ? donc il ne se convertira pas. Ils ne comprennent pas que la grâce se greffe sur la nature, la
foi sur la raison, l'amour de Dieu sur l'amour-
propre. Ils ne comprennent pas que, pour l'ordinaire, les conversions commencent par la nature et
finissent par la grâce. Ils ne comprennent pas
combien la volonté humaine est inconstante. Ils
ne savent pas que le cœur humain ne reste jamais
dans le même état ; que souvent il commence par
la ferveur et finit par la tiédeur ; que l'immutabilité
est l'apanage de Dieu, le privilège de quelques
âmes d'élite à qui Dieu veut bien la communiquer ;
que toute la vie de l'homme se passe à tomber et à
se relever, à s'attiédier et à se réchauffer. Je ne sais
pas si ces prêtres sont des anges ou des hommes.
Pour moi l'expérience me montre tous les jours
mon inconstance, et je n'ai pas la force de refuser
aux autres ce que je me passe à moi-même.

« Pourvu qu'il n'y ait ni ignorance crasse, ni

rancune actuelle, ni injustice, ni occasion prochaine volontaire, ni habitude invétérée et sans
amendement, la bonne volonté me suffit. J'absous,
et les sacrements donnent la force de réaliser
les bons propos. Une fois absous, le pénitent
éprouve encore des alternatives de santé et de maladie, comme un convalescent. C'est ce que ne
comprennent guère nombre de prêtres, qui voudraient une guérison complète dès le moment de
l'absolution. »

Après cette charge à fond contre la morale exa-
gérée, notre missionnaire glisse avec une humilité
admirable la nouvelle de deux guérisons extraordinaires. « Nous avons obtenu, dit-il, deux espèces
de miracles pour deux personnes malades depuis
fort longtemps et inutilement traitées par les médecins. » Saint Augustin dit bellement de saint
Laurent sur son gril : On aurait cru qu'un autre
brûlait. Nous pourrions dire de M. Favre narrant
les faveurs que Dieu accordait à ses prières : On
croirait qu'elles ont été obtenues par un autre. Il
raconte avec la même humilité que, prenant sur
son repos nécessaire, il a dirigé pendant cette mission une retraite de quinze jours qu'un curé voisin,
venu à Argentine sous le prétexte d'aider aux confessions, a voulu faire auprès d'un si excellent
directeur. « J'ai pris ses pénitents, dit-il, et lui a
fait sa retraite. Rien de plus simple. »

Il poursuit: « Les jours de congé nous donnons
des conférences ecclésiastiques auxquelles les prêtres accourent de tous côtés. Dans la dernière, nous
étions vingt. Elles ouvrent les yeux à bien des

prêtres. Elles ont pour objet les cinq devoirs du
prêtre : se former à la vertu et à la science, instruire sa paroisse, la convertir, la soutenir. »

C'est par des moyens aussi dignes d'admiration,
je veux dire la science, la piété, le sacrifice à haute
dose, que M. Favre continuait son apostolat du
clergé, sans préjudice de celui des pauvres gens
de la campagne. Une zélatrice de grande vertu,
Madame Buisson, se fit remarquer dans la mission
d'Argentine, en catéchisant jour et nuit les ignorants, et en amenant au confessionnal les plus
grands pécheurs. Elle aurait voulu suivre les missionnaires ; mais, disait M. Favre, « je crains le
zèle des femmes comme le feu. »

La mission de Bramans qui suivit celle d'Argentine fit grand bruit parmi les prêtres aussi bien que
dans le peuple. Le curé de Bessans, partisan de la
haute morale, déclara que les missionnaires ne
savaient pas confesser. Rien que cela. La plupart
des autres prêtres s'abstinrent de leur rendre la
visite accoutumée. M. Favre eut toutes les peines
du monde à trouver un nombre suffisant de confesseurs. Les chapelains ou prêtres habitués ne manquèrent pas de gloser contre lui. Je me contenterai
de dire que parmi tous ces mécontents il n'y avait
guère de juges désintéressés. M. Favre était le rude
adversaire des prêtres trop peu édifiants. Quant
aux curés de Bramans, de Sollières et d'Aussois,
notre apôtre les appelait « ses chauds partisans. »

« Le clergé de ce pays, écrit-il à l'archevêque de
Chambéry, tient une morale si haute que les héros
du christianisme pourraient seule la pratiquer. Les

Eglise de Bramans (Maurienne).

habitudinaires sont regardés comme incorrigibles. On tient en suspens les pénitents pour des médisances et des impatiences. Plût à Dieu que la conduite de ces prêtres répondît à une morale aussi angélique ! »

Un peu plus loin il reproche aux prêtres « d'instruire en gros, de ne pas étendre leur sollicitude sur chaque maison et chaque individu en particulier, de prétendre convertir les pécheurs en leur refusant les sacrements au lieu de les amener à s'instruire, à méditer et à essayer de se vaincre. » — « Ils prennent l'homme à rebours, dit-il encore, et ils perdent sa confiance. » Enfin, il écrit cette phrase terrible : « On s'attache à confesser souvent, et longtemps, et en grand détail, un petit nombre de béates ; et le reste est abandonné comme un paquet de linge sale. »

Aux grands jours de cette mission, l'on voyait plusieurs centaines d'hommes stationner autour de l'église sans pouvoir y entrer, faute de place. M. Favre parle de quatre cents et fait remarquer l'ampleur de l'église. Le premier jeudi, il alla visiter le fort d'Aussois, réunit la garnison, l'invita aux exercices, et eut la consolation de l'amener tout entière. « Tous, écrit-il, ont fait leur mission avec édification. »

Le jour de la clôture, un des plus grands scandaleux de Bramans se mit à genoux sur la route où passait M. Favre et lui demanda son pardon et ses prières, en pleurant. Deux impies notoires se convertirent sincèrement. Mais là, comme ailleurs, le meilleur fruit de la mission fut la création des

œuvres paroissiales ou congrégations. C'est à ces
œuvres durables et fécondes que notre intelligent
missionnaire s'appliquait le plus.

Le peuple avait en ses prières une confiance
naïve. « On nous a amené, dit-il, des malades et
des estropiés de tous les environs. Nos chambres
sont pleines de boiteux et de borgnes qui demandent leur guérison. Nous avons prié pour tous. Je
ne sache pas que nous ayons été exaucés sensiblement, sinon pour l'abbé Baudin qui s'est trouvé
dans un mieux prodigieux dès le second jour de la
neuvaine. » — Le mouvement produit autour de lui
devint tel, qu'il dut profiter de la nuit pour s'en
aller sans encombre. « Nous avons passé à Saint-
Michel de nuit pour n'y être pas arrêtés à tous les
pas. En passant par les paroisses de Sainte-Marie,
de Saint-Etienne-de-Cuines, de Saint-Alban-des-
Villars, le monde courait pour nous voir, et nous
entendions dire autour de nous : Oh! les braves
gens du bon Dieu! —Voyez, Monseigneur, combien
aux yeux du peuple on peut être saint à peu de
frais. »

Après Bramans, Saint-Colomban-des-Villards
eut la mission et la suivit avec un saint empressement. C'était, du reste, une paroisse excellente, où
les sacrements eussent été fréquentés, sans le rigorisme du clergé. On refusait l'absolution pendant
de longues années pour des fautes vénielles, et
même pour des fautes supposées. Je glane, parmi
les exemples que donne M. Favre, les cas suivants :
pauvres gens qui ont mis de la graisse dans leur
soupe les jours maigres, ou mangé de la soupe les

soirs des jours de jeûne. *Item*, refus d'absolution
pour avoir manqué les vêpres, assisté à la messe
du dimanche dans une paroisse étrangère, travaillé
le dimanche par nécessité mais sans permission.

Le lecteur le devine, les fidèles de Savoie accou-
tumés à de telles duretés, se réjouissaient d'être
admis aux sacrements et formés à la vertu par un
maître plus appliqué à les instruire qu'à les gron-
der. Un gentilhomme de Saint-Jean, le comte
d'Arve, ayant suivi la mission de Saint-Colomban
fut si émerveillé de ses résultats, du bonheur
rendu aux âmes, qu'il offrit deux mille livres pour
procurer une mission de M. Favre à sa ville.

Les pasteurs rigoristes ne désarmaient pas devant ces résultats auxquels d'ailleurs ils refusaient
de croire. L'admission relativement facile des
adultes à la première communion les irritait par
dessus tout. Ils obtinrent de l'archevêque que l'on
exigeât du moins leur agrément avant d'accorder
une telle faveur. M. Favre ne fit pas difficulté de
leur donner cette satisfaction, mais il se réserva de
pouvoir agir indépendamment, lorsqu'il le jugerait
nécessaire. Toujours convaincus qu'il n'y avait
rien à faire avec les pécheurs, sinon de les repousser de la sainte Table par le refus d'absolution, ces
jansénistes de bonne foi, ou plutôt ces prêtres mal
instruits dénoncèrent M. Favre à l'archevêque, au
sujet de certains jeunes gens. D'après leurs dires,
il admettait aux sacrements des libertins incorrigibles et scandaleux qu'il fallait laisser croupir
dans leurs immondes plaisirs. Voici la réponse du
missionnaire :

« Monseigneur, les jeunes gens âgés, qui n'ont
pas fait leur première communion, sont à plaindre,
surtout en Maurienne. Abandonnés à eux-mêmes,
ils se livrent à tous les vices et ils pervertissent les
paroisses. Qui en pourra tirer parti ? Les curés ?
ils n'ont pas leur confiance. N'ayant su les prendre
de bonne heure, ils n'en sont plus maîtres. Les
vicaires ? ils les craignent comme le feu. Les curés
voisins ? ils n'osent pas même se présenter à eux.
Qui donc les tirera de l'ignorance affreuse dans laquelle ils vivent et du libertinage dans lequel ils se
sont plongés ? Il n'y a que les missions pour leur
rendre ce service. Dans une mission, on est leur
maître absolu. A son gré on les fait venir, travailler, prier, méditer, jeûner. Dans les missions, on
les instruit aussi souvent, aussi longtemps qu'on
le veut. Je le sens, le temps d'une mission peut
sembler trop limité pour refaire des enfants gâtés
jusqu'à la moëlle des os, pour instruire des ignorants grossiers. Cependant, à force de méthode,
de soins multipliés, on obtient ce que jamais un
simple curé n'obtiendra. C'est le plus grand service que l'on puisse rendre à ces malheureux, à
leurs curés et à leurs paroisses.

« Vous direz qu'on est souvent dupe. Mais qui ne
l'est pas ? Ceux-là le sont plus que les autres qui craignent davantage de l'être. A qui la faute ? Pour l'ordinaire, aux prêtres trop méfiants. A force de se méfier,
ils inspirent de la méfiance à tout le monde. Rien
ne rend les paroisses aussi cauteleuses que la trop
grande méfiance des prêtres. La confiance engendre
la confiance, la méfiance produit la méfiance.

« J'ajoute que l'âpreté de la direction fait un grand nombre d'hypocrites. Un enfant dit tout à sa mère et cache presque tout à son père. Que le ministère nous est difficile dans les paroisses menées *virga ferrea* ou avec trop de circonspection ! En tout cas, j'aime mieux être trompé que de rendre les âmes trop circonspectes. Du reste nous prendrons les précautions que vous indiquez. Nous n'admettrons à la première communion qu'avec l'agrément des curés, excepté les cas d'impossibilité (1). »

Des lettres si doctement motivées, si droites et si fermes ne manquaient pas d'éclairer l'archevêque. Elles le confirmaient surtout dans cette conviction que si la prudence est une vertu précieuse, elle est loin de suppléer au zèle des hommes vraiment apostoliques.

L'archevêque de Chambéry voulut confier à M. Favre la retraite ecclésiastique de son diocèse. Mais ici encore, notre missionnaire sentit l'impossibilité morale où il était de faire un bien sérieux tant que l'administration, peu prodigue d'efforts courageux, continuerait à suivre les vieilles ornières.

Cette conviction du peu de fruit que portaient les retraites ecclésiastiques d'alors, était partagée par Mgr Rey : « Si je n'étais du métier, disait-il, je serais vivement tenté de dire qu'avec tout leur appareil les retraites servent de peu pour la discipline

---

(1) 29 avril 1825.

et la ferveur. Tout se fait par le lien tendu de l'obéissance. Si je ne me trompe, l'union sacerdotale s'affaiblit et il y a dans nos contrées un grand nombre de prêtres, mais point de clergé (1). »

Notre abbé Favre répondit à son digne archevêque : « Quant à la retraite ecclésiastique, examen fait devant Dieu, j'estime plus convenable de ne pas m'en mêler cette année. Notre manière d'exercer le ministère nous fait trop d'ennemis parmi les prêtres qui ne la connaissent pas. Les préventions arrêteraient l'effet de la parole.

« Une autre raison m'en détourne. C'est que les retraites, telles qu'on les donne aujourd'hui, sont bien peu utiles. Je voudrais adopter un autre plan. Mais, *nondum venit hora mea*. Je voudrais quatre méditations par jour, en donner seulement le sujet pendant un quart d'heure, et faire ensuite méditer une heure. Je voudrais pour la conférence parler spiritualité et non pas théologie. Je voudrais un grand recueillement, et un choix de confesseurs capables de diriger chaque retraitant. A la fin de la retraite je voudrais trois ou quatre conférences sur l'exercice du ministère et sur la discipline du diocèse. Je voudrais un seul retraitant par chambre, fallût-il prêcher la retraite à deux groupes successifs. Enfin, ma manière de faire ne sera pas du goût de tant d'ecclésiastiques habitués aux formes plutôt qu'à la réalité. *Nondum venit hora mea.* »

Nous verrons plus loin notre ardent mission-

_____

(1) Lettre à Mgr Billiet, 9 août 1828.

naire céder enfin aux instances des supérieurs et
prêcher cette retraite. Mais il est temps d'inter-
rompre notre étude des procédés apostoliques dont
il fut le restaurateur inflexible et parfois l'initiateur général.

Aussi bien nous trouvons-nous arrivés à un
moment de sa vie qui fut marqué par un autre
genre d'apostolat que celui des missions et des
retraites : je veux dire la coopération au rétablissement, au développement et aussi à la parfaite
direction des instituts religieux qui naquirent en
ce temps.

LIVRE TROISIÈME

OEUVRES DIVERSES ET NOUVELLES MISSIONS

Le Carmel de Chambéry.

CHAPITRE PREMIER.

RESTAURATION DU CARMEL DE CHAMBÉRY.

Il existe, dans la nature, des sources cachées d'où partent, ignorées du vulgaire, les eaux abondantes qui viennent jaillir en fontaines irisées sur les places de nos villes. On découvre pareillement, dans le monde des âmes, certaines existences plus ou moins cachées et ensevelies, qui ont donné naissance à des œuvres connues et applaudies dans toute l'Eglise. M. Favre n'était pas appelé au rôle de fondateur : maintes fois, dès le début de sa vie apostolique, il l'a dit, écrit et répété avec cette conviction particulière que l'on remarque chez les

13.

hommes adonnés à la vraie oraison. Mais Dieu
qui l'opposa comme un mur d'airain aux fausses
doctrines et aux routines lamentables dont se mou-
rait l'Eglise de Savoie, voulut aussi faire de lui,
de ses enseignements surtout, une source féconde
où plusieurs œuvres de premier ordre viendraient
prendre sinon la vie, du moins l'accroissement.
C'est à éclairer ce point de vue que nous allons
consacrer le présent livre.

Nous commencerons par la restauration du
Carmel de Chambéry.

L'ancienne capitale de la Maison de Savoie était
de plus en plus minée par les sociétés révolutionnaires. On sait que Joseph de Maistre, l'un de ses
plus dignes enfants, a fait partie lui-même, dans
les premières années de sa jeunesse, d'une sorte de
franc-maçonnerie blanche.

A côté de beaucoup de bien, on y trouvait des
plaies profondes. M. Favre ne tarda pas à s'en
rendre compte, et la faute ne fut pas à lui si on
attendit trop longtemps pour venir au secours de
cette noble délaissée. La lettre suivante qu'il adressait le 1er juin 1823 à Mgr de Solle, archevêque de
Chambéry, nous en convaincra :

« Monseigneur, puisqu'on m'appelle l'homme
sans-gêne, et que je ne suis jamais plus sans-gêne
que lorsque je parle à votre Grandeur, il faut que
je vous fasse part d'une idée qui me tient depuis
bien longtemps au cœur et à l'esprit. Nous aurons
beau missionner les extrémités du corps de la
Savoie : tant que nous n'attaquerons pas la tête, la
circulation du centre aux extrémités empoisonnera

toujours notre peu de bien. Il faudrait missionner
la capitale, de laquelle sortent tous les mauvais
principes : la tête une fois gagnée, il ne serait pas
difficile de gagner les membres. Mais une semblable entreprise est trop grande pour nous. Il
faudrait quelques-uns des missionnaires de France
pour évangéliser ce peuple endormi dans le péché
et si peu croyant à la parole des prêtres savoyards.
Je laisse au zèle de votre Grandeur une si grande
entreprise. »

Hélas ! nous l'avons dit, avec la division récente
de l'archidiocèse de Chambéry, on ne pouvait songer à l'exécution immédiate de ce projet. Notre missionnaire devra continuer de pousser discrètement
son idée jusqu'en 1831. En attendant, il conçut la
pensée de s'adjoindre, en faveur des missions, une
élite d'âmes vouées à la conversion des pauvres
pécheurs. Ce qu'il demande pour convertir Chambéry, il le fera demander tous les jours au Maître
des maitres par une communauté de ferventes et
pieuses religieuses, les humbles Carmélites. Pour
cela il rétablira leur couvent.

Fondé en 1634 par la duchesse de Ventadour et
par la mère Centurione de Gênes, le Carmel de
Chambéry avait été fermé brutalement par les gou-
vernants de 1793. Deux des dignes religieuses qui
en avaient été expulsées vivaient encore au temps
où nous sommes de notre histoire. C'étaient sœur
Marie-Joséphine de sainte Thérèse de Chassey et
sœur Marie-Clotilde de saint Alexis Dupuy. Elles
ne cessaient de prier Dieu de les rendre à leur
cloître regretté. Maintes fois, elles se concertèrent

pour tenter de le rétablir. Elles étaient encouragées
par M. Rey, vicaire général du diocèse, et, malgré
cette protection, elles n'arrivaient pas à sortir de
leurs toujours nouvelles déceptions. Enfin, et ici
nous transcrivons un extrait de la fondation du
Carmel par une de ses prieures, « en 1823, pendant
neuf jours consécutifs, des supplications instantes
furent portées par les saints anges au pied du
Trône de la Reine du Carmel, Marie Immaculée. Le
dernier jour de la neuvaine, la divine Providence
envoya à la vénérée sœur Clotilde de saint Alexis
un ambassadeur, c'est-à-dire un zélé prêtre missionnaire, qui lui dit : « Il me faut une maison de
prières, Madame ; c'est la volonté de Dieu ! Réta-
blissez votre couvent afin que j'aie des âmes qui
prient. » — Il n'en fallait pas davantage pour exciter
une nouvelle ardeur dans l'âme de la sainte carmélite qui, aidée encore par les pressantes sollicitations de M. Rey, se mit promptement à l'œuvre(1). »

Le lecteur a deviné le nom de l'ambassadeur
céleste dont parlent, dans leur pieux langage, les
chroniques du Carmel. Ce prêtre zélé était notre
missionnaire savoyard.

Avec sa foi, son énergie et sa vivacité habituelles,
il poussa cette œuvre vigoureusement. La bonne
sœur Clotilde hésitait encore trop. L'incertitude
d'avoir des vocations, le manque d'argent surtout,
lui faisait oublier, vraisemblablement, que sa
mère sainte Thérèse, pour fonder un couvent,

---

(1) Note communiquée par le Carmel de Chambéry.

n'avait besoin, une fois Jésus avec elle, que d'une
cloche et d'un écu. M. Favre s'en souvint, et de
Bonvillard, où il donnait la mission, il écrivit à
cette bonne sœur, le 17 décembre 1823 :

« Ma sœur, le vif intérêt que je prends à votre
œuvre me fait souvent désirer d'en avoir des nouvelles. Je vous remercie des vôtres ; vous me faites
plaisir on ne peut mieux. Les vocations ne manqueront pas, je vous l'assure. L'argent viendra
petit à petit. La Providence est une bourse plus
assurée que les revenus des plus grands richards.
Dieu tient les volontés de tous les hommes, il n'a
qu'à en disposer comme bon lui semble. J'ai trouvé
une personne qui a près de mille francs à consacrer
aux bonnes œuvres. Elle m'a demandé à quoi elle
devait les employer. Je lui ai conseillé de les consacrer à l'établissement des Carmélites. Mais
comme c'était dans un temps où je ne savais encore
rien de certain sur votre maison, les choses en
sont restées là. Je serai dans le cas de la revoir au
mois d'avril. Vous trouverez, je l'espère, des personnes charitables qui vous tendront la main. De
riches demoiselles de Saint-Genix pourraient bien
faire quelques sacrifices. L'essentiel est de commencer ; peu à peu le reste viendra. Je ferai tout ce
que je pourrai en votre faveur.

« Quant aux demoiselles dont je vous ai parlé,
deux sont d'une vertu tout à fait éprouvée ; l'une
est à votre disposition dès que vous le voudrez.
Elle ne peut disposer que de trois cents francs
pour le moment. Elle aura par la suite sa dot. Elle
sait très bien travailler, elle est robuste, d'une

physionomie intéressante, d'un caractère ferme,
aimable, obéissante. Elle fera une excellente carmélite. L'autre est d'Aime Elle est plus riche, d'un
bon caractère, d'une vertu éprouvée, grandement
portée comme la première à la mortification et à
l'obéissance. Sa vocation souffrira quelques difficultés. Cette demoiselle peut vous en amener un
bon nombre d'autres dont elle est la directrice. Elle
en a au moins une douzaine sous ses ordres (1).

« M. Dolin, curé de Bassens, vous aidera, je
pense, de sa bourse. M. Fortin fera bien quelque
chose. Je m'étudierai dans les missions à vous
trouver de l'argent. Je voudrais seulement que la
chose fût commencée. Commencez au plus vite et
tout ira bien. Vous aurez des difficultés, mais les
difficultés doivent vous encourager. C'est par la
Croix que l'on vient à bout de tout. Je vous verrai
un instant dans vingt-trois jours. Recommandez-
moi un peu à la sainte Vierge. Votre tout dévoué
serviteur. — FAVRE, prêtre-directeur. »

Ayant ainsi décidé les sœurs Dupuy et de Chassey à reprendre le voile du Carmel, notre missionnaire leur obtint, non sans peine, la haute protection de l'archevêque. Ayant loué, au faubourg Montmélian, entre le couvent des Capucins et la Leysse,
une maison bourgeoise et un modeste jardin, aujourd'hui propriété du baron de Tours, elles en
prirent possession le 3 juin 1824. M. Favre se fit un
devoir d'aller leur prêcher des conférences spiri-

---

(1) C'était sans doute une prieure des Filles de la Croix fondées à Aime par M. Favre.

tuelles, dignes de sa profonde connaissance des
choses divines. Il fit mieux : suivant son attrait extraordinaire pour la solitude et la prière, il alla
demander à Dieu, dans une retraite à la Grande-
Chartreuse, la grâce de mener à bonne fin cette
chère fondation.

Cependant que disait le public? Comment voyait-
il cette restauration de l'ancien Carmel?... Nous
avons la réponse dans notre *Pré spirituel*. « Comme
ces pauvres femmes, y est-il écrit, n'avaient pas le
sol, chacun criait contre M. Favre. Tous, jusqu'à
l'évêque, trouvaient l'œuvre hasardée ». En homme
d'action et d'oraison, M. Favre luttait contre les
obstacles, mais ne s'en émouvait aucunement. Il
finit, après bien des difficultés, par obtenir qu'on
leur donnât la clôture. Cet acte, décisif pour le nouveau Carmel, eut lieu les 21 et 22 septembre 1825. De
son côté le Ciel voulut encourager l'œuvre du pieux
restaurateur. Laissons-le nous l'apprendre lui-
même, dans une lettre où il continue d'engager
M. Mermier à poursuivre son œuvre capitale des
missions.

« J. M. J. J. — Chambéry, 23 septembre. — Mon
cher ami, je fais partout prier pour connaitre la
volonté de Dieu relativement à notre dessein. Je
n'ai encore rien de positif à cet égard, si ce n'est
un certain accord de vues dans un petit nombre de
prêtres bien pensants. Prions ; faites prier. Nous
ne pouvons rien faire de mieux. Les carmélites en
priant ont obtenu gros. Elles ont obtenu l'autorisation du roi et de l'archevêque, malgré bien des
opposants. Par un effet de leurs prières, la Provi-

dence m'a adressé une demoiselle française riche
de 150 mille francs, appelée à la vie religieuse et
décidée à entrer chez les carmélites. Elle n'y est
pas encore, mais j'espère que Dieu réalisera cette
bonne espérance. Après cela, fondez vos maisons
sur des écus ! Et remarquez : 1° que cette personne
a pensé à la vie religieuse et surtout aux carmélites,
depuis l'époque du rétablissement de la maison de
Chambéry ; 2° qu'elle a été tourmentée par la pensée de quitter son pays, depuis le second jour de
ma retraite à la Grande-Chartreuse où je priais fortement pour cela ; 3° qu'elle s'est sentie portée du
côté de Chambéry ou de Turin sans aucun dessein ;
4° que l'abbé Collomb, à qui elle s'est adressée à
Aix, l'a adressée aux dames du Sacré-Cœur pour y
faire une retraite ; 5° qu'une répugnance, à laquelle
elle n'a pu résister sans savoir pourquoi, l'a dé-
tournée des dames du Sacré-Cœur et l'a portée à
mon tribunal en l'église de Notre-Dame ; 6° que
cette personne a été délivrée des peines affreuses
d'esprit dont elle était travaillée depuis 17 ans :
Hic est digitus Dei. — Nous étions encore grandement en peine pour une maîtresse de novices : la
Providence vient encore de m'adresser avant-hier
une personne éminemment spirituelle et propre à
cette œuvre. Nous étions embarrassés pour trouver
une sœur converse habile à faire les affaires de la
maison : la Providence vient de m'envoyer hier une
fille fort habile dans cette partie. Nous étions enfin
embarrassés pour trouver un Père temporel : Dieu y
a encore pourvu en m'adressant un M. Escar, riche
bourgeois et ancien officier, homme très pieux.

« Après cela, comment ne pas entreprendre des bonnes œuvres? Mille fois soit maudite la prudence des mondains, des savants ignorants! Tout ceci est une confidence que je vous fais : n'en dites mot à personne. L'archevêque a donné hier l'habit à quatre novices.

« L'œuvre dont je vous ai parlé me paraît essentielle et urgente. Mais Dieu la veut-il? Je n'en sais rien. Prions, prions, et faisons prier. Supposé qu'il la veuille, faut-il la commencer dans votre diocèse ou dans le nôtre? Dans votre diocèse, plus d'étendue locale, plus de ressources, plus de sujets; mais moins de sagesse surnaturelle dans les supérieurs. Dans le nôtre, moins d'étendue à cause de la division, encore moins de sujets, assez de ressources temporelles, beaucoup de bonne volonté dans les supérieurs, à part un peu de discrédit que ma manière de penser en fait de morale, qui n'est pas tout à fait la leur, a entraîné. L'abbé Richard nous a quittés, l'abbé Golliet est sur le point de le faire. Me voilà seul avec l'abbé Hybord et une nouvelle recrue. Que faut-il faire? Examinez, priez, jugez et parlez : *Servus tuus audit.* Je vais faire imprimer l'*examen* et un petit cahier sur les devoirs des prêtres. J'espère que vous m'aiderez à les répandre. Je vais aussi faire imprimer un petit livre sur l'oraison mentale qui me paraît excellent.

« Pour les cérémonies, je vous en parlerai dans une autre occasion. — L'abbé FAVRE. »

Retournons à nos carmélites.

Aux sœurs précédemment nommées étaient venues se joindre quelques ferventes novices,

presque toutes congréganistes des missions de
M. Favre. La communauté renaissante commença de psalmodier et de gémir devant Dieu,
comme les colombes dans le désert. Le démon
ne pouvait laisser s'asseoir cette institution si
agréable à Notre-Seigneur et si utile aux âmes, sans
s'efforcer d'en miner les fondements. M. Favre,
qui prédisait il y a quelques mois des difficultés
et des croix à la bonne mère Dupuy, fut le premier
à voir se réaliser ses prédictions. Selon l'ordinaire,
l'épreuve vint d'où il n'y avait pas à l'attendre.
Les deux vieilles religieuses se ressentaient beaucoup d'avoir passé trente ans au milieu du monde.
Leurs infirmités les empêchaient sans doute d'être
aussi observantes, aussi pieuses et charitables que
l'exigeait leur rôle de nouvelles fondatrices. Elles
affectionnaient trop la grille et les longues cause-
ries. Leur aumônier, de son côté, ne plaisait qu'à
moitié à M. Favre et les novices manifestaient
quelque déconvenue à la vue de certaines inobser-
vances. Notre missionnaire était trop jaloux de la
perfection pour tolérer ces irrégularités. Pour y
porter remède, il ne craignit point de les signaler
à Monseigneur. « Quel crève-cœur pour moi, disait-
il, de voir une maison qui a coûté tant de démarches, tant de peines, tant d'embarras, commencer
si mal ! Mieux vaudrait peut-être que cette maison
n'existât point que de continuer d'être ce qu'elle
est (1). »

---

(1) Lettre du 23 février 1826.

Son but principal, en parlant avec tant de sévérité, était d'obtenir un aumônier plus digne de sa confiance, et d'établir sur des bases vraiment solides la vie intérieure de ses chères carmélites.

Autre difficulté. Une des novices tomba dans une sorte d'exaltation ou de fièvre qui lui faisait croire qu'elle avait des révélations, des apparitions et autres manifestations du monde divin. Au lieu de soigner cette enfant, on laissa le mal s'aggraver. Monseigneur, saisi de l'affaire, en fit des reproches à notre missionnaire, tout en lui laissant le soin d'aviser aux mesures à prendre. M. Favre répondit aussitôt de Coise où il était en mission :

« 23 mars 1826. — Monseigneur, je connais cette sœur depuis quatre ans. Je l'ai trouvée obéissante, humble, recueillie, bonne ménagère. Elle a travaillé deux ans à convertir son père. A force de jeûnes, de prières et de bonnes œuvres, elle y a réussi : son père est mort avec les marques d'une conversion extraordinaire. Dans son endroit natal elle était estimée et, sans avoir l'air d'y toucher, elle faisait un très grand bien On n'a jamais aperçu en elle aucune prétention. Elle a toujours passé pour timide et il fallait la presser pour lui faire entreprendre quelque œuvre un tant soit peu en vue. Jusqu'à son entrée au couvent, jamais il n'a été question pour elle de visions, ni de révélations, ni de miracles, du moins à ma connaissance. Ce genre de folies, d'illusions n'ont commencé, je crois, qu'avec la vie religieuse. S'il s'était trouvé là une tête pour la diriger, la désabuser, ce malheur ne serait pas arrivé. Mais dans une communauté

où manque la direction d'un prêtre sérieux, ferme
et instruit, chacun suit son sens propre et vit,
moralement parlant, comme un protestant. Tant
bien que mal les âmes communes suivent le train
de la maison ; mais les âmes un peu extraordinaires prennent l'essor, et le malheur est grand
lorsque cet essor est pris dans le mauvais sens.

« Mon avis serait qu'on désabusât entièrement
cette pauvre sœur, qu'on lui ordonnât de regarder
toutes ses visions, toutes ses révélations comme
autant de rêves et de folies ; de les rejeter promptement toutes les fois qu'elles se présenteront à son
esprit. Si elle croit son confesseur, si elle lui obéit
à l'aveugle, il me paraît qu'on peut la garder jusqu'à de nouveaux symptômes de fièvre. Mais si,
après plusieurs avertissements, elle s'opiniâtre
en son sens privé et croit en savoir plus que ses
directeurs, il faut la renvoyer et l'abandonner à
son pauvre sort.

« Du reste, Monseigneur, je ne tiens qu'au bien
et au plus grand bien. Cette sœur ne m'est chère
qu'autant qu'elle fera bien et très bien dans la
maison des carmélites. Dès qu'elle n'y fera pas
bien, mon plus grand plaisir sera de la voir sortir.
Je laisse cette affaire à la décision de votre zèle et
de votre prudence et tout ce que vous ferez, Monseigneur, sera toujours bien fait à mes yeux. »

On imagine sans peine combien cette affaire dut
ennuyer M. Favre, et quelles censures elle lui attira
de la part du monde qui lui reprochait déjà si
amèrement son zèle pour les vocations religieuses.
Les hommes sérieux l'approuveront d'autant plus

qu'il montra, dans ces circonstances critiques, un courage dont beaucoup manquent dans la prospérité elle-même.

Après ces premières trépidations, le Carmel de Chambéry jouit d'un calme assez grand pour lui permettre de s'affermir et de prospérer jusqu'à nos jours.

CHAPITRE II.

INSTITUTION DE RELIGIEUSES PAROISSIALES.

Répondant à une lettre de M. Mermier, notre missionnaire lui écrivait à la date du 15 janvier 1824, cette parole digne d'attention : « Notre congrégation de la Sainte - Croix vous effraie ? mais il faut savoir que ce sont des couvents qu'on établit dans les paroisses.» Telle est l'œuvre que nous voulons étudier avec une complaisante attention, vu l'intérêt qu'elle offre au

R^{de} Sœur Anne-Marie Nicoud.
Fondatrice des Sœurs de Ruffieux (Savoie).

point de vue apostolique. Cette œuvre qui effrayait M. Mermier, parut à M. Favre opportune, possible et appelée à rendre aux paroisses des services considérables. Relevons ici un nouveau trait de

ressemblance entre M. Favre et saint Alphonse.
On le sait, en effet, ce dernier favorisa constamment et très efficacement les religieuses connues
au pays de Naples sous le nom pittoresque de
« *monache di casa.* » Il avait même pour elles une
telle estime qu'il n'hésitait pas à les préférer aux
communautés régulièrement constituées, mais
tombées dans la tiédeur.

Deux raisons principales déterminèrent le restaurateur des missions de Savoie à créer cette
œuvre : le besoin de fortifier par l'association la
vertu des personnes appelées à l'état de virginité
dans le monde, et la nécessité d'avoir dans chaque
paroisse, une phalange d'âmes dévouées à la conversion des pécheurs. Evidemment, ce double
motif a inspiré la plupart des confréries, mais à
l'époque de M. Favre, plus que jamais, un apôtre devait le prendre en considération et en tenir compte
pour le choix de ses œuvres. Il appela cette congrégation, d'abord *les Filles de la Croix*, puis *la congrégation de la sainte Croix.* Le premier essai qu'il en fit
lui ayant réussi, ne contribua pas peu à l'affermir
dans ce projet. C'était, nous l'avons dit, en 1821,
à la mission de La Motte-Servolex. Sauf les localités qui lui paraissaient trop pauvres d'âmes vertueuses, il s'appliquait à fonder cette association
partout, mais sans bruit et comme en secret. A
notre connaissance, trois missions surtout lui
donnèrent sous ce rapport de vraies consolations :
celle de Saint-François en Bauges, celle de Grésy-sur-Aix et celle de Beaufort-sur-Doron.

Voici à l'égard de l'association fondée à Grésy-

sur-Aix le récit que nous a fait la bonne sœur
Michel, carmélite, originaire de cette paroisse et
témoin des choses qu'elle rapporte : « M. Favre
avait fondé la congrégation des Filles de la sainte
Croix. Elles étaient trente, toutes de la paroisse.
Il donnait de grands éloges aux personnes qui,
empêchées d'entrer dans un couvent, se consa-
craient ainsi à la vie parfaite dans le monde.

« Pour faire partie de cette congrégation, il
fallait porter des habits de deuil, renoncer complètement au monde, demander tous les jours au bon
Dieu de souffrir et d'être méprisé pour son nom,
aimer Jésus et aimer les croix, se tenir en la présence de Dieu et prier continuellement. Dans la
famille, on devait s'appliquer aux plus humbles et
plus dures corvées sans se plaindre. Il fallait aussi
entretenir une grande dévotion à Notre-Dame des
Sept-Douleurs. Enfin, on était tenu de reconnaître
une supérieure et de lui rendre compte, à la réunion
de tous les quinze jours, de la manière dont on
avait observé le règlement. »

La bonne sœur Michel ne se contenta pas d'écrire
ses propres souvenirs, elle nous fit adresser par
une des filles de la Croix de Grésy les lignes suivantes dont nous nous garderions bien d'altérer la
pure simplicité :

« Ma très chère sœur Michel, tourière au couvent
de Chambéry. Je vous dirai que notre vénérable
Père Favre nous disait bien souvent que bien commencer n'était pas merveille ; mais que le tout
était de bien finir ; que nous devions nous faire si
petites, que le démon et le monde ne puissent nous

apercevoir. Il nous répétait souvent : « Mes filles, prenez toujours la dernière place dans la maison, de sorte que vous en soyez comme le balai ; quant à moi, on me cracherait au visage depuis Grésy jusqu'à Chambéry, j'en serais très content. »

« Il nous recommandait d'aimer les croix et de ne jamais sortir des voies où nous avait engagées la Providence. Ma bonne sœur, toutes celles qui lui ont désobéi ont fait naufrage. Il nous recommandait la prière continuelle. Priez jour et nuit, disait-il, et fuyez tout ce qui pourrait vous porter au mal : fuyez surtout les mauvaises compagnies. Sa présence nous rayonnait (*sic*) et faisait tant d'effet sur le monde qu'il nous semblait voir Notre Seigneur en personne. — ASSIER BENOITE. »

Il ne sera pas inutile, pour connaitre mieux encore l'œuvre qui nous occupe, d'entendre une autre de ces bonnes *Filles de la Croix*. Celle-ci, Marguerite-Marie Ducis, est de Beaufort. En qualité de supérieure du groupe de cette paroisse, elle avait écrit le règlement des filles de la Croix, règlement si peu répandu et si recherché que l'archidiacre Charbonnier ayant prêté à un ami la copie qu'il en possédait ne put jamais se la faire restituer. Quoique ce document ajoute peu aux détails déjà donnés, il inspire, étant officiel, une confiance particulière.

CONGRÉGATION DE SAINTE-CROIX.

Association des personnes choisies pour travailler à leur persévérance et à la conversion des pécheurs.

BUT. — Dans cette association, on se propose

deux choses : 1° son salut, sa persévérance et sa perfection personnels ; 2° le salut du prochain.

Pour parvenir au premier but, on renonce à tout ce qui peut contenter et flatter le corps : en le méprisant et en n'en faisant aucun cas. On renonce aussi à la vanité et à tout ce qui peut plaire dans soi-même et dans les autres, et à tous les plaisirs et divertissements du monde, comme les danses, les veillées, les assemblées de noces et les fréquentations des personnes de différent sexe et toutes les assemblées dangereuses. Il faut éviter aussi la fréquentation des filles qui ont de l'amour et de l'affection pour le monde, afin de n'être pas exposé à prendre le même goût.

Il faut renoncer au monde et aux créatures, et ne se donner point d'autre souci que de travailler à se rendre agréable à Dieu.

Il faut renoncer à la curiosité et aimer à ne rien savoir de tout ce qui se passe dans le monde, excepté les choses qui nous regardent et qui peuvent nous porter au bien. Il faut renoncer à l'avarice en ne faisant aucun cas des biens de ce monde, ne s'en donnant aucun souci, les posséder sans affection et les perdre sans inquiétude, mais travailler et prendre soin de ce que l'on a, et ensuite se confier au bon Dieu ; et, s'il veut que l'on souffre, que l'on soit dans le besoin, se soumettre à sa volonté avec plaisir. Il faut travailler aussi à renoncer intérieurement à soi-même : 1° à l'égard de Dieu, en n'ayant d'autre volonté que la sienne, un bas sentiment de soi-même, en se regardant toujours comme étant le plus coupable, ayant moins de

mérites que les autres, en rapportant à Dieu tout le
bien et les mérites qu'il peut y avoir en nous,
comme venant de lui uniquement, et ne nous attribuer à nous-même que le péché, et nous croire capable de tomber dans tous les péchés et toutes les
faiblesses, si le bon Dieu ne nous soutient pas.
2° A l'égard du prochain, en nous regardant toujours comme étant les plus coupables, ayant moins
de mérites que les autres et ne condamner jamais
la dévotion des autres en croyant la sienne meilleure, mais au contraire penser qu'elle sera beaucoup plus agréable à Dieu que la nôtre et préférer
toujours le sentiment des autres au sien ; prendre
garde de ne jamais juger le prochain, et lorsque
cela nous arrive, nous humilier, en demander pardon à Dieu ; ne jamais faire des reproches à personne, en quoi que ce soit qu'on nous manque, en
pensant qu'on le mérite ; bien le supporter avec
humilité, en pensant que cela n'est rien et qu'on
en mérite bien davantage, et faire encore meilleure
grâce à ces personnes, leur rendre service et les regarder comme de vrais amis. S'il faut être insensible à tous les manquements qu'on peut nous faire,
il ne faut pas être insensible à ceux du prochain,
mais avoir une grande bonté, charité, compassion
pour toutes les peines des autres, ne jamais manquer ni faire de la peine à personne en quoi que ce
soit. Si quelquefois on juge à propos de reprendre
quelque personne, il faut le faire avec charité, avec
humilité, afin que personne ne puisse craindre de
nous répondre.

Il faut aussi renoncer à soi-même dans la con-

fession et ne pas s'occuper du confesseur, mais
penser qu'on n'a affaire qu'avec Dieu, et ouvrir son
cœur avec humilité, simplicité, sincérité et avec
une entière confiance.

Il faut faire tous les matins à Dieu l'offrande de
toutes ses bonnes œuvres en union avec toutes les
personnes de la société ; pour demander la persévérance, et qu'il n'y en ait aucune qui retourne en
arrière ; augmenter toujours de plus en plus dans
la ferveur, et une communion pour demander à
Dieu la persévérance de toute la société.

Pour le deuxième but, on se propose le salut du
prochain le désirant sincèrement et faisant tout
ce qu'on peut pour y coopérer ; étant disposé à
tout sacrifier et même la vie pour le salut du prochain.

Offrir au bon Dieu toutes ses peines, intérieures
et extérieures, en union des souffrances de Notre-
Seigneur, pour la conversion des pécheurs ; et offrir
tous les vendredis une petite mortification à cette
intention en union des souffrances de Notre-Seigneur, et l'offrir de bon cœur, avec humilité.

Il faut faire aussi tous les ans une retraite pour
se ranimer toujours plus à travailler avec ardeur
au salut du prochain, en méditant ce que Notre-
Seigneur a fait pour nous sauver ; faire tous les
ans une communion pour la conversion des pécheurs.

RÈGLEMENT DE L'ASSOCIATION.

1° Elles ne fréquenteront autant que possible que
celles de leur association ou celles qui leur seront

confiées pour édifier. Elles se rassembleront toujours quand elles pourront, afin de s'encourager à
la fuite du monde et à la pratique des vertus. Elles
se donneront des avis en toute occasion, les rece-
vront avec humilité et les donneront encore avec
plus d'humilité.

Chaque fois qu'elles se réuniront plus de deux,
elles se choisiront une supérieure qui présidera à
leurs entretiens. Il y aura parmi elles des sœurs
qui seront les jeunes ou commençantes, et des
mères ou anciennes qui seront les plus respectables et aussi les plus zélées. Leurs bonnes œuvres,
surtout leurs communions, se feront en partie pour
demander à Dieu la persévérance de celles qui ont
le bonheur d'être de leur société.

Afin de se maintenir dans la ferveur, chaque
année elles feront une petite retraite et une communion pour obtenir cette grâce.

Les jours de dimanches et de fêtes, il y aura
quelquefois assemblée au moment le plus com-
mode pour entendre les avis que la supérieure
jugera opportun de leur donner.

Elles se rappelleront aussi souvent que possible
la grâce que Dieu leur a faite en les appelant au
salut; elles se tiendront humiliées sur leurs mérites, plaindront du fond du cœur ceux qui sont
égarés, s'offriront au Seigneur comme des victimes
toujours prêtes à mourir pour la conversion des
pécheurs. Ce sera toujours par la crainte de se
pervertir et non par mépris qu'elles éviteront les
pécheurs. Tous les vendredis elles offriront à Dieu,
suivant leur dévotion et leur pouvoir, quelques

œuvres de mortification pour obtenir leur retour, se confiant sans cesse au mérite et à la faveur des autres à qui elles attribueront tout succès.

Elles feront aussi une retraite par an et célébreront un jour par la communion et par la pénitence pour arrêter la colère de Dieu sur les pécheurs, obtenir miséricorde. Elles donneront les soins les plus charitables à celles qu'on pourrait leur confier, pour les disposer au bien, et commenceront cette œuvre par un acte d'humilité qui les place au-dessous de celles qu'elles doivent édifier. C'est dans leurs méditations et surtout dans leurs communions qu'elles recommanderont à Dieu les personnes qui gémissent sous le joug du monde et du démon.

Conditions pour être reçue : Avoir fait sa première communion. — Etre proposée par trois personnes anciennes dans l'association. — N'avoir rien de mondain dans ses vêtements, son extérieur et sa conduite. — N'avoir aucun goût pour les conversations mondaines, mais désirer vivre avec des personnes édifiantes dans leurs discours, et solidement instruites et capables de rendre la dévotion honorable. — Donner des preuves de docilité et d'humilité.

Toutes celles qui n'auront pas ces conditions ne pourront être reçues; et celles qui l'auraient été sans ces conditions seront exclues. On tiendra une liste où seront inscrites toutes les associées, et dans chaque quartier chacune connaîtra celles qui font partie de l'association.

Il ne manquera pas d'hommes pour douter de l'utilité de cette congrégation, étant donné surtout qu'on n'y prévoit ni l'instruction primaire du peuple, ni le soin des malades. Cette objection tombe vite quand on se représente l'état des campagnes après la Révolution. Il fallait reprendre à pied-d'œuvre chacune de nos institutions. D'ailleurs, en chargeant ses associées de prendre soin des personnes qu'on leur donnerait à édifier, M. Favre ne les acheminait-il pas, autant que leur capacité le permettait, vers l'enseignement officiel et vers les œuvres hospitalières ? Le témoin cité plus haut, sœur Michel, carmélite, nous assure que la plupart des Filles de la Croix de Grésy-sur-Aix s'unirent à celles de Saint-François en Bauges, aujourd'hui sœurs de l'Immaculée-Conception de Ruffieux (1).

Mais en dehors de ce point de vue que nous avons cru juste de faire observer, l'institution des religieuses paroissiales rendit des services de premier ordre. On se rappelle que Mme la comtesse de Buttet de Boigne nous a dit ces paroles concer-

---

(1) Créées, pensons-nous, par M. Favre, qui leur donna pour premier directeur leur propre curé, les Filles de la Croix de Saint-François de Sales, en Bauges, affirment avoir reçu plusieurs fois de notre missionnaire le secours de retraites spirituelles. A la dernière, il leur prédit sa disgrâce : « Je ne reviendrai plus, leur dit-il, je vais être bafoué, traité plus mal qu'un chien qu'on veut détruire. »

Elles se consolèrent de cette disgrâce en allant elles-mêmes à Conflans lui demander ses conseils et des encouragements.

(Note communiquée par le R. P. Blanchin, missionnaire diocésain de Chambéry.)

nant les premières Filles de la Croix, instituées à
la Motte-Servolex en 1821 : « J'ai connu la dernière
de ces bonnes filles, morte en 1887. La plupart ont
persévéré jusqu'à la fin donnant à toute la paroisse
l'exemple d'une vie d'édification et de dévouement. » Le lecteur a remarqué aussi le rôle capital
des associations d'hommes, de femmes et de jeunes gens que fondait M. Favre pour assurer la
persévérance des fruits de ses missions. Les Filles
de la Croix étaient l'âme de toutes ces associations,
selon que l'affirmait entre autres le curé de Bellentre cité aussi plus haut.

Toute institution paroissiale produit de grands
résultats dans l'Eglise. Avoir dans la plupart des
paroisses 10, 20, 30 vierges dévouées au bien, c'est
disposer d'une armée dans chaque diocèse. Cela,
comme tout ce qui était grand, M. Favre l'avait vu,
voulu et réalisé sans nul souci d'entourer son
front de l'auréole de fondateur. Il faisait le bien
aussi largement que possible, mais en cherchant
avant tout à ce que ce bien pût être continué par
les prêtres de paroisse. Pour lui, sa seule envie
était, nous le verrons, d'aller enfouir au fond d'une
chartreuse ce qu'il appelait sa totale impuissance
à faire le bien.

C'est pour stimuler et entretenir la ferveur de
ces congrégations qu'il publia, l'an 1827, à Chambéry, ses *Considérations sur l'Amour divin*, in-12 de
82 pages. Disons un mot de ce petit ouvrage. La
première partie traite de l'amour de Dieu, par
aperçus ou traits de feu : Dieu est bon, Dieu m'aime,
Dieu veut que je l'aime, Dieu me donne sa grâce

pour l'aimer. Quoi ! ce Dieu est tout occupé de
moi et je ne l'aimerais pas ! Un Dieu mérite d'être
aimé par dessus tout, puisqu'il est un bien plus
excellent que tout. Dieu m'aime sans cesse, je dois
donc l'aimer sans cesse ; aucun emploi n'égale
celui d'aimer Dieu. En aimant Dieu, je fais mon
salut, je gagne plus que tout l'or du monde ; au
contraire, le temps que je passe sans aimer Dieu
est un temps perdu. — Suivent différents motifs de
cultiver ce saint amour.

La deuxième partie nous montre Jésus aimable,
aimant et aimé : trois méditations pleines de lumière et de chaleur. On trouve ensuite sept considérations pour exciter et entretenir dans notre àme
l'amour de Jésus-Christ.

Une troisième partie renferme, sous forme d'exercice pour entendre la sainte Messe, un exposé
complet de la Passion, entremêlé d'actes et d'affections dignes de l'àme brûlante qui les a conçus et
rédigés. Cette étude remarquable est résumée dans
des litanies de la Passion dont le détail provoque
un saint attendrissement.

En lisant cet ouvrage, on pense aux dévotes
méditations d'un François de Sales et aux ardentes
considérations d'un Alphonse de Liguori. Même
après avoir lu la *Vie dévote* et les *Visites*, on trouve
du profit à lire les *Considérations sur l'Amour divin*.

Pour nous, cette lecture nous a presque consolé de
n'avoir pu trouver qu'en minime partie les notes que
M. Favre prenait pendant ses longues et fréquentes
retraites. Nous croyons que ces notes devaient res-
sembler fort à d'aussi touchantes affections.

Mais, en homme pratique, notre missionnaire
s'occupait activement de faire parvenir aux inté-
ressés le livre qu'il venait de publier.

« Chambéry, le 24 juin 1827, — il écrit à M. Des-
george, curé d'Yenne : — Monsieur et respectable
confrère, notre bon Sauveur qui mérite tant d'être
aimé, l'est si peu que j'ai cru devoir faire imprimer
un petit ouvrage simple, onctueux, sur son amour,
pour allumer, réveiller, entretenir, augmenter le
feu sacré de la charité dans un certain nombre de
cœurs. Vos chers paroissiens préparés, arrosés
depuis si longtemps par vos sueurs, ne peuvent
que tirer un grand avantage de la lecture réfléchie
de ce livre. C'est ce qui m'engage à vous en envoyer
cent exemplaires, que vous voudrez bien faire distri-
buer à raison de six sous l'exemplaire. Pour le faire
aisément, il n'y a qu'à les déposer chez quelqu'un
de confiance, les recommander en public ou en
particulier, et encore mieux au Tribunal. Chacun
engagé par son confesseur en va prendre un exemplaire et le débit se fait rapidement.

« Je prie Monsieur votre vicaire de vouloir bien
faire passer les deux autres paquets à M. Pierron,
curé de la Balme, lequel fera passer à M. le curé de
Champagneux le paquet qui est à son adresse.
Ces messieurs vous remettront l'argent de leurs en-
vois ; et vous voudrez bien me faire passer le tout le
plus vite que vous pourrez pour contenter mon
imprimeur qui ne demande pas mieux que d'être
payé promptement.

« Si vous ne pouvez pas débiter les cent exemplaires dans votre paroisse, vous pourriez en remet-

tre à M. le curé de Billième et à celui de Lucey.
Pardon et mille pardons pour mon indiscrétion.
C'est bien un peu de votre faute ; si vous étiez moins
bon je m'émanciperais moins.

« Pardon de tant d'embarras, j'espère que le bon
Sauveur vous en tiendra un si bon compte. Ména-
gez votre précieuse santé. Conservez-moi un peu
votre amitié et agréez les sentiments de respect
avec lequel je suis, Monsieur, votre tout dévoué
serviteur. — L'abbé Favre. »

Revenons aux missions.

CHAPITRE III.

NOUVELLES MISSIONS.

La mission donnée par M. Favre à la paroisse de Séez au pied du Petit-Saint-Bernard, en Haute-Tarentaise, nous apprend que certains membres du clergé de ce pays étaient loin de suivre, pour la morale, les mêmes principes que le clergé de la Haute-Maurienne. « On y absout, écrit le missionnaire, des ignorants qui ne connaissent pas les principaux mystères ; des personnes dans l'occasion prochaine évitable, des habitudinaires qui, pour s'être abstenus quelque temps de pécher n'ont pas le cœur changé, retourné vers le bien ; des rancuneux qui se contentent de faire bon semblant, tout en nourrissant la haine dans leur cœur. »

« Nous avons été obligés d'apprendre à nos pénitents, soir et matin, vers les tribunaux, les principaux mystères, et malgré cette instruction simple et rebattue, jusqu'à satiété, ils n'auraient rien compris ni retenu si nous ne leur avions pas demandé compte de tout au tribunal. Quelle bévue de vouloir instruire sans faire rendre compte soit au Tribunal, soit en public ! Rien n'est compris ni retenu. C'est le compte qu'on fait rendre de tout ce qui a été dit qui fait écouter, comprendre et retenir (1). » M. Favre eut besoin de tout son prestige pour fixer

---

(1) Lettre du 8 mai 1825 à Monseigneur Bigex.

l'attention et obtenir le respect des gens de cette
paroisse. Une difficulté, entre autres, lui occa-
sionna beaucoup de fatigue. La paroisse de Séez
possédait une fabrique d'étoffes où venaient travailler, dans le pêle-mêle accoutumé, des ouvriers,
hommes et femmes, de Bourg-Saint-Maurice et de
Mont-Valezan. Notre infatigable apôtre ne se contenta pas seulement d'aller faire une ou deux
visites à cette usine, quitte à laisser au démon la
partie gâtée qui ne viendrait pas à la mission ; il
fit tant et si bien que le directeur de cette fabrique
accepta toutes ses conditions d'assainissement
moral. Laissons-le nous conter ce fait, hardi comme
le vrai zèle : « Nous y avons établi, de concert
avec le chef, le règlement suivant : Un homme a
été chargé de surveiller les hommes, une femme
de surveiller les femmes ; l'un et l'autre sont obligés de rendre compte de leur surveillance chaque
dimanche. Il y aura exclusion pour les teneurs de
mauvais propos. Obligation de se confesser tous
les mois. Pas de communication entre hommes et
femmes. Défense de sortir pendant la nuit. Prière
en commun matin et soir. Le soir encore, lecture
édifiante. Tout cela sera bon si on le met en
pratique. »

Danses, veillées, entrevues dangereuses furent
l'objet d'invectives réitérées. M. Favre obtint des
tailleuses de robes qu'elles les feraient plus longues, plus décentes. La coiffure appelée *frontière*
et qu'il appelait une coiffure effrontée ne trouva
point grâce. La population se rendit presque à
discrétion. Un incrédule notable se convertit

d'une manière éclatante. Et pourtant notre zélé
directeur écrit ces mots qui prouvent combien
peu il se flattait : « En somme, je regarde cette
mission comme une mission manquée. »

Le peuple de Séez ne pensa pas de même. Il montra, d'une façon plutôt exubérante, la reconnaissance que lui inspirait M. Favre. Le syndic même
pleurait. Le conseil écrivit cette lettre d'éloges :

« Notre missionnaire ne pouvait sortir des rues
de Séez, tant les gens qui voulaient baiser le bord
de sa soutane étaient nombreux et serrés. Pour
lui, songeant toujours et uniquement au salut des
pauvres pécheurs, il leur adressa son dernier adieu
en ces termes : Chère paroisse ! il y a trois semaines que nous travaillons au milieu de vous. Nous
vous demandons une récompense que tous vous
pouvez nous donner. Quelle récompense ? Est-ce
de l'argent ? Non ! Est-ce votre estime ? Moins encore ! Quelle récompense donc ? Le plaisir de vous
voir un jour dans le ciel. Cette grâce nous vous la
demandons à genoux. — Ici tous les missionnaires
s'étant mis à genoux, M. Favre cria de toute sa
voix : Oui, chère paroisse de Séez, sauvez votre
àme, faites votre salut, faites votre salut, car nous
voulons un jour nous retrouver au ciel. Là-dessus
il les bénit, prit son sac d'étoffe noire, le jeta sur
son dos, et, bâton en main, il partit, comme toujours, à pied. »

Le lendemain il ouvrait la mission à Aime, gros
bourg situé un peu plus bas vers Moûtiers. Cette
mission fut facile et consolante. Un ancien curé
de Feissons, M. Sentet, homme infirme mais plein

de foi, s'y fit porter en fauteuil tous les jours afin de n'en perdre aucun exercice. Il profita en outre de la présence de M. Favre pour faire une retraite sous sa direction. Une fille de Longefoy souffrant depuis de longues années d'une maladie incurable, se fit recommander au saint missionnaire. Celui-ci, selon son habitude, adressa sa cliente à la T. S. Vierge, obtint sa guérison, et signalant le fait à l'archevêque, se contenta de dire : « Cette enfant a obtenu sa guérison par sa confiance en Marie. » Les jours de fête, l'église d'Aime était assiégée d'étrangers. On peut le dire sans aucune exagération, tous les environs descendaient alors pour voir, entendre et essayer de consulter l'homme de Dieu. Le document où nous puisons ces détails porte à quatre mille le nombre de ces pieux chrétiens.

Les jeudis, notre missionnaire allait de paroisse en paroisse visiter les congrégations établies dans les missions précédentes ; et parfois il en établissait de nouvelles. On aimait à lui obéir, et bien des choses que nous croirions impossibles et qui l'étaient pour beaucoup, se réalisaient sans difficulté à la voix de ce puissant ouvrier. Il érigea ainsi les congrégations d'hommes, de femmes et d'enfants dans la paroisse de Granier et réunit quelques jours plus tard celles de la Côte-d'Aime et de Vilette. « « Nous en avons été contents, dit-il. L'expérience montre tous les jours davantage que ces associations produisent un grand bien. »

Le souci d'assurer la persévérance des fruits de la mission est la pierre de touche des vrais missionnaires. Nous ne connaissons personne qui ait surpassé M. Favre sous ce rapport.

Un curé observa que l'on reconnaissait à leur persévérance les convertis de cet homme de Dieu. Un fait que nous avons déjà raconté dans un autre ouvrage (1) confirme bien cette remarque. « Au mois d'août 1890, traversant la commune de Beaufort, je vis au bord du chemin un vieillard assis sur une borne. Il parut reconnaître à mon habit que j'étais missionnaire et voulut m'entretenir. En 1824, me dit-il, nous avons eu ici la grande mission. M. Favre nous apprit alors une prière assez longue, mais si belle, que je n'ai jamais manqué de la réciter tous les jours de ma vie. Maintenant, je suis vieux, la mémoire s'en va, je ne puis plus la réciter. Croyez-vous que je doive quand même essayer encore de m'en souvenir? — Point du tout, répondis-je, Dieu ne demande pas l'impossible. — Ah! Monsieur, répliqua ce chrétien de vieille roche, Dieu n'exige pas l'impossible, mais ne faut-il pas faire tout ce qu'on peut pour le contenter jusqu'au bout? — et il pleurait en répétant : « M. Favre nous l'a dit : il faut faire tout son possible pour contenter Dieu jusqu'au bout! — Quelle parole, après une fidélité de soixante-six années! » D'autre part, nous tenons d'un missionnaire de Myans, le R. P. Blanchin, l'observation suivante : « J'ai rencontré un certain nombre de vieillards, anciens pénitents de M. Favre. Il les

_____

(1) *Pratique des vertus*, t. III, fin du traité de la mortification.

avait si bien convertis qu'aucun d'eux ne retomba dans le péché mortel. »

Pour assurer la persévérance des fidèles, M. Favre ne se contentait pas de créer des congrégations, de les visiter fréquemment et d'en ranimer la ferveur à toute occasion, il essaya d'amener l'archevêque à établir les *missions stationnaires*.

Voici comment il s'explique de ce nouveau projet : « J. M. J. J. — Salins, le 28 mai 1825. — Monseigneur, je prends la liberté de vous proposer un genre de bien que j'ai depuis longtemps en vue. Ce serait d'établir des missionnaires stationnaires, lesquels ne se fixeraient à aucune paroisse, mais passeraient d'une paroisse à l'autre pour les transformer successivement. Ils resteraient dans chaque paroisse un temps suffisant pour instruire, convertir et affermir l'ensemble, la masse de la paroisse. Après qu'ils l'auraient mise en bon état, il faudrait y nommer un bon prêtre pour soutenir le bien ; eux passeraient à une autre paroisse pour la défricher et la mettre dans le même état que la première. Le passage des missionnaires ambulants est trop court pour faire un bien solide et parfait. Les missionnaires ambulants donnent un grand branle, mais le bien n'est qu'ébauché. Après chaque mission, il faudrait d'autres missionnaires pour le compléter et l'affermir. Mais le système des missionnaires stationnaires n'aurait plus cet inconvénient. Ce système consisterait à réunir deux à deux des prêtres animés du même esprit, du même zèle, suivant la même méthode. Deux à deux les prêtres vaudraient mille fois

15.

plus : *Misit binos*. Ces missionnaires stationnaires ne s'attacheraient qu'au bien. Ils ne s'attacheraient ni au lieu ni au bien-être, parce qu'ils n'auraient aucun poste fixe. L'essentiel serait de réunir
des prêtres qui se convinssent. Tous ces prêtres
réunis seraient à la disposition de votre Grandeur
qui les déplacerait et les placerait selon qu'elle le
jugerait à propos. Les missionnaires ambulants seraient pour remuer les grandes paroisses. Les missionnaires stationnaires seraient pour défricher
les paroisses tombées en friche. Et ces deux corps
de missionnaires tendraient tous deux à renouveler les paroisses, qui sont aujourd'hui dans
la plus crasse ignorance, la plus affreuse indifférence, la corruption la plus effrayante. Le ministère ordinaire ne saurait les tirer de cet état. A part
quelques prêtres plus puissants en œuvres et en
parole , tous les autres dorment avec leurs paroisses.

« L'expérience me le montre tous les jours depuis
quatre ans. Les curés et les vicaires, pour l'ordinaire, n'ont ni plan ni courage pour entreprendre
et opérer le renouvellement de leurs paroisses. Ils
se contentent de confesser ceux qui se présentent,
et ce moyen est bien faible pour instruire, convertir des ignorants et des âmes entièrement gâ-
tées. Ils prêchent les dimanches et les fêtes, mais
leurs prédications, pour l'ordinaire, ne sont ni
écoutées ni crues, encore moins suivies. Leur
exemple n'est pas assez édifiant pour accréditer
leur parole.

« Aujourd'hui, il se présenterait une occasion

de commencer le système des missions stationnaires. La paroisse de Chevron, quoi qu'on en

Bourg et église de Chevron.

dise, est encore une paroisse à renouveler. Il y a
déjà, il est vrai, un grand nombre d'âmes qui vont
bien, mais ce n'est pas encore le grand nombre.
L'abbé Ducis est trop timide, trop timoré, trop
lent pour manipuler une paroisse aussi étendue. Il
est bon pour instruire, catéchiser, faire des examens de conscience, mais il ne vaut rien pour
ébranler, toucher, remuer les cœurs ; il lui faudrait
l'abbé Martin, curé de Saint-Marcel, qui serait bon
pour prêcher et remuer. L'un et l'autre formeraient
le noyau des missionnaires stationnaires. Tous
deux le désirent, tous deux se conviennent. D'un
autre côté la paroisse de Saint-Marcel est mission-

née et en bon état. L'abbé Martin l'a entièrement
changée. Un prêtre tant soit peu bon suffit pour y
maintenir le bien. Elle est d'ailleurs trop petite
pour le zèle de l'abbé Martin. Voyez, Monseigneur,
s'il y aurait moyen de nommer à Chevron l'abbé
Martin comme curé et l'abbé Ducis comme vicaire.
Tous deux feront merveille. Tous deux pourront,
pendant leur séjour à Chevron, missionner, évangéliser les paroisses environnantes. L'abbé Martin
a missionné cette année la paroisse de Villette
pendant huit jours. Le temps a été trop court, et
cependant il a opéré dans cette paroisse un bien
surprenant. Tous deux le désirent et m'ont prié de
le proposer à votre Grandeur. Je me contente de le
proposer et je laisse le tout à sa prudence, à sa
sagesse. En exécutant ce genre de bien, vous met-
trez au comble de la joie celui qui est, Monseigneur, de votre Grandeur, le tout dévoué. —
L'abbé FAVRE. »

L'archevêque répondit favorablement à cette
ouverture et nomma MM. Martin et Ducis curé et
vicaire à Chevron. « Voilà, écrivait M. Favre, l'é-
tablissement des *missionnaires à demeure* commencé ; il reste à lui donner une forme stable et à
le multiplier. J'attends un grand bien de ce système. »

A Saint-Jean de Belleville (juin 1825), les missionnaires trouvèrent un peuple également docile
et respectueux, mais pleureur. « On a été obligé,
disait M. Favre, de réprimander fortement l'auditoire pour arrêter ses pleurs, ses cris affreux. » —
Ici nous transcrivons dans sa simplicité le récit

d'une guérison extraordinaire obtenue en faveur d'un écolier de Montagny, commune voisine. « Cet écolier s'était rompu la cervelle dans une chute qu'il avait faite il y a cinq à six ans. On avait été obligé de remplacer ses cervelles par des cervelles de mouton. Dès l'époque de cet accident il a été sourd ; un mal de tête continuel, un mal de poitrine, une tristesse accablante. Au commencement d'une messe qu'il entendait à l'intention d'obtenir sa guérison (inutile de dire que cette messe demandée par les parents du malade au charitable M. Favre, était célébrée par lui), il a senti dans sa poitrine une rupture avec un bruit semblable à celui d'une corde qui se rompt. Dès lors il a senti une humeur descendre de la tête dans la poitrine. Aussitôt cette humeur descendue, le mal de tête disparaît, le mal de poitrine cesse, la tristesse s'en va, la surdité aussi, sauf pour une oreille. Le pauvre écolier se trouve si bien en ce moment qu'il ne se possède pas de joie. »

Faisons-le remarquer en passant, de telles guérisons ne se lisent d'ordinaire que dans la vie des saints. M. Favre, chargé par son archevêque de lui raconter tous les faits saillants de ses missions, notait ces guérisons en quelques mots seulement. Au trait que nous venons de lire il ajoute ceux-ci : « Une fille de Saint-Jean, malade depuis cinq ans, vient d'obtenir aussi sa guérison. Nous avons revu la fille de Beaune qui avait obtenu sa guérison à Saint-Colomban-des-Villards : sa guérison est parfaite. » Après ces détails peu vulgaires, notre missionnaire, sans même ouvrir un nouvel alinéa,

continue par des nouvelles ordinaires : institution
de congrégations et autres œuvres accoutumées, à
Nàves, Saint-Martin, etc.— A lire ces pages subli-
mes de simplicité, on pense involontairement à
saint Pierre, disant du boiteux qu'il vient de guérir : *Pourquoi nous acclamez-vous comme si c'était
en notre nom que cet homme a été guéri ?*

Ne nous attardons pas plus que le serviteur de
Dieu à narrer les prodiges dont il fut l'humble et
digne instrument.

Nous voici à la mission de Villard-de-Beaufort.
M. Favre y trouva le curé tellement malade, qu'on
craignait pour sa vie. La population, d'autre part,
se montrait sourde à ses appels. Il ne se découragea
point pour autant.

Après une semaine d'efforts, les missionnaires
en eurent raison. « Nos séances de justice de paix,
écrit M. Favre, étaient longues et fatigantes, mais
consolantes. Un bourgeois va fondre une cloche
de 900 francs à ses frais. Un autre a fait une fondation de 200 francs pour les pauvres, de 200 francs
pour la sacristie. Trois joueurs de violon nous ont
apporté leurs instruments et les ont brisés. A la
fin de la mission, la paroisse ne se reconnaissait
plus. »

Nous ferons grâce au lecteur d'une foule de détails déjà touchés dans les précédentes missions.
M. Favre visita ensuite à tour de rôle les congrégations de Beaufort, Bonvillard, Chamoux, Noyer-
en Bauges et Grésy-sur-Aix, puis rentra à Chambéry où nous le trouvons vers la mi-juillet tout
occupé déjà de ses travaux de cabinet.

CHAPITRE IV.

Nous l'avons dit plusieurs fois, le rôle de notre héros en Savoie fut surtout d'assainir l'enseignement théologique et de corriger les déplorables abus que le rigorisme avait introduits dans l'administration des sacrements. Le lecteur sait également qu'il eut pour irréductibles adversaires dans cette lutte l'ensemble de ses supérieurs dont plusieurs devinrent évêques. Loin de renoncer au bien général par amour de son avancement dans les bénéfices du diocèse, notre intrépide directeur poursuivait sa tâche jusqu'au bout.

Mgr Bigex.

Pour agir sur les esprits pensants, il rédigea sur la grave question du *système moral* une courte dissertation. Sans condamner aucun des systèmes tolérés par l'Eglise, il se borne à soutenir le *Probabilisme mitigé* qu'il résume dans la proposition suivante :

« Dans le conflit d'opinions également probables, on peut, en sûreté de conscience, suivre le parti de la liberté, toutes les fois que le pénitent n'est pas disposé à suivre le parti de la loi (1). »

La lettre qu'on va lire nous donne une juste idée des avanies que dut subir ce saint homme pour la défense de la vraie liberté. On y verra que Mgr Bigex lui-même prononçait à son endroit des mots bien durs et qu'il ne lui parlait rien moins que d'être damné.

Le débat portait sur la question du prêt à intérêt au taux légal et de la tolérance dont use la sainte Eglise à ce sujet. Nous citons textuellement le manuscrit autographe de notre missionnaire daté du Villard-de-Beaufort, 20 juin 1825 :

« Monseigneur, quant à l'opinion sur l'usure, votre Grandeur l'a prise dans un trop mauvais sens et me fait dire ce à quoi je n'ai jamais pensé. J'ai tort de m'être mal exprimé. Qu'on puisse suivre toute opinion probable quelque faible que soit la probabilité de cette opinion, c'est ce que je n'ai jamais cru, ni enseigné. J'ai toujours cru qu'il fallait que l'opinion fût suffisamment probable pour déterminer un homme prudent, pour qu'on puisse la suivre en sûreté de conscience. Il ne faut pas agir en fou, c'est un principe que ma

_____

(1) *Vie*, par M. Pont, p. 296.

mère m'a appris dès l'âge de sept ans. Dans le conflit de deux opinions, dont l'une est plus probable
et plus sûre, et l'autre moins probable et moins
sûre, il faut nécessairement suivre la plus probable et la plus sûre ? Dans certains cas, je le crois ;
dans tous les cas, je ne le croirai pas : autrement
que deviendrait le probabilisme que l'Eglise n'a
pas condamné, quoi qu'elle en ait condamné les
excès, qu'on appelle laxisme ?

« Que l'opinion qui réprouve l'intérêt légal perçu
d'un prêt à terme en vue du simple prêt soit plus
sûre et plus probable, je n'en disconviens pas.
Mais que cette opinion soit une loi de laquelle on
ne puisse s'écarter dans la théorie et dans la pratique sans être hérétique ou sans encourir les con-
damnations et les censures de l'Eglise, je ne le
croirai pas. Malgré la bulle de Benoît XIV, qui est
claire, et les sentiments des autres souverains
pontifes, la chose ne paraît pas encore décidée, et
les souverains pontifes ne la regardent pas comme
telle. A Rome, on dispute pour et contre, je le sais
de main sûre ; le pape le sait et ne dit rien : se tai-
rait-il, s'il croyait la chose définitivement décidée ?
J'ai entre les mains la consultation d'une dame de
Lyon, retenue en confession pour cause d'intérêts
perçus sans raison. Le grand pénitencier qu'elle a
consulté lui a répondu qu'elle pouvait se tranquil-
liser pourvu qu'elle eût la disposition de se soumettre à ce que l'Eglise déciderait par la suite.

« J'ai copié cette décision et je la tiens de main
sûre. Preuve qu'à Rome on ne regarde pas la chose
comme décidée. Si elle n'est pas clairement déci-

dée, on est encore libre de penser et de dire le contraire sans encourir de censures. On peut être téméraire en professant l'opinion contraire, mais on
n'est pas hérétique. Je ne suis ni hérétique, ni protestant, ni janséniste, ni même gallican. Je suis
ultramontain de toute mon âme ; et tout ultramontain que je suis, je regarde l'opinion qui réprouve l'intérêt en question comme une opinion,
parce que je crois que les souverains pontifes la
regardent comme telle ; et je ne demande ni concile
général, ni le consentement tacite des évêques qui
n'est qu'une rubrique de jansénistes. J'en crois au
pape tout comme au concile, et quand le pape se
sera parfaitement prononcé sur cet article, de manière à censurer les contrevenants, je serai le premier à m'y soumettre de bon cœur et à faire la
guerre de pied ferme à l'usure et aux usuriers. Ce
serait une drôle de chose de voir un janséniste, un
protestant se damner en missionnant, en se tuant
de peines ! On peut se damner à moins de frais :
Mea doctrina non est mea, sed ejus qui misit me. Je
tolère l'usure jusqu'à un certain point, comme le
pape la tolère.

« Je ne saurais être plus sage que lui. Il sera
toujours ma règle. En Allemagne, on autorise l'intérêt d'après la loi. Cette raison se trouve dans
presque tous les pays. L'abbé Rossignol n'a pas
été censuré. L'ouvrage de l'évêque de Langres ne
l'est pas encore. L'opinion qui autorise le taux
légal est encore une opinion permise, et malgré les
discussions, les raisons, les débats de tant de
théologiens vivants et morts, elle ne changera pas

de nature jusqu'à ce qu'une décision claire, directe, positive ne fixe nos idées à cet égard.

« Cette opinion est-elle imprudente, téméraire ? Reste à savoir. Bien des hommes respectables tolèrent le taux légal, j'en connais un grand nombre. Ce serait un peu dur de les damner tous. *In dubiis libertas.* Cependant, *in omnibus charitas.* Pour cela, nous n'en dirons rien en public, soit aux fidèles, soit aux prêtres. Nous règlerons l'avenir ; nous passerons le passé en prenant des tours qui nous mettent d'accord avec les autres prêtres, et j'espère qu'il n'y aura pas la moindre dissonnance sensible entre nous et les autres prêtres. Nous ne passerons que le cinq, mais je n'aurai guère la force de damner un pénitent qui refuserait de le restituer. Il faut être un peu sûr de son coup pour damner. L'enfer est un mal un peu long et un peu rigoureux pour y condamner quelqu'un pour des opinions. Il n'y en a déjà que trop qui se damnent, sans en damner mal à propos. Et pour vous faire connaître en plein ma manière de voir et de faire en fait de morale, je vais vous l'exposer en peu de mots. Il est bon que votre Grandeur la connaisse :

« 1° Il faut suivre ponctuellement ce qui est clairement décidé par l'Ecriture. Pas la moindre difficulté ;

« 2° Il faut suivre de même tout ce que l'Eglise a clairement décidé. Encore point de difficulté ;

« 3° Dans tout ce qui n'est ni clairement décidé par l'Ecriture, ni clairement décidé par l'Eglise, mais qui est laissé à la chicane de l'école, on peut suivre ou le tutiorisme, qui consiste à prendre le

parti le plus sûr, ou le probabilisme, qui consiste à
suivre toute opinion suffisamment probable pour
déterminer un homme prudent : l'Eglise tolère ces
deux opinions ; elle n'en réprouve que les excès.
Le tutiorisme poussé trop loin dégénère en rigorisme que l'Eglise condamne. Le probabilisme
trop généralisé, dégénère en laxisme que l'Eglise
réprouve également. On peut suivre l'une ou l'autre de ces deux opinions ; en évitant leurs excès,
on est en sûreté de salut.

« Je préfère cependant le probabilisme au tutiorisme : 1º parce que, *in quâ mensurâ mensi fueritis,
remetietur vobis*, et j'ai tant besoin d'un bon aunage
au jour du jugement ; 2º parce que Dieu qui est
bon veut qu'on soit bon comme lui ; 3º parce que
je sauve plus d'âmes ; 4º parce que les saints
ont été sévères à leur égard et indulgents envers
les autres. J'exige de tous l'essentiel, et pour ce
qui n'est que de conseil, j'exige plus ou moins
selon le plus ou moins de forces et de bonne volonté.

« Mais comment saurez-vous, me direz-vous
peut-être, que vous n'allez pas trop loin dans votre
probabilisme ? — En suivant Liguori, qui, selon la
décision des papes, n'a rien enseigné de contraire à
la foi et aux bonnes mœurs, rien qui mérite censure.
En le suivant, je n'en mériterai aucune non plus.
Ce grand missionnaire théologien, ce grand saint,
connaissait un peu mieux le cœur humain et la
faiblesse humaine que tant de théologiens vivants
et morts qu'on vante tant. Je le suis depuis trois
ans et je m'en trouve bien Je ne vois pas pourquoi

on dénigre tant cette théologie. Si elle est si mauvaise qu'on l'a dit, pourquoi le pape l'a-t-il approuvée au moins dans ce sens qu'elle n'a rien de
répréhensible? Voilà ma manière de voir et de
faire. Je l'expose avec franchise, parce que je ne
crains que les ténèbres. Je ne veux que le bien et
rien de plus. Je le veux avec la soumission due à
mes supérieurs. Je vous renouvelle les sentiments
du plus profond respect, avec lequel je suis, Monseigneur, de votre Grandeur, le tout dévoué. —
L'abbé FAVRE. »

Nous n'ajouterons rien à cette lettre assez claire
et assez éloquente, et nous retournons au récit de
nouvelles missions.

Eglise de Saint-Pierre d'Albigny (Savoie).

CHAPITRE V.

CONTINUATION DES MISSIONS.

Avec l'Avent 1825 commença la mission de Saint-Pierre d'Albigny. L'élément populaire se montra docile et empressé. Plus de deux mille personnes prirent part à la communion générale. La bourgeoisie au contraire se syndiqua pour s'abstenir. « Malgré ce complot, écrit M. Favre, la grâce nous en a amené un bon nombre qui ont commencé par faire les nicodèmes et fini par se faire ouvertement chrétiens. Du nombre de ces derniers est le médecin Millioz qui a singulièrement édifié par son retour à Dieu. » — Plusieurs de ces soi-disants philosophes croyaient excuser leur abstention en di-

sant que M. Favre parlait trop vulgairement. Il
répondit : « On veut des phrases ? j'en donnerai ;
mais la grâce de Dieu ne s'y trouvera pas. » En
effet, il s'éleva dans le discours suivant à une hauteur de pensées et d'expressions qui lui valut, dit
l'*Eloge historique,* les applaudissements unanimes
des connaisseurs ; mais sa prophétie se vérifia de
tout point ; la foule, qui ne le comprit point, demeura insensible ; et s'il n'était revenu à son éloquence mêlée d'énergie et de popularité, il rendait
presque nuls les fruits de la mission.

Un trait de cette éloquence vraiment apostolique
nous a été conté comme suit par M. Charbonnier,
alors élève du séminaire, présent à la mission.
Notre ardent missionnaire parlait du délai de la
conversion. Après avoir traité ce grand sujet avec
sa dialectique de fer, il voulut pour le mieux graver
dans les esprits le résumer en deux mots : « Ah !
s'écria-t-il, ces pauvres aveugles qui rejettent la
grâce de Dieu, de jour en jour, par un affreux abus
de la patience divine, se flattent de se convertir au
dernier jour ? Ecoutez, mes frères, les leçons terribles de l'histoire. Pharaon aussi promettait de se
convertir. Dieu lui envoya la première plaie... Pharaon s'est-il laissé attendrir par la grâce ? pas plus
que cette pierre ! » et de la main droite il frappait
le pilier auquel était adossée la chaire. Puis reprenant plus fort : « Pharaon, remettant à plus tard,
malgré sa promesse, Dieu le frappe de la deuxième
plaie... Pharaon s'est-il converti ? pas plus que
cette pierre ! » Il poursuivit de la sorte jusqu'à la
dixième plaie d'Egypte, suivie de l'ensevelissement

dans la mer Rouge, puis apostrophant les endurcis : « Et vous, mes frères, qui parlez comme Pharaon, si vous endurcissez plus longtemps vos
cœurs, vous convertirez-vous un jour? pas plus
que cette pierre! car le Fils de Dieu a dit de vous
et de vos pareils en parlant de votre dernier jour :
*Vous me chercherez et vous ne me trouverez pas et
vous mourrez dans votre péché.* » — L'auditoire fut
atterré.

L'établissement d'une congrégation de jeunes
gens couronna cette splendide mission. Deux ans
après, tous, ou à peu près tous, — ils étaient près de
cinq cents — communiaient encore chaque mois.

De Saint-Pierre M. Favre se rend à Aiton, puis
à Coise. Une lettre de lui à Monseigneur nous
apprend que ce dernier, donnant suite aux récri-
minations des bourgeois de Saint-Pierre d'Albigny,
lui avait reproché le ton grondeur, injurieux et les
répétitions de mots dont se servaient les missionnaires. Voici la réponse de M. Favre. Nous la donnons parce qu'elle montre bien sa vertu, l'empire
qu'il avait acquis sur son amour-propre et aussi
parce que, à la lire, les prêtres n'ont qu'à gagner.

« J. M. J. — Aiton, le 3 février 1826. — Monseigneur, je vous remercie de vos bonnes observations. Les articles du ton grondeur et injurieux et
des répétitions, me regardent plus que mes collaborateurs. Je tâcherai de m'en corriger. J'observerai
seulement que les répétitions sont absolument nécessaires. Nous manquons donc dans la manière
ou le mode de les faire. Nous faisons l'examen de
conscience pendant trois semaines, trois fois par

jour. Malgré le nombre étonnant des répétitions, un bon nombre ne comprend pas encore. Cela est un fait contre lequel il n'y a pas à argumenter. C'est en voulant dire des choses toujours nouvelles qu'on parvient à faire tomber les paroisses dans la plus crasse ignorance. Je pense que les répétitions déplaisent aux prêtres et aux personnes instruites. Mais il vaut bien mieux déplaire à quelques individus que de sacrifier tout un peuple. Nous tâcherons d'améliorer le mode tant que nous pourrons. Qu'apprendrait-on à des écoliers si l'on ne répétait pas mille et mille fois la même chose? Pour le ton grondeur et injurieux, il est inexcusable, il prouve que nous sommes loin de ce que nous devrions être. J'observerai seulement qu'il y a des enfants qu'il faut prendre par la douceur et d'autres par la rigueur. Dans les missions, chaque missionnaire prend un ton différent : l'abbé Hybord, le ton doux ; l'abbé Martin, le ton lent et flegmatique ; l'abbé Dunoyer, le ton décidé et un peu cavalier ; l'abbé Favre, le ton doux, et encore rarement, et plus ordinairement le grondeur. Je tâche de prendre un ton différent de celui de mes confrères afin de contenter tous les goûts. Ceux qui ne goûtent pas mon genre goûtent celui de mes collègues. Les expressions basses, parfois grossières, entrent assez dans mon style. On me le reproche souvent; je m'en suis déjà un peu corrigé.

« Les expressions banales d'impudiques, d'ivrognes... reviennent souvent dans nos instructions ; je les crois effectivement trop multipliées. Nous tâcherons de nous en corriger.

16.

« Pour nos longueurs, elles nous déplaisent plus qu'à tout autre. Cent fois nous promettons d'être sages et nous sommes toujours pires. Nous ne parlons que *ex abundantiâ.*

« Bien des actions de grâces pour vos bonnes observations. Je vous renouvelle les sentiments, etc... — L'abbé FAVRE. »

La mission suivante se fit à Lémenc, sur Chambéry (mars 1826). Beaucoup de personnes de Chambéry en suivirent les exercices, et M. Favre obtint de l'administration le remplacement du curé, M. de Sirace, par son jeune collaborateur, M. Bouvier. Le *Journal de Savoie* (24 mars) écrit : « Les missionnaires poursuivent avec un zèle digne du succès qu'il obtient le cours de leurs travaux apostoliques. » L'affluence était énorme. Il parut nécessaire d'employer des soldats tous les jours pour maintenir le passage libre au milieu de la foule. L'église est pourtant très grande. Un avocat de talent et de renom, mais impie, étant allé entendre M. Favre, revint en disant: Jamais je n'ai entendu parler avec autant de force et de logique. Le règlement de la confrérie du Saint-Rosaire, laissé à cette paroisse et conservé aux archives, est remarquable. A la fin de cette mission, notre missionnaire fit prononcer aux fidèles les *bénédictions* et les *malédictions.* Quand on fut à ces dernières et qu'il fallut dire après lui : *Maudits soient les endurcis qui repoussent le pardon de Dieu,* l'un des auditeurs scandalisé quitta l'église et se crut bien avisé de crier à l'abus. Nous avons vu dans ses derniers jours ce philosophe, genre Voltaire, et rien ne nous rassura sur son sort. M. Favre évangélisa vers le même temps la paroisse de Bassens.

La mission de l'Hôpital, aujourd'hui Albertville, s'ouvrit le 7 juin 1826. Mgr Martinet, évêque de Tarentaise, y prêcha les deux premiers jours, simultanément avec M. Favre. M. P. Rullier, recteur de cette paroisse, en écrivit sur son registre des baptêmes (1825-1827) l'appréciation suivante : « La mission a fait un effet admirable. Plaise à Dieu que la persévérance couronne les travaux des missionnaires, qui ne se sont pas épargnés. Le nombre des communions est allé à 624 le jour de la communion générale, sans parler des communions particulières. Les missionnaires se sont retirés le 26 dudit mois, après midi, contents du *victum* et *vestitum*, attendant du ciel leur récompense. Que Dieu les récompense et les conserve! Qu'il fasse vivre longtemps M. Favre, si jaloux de procurer sa gloire et le salut des âmes. »

L'abbé Maitral, alors vicaire de la même paroisse, rapporte un mot que nous tenons à consigner : « Un jour, où M. Favre montait en chaire, la face illuminée, le regard étincelant et le corps exténué, un personnage fort distingué dit à ceux qui l'environnaient : Voilà un saint ! » Le même témoin, un peu auparavant, écrivait cette autre note intéressante : « Autant M. Favre était simple et savait s'abaisser pour entrer dans l'esprit des ignorants, autant il savait s'élever et devenir sublime quand il s'adressait à un auditoire choisi. Prêchant à Albertville, en 1826, sur la gloire des élus, il paraphrasa le psaume : *Super flumina Babylonis*. Ce fut un ravissement universel pendant plus de deux heures, et, au milieu d'un mouvement oratoire, il y eut un cri d'admiration dans toute l'église. La même scène se renouvela à la plantation de la Croix qui se fit à la clôture de la mission (1). »

Ce n'est pas que la population d'Albertville ne fût d'ores et déjà affligée de ces mauvaises têtes qui s'appellent esprits forts et auxquels on laisse ce nom « par ironie (2). » Plusieurs d'entre ces malheureux avaient décrété que la plantation de croix n'aurait pas lieu, qu'ils empêcheraient au moins la procession. Des menaces accompagnant ces dires, les fidèles commençaient à s'inquiéter. M. Favre, averti, monte en chaire, rassure le peuple, et, à titre de réponse aux menaces des impies, lance ce mot : « Je marcherai en tête, et nous verrons! » Il tint parole, se porta ferme et calme au-devant des groupes suspects et l'ordre ne fut troublé que par les sourires niais et lâches des provocateurs.

Un fait assez rare eut lieu dans cette mission. Une veuve, en secondes noces, était sur le point de se remarier encore. Ayant entendu M. Favre faire l'éloge de la viduité chrétienne que loue saint Paul, elle conçut un violent regret de s'être déjà remariée une fois et renonça au parti très avanta-

---

(1) *Vie*, par M. PONT, p. 146 et 159.
(2) LA BRUYÈRE, *Les Caract.*, c. XVI.

geux qui venait de se présenter à elle. On signale
encore la conversion d'un employé de la Fonderie,
ancien cordelier de Moûtiers, que la terreur de
1793 et surtout la lecture de l'Encyclopédie avaient
conduit tristement à l'apostasie.

Le détail le plus important que nous ayons recueilli sur cette mission nous semble complètement surnaturel. M. Favre attendu en chaire ne paraissait pas. On le cherche partout sans le trouver.
Mù par je ne sais quelle pensée, le sacristain va
voir au cimetière attenant à l'église. Il le trouve
là en prière, élevé au-dessus du sol. — Quand on
pense que le saint missionnaire devait un jour
être enterré à cet endroit même, on ne peut manquer de trouver saisissant ce rapprochement.

Fermons ici le présent chapitre. Aussi bien som-
mes-nous arrivés à ce temps de l'année que les
missionnaires emploient à refaire dans le recueillement et le repos leurs forces spirituelles et corporelles.

CHAPITRE VI.

Mgr Bigex, archevêque de Chambéry, ne partageait pas, nous l'avons vu, toutes les idées de son Directeur des missions. Il crut même bien faire de confirmer de sa haute autorité l'opposition qui lui venait surtout du grand séminaire (M. Missilier), ainsi que d'un grand vicaire de Tarentaise (M. Velat). M. Favre, disait-on dans certains milieux, va diviser le diocèse, détruire la discipline qui nous unit heureusement dans une même doctrine et une même pastorale. Après cela, que feront les évêques ? On n'écoutera que Rome, et Rome absorbera tout, au risque de ne pas se faire comprendre de tous. Chacun ira donc à son gré sous la soi-disant inspiration des doctrines romaines, et l'évêque ne sera plus un maitre des doctrines, mais un simple administrateur.

Ces raisons eussent été parfaites sans l'infirmité qui, malgré l'incontestable autorité doctrinale attachée à l'épiscopat, laisse les évêques, pris isolément, capables d'errer et de faire enseigner comme vraies des doctrines erronées. Les opposants de notre missionnaire semblaient oublier cette infirmité. Ils allaient jusqu'à se croire eux-mêmes plus ou moins infaillibles. M. Missilier, indigné de se voir opposer la doctrine du bienheureux Liguori, s'en expliqua un jour en public : « Si M. Favre a le droit d'enseigner une autre morale que celle du

diocèse (lisons : Collet-Bailly-Missilier), il y a
donc Morale et Morale ; et qui sait s'il me reste
autre chose à faire qu'à prendre un sac de pénitent,
à y mettre ma Morale et à m'en aller à Rome demander pardon au Saint-Père de l'avoir enseignée? » Cette boutade soulagea le professeur et lui
valut un regain de popularité près des esprits su-
perficiels ; mais, dans tout cela, il n'y a ni science,
ni démonstration, et rien qui ne fasse pitié. S'il
avait vécu quelques vingt ans de plus, ce bon professeur aurait vu sa « théologie du diocèse » mise
à l'*index* et tout eût été dit. S'il avait pu raisonner
profondément, cet excellent moraliste se serait
convaincu qu'il vaut mieux diviser un diocèse
trompé, en y jetant la vérité, que le tenir uni dans
l'erreur.

Mgr Bigex souffrait de voir démentir en mission
les principes enseignés au grand séminaire. Il
voulut que M. Favre exposât ses principes devant
tout le clergé et soutînt la contradiction publique
de ceux qui tenaient pour la Morale du diocèse.

Les débats eurent lieu en pleine retraite ecclésiastique. Nous trouvons en effet le clergé de Chambéry réuni au grand séminaire en l'automne 1826,
et M. Favre en train de lui prêcher la retraite (1).
« Ce n'étaient pas, dit un témoin, de belles phrases
que l'on entendait, mais la vérité toute crue. » Notre missionnaire était trop surnaturel pour ne point
parler simplement, trop rempli de vérité pour avoir

_____

(1) Du 25 septembre au 3 octobre.

le loisir d'ornementer ses pensées ; ses conférences
pullulaient de détails pratiques, vécus. Et dans
l'austérité de sa vie, il trouvait assez de courage
pour parler de cilice et de discipline aux braves
prêtres qui l'écoutaient. On sortait de la retraite
profondément ému, dit encore le témoin auquel
nous empruntons ces notes.

Les controverses théologiques furent réservées
pour les conférences de l'après-midi. Les vétérans
que nous avons pu interroger nous ont appris
combien vive fut la discussion. Dès que M. Favre
avançait un point de morale contraire à une règle
du diocèse, quelque professeur ou curé se levait,
ripostait vigoureusement, et attendait — oh ! pas
longtemps — la réponse du prédicateur. L'obligation du jeûne pour les travailleurs, la nécessité
d'assister aux vêpres du dimanche, l'imprudence
qu'il y avait à refuser l'absolution aux pécheurs
donnant des signes certains de bonne volonté, le
prêt à intérêt, la communion fréquente et autres
points de ce genre, furent l'objet d'une polémique
en règle. Toujours maître de lui-même, toujours
respectueux de l'autorité et ami des personnes,
M. Favre répondait par des arguments serrés qui
faisaient balle. Un jour, pris à partie par Monseigneur au sujet de l'usure, il lui fit cette réponse :
« Monseigneur, permettez-moi de supposer pour
un instant que votre Grandeur m'a prêté une forte
somme d'argent, qu'elle l'a exposée aux périls qui
peuvent m'atteindre moi-même, et qu'elle se prive
tous les jours des avantages qui pourraient lui revenir de son emploi. Je vous paie, à titre de com-

pensation, le 5 % de cette somme. Un beau jour,
votre confesseur apprend que vous acceptez cette
compensation tolérée, modérée et loyale ; il exige :
1° que dorénavant vous refusiez tout intérêt ; 2° que
vous me remboursiez ceux déjà payés. Tout cela
sous peine de refus d'absolution. Que diriez-vous ?
quelle serait votre attitude , votre conduite ? »
L'archevêque, visiblement embarrassé, garda un
silence que M. Favre eut la délicatesse de ne pas
prolonger. « Monseigneur, dit-il, vous demande-
riez à votre confesseur s'il est certain de ne pas
commettre un abus de pouvoir, vous pèseriez les
raisons qu'il vous donnerait de sa conduite, et je
crois bien probable que vous les trouveriez trop
peu solides pour y établir une décision, trop pro-
blématiques surtout pour alarmer votre conscience. »

Ce seul exemple nous explique le mot par lequel
un témoin nous donnait sa pensée sur M. Favre :
« Sa logique éreintait l'objection, sans offenser le
contradicteur. » — L'enseignement courageux du
saint prêtre fit un bien immense à toute la Savoie
mais ne désarma pas les autorités diocésaines.

Nous tenons à le répéter, c'était de bonne foi que
les supérieurs contredisaient M. Favre. Ils avaient,
d'ailleurs, la franchise de rendre hommage à sa
vertu. M. Billiet ayant raconté à Mgr Rey les prodiges de zèle de notre missionnaire en cette retraite, l'évêque de Pignerol répondit : « Je continue à admirer, sans m'en étonner, les succès du
saint abbé Favre ; mais ce que je ne comprends pas
si bien, c'est comment il peut parler six fois par

jour : il faut pour cela une force physique et morale bien rare ; mais Dieu a préparé de longue main
ce digne prêtre pour être un instrument de salut
en faveur d'un grand nombre. S'il va en France, il
y continuera ses prodiges malgré les petites défec-
tuosités de son langage : Avec une telle mesure de
foi et de piété, *paucis non offendar maculis ubi plu-
rima nitent* (1). »

La fin de cette mémorable retraite fut marquée
par un incident minime que nous ne citerions pas
s'il ne rappelait une coutume regrettée. Habitué à
voir les prêtres retraitants défiler en procession,
depuis le grand séminaire jusqu'à la métropole
pour la cérémonie de clôture, le peuple attroupé
attendait le moment où il lui serait donné de voir
ce spectacle cher à sa foi. Le mauvais temps empêcha cette procession. Les prêtres se rendirent à
la cathédrale sans appareil, dit le *Journal de Savoie*,
mais la cérémonie intérieure ne fut que plus touchante. Le sermon de clôture prêché par M. Favre
fut attendrissant, tous les prêtres communièrent de
la main de leur archevêque, renouvelèrent leurs promesses d'ordination et terminèrent par le salut et
le *Te Deum*, chantés comme savent chanter en plain-
chant des centaines de prêtres renouvelés dans la
ferveur des saints. On comprend l'attachement des
fidèles à une cérémonie si bien faite pour les édifier, les affermir dans la foi et leur faire apprécier
la grandeur morale des armées du Très-Haut.

---

(1) Lettre du 25 octobre 1826.

Les années suivantes, M. Favre prêcha les retraites ecclésiastiques de Maurienne et de Tarentaise. Nous n'aurions qu'un moyen de mettre en lumière la doctrine pieuse, solide, ardente et pratique tout ensemble, dont ce « maître du clergé » nourrissait ses heureux auditeurs. Ce serait de publier les instructions qu'il a écrites pour ses retraites ecclésiastiques ; malheureusement, nous n'en possédons qu'une partie. On pourra lire au moins, à la fin de ce volume, la lettre où il expose à Mgr Devie, évêque de Belley, comment un prêtre doit procéder pour instruire, convertir et maintenir une paroisse. Et puisque nous parlons de retraites au clergé, qu'on nous permette d'anticiper sur l'ordre chronologique pour toucher ici une retraite que M. Favre donna quelques années plus tard aux premiers disciples du fondateur des Maristes, le T. R. P. Colin.

Mgr Devie répugnait à laisser M. Colin fonder sa congrégation, la « Société de Marie » ; il voulait une œuvre purement diocésaine, alors que le R. P. Colin étendant ses vues à toute la terre, projetait une société religieuse proprement dite. Pour un homme de Dieu, cette opposition de l'Ordinaire constituait un motif de douter que son entreprise fût inspirée d'En-Haut. Dix ans, elle le tint plongé dans une cruelle perplexité, pour ne pas dire que dix fois elle faillit le décourager et ruiner par la base la bien méritante Société de Marie.

« M. Colin, nous dit l'auteur de sa biographie (1),

---

(1) Lyon, 1895.

priait et consultait. » Un homme surtout fut alors pour lui comme un messager et un consolateur céleste : nous voulons parler de M. Favre, célèbre missionnaire de Savoie. Instruit par la renommée, des fruits merveilleux de sa sainteté et de son zèle, le Père Colin se sentit pénétré pour lui d'estime et de confiance. Quelques lettres échangées entre eux ne firent qu'augmenter ces sentiments. Il n'hésitait pas à l'appeler un homme de Dieu, déclarant que bien des raisons, outre sa sainte vie, le portaient à croire qu'il recevait souvent du ciel des lumières extraordinaires. Une fois même, il déclara sans hésiter que de tous les serviteurs de Dieu qu'il avait connus, M. Favre était peut-être celui qu'il croyait le plus capable de faire des miracles.

« Animé de ces sentiments, le Père Colin invita M. Favre à venir donner les exercices de la retraite annuelle à ses premiers confrères réunis au petit séminaire de Belley. Le missionnaire accepta et vint commencer la retraite le 1er septembre pour la terminer le 8, fête de la Nativité de la Sainte Vierge.

« C'était en 1831. Les premiers jours se passaient sans offrir rien de particulier. Cependant l'humble fondateur crut devoir mettre M. Favre au courant des difficultés que son œuvre rencontrait de la part de Mgr Devie et lui demander le secours de ses conseils et de ses prières pour connaître la volonté de Dieu. Le saint missionnaire l'écouta avec bienveillance, et, à la fin, lui promit de penser à cette affaire devant Dieu. Mais en ce moment, sa

manière de répondre laissait voir assez clairement
qu'il n'attachait pas une grande importance à l'œuvre dont on venait de lui parler.

« L'entrevue avait eu lieu dans la soirée. Or, le
lendemain matin, aussitôt après avoir célébré la
sainte messe, il se rend en toute hâte dans la
chambre du Père Colin, retenu au lit par une indisposition, l'embrasse et lui dit : « Hier soir, je
vous ai parlé en homme ; maintenant, je viens
vous dire avec assurance : En avant! Courage et
confiance! Votre œuvre est dans les desseins de
Dieu, la Sainte Vierge la protège ; elle réussira! »
« Il parlait, disait le Père Colin, avec une conviction, un enthousiasme qui tenaient de l'inspiration
et qui m'impressionnèrent vivement. Et certes, il
ne s'est pas trompé, comme la suite l'a prouvé. »
Et il ajoutait : « Oh! à partir de ce moment, sa manière de faire la retraite fut tout autre ; il parlait
comme à une vraie société de religieux et de prêtres appelés à la vie apostolique. Ses paroles m'ont
été d'un grand secours : quand ensuite j'éprouvais
des traverses et que tout semblait perdu, elles venaient me soutenir et m'encourager. »

Il nous plaît d'ajouter à ce beau témoignage celui — tout semblable — que portait de M. Favre,
Mgr Bigex, son archevêque. M. Guillet, mort vicaire général de Chambéry, aimait à plaisanter de
la rondeur avec laquelle notre missionnaire traitait
certaines gens. Puis, se reprenant, il nous dit ces
mots : « Je parle plaisamment de M. Favre, mais
cela n'empêche pas que je l'estime comme tout le
monde, car c'était un vrai saint. Mgr Bigex ne l'ap-

pelait que l'homme de Dieu, et, quand il prononçait ces paroles, il le faisait avec un grand sentiment de vénération. »

A ce témoignage oral, Mgr Bigex joindra bientôt
celui du dernier acte public de sa pieuse et méritante administration.

Après avoir prêché la mission d'Aiguebelle en
Maurienne (fin décembre 1826), notre héros donna
celle du Bourget. Mgr Bigex, pour honorer le zélé
directeur, voulut la clôturer. Il y donna la con-
firmation, y prêcha pendant plusieurs heures et
ressentit, hélas, à la sortie de l'église les premières atteintes de la pleurésie qui l'a emporté.

Par la mort de Mgr Bigex, de la Haute-Savoie
comme lui, M. Favre perdait un protecteur et un ami
que Mgr Martinet sera loin de remplacer. Les préférences de celui-ci allèrent à M. Hybord, de Tarentaise comme lui, collaborateur actif et éloquent
de M. Favre, mais rebelle malgré lui à sa manière,
sinon à son esprit. Nous disons, malgré lui, car
M. Hybord était le premier à dire, avec une intime
conviction, cette parole significative que nous empruntons à M. Pont : « Oh ! M. Favre, je l'aime,
c'est un saint. » — C'est M. Hybord qui, désormais,
rendra compte des missions. La plupart de ses lettres ont dû nous échapper. Aussi, n'aurons-nous
sur les dernières missions de notre héros que peu
de renseignements. Plusieurs ne seront même pas
mentionnées. Heureusement, nous avons eu jusqu'ici l'occasion d'étudier suffisamment en M. Favre le missionnaire ; et sa vie si pleine présente
d'autres aspects que le moment est venu de consi-

dérer. Terminons cependant ce chapitre en citant deux missions nouvelles.

« Conflans, 7 avril 1827. — Les exercices de la mission qui a eu lieu dans notre ville viennent d'être terminés ; elle a duré trois semaines. Les plus heureux succès ont récompensé les travaux des missionnaires parmi nous ; des conversions nombreuses, des réconciliations et plusieurs restitutions ont été le fruit du zèle avec lequel ces ouvriers apostoliques, sous la direction de l'incomparable abbé Favre, nous ont présenté les vérités terribles et en même temps consolantes de notre sainte religion. Discours, conférences, catéchismes raisonnés, rien n'a été oublié par ces dignes ministres de l'Evangile pour faire fructifier dans nos cœurs la semence de la parole divine.

« On ne peut se faire une idée de la constance avec laquelle les exercices ont toujours été suivis. Riches et pauvres, habitants de la ville et de la campagne, tous se sont empressés, dès l'ouverture de la mission, de venir au pied des autels confesser et pleurer leurs fautes. Les tribunaux de la pénitence étaient encombrés dès avant le jour. Grâces en soient rendues à notre digne curé qui n'a rien épargné, soit au spirituel, soit au temporel, pour nous procurer l'avantage précieux de la mission. Il a eu la grande consolation de voir que ses infatigables soins et son zèle n'ont pas été infructueux.

« La communion générale a eu lieu hier matin ; près de neuf cents personnes y ont participé. La cérémonie a été vraiment édifiante ; la communion

a commencé par notre belle compagnie de pompiers
ayant le corps de musique en tête ; tous en parfaite tenue. Le profond recueillement, avec lequel
ces deux corps se sont approchés de la table sainte,
a été un exemple d'édification pour tous les assistants. Les exercices ont fini par les adieux vraiment religieux que nous a faits M. l'abbé Favre au
nom de ses coopérateurs, adieux qui ont arraché
des larmes à tous les habitants de notre paroisse
qui les ont vus s'éloigner avec le plus grand respect (1). »

La même année, vit la mission du Bourg-Saint-
Maurice. Deux jeunes personnes des Chapelles
vinrent chercher auprès de M. Favre des lumières
sur leur vocation. « Vous, dit-il à la première,
vous resterez dans le monde » ; et, s'adressant à la
seconde : « Quant à vous, vous entrerez en religion. » Les deux prédictions se vérifièrent. La religieuse devint sœur Mélanie de la Congrégation
de Saint-Joseph de Moûtiers, morte en la communauté de cette ville après avoir fait partie de celle
de Saint-Sigismond et exercé longtemps les char-
ges de maitresse des novices et d'assistante générale.

« On sait à quel prix, dirons-nous, avec

---

(1) *Journal de Savoie*, 20 avril 1827. — A propos des éloges que
l'on vient de lire, il est bon d'observer que le *Journal de Savoie*
était l'opposé de certaines feuilles de nos jours, vraies officines
de renommée, où l'on imprime souvent des tirades élogieuses
sans autre motif que d'achalander sa REVUE ou de contenter les
prédicateurs.

M. Pont (1), M. Favre obtenait dans ses missions de si beaux résultats. Aux jeûnes et à la discipline, il ajoutait, dit un témoin oculaire, le cilice et la haire. Plus d'une fois il a été surpris dans l'exercice de sanglantes macérations. En outre, quand il célébrait la messe, il employa souvent un moyen de conversion digne de la familiarité des saints avec le Très Saint Rédempteur. Il avait soin de déposer sur un bord de l'autel des billets conçus en ces termes : « Mon Dieu : grâce aux mérites de Jésus-Christ, vous ne pouvez pas me refuser la conversion de ce pécheur. » Et l'on voyait revenir à Dieu, après cinquante années d'égarement, des pécheurs qui avouaient tout haut leur malheur et leur folie. Du reste, pour attirer à lui les pauvres endurcis, il avait une phrase de prédilection qu'il disait et répétait avec un inimitable accent de tendresse : « Venez, pécheurs, venez, Dieu est bon, il est miséricordieux, il fait bonne mesure, venez ! » Et pour rendre plus facile encore l'accès de son confessionnal, il plaçait au-dessus une statuette de la très sainte Vierge.

Sa manière de parler était simple comme le peuple auquel il s'adressait. Prêchant à une paroisse fort sensuelle, il dit un jour: « Vous faites en ce monde comme les enfants ; vous mangez le sucre et laissez le pain. En l'autre, vous mangerez votre pain sans sucre. Ah ! qu'il sera amer ! » Aux habitants d'une paroisse, où l'on pleurait beaucoup

_____

(1) *Vie de l'Abbé Favre*, p. 32   17.

sans donner d'autres signes de conversion : « Ici,
disait-il, la contrition sort toute par les yeux, le
cœur reste sec. »

Ainsi se faisait petit avec les petits ce nouveau
Paul, toute son ambition étant de gagner au Christ
et de conduire au ciel les âmes les plus abandonnées.

CHAPITRE VII.

M. FAVRE ET LES MISSIONNAIRES D'ANNECY.

Le lecteur a vu plus haut comment Dieu s'est servi de M. Favre pour décider M. Colin à fonder la Congrégation des Maristes. Nous voudrions étu-

M. Mermier.

dier maintenant avec un soin parti- culier la part de notre héros dans la création des Mis- sionnaires d'An- necy, de quelle ma- nière et jusqu'où la Providence l'em- ploya à faire naitre cette œuvre. Loin de nous la pensée étroite de ne voir jamais aux grandes œuvres qu'un seul auteur ; plus loin encore, l'injuste dessein d'ôter à M. Mermier, fondateur des mis- sionnaires de Saint-François de Sales d'Annecy, le moindre rayon de sa gloire. D'autres ont déter- miné l'action de Mgr Rey, dans l'œuvre de M. Mer- mier ; nous voulons, nous, mettre en relief celle de notre héros, bien convaincu que nous sommes de la vérité de cette remarque faite à nous-même par

le R. P. Boujeon, jésuite, contemporain de M. Favre
et premier directeur des missionnaires de Myans,
que « si M. Mermier est le fondateur des missionnaires d'Annecy, M. Favre est le restaurateur de
toutes les missions de la Savoie et Haute-Savoie. »

Afin de ne pas formuler de jugements imprudents sur un sujet aussi délicat, nous nous bornerons à citer ici les principaux passages des lettres
autographes de M. Favre à M. Mermier, son très
digne ami.

Dans une lettre du 20 février 1823, M. Favre
présente à M. Mermier un premier exposé de ses
projets.

« Chambéry, le 20 février 1823. — Mon cher ami,
j'étais fort content de vous voir à la tête du séminaire. Je pensais que vous y formeriez les séminaristes aux missions et que dans quelques années
vous sortiriez avec une troupe de missionnaires
pour aller changer les paroisses. Vous faites, sans
contredit, la première mission d'Annecy si vous
avez de l'influence dans le séminaire, et il me
semble que vous devez en avoir. Si, cependant,
vous ne jouiez qu'un bien petit rôle dans la maison,
mon avis serait que vous rentrassiez dans les missions. Vous pourriez vous fixer à Mélan, prendre
le curé de Taninge pour votre supérieur. Je ne
connais point d'homme plus capable de donner du
poids et de l'importance à votre Corps. La réforme
du diocèse d'Annecy comme celle du diocèse de
Chambéry dépend de trois choses : il faut un Corps
de missionnaires pour réformer les paroisses ; —
un Corps enseignant pour former de bons élèves :

M. Revel, directeur du collège de Cluses, est vraiment l'homme à mettre à la tête de ce Corps enseignant ; resterait à le seconder puissamment en lui donnant de bons sujets ; -- enfin, la réforme du séminaire aurait lieu à la suite, lorsque votre Corps de missionnaires aurait acquis assez de lumières et d'ascendant pour oser l'entreprendre. Après ces trois réformes, il n'y aurait plus qu'à établir deux maisons, l'une pour y former des maitres d'école capables de former de vrais chrétiens ; l'autre pour y former des maîtresses d'école. Vous pouvez entreprendre et exécuter ces trois choses : les ressources ne vous manquent pas. Si j'en avais de semblables dans le diocèse, je vous assure que, tout *cadet* que je suis, avec la grâce de Dieu et avec vos moyens, je ferais bien des choses. Si j'avais seulement M. Revel, curé de Taninge, pour mettre à notre tête ! C'est un homme instruit, puissant, aimable, poli, simple. Il sait prendre tous les tons possibles. L'œuvre des missions me parait toujours de plus en plus urgente. Nous venons d'en donner une, M. Hybord et moi, tout seuls. Jamais je n'avais vu mission faire tant de bien, quoiqu'elle ait été donnée par deux enfants ; jamais mission en même temps plus nécessaire. La religion ne peut se relever en Savoie que par les missions. Mais la première mission est toujours celle du séminaire.

« Tout bien pesé cependant, après avoir lu et relu votre lettre, il me semble que vous feriez mieux de suivre votre première carrière. Vous êtes encore trop jeune pour pouvoir déjà dominer un sémi-

naire de manière à lui donner la forme que bon
vous semblera. Il serait à souhaiter même que nos
évèques pussent s'accorder pour former un Corps
de missionnaires pour toute la Savoie. Le Corps en
serait mieux composé, mieux fourni, plus important. Mais la chose n'aura guère lieu.

« Je vis d'une manière bien pitoyable, je ne vis
guère que pour les autres, ce qui est bien mal
entendu. Il me prend aussi de temps en temps
l'envie de me retirer dans la solitude ; c'est toujours là mon premier penchant. Mais les pauvres
gens de la campagne ont tant besoin de nous et
profitent si bien de nos petits secours que je n'ose
pas les leur refuser. Je vous charge devant le bon
Dieu de solliciter :

« 1º L'établissement d'un Corps de missionnaires ;

« 2º L'établissement d'un collège érigé à la
Jésuite. — Viendra ensuite la réforme du clergé.

« Je vous parle ainsi parce qu'il me semble que
vous pouvez le faire. On a tant besoin aujourd'hui
de missionnaires et de bons prêtres pour ranimer
le flambeau de la foi qui est éteint ou qui s'éteint.
La Providence vous a conservé dans le diocèse
d'Annecy pour y faire tout ce bien. Que je serai
content quand j'apprendrai que vous mettez à
exécution ces trois projets ! En attendant, priez le
bon Dieu pour notre pauvre diocèse qui manque
de toute ressource, et pour celui qui y est resté
dans l'intention d'y secourir les gens réduits à la
dernière misère spirituelle. Votre tout dévoué ami.

— FAVRE, prêtre. »

Plusieurs lettres du même genre suivent, stimulant et dirigeant de plus en plus le zèle de M. Mermier. Notre héros voyait en lui un homme placé dans les circonstances voulues pour réussir. De son côté, M. Mermier reconnaissant la supériorité des vues et des connaissances de son saint ami, ne cessait de lui demander le secours de ses lumières. A lire la correspondance de M Favre avec M. Mermier, on voit que celui-ci avant d'essayer de fonder les missionnaires d'Annecy, voulut emprunter à M. Favre toutes ses idées, tous ses plans, toutes ses méthodes. Notre ardent missionnaire ne lui cachait rien de ce qui pouvait lui être utile. Il lui envoya ses *Examens* pour les faire copier, puis son *Plan de missions*, et enfin toute la partie essentielle de son *Directoire apostolique*.

Ainsi outillé, le fondateur des missionnaires d'Annecy demande à son évêque l'autorisation de commencer son œuvre. Celui-ci fait des objections. M. Mermier les communique à M. Favre, et en reçoit cette réponse :

« J. M. J. — Chambéry, le 31 octobre 1823. — Mon cher ami, je suis bien aise que vous trouviez des obstacles. C'est la bonne marque. Je crois cependant qu'il faut insister pour commencer vos missions. Vous ferez plus de bien dans cette carrière que dans le séminaire, puisque vous n'y avez pas une grande influence. En missionnant : 1° vous vous accréditerez par les succès que Dieu vous accordera ; 2° vous apprendrez aux prêtres à exercer le saint ministère ; 3° vous instruirez, convertirez les âmes, les réglerez, déciderez leur voca-

tion ; 4° vous vous formerez rapidement à l'exercice
du saint ministère, etc... Commencez avec l'abbé
Allard et tout ira bien. Une mission en amènera
une autre. Nous en aurions plus de trente à faire
cette année, si on le pouvait. Mais après chaque
mission, faites-en la relation à Monseigneur, afin
qu'il prenne une bonne idée de votre genre.

« Quant à Mélan, c'est vraiment le lieu convenable à un corps de missionnaires. Je n'en vois
point de plus propre. S'il y avait espérance et
presque certitude d'y pouvoir former un Corps
religieux destiné aux missions et à l'enseignement, que Monseigneur lui laissât la liberté de
faire le bien selon des plans adaptés aux besoins,
de faire même du bien dans d'autres diocèses,
de choisir dans le diocèse des sujets convenables, je vous assure que l'année prochaine vous
me verriez avec vous. Je ne veux que le plus
grand bien ; et le plus grand bien est là. Quant
au bien que je fais ici, c'est fort peu de chose.
Je désespère de pouvoir former un corps de missionnaires. Il faut un bon noyau pour un semblable Corps.

« Pour les retraites, le nombre et la durée des
exercices sont toujours adaptés aux besoins, aux
loisirs et à la capacité des retraitants. Je gagne en
vigueur ce que je perds en étendue.

« Pour les retraites des prêtres, à supposer que
vous en eussiez dix à la fois, leur donner en commun le sujet de la méditation, leur indiquant bien
la manière de méditer et le leur faire ensuite méditer en particulier : leur donner en commun les

examens, les conférences sur la manière de devenir bons prêtres, etc...

« M. Ducis était destiné à devenir des nôtres et la permission trop limitée des supérieurs nous l'a ôté. M. Dunoyer est en grand danger. Priez et faites prier pour lui. J'ai vraiment l'envie de nous voir réunis. Voyez, examinez s'il est possible de nous nicher en corps à Mélan. Je me recommande à vos prières. Votre tout dévoué ami. — FAVRE, prêtre. »

A mesure qu'il sentait la difficulté de sa fondation, M. Mermier éprouvait plus sensiblement le besoin des conseils et des encouragements de M. Favre. On lui disait que son œuvre demandait trop d'argent, qu'il ne trouverait pas de collaborateurs, que les capucins ou les jésuites suffiraient bien à faire ce qu'il projetait. Ces oppositions l'ébranlèrent. Il pensa plus d'une fois à se retirer dans un couvent, mais M. Favre ne se méprit jamais sur sa vocation. Lisons plutôt ses lettres mêmes :

« J. M. J. — Chambéry, le 7 juillet 1826. — Mon cher ami, je vous croyais en mission, et vous avez été en mission pour chercher des religieuses. Et vos missions des Clefs, de Passy !.. il me semble que vous pourriez mettre en train des missions dans le diocèse d'Annecy. C'est, à ce qu'il m'a toujours semblé, ce à quoi Dieu vous appelle. Commencez par une : celle-ci en amènera une autre ; celle-ci une autre... et vous finirez par n'y plus suffire. Entrer dans une corporation religieuse ne serait guère selon les vues de Dieu. Il s'agit aujourd'hui

de réveiller les peuples et le clergé, et cela doit être
fait par des prêtres. Il n'y a que des prêtres qui
puissent se faire croire par des prêtres. Les religieux ne sont crus que des laïcs. Chose étonnante
que dans votre vaste diocèse on ne trouve pas un
aide pour vous accompagner! Ah! la prudence
mange le zèle et le bien. Maudite prudence, fille
de la raison et de la philosophie et ennemie de la
foi et de la confiance! Maudit soit un établissement qui se fonde sur des écus! On veut commencer par de l'argent et on ne comprend pas que
l'argent ou ce que l'on appelle les fonds sont le
faîte des établissements. Qu'on commence l'œuvre,
qu'on cherche des hommes propres à l'œuvre,
qu'on en forme, et l'argent ne manquera pas. A-t-
on vu un seul instituteur d'établissement béatifié
ou canonisé, commencer par les fonds? Rien de
moins fondé que ce qui est fondé sur des fonds et
non pas sur l'esprit de Dieu. Ce sont souvent les
plus savants qui font le moins, en fait de bien.

« On a commencé la maison des Carmélites avec
rien ou presque rien ; on a acheté une maison qui
coûte dix-huit mille francs. On fait aujourd'hui
des cadeaux de toutes parts. M. Dolin a donné
1,000 francs, une dame 1,000 francs, une autre
personne près de deux mille. On a fait présent à la
maison d'un calice, d'un ciboire, d'un autel garni.
En vérité, que la Providence a de ressources!
Ah! qu'on va loin avec du courage ! Ne le compren-
dront pas facilement tous ces grands raisonneurs
qui n'en ont pas fait l'expérience heureuse.

« Encore dernièrement, dans une mission, une

femme nous amène un garçon de neuf ans furieux
qui, dans ses accès de délire, déchirait ses habillements, puis la figure, puis tout le corps. Cette
femme avait confiance en Marie. On a dit une
messe pour lui ; la mère a communié à cette
messe. On a lu un exorcisme du baptême sur cet
enfant. Dès ce moment, l'enfant a été tranquille,
et la mère est venue remercier trois semaines
après. Il y a quinze jours, une fille de 16 à 17 ans
était malade depuis dix ans ; elle n'avait point
d'appétit ; elle ne pouvait point dormir ; elle avait
constamment mal à la tête et à l'estomac. On a fait
sur elle la même cérémonie et tout son mal a
disparu. Elle est venue trois jours après nous remercier en baisant nos souliers. Rien de plus touchant. Nous ne sommes pourtant pas des saints à
beaucoup près. Nous avons seulement un peu plus
de courage et de confiance que tant de gens à
compas. Du courage et de la confiance, et vous
viendrez à bout de tout.

« Je remets de parler plus au long quand j'aurai
le plaisir de vous voir. Je suis ici jusqu'au 19 de
ce mois pour des retraites de prêtres ; après quoi,
je m'en vais faire ma retraite à la Chartreuse. Votre
tout dévoué. — Favre, prêtre. »

M. Mermier, une fois décidé, voulut avoir une
communauté tout de suite. Il demanda l'avis de
M. Favre, qui lui répondit par la lettre suivante
où éclate sa profonde humilité et qu'il faut lire
comme on lit les jugements que portent d'eux-
mêmes les vrais hommes de Dieu.

« J. M. J. — Chambéry, le 12 juillet 1824. — Mon

cher ami, je reçois vos lettres avec beaucoup de plaisir. Votre bonne visite de Beaufort m'a valu gros. Que le bon Dieu m'en procure encore !

« Je n'approuverais pas trop votre Corps de missionnaires. Il faut penser à faire des membres, avant de penser à faire des corps. Si nous étions venus à bout d'acheter Tamié ou de nous fixer à Myans, je m'en mordrais les doigts aujourd'hui. La maison est le faîte, le corps aussi. On ne peut le former qu'après s'être associé des sujets pendant quelques années. Après ces essais, si l'on voit l'esprit de Dieu dans les associés, si l'on trouve en eux les vertus des apôtres, des bons missionnaires, s'ils sont assez nombreux pour former un corps uni, parfait, on forme alors le Corps, et puis on se procure la maison pour le loger. Voilà la marche qu'ont tenue les Ignace, les François d'Assise, les Vincent de Paul, les Bruno, etc.

« Les membres, le corps et la maison et puis tous les plans, voilà l'échelle. Ne parlez ni de corps ni de maison pour le moment, mais vous associer les prêtres que vous croyez les plus propres à l'œuvre des missions, leur donner une retraite, les exercer dans les missions, examiner de quoi ils sont capables, les choisir définitivement après tous ces essais de vertu et de science, voilà ce qui m'a paru le plus prudent. Faire autrement, c'est faire un agrégat, mais non pas un corps ; c'est vous aventurer et vous donner bien des ennuis et vous exposer à bien des inconvénients.

« Point de missionnaires sans la mission de Dieu : *et spiritus ubi vult spirat*. Les hommes pro-

posent et Dieu dispose. Je me suis bien tourné de
tout côté pour trouver des missionnaires. Je n'ai
trouvé que l'abbé Hybord qui soit vraiment missionnaire. Tous les autres n'en sont pas, pas même
l'abbé Ducis avec toute sa bonne volonté. Les
missionnaires sont des dons rares de la grâce.
Moi, je n'en suis pas un, et je ne crois pas,
hormis le cas d'un miracle de la grâce, en être
jamais un. Je missionne parce qu'il faut missionner, parce que vous m'avez mis en train, et le
peu de bien que je fais, je le fais parce que vous
me l'avez fait faire. Je ne me sens d'attrait que
pour diriger les âmes au tribunal. J'éprouvais ces
jours derniers un certain penchant à me réunir à
vous par la raison que je n'aime pas faire le maître, par la raison que notre union fait ma force, par
la raison que le diocèse est étendu comme nos
trois petits archiprêtrés de Tarentaise...; mais l'i-
dée de pays me répugne singulièrement, me ra-
pelisse ; mais la prudence excessive, soit dit à
l'oreille, le zèle symétrique et compassé de votre
évêque m'a singulièrement déplu. C'est un homme
qui prend tant de précautions, qu'il ne laisse aucune part à la Providence. S'il réussit, on ne dira
pas de ses succès : *Hic est digitus Dei :* mais, les
moyens étaient en proportion avec la fin, rien que
de naturel. Passez-moi mon incompétence à critiquer un premier pasteur.

« Vos retraites de garçons seront bonnes et feront du bien, mais le bien ne sera pas durable. Les
jeunes gens sont du lierre qui ne se tient droit
qu'autant que la muraille de la direction et sur-

veillance continuelle les tient. Un homme fait se
convertit et tient pour l'ordinaire par lui-même, un
garçon se convertit et ne tient qu'autant qu'on le
tient. Ou convertir la masse, ou diriger constamment les garçons, autrement conversions et chutes.
C'est un fait d'expérience. De là ce mot : Vertu de
jeune homme. Je ne vous dissuade pas cependant de
l'entreprendre, mais je vous fais mes observations.

« Les dévotions de Jésus et de Marie sont et seront toujours les deux grandes et uniques dévotions, mais reste à combiner les moyens de les
ressusciter. Les anciens moyens suffisent-ils? Ils
suffisent pour des âmes intérieures, mais ils ne
mènent pas à la vie intérieure. Il y a trop d'extérieur et pas assez d'intérieur dans les deux confréries. Comment d'ailleurs les réformer? Pour en
venir à bout, il faut d'abord retrancher plusieurs
anciens membres pourris. Et comment les retrancher sans faire murmurer, comme je l'ai tant de
fois éprouvé? Supposé même le choix bon, persé-
vèreront-ils? Et si plusieurs, comme cela est im-
manquable, deviennent scandaleux, comment les
exclure? L'exclusion est trop humiliante à cause
de tout cet extérieur ; de là, la mauvaise humeur
et souvent l'abandon de la religion. Est-ce que
des offices, des prières vocales, des processions,
des habits, des falots, des bâtons... peuvent re-
fondre les chrétiens ignorants, dissipés et vicieux
de nos jours? Peuvent-ils les maintenir? Il y a bien
des choses à réformer dans les confréries. Nous
tâchons, nous autres, d'éloigner du péché par les
congrégations de Saint Joseph... et nous inspirons

une forte dévotion pour Jésus, en recommandant à tous les visites au Saint-Sacrement et surtout la fréquente communion. Nous en faisons autant pour Marie. J'ai conçu un fort guignon contre toutes ces pratiques de pénitents qui n'ont qu'une dévotion de pharisien.

« Je discerne une vocation de missionnaire dans une confession générale et dans les missions. Si je vois un grand pécheur dans une confession générale, je ne le crois pas appelé aux missions, hormis le cas d'une conversion extraordinaire. Dieu ne se sert guère des grands pécheurs à moins qu'il ne les change par des coups de grâce. Je les discerne encore dans les missions continuées pendant un an : là, je vois l'esprit qui les anime, leur obéissance, leur zèle, et alors j'en puis juger. D'après cela, proposez à ces Messieurs l'œuvre des missions; s'ils l'acceptent, demandez-les à Monseigneur. S'il vous les accorde, donnez-leur vousmême la retraite. Après quoi, exercez-les à tous les rôles dans les missions ; après quoi, vous pourrez en juger sûrement. Avant, faites une retraite, si vous croyez en avoir besoin, et dans ce cas vous pourrez, si vous le jugez à propos, venir à la Chartreuse vous seul. Je pars lundi prochain. Je ne sais ce que peuvent vous servir mes gribouillages. Je vis dans une dissipation telle, que je ne voudrais qu'un : *Allez!* de la part d'un directeur, pour aller me fixer à la Chartreuse. Je me damne dans le monde. Recommandez-moi à la Mère des pécheurs. Vous rendrez un grand service à celui qui est votre tout dévoué. — Favre, prêtre. »

Les choses continuèrent à Annecy par des essais et des tàtonnements progressifs jusqu'en
1832. M. Mermier, plus découragé que jamais,
songeait à abandonner son entreprise et à entrer
dans la Compagnie de Jésus. Mis par lui au courant de ses pensées, M. Favre lui fit la réponse que
l'on va lire.

« J. M. J. J. F. — Chambéry, 12 août 1832. —
Mon bien cher ami, je ne puis me rendre à Saint-
Félix comme vous me le proposez. Je suis obligé
de préparer ma retraite de Moûtiers, que des circonstances inattendues m'ont empêché de préparer jusqu'ici ; mais je vous verrai à mon retour de
cette retraite qui aura lieu le 11 septembre (1). Ne
vous écartez pas du 20 au 30, car j'ai des choses
importantes à vous communiquer, à moins que vous
préférassiez de venir jusqu'ici, ce qui serait mieux.

« L'affaire de votre vocation mérite bien des réflexions. Sans m'y opposer, si elle vient de Dieu,
je vous propose les raisons suivantes qui semble-
raient les combattre :

« 1° Quitter un pays dont vous connaissez les
usages, les coutumes, le langage, les besoins pour
aller exercer votre ministère dans des pays dont il
faudra étudier le caractère, le langage, les coutumes, les mœurs (et vous n'êtes pas dans un âge où
l'on apprend facilement) me parait bien extraordinaire ;

----

(1) Il s'agit de la retraite au clergé. Nous avons eu sous les
yeux un manuscrit autographe de cette retraite. Il comprend
170 pages, dignes du savoir et de la piété de son auteur.

« 2° Votre départ et séparation nuiront à l'œuvre des missions qui n'est déjà que trop compromise par ma séparation de l'abbé Hybord, qui n'a pas assez d'esprit pour le comprendre ;

« 3° Votre départ mettra obstacle à l'institution d'un corps de missionnaires que je ne regarde point comme désespérée, malgré le peu d'apparence qu'il y a de la voir réalisée ;

« 4° Vous trouverez dans cette congrégation de missionnaires à peu près les moyens de perfection que vous cherchez chez les Jésuites, et à supposer que la Congrégation reste un peu en dessous de la Compagnie de Jésus, vous devez sacrifier un peu de votre bien spirituel pour le bien public de la Congrégation, attendu que c'est par vous que Dieu m'a appelé à l'œuvre des missions et que c'est vous qui êtes le premier Père et moteur de l'œuvre ;

« 5° Vous faites du bien et un grand bien dans votre diocèse, vous avez de l'ascendant sur les prêtres et les peuples. On n'a pas une moins grande idée de vous dans le diocèse de Tarentaise et dans les Bauges. Avant que vous ayez gagné l'opinion publique à un même point dans un pays étranger, vous serez hors de service ; et, d'ailleurs, laisser un bien certain pour un bien incertain, n'est guère conforme à la maxime de saint Ignace, *ad majorem Dei gloriam* ;

« 6° Vous serez probablement employé à l'enseignement. Nouvelles études à faire, nouveau genre de vie où vous ne pourrez réussir qu'après de longues années d'exercice, tandis que vous avez ici

18.

de la facilité d'exercer le saint ministère par un
long usage, etc...;

« 7° Dieu a commencé l'œuvre des missions par
vous dans votre paroisse du Châtelard. Vous l'avez
voulu quitter : il vous y a reporté. N'est-ce point
une tentation de vouloir la quitter de nouveau ?
In qua vocatione... Il m'a appelé par vous, vous êtes
le père des missionnaires, et vous voudrez abandonner vos enfants et l'œuvre des missions pour
votre profit particulier et intérêt spirituel ? Est-ce
là l'esprit de saint Ignace, qui aurait mieux aimé
courir le risque de la damnation pour sauver des
âmes que d'aller au ciel tout aussitôt ? Si vous
abandonnez l'œuvre des missions en vous repo-
sant sur l'abbé Allard qui est si peu robuste, vous
ferez croire que les missionnaires sont incapables
de s'unir ensemble, d'entreprendre une congrégation ; les supérieurs en désespéreront, et vous
pourriez bien emporter tout espoir de voir l'œuvre
assise sur une congrégation.

« Il s'agit de réunir tous les missionnaires de la
Savoie à Tamié ou ailleurs, de leur donner une
règle et de leur nommer un supérieur à la majorité
des voix, de faire commencer un noviciat aux nouveaux reçus pendant qu'on emploierait au saint
ministère les anciens (Mgr Billiet est de ce sentiment, l'évêque de Tarentaise également, le nôtre
n'en est pas loin et le vôtre le sera), et de donner
des missions aux diocèses, au *prorata* des sujets,
en attendant qu'il y ait des maisons partout dans
chaque diocèse. M. Bonnally, supérieur du collège
de Saint-Jean, se présente pour la Maurienne;

M. Gros et peut-être M. André pour Chambéry ; les vocations ne manquent pas de vos côtés ; la règle et les constitutions sont à peu près conçues. Nous pouvons commencer cette année..., renvoyez vos premières missions à la mi-décembre afin que nous ayons le temps d'organiser la bonne œuvre... Supposez que tout reste en l'air ou que l'affaire ne réussisse pas, qui empêche de vous faire Jésuite dans un ou deux ans d'ici, ou de vous faire Chartreux après une dizaine d'années de missions, si vous ne pouvez pas entrer dans la Compagnie?

« Venez, je vous attends ici, et nous parlerons plus au long. Tout à vous. — L'abbé FAVRE. »

Il y aurait encore bien des choses à dire pour achever le sujet que nous avons entrepris de traiter dans ce chapitre ; mais nous pensons ne pas pouvoir retenir plus longtemps l'attention du lecteur à cet égard.

Les lettres citées ici suffisent à démontrer que M. Favre a été pour les missionnaires d'Annecy non un fondateur mais presque un père.

N'est-ce pas lui en effet qui a inspiré, soutenu et guidé l'homme vénérable que la Providence avait marqué pour être leur fondateur?

CHAPITRE VIII.

La vénérable mère Barat, fondatrice de l'Institut des Dames du Sacré-Cœur, fut appelée en Savoie par M. F.-M. Turinaz, alors chanoine de Chambéry, plus tard évêque de Tarentaise. Il se faisait en cela l'interprète de toute la population chambérienne, de la noblesse surtout, désireuse de posséder un nouveau centre d'éducation chrétienne et distinguée. Après avoir occupé successivement l'ancien

Vén.le Mère SOPHIE BARAT
Fondatrice de la Société du Sacré-Cœur

couvent des Clarisses à Chambéry et le château de Montgex, ces dames s'établirent enfin dans la belle résidence qu'elles habitent aujourd'hui, en face de l'église de Maché (1820).

L'historien de Madame Barat parle de M. Favre

à propos d'une retraite qu'elle fit sous sa direction
vers l'année 1833. Voici dans quels termes :

« Cette retraite de Chambéry fut un exercice de
la plus effrayante mortification. La mère générale
avait pris pour directeur M. l'abbé Favre, missionnaire fort austère pour lui-même et qui menait les
âmes par de rudes sentiers. Il n'eut qu'à lâcher la
bride à sa pénitente, pour que celle-ci se livrât à
son ancien attrait. S'armant de feuilles hérissées
de pointes cueillies dans le jardin, elle s'en fit une
ceinture qui la meurtrissait. La sœur qui la servait,
s'en étant aperçue, lui enleva ce véritable instrument de supplice, mais Mme Barat y substitua aussitôt une ceinture de fer. Cette fois, ce fut le sang,
dont son linge était rougi, qui révéla ce nouveau
genre de torture à la sœur qui ne put s'empêcher
de pleurer à cette vue. « Mais, a dit un bienheureux, la mort aux sens est la source de la lumière. »

« Jamais Mme Barat n'avait eu Jésus-Christ plus
présent et plus sensible. Elle ne pouvait quitter les
pieds du tabernacle, et lorsque sa compagne,
Mme de Limminghe, venait la tirer de sa contemplation, on voyait la sainte mère sortir comme
d'un doux sommeil et se plaindre en disant : « Ah !
il s'unissait à moi avec tant de bonté ! » M. Favre
admirait cette extraordinaire passion de sacrifice ;
il disait un jour : « Nous avons ici une sainte qui
aime les pénitences comme nous aimons le sucre (1). »

_____

(1) *Vie,* par Mgr Baunard, II, p. 82.

Cette page de l'éminent hagiographe lève un coin du voile qui déroba trop longtemps au public le spectacle de la direction donnée par M. Favre à la vénérable mère Barat et à sa digne assistante, Mme de Limminghe. Les lettres qui vont suivre et plus encore celles renvoyées à la IIe partie de cet ouvrage, montreront au lecteur l'action de notre missionnaire sur ces deux âmes d'élite et, par elles, sur la Société des Dames du Sacré-Cœur.

Mme de Limminghe était une de ces âmes privilégiées que le Seigneur associe, dès l'enfance et jusqu'à la mort, au martyre de sa croix. Elle n'eut pas de peine à deviner en M. Favre une âme sœur, avec le sacerdoce en plus, et s'attacha à lui comme à un tuteur et à un père. Ses espérances ne furent pas déçues. La lettre qu'on va lire et où M. Favre lui donne le nom si juste d'*addolorata* (1) suffit à le montrer.

« Conflans (Haute-Savoie), le 27 février 1827. — Ma fille, notre bon Sauveur vous traite en enfant bien aimée par les épreuves qu'il vous envoie. La

---

(1) « Le comte de Limminghe, son père, avait traversé les prisons de la Terreur, puis celles de l'Empire. C'est alors que sa fille, toute jeune qu'elle était, ayait fait la promesse d'entrer un jour en religion, si ce cher prisonnier lui était rendu. Elle le retrouva ; mais bientôt elle vit expirer, lui et sa femme, à Nice, au début d'un voyage en Italie, empoisonnés, croyait-on, par un misérable qui s'empara de leurs biens. Ainsi éprouvée dès la plus tendre enfance ; restée à l'âge de vingt ans, chargée de ses deux jeunes frères, qu'elle ramena chez ses tantes, au château de Gentinnes, Mme de Limminghe avait reçu de ces événements une impression de tristesse, dont le fond de son caractère se ressentit toujours. » (*Vie de Madame Barat,* par Mgr BAUNARD, t. II.)

maladie de votre chère Magdelaine (1) est une marque de son tendre amour pour elle et pour vous. Oh ! qu'il est consolant d'être affligé par la main d'un si bon père ! Jamais on n'est plus près de lui que lorsqu'on est le plus crucifié, le plus abandonné, le plus humilié. Que toutes les créatures se tournent contre nous pour nous tourner entièrement vers son divin Cœur ! C'est là le souhait ardent de la pauvre *addolorata*, de Magdelaine de la Croix, et puissé-je ajouter de Jean de la Croix (2).

« Il n'y a que la croix qui puisse séparer l'âme des misérables créatures qui ne font que l'affamer au lieu de la satisfaire, et puisse l'unir à Jésus, son centre, son unique et vrai bonheur. Des croix pour votre bien aimée Magdelaine, des croix pour Addolorata, des croix pour votre petit serviteur, des croix pour votre Société, c'est tout ce que je sais demander au Cœur de Jésus. Cependant, faisons une sainte violence à l'amour de notre bon Maître pour la guérison de votre digne mère. J'unirai mes faibles prières aux vôtres et si c'est la volonté, le bon plaisir de Jésus, nous obtiendrons tout de son Cœur généreux, qui ne sut jamais rien refuser aux cœurs confiants et aimants.

« Courage, épouse d'un Dieu crucifié, au milieu des croix dont votre cher époux sème vos voies et qu'il daigne adoucir, de temps en temps, par quelques épanchements de ses divins attraits.

---

(1) Madame Barat.
(2) M. Favre aimait à signer de ce nom ses lettres spirituelles.

« Des faveurs qui sont précédées ou accompa-
gnées ou suivies de croix ne peuvent guère venir que
du ciel : Livrez-vous y donc sans crainte, prêchez
partout l'amour et la confiance; dites partout que
Jésus n'est pas venu pour se faire craindre, mais
pour se faire aimer. Il s'est fait enfant pour se
faire aimer. Et quoi de plus aimable qu'un enfant et un Dieu enfant ! Sans passer les bornes du
respect dû à notre grand Roi, bannissez de votre
cœur le découragement, la crainte servile, l'ennui,
la tristesse, l'inquiétude, qui ne sont que l'égoïsme
spirituel ou l'amour de soi-même, et qui nous empêchent tant d'aimer notre infiniment aimable Jésus en rétrécissant la si petite capacité de notre
cœur. La crainte est pour les esclaves du péché,
mais l'amour est pour les enfants bien nés. Aimer
Jésus en souffrant humiliations, croix, peines, dégoûts, travail, persécutions, abandons, sécheresses,
pour l'amour de lui, ce doit être là toute notre ambition. Je vous conseille de demander le rétablissement de votre digne mère au puissant et miséricordieux saint Joseph, afin d'honorer Jésus et
Marie, en honorant ce grand saint. Sainte Thérèse
dit qu'elle n'a jamais éprouvé de refus de la part
de ce grand saint. C'est à sa porte que je vais frapper pour lui demander cette grâce et que j'aime
battre pour tout obtenir par sa toute puissante médiation auprès de Jésus et de Marie. Demandez-
lui pour moi l'amour de Jésus et des croix. Vous
obligerez beaucoup celui qui est tant votre dévoué.
— JEAN DE LA CROIX. »

Une autre lettre nous montrera le rôle qu'eut à

remplir Mme de Limminghe auprès de Mme Barat, en même temps que la sagesse de leur saint directeur. Mme de Limminghe était alors supérieure des Dames du Sacré-Cœur, à Turin.

« J. M. J. — Chambéry, 5 mai. — Ma digne mère, je me réjouis des épreuves par lesquelles votre époux crucifié veut bien vous faire passer. De plus grandes vous attendent encore, et votre vie, je l'espère, sera un martyre continuel. Vous seriez bien fâchée qu'il en fût autrement. Aimer Jésus et le faire aimer, aimer les croix et les faire aimer pour l'amour et à l'exemple de Jésus, sera votre occupation continuelle, votre désir le plus ardent. Les souffrances et surtout les humiliations sont véritablement l'aliment de la charité. Demandez pour moi la grâce de les aimer, d'en faire ma nourriture journalière, mes délices les plus chères, afin que mon cœur soit l'écho du vôtre et surtout de celui de notre bon et cher frère Jésus et de notre aimable et aimante mère Notre-Dame des Sept Douleurs. Mais au nom et pour l'amour de Jésus, ne résistez plus aux impressions de son amour crucifiant, et demandez pardon à ce cher et divin époux, les bras en croix devant un crucifix pendant l'espace de cinq minutes, d'y avoir résisté, et promettez-lui de vous abandonner désormais entièrement, aveuglément, généreusement à toutes les opérations de sa puissante grâce (1).

---

(1) Un brouillon de lettre écrite par Mme de Limminghe (?) à son directeur contient le fragment suivant : « Dans la cité de larmes,

« J'approuve de toute mon âme votre manière
d'écrire à votre bien aimée supérieure et votre manière de voir, concernant les novices et sur la société. Si le bon Dieu veut se servir de son petit
serviteur pour rendre des services à votre congrégation, j'y consens bien de bon cœur. Les peines,
scrupules et inquiétudes de votre bonne mère tiennent un peu à son tempérament, un peu à la
fausse direction qu'elle a suivie depuis longtemps,
mais surtout au démon qui ne vise qu'à lui faire
perdre un temps précieux en l'occupant inutilement d'elle-même et en la faisant sans cesse tourner comme un écureuil autour de sa conscience.
Vos prières, vos bonnes œuvres, vos conseils, vos
instantes sollicitations la feront sortir peu à peu
de ce cercle de vaines inquiétudes. Ses peines de-

---

l'affliction générale qui a été la misère de ma vie est que j'omet-
tais ma retraite annuelle de la Pentecôte. C'est que l'oraison est
pour moi le vrai temps de repos, pourvu que je ne fasse pas résistance à l'action de Dieu. Je vous supplie donc, M. D., de retirer
votre défense et de m'indiquer les livres et la conduite à suivre
en ces jours de solitude dont je sens un si grand, un si pressant
besoin. Ce temps est l'unique dont je puisse jouir dans l'année
puisque dans les exercices spirituels des (sœurs) je suis bien (plus)
à elles qu'à moi. Rappelez-vous bien aussi que vous êtes mon
seul directeur, que je n'ai ici pas une âme à qui je puisse m'a-
dresser, et combien néanmoins j'en aurais besoin. Il est si facile
de se laisser tromper par l'imagination ou le démon. Un jour
pendant que j'étais, à Chambéry, prosternée devant Notre-Seigneur dans un moment de grande peine, je lui renouvelai le sacrifice de tout moi-même. Lui protestant que je ne souhaitais que
l'accomplissement de sa très sainte volonté en moi et dans les
autres..., je préparai mon sujet d'oraison de l'après-midi. Afin
de pouvoir me recueillir tout de suite, j'emportai néanmoins mon

viendront les vôtres et seront une de vos plus belles
croix. Je vous recommande de m'écrire dans toute
la simplicité religieuse et avec tout l'abandon possible, et surtout avec une sainte liberté. C'est le
seul moyen de mettre votre âme et la mienne à leur
aise. Vous pouvez toujours adresser vos lettres au
portier du grand séminaire, à qui je donne toujours
mon adresse pour les lettres qu'il reçoit sous mon
pli. J'écrirai plus tard à votre fille et mère (1).

« Baiser le plancher matin et soir pendant un
mois pour vous rappeler votre origine, est la seule
pénitence que je vous impose pour les infidélités
dont vous me parlez. Demandez pour moi l'amour
de Jésus et des croix : vous obligerez tant celui qui
est toujours, ma bonne mère, votre tout dévoué
serviteur. — L'abbé FAVRE. »

---

livre, mais il me fut impossible d'en faire usage. J'entrai dans un
profond recueillement. Il me semblait voir Notre-Seigneur dans
le jardin, son respect devant son Père, cette prière si pénible me
pénétrait moi-même, je m'anéantissais et m'abîmais en sa présence.

« Cela dura à ce qui me semble assez longtemps, quand je me
trouvai je ne sais comment proche de Notre-Seigneur, et, vous le
dirai-je, il me sembla qu'il m'appuya la tête contre son cœur. Ce
que j'éprouvai en ce moment est inexprimable. Je croyais mourir
de bonheur et d'amour. Notre-Seigneur : Voilà l'intelligence de
cette parole que je ne me laisse point vaincre en générosité.
Crois-tu, maintenant, crois-tu ? et l'imagination peut-elle produire
de tels (ravissements ?) Il s'éleva une sorte de combat entre moi
et ce bon Maître... »

Cette page, que nous avons copiée sur l'original, dévoile d'un
coup le degré d'oraison où Dieu avait élevé cette âme ardente et
obéissante.

(1) Madame Barat.

Quant à la direction que la vénérable mère **Barat** chercha et trouva auprès de M. Favre depuis le jour où elle le connut jusqu'à ce que la mort de notre missionnaire eut séparé ces deux âmes de saints, nous n'en donnerons ici qu'un simple échantillon, laissant au lecteur le soin d'étudier les lettres renvoyées à la fin de ce livre. Voici donc une de ces lettres dans sa teneur toute simple :

« J. M. J. J. — Chambéry, le 25 septembre. — Ma révérende mère, votre lettre m'a procuré une véritable joie en m'apprenant que le bon Dieu continue de vous accorder des grâces de prédilection. Tant de bontés de la part d'un Dieu si grand, envers une si petite créature, vont vous confondre et en même temps vous exciter à une confiance si ferme, à un courage si généreux, à un amour si ardent, à une reconnaissance si vive que rien ne pourra plus désormais ralentir votre course dans les voies de la perfection, ni vous éloigner le moins du monde de votre divin époux. C'est du moins le désir de votre âme qui ne voudrait pas le céder en générosité à son divin époux ; c'est mon désir bien sincère, auquel j'unis mes faibles prières ; c'est surtout le désir immense de votre Dieu qui ne demande pas mieux que de se donner tout à vous, pourvu que vous le payez d'un juste et pareil retour. Qui pourrait encore refroidir votre amour, pour un Dieu brûlant d'amour pour vous ? Qui pourrait vous éloigner encore de ce Père aimable et aimant qui vous cherche sans cesse ?

« L'empressement dans l'exercice de votre emploi et le commerce du monde dont vous ne pouvez

trop vous défaire ; l'activité naturelle qui vous en-
traîne insensiblement loin de votre Dieu et de
vous-même, c'est le seul obstacle essentiel à la vie
de la grâce que j'ai trouvé en vous et qui m'a fait
hésiter un instant si je devais vous permettre de
faire des promesses dont l'observance demande une
attention et une correspondance continuelle aux
mouvements de la grâce. Toutefois n'ayez pas de
remords de les avoir faites, puisqu'elles vous en-
chaînent si bien à votre Dieu, je les approuve indépendamment de toute influence de votre part,
comme l'expression de la volonté de Dieu. Soyez-
y bien fidèle et vous mériterez, vous attirerez les
regards de sa plus tendre et paternelle dilection.
J'approuve aussi la communion quotidienne. Ce
sera bien assez de vous en priver lorsque les voyages et votre état maladif vous en priveront. Unis-
sez-vous à votre Dieu tous les jours en le recevant
avec le désir de Zachée, l'humilité du publicain,
l'amour de Magdeleine et la douleur de Pierre.
Vous avez avec lui des communications intimes
qui amortiront peu à peu cette vivacité de caractère
qui vous fait plus de mal que vous ne le pensez
peut-être.

« Au reste je voudrais que vous eussiez un attrait si fort pour le repos en Dieu qu'il vous fallût
faire une sainte violence pour en sortir et vous
adonner aux exercices de la vie active. Je voudrais
que vous vous livrassiez doucement, avec beaucoup de réserve et uniquement pour complaire à
votre Epoux, aux travaux de votre charge et au commerce du monde, sans jamais vous donner entière-

ment, ni avec précipitation. Je voudrais vous voir
parler, agir, écrire en Dieu, avec Dieu et pour Dieu
et vous voir en même temps réprimer si bien et si
constamment les saillies de l'activité de Marthe, la
pétulance de Pierre et les recherches tortueuses de
l'amour-propre, qu'on ne vît plus rien d'humain
ni de terrestre dans votre conduite. Je voudrais que
la simplicité de la colombe dominât si bien en vous
sur la prudence du serpent que vous eussiez plutôt
l'air, les façons et le caractère d'un enfant, que l'air,
les façons et le caractère d'une femme d'esprit ou
d'une supérieure. Mais qu'il est difficile d'être simple au milieu d'un monde rusé, fourbe, orgueilleux ! La grâce de Dieu seule peut faire cette merveille et la fera en vous si vous n'y mettez pas
opposition. Je voudrais que vous fussiez tellement
morte au monde et à vous-même qu'on n'aperçût
plus en vous aucun vestige du vieil homme, mais
seulement Jésus-Christ vivant, agissant, conversant dans votre personne. Je voudrais que vous
fussiez ce que je ne suis pas mais ce que je désire
être et ce que vous demanderez vous-même au Seigneur. Ne suis-je pas bien exigeant? Je ne le suis
pas trop pour un Dieu qui a fait et fera encore de
grands sacrifices pour votre âme qui lui est si
chère.

« Quant à votre attrait pour une vie cachée et
ensevelie, il peut venir de Dieu ; mais il ne faut
pas le croire si vite, vu que cet attrait se trouve
dans la plupart des hommes que Dieu appelle à la
vie active et que presque tous les saints ont soupiré
après la retraite, quoiqu'appelés aux travaux du

saint ministère. Il n'y a que les mondains qui se plaisent dans un monde aussi vilain que celui-ci. Une plus longue expérience, des prières, une sainte indifférence et surtout une intention droite vous feront connaître la volonté de Dieu à cet égard.

« Si Dieu vous a fait quelque bien par mon ministère, à lui seul gloire et bénédiction et à moi mépris et humiliation ; et pourtant un petit souvenir dans vos prières. Vous obligerez beaucoup celui qui est tant, ma révérende mère, votre très humble. — L'abbé FAVRE. »

A la vue d'un tel commerce entre de telles âmes, le lecteur aura sans doute éprouvé ce que nous avons ressenti nous-mêmes, à savoir la vérité de cette promesse de Notre-Seigneur : *Là où deux ou trois sont réunis en mon nom, là je me trouve au milieu d'eux* (Matth., XVIII, 20). Pour ce qui regarde la société du Sacré-Cœur, elle ne saurait, croyons-nous, séparer dans son estime ces trois âmes que Notre-Seigneur a sanctifiées par une aussi intime union entre elles et son divin Cœur.

CHAPITRE IX.

Tout de feu pour Notre-Seigneur, notre ardent missionnaire ne négligeait aucun moyen de zèle. Toutes les industries capables de faire du bien aux âmes lui étaient connues. Depuis le haut clergé jusqu'aux plus humbles personnes du monde, il employait toutes les bonnes volontés à promouvoir le règne de Dieu. On a vu son action sur les évêques de Savoie et sur les fondateurs d'ordres religieux. Elle fut considérable aussi près de Mgr Devie, évêque de Belley, qui le consulta maintes fois sur la vraie manière de former un fervent clergé. Voyons cette même influence auprès des petits et des laïques.

Nous en donnerons ici un exemple qui, pour être simple, n'en est pas moins digne de remarque.

Le lecteur se souvient peut-être de cette zélatrice qui se distinguait à la mission d'Argentine par son ardeur à catéchiser les ignorants. M. Favre, *qui craignait le zèle des femmes comme le feu*, sut pourtant utiliser le dévouement de cette vertueuse chrétienne. Il fit de Mme Buisson (c'est le nom de cette femme apôtre), non seulement une personne d'oraison et de solide piété, mais encore une excellente auxiliaire de la vérité. Cette dame, mariée à un libraire de Saint-Jean de Maurienne, allait vendre des livres dans les paroisses où se donnait la mission. Elle faisait de la librairie un moyen d'édification et de saine instruction pour les pauvres gens de la campagne. On ne saurait dire combien elle vendit d'exemplaires du *Manuel du Pénitent* et du *Ciel ouvert,* ouvrages composés par notre missionnaire, et quel désintéressement elle apporta dans la vente de ces volumes précieux.

Reliquaire monumental de la cathédrale de Saint-Jean de Maurienne (1497).

Le démon, peu content, il faut le croire, de cette ouvrière apostolique et de son zèle, lui suscita mille tracasseries. M. Favre maintint son courage à la hauteur de la mission que le ciel lui avait départie. Lisons plutôt le billet suivant qu'il lui écrivait :

« J. M. J. J. F. — Chambéry, 1er août 1828. — Ma fille, des croix et des croix, voilà ce que je vous ai souhaité et vous souhaite encore. Elles ne vous

19.

manqueront jamais, j'espère. Des croix intérieures, des croix extérieures, des croix de la part de Dieu, des démons, dans la maison et partout. Voilà ce qui détache du monde, de la vie, et porte à Dieu. Mais souffrez tout sans mot dire. Ne vous plaignez point de ce qu'on dit contre vous ; ne vous fâchez point ; riez-en de tout votre cœur. Ne faites point de bruit. Soyez seule avec Dieu seul. Allez tout doucement votre petit train, soumettez-vous au bon Dieu qui veut ou permet tout pour sa plus grande gloire et le plus grand bien de son enfant. Veillez, priez, obéissez, espérez, tenez-vous gaie et d'une humeur égale. Priez pour moi. — L'abbé FAVRE. »

Les croix souhaitées par le serviteur de Dieu à sa digne pénitente, affluèrent sans pouvoir la renverser sur le chemin où il la conduisait. Mais aussi quelle direction que celle du missionnaire et quelle vigueur d'âme dans Mme Buisson ! Nous ne résistons pas au désir de transcrire une autre lettre de M. Favre à cette vertueuse dame.

« Conflans, 8 avril 1835. — Je suis bien content, ma fille, de votre zèle pour l'honneur et le culte de Jésus et de Marie. Les contradictions qui vous en reviennent sont de l'or le plus pur avec lequel notre bon Sauveur et notre chère Mère vous paient vos petits services. Courage, ma fille, aimez les mépris comme Jésus et Marie, dont vous épousez la cause ; vous serez leur enfant bien aimée Oh ! que vous leur faites plaisir quand vous embrassez courageusement, gaiement, les croix, les mépris, les humiliations pour l'amour d'eux ! Continuez à

communier comme de coutume avec la permission
de votre bon guide. Encouragez les âmes à la communion fréquente. Dites bien de ma part à la
petite Miette de communier au moins fêtes et dimanches, toutefois avec la permission de son
confesseur; dites-lui bien d'aimer Jésus, Marie et
Joseph. Aimez-les vous-même; faites-les aimer;
inspirez la confiance et le courage aux pauvres
âmes. Plus vous serez à Jésus, plus Jésus sera à
vous, et plus le monde vous haïra, vous critiquera,
vous contredira. Mais, sans faire attention aux
clabauderies du monde, allez votre train sans rien
en rabattre, en évitant toutefois les imprudences
qui pourraient donner prise à la censure. Priez pour
moi. Et quand vous m'écrirez, ne faites pas passer
vos lettres par Moûtiers, mais adressez-les à Conflans, au collège royal (Haute-Savoie). Un bonjour
à Miette qui dira un *Ave* pour moi et qui abhorrera
le monde et la vanité comme sa puissante et bonne
patronne. Mes respects à M. Buisson. — L'abbé
FAVRE. »

En s'associant à l'apostolat de M. Favre, Madame Buisson s'était attiré, nous l'avons vu, des
contradictions et des avanies de toute sorte. Le
monde, toujours prêt à critiquer les œuvres
d'Eglise, ne fut pas seul à lui faire la guerre. Certains ecclésiastiques persistant à croire laxes les
opinions de M. Favre et dangereux ses livres, se
mirent de la partie. A force de courage, Mme Buisson s'était résignée et presque habituée à entendre
les censures de ces adversaires. Le démon suscita
alors contre elle une tempête qui aurait fini par

l'abattre, n'eût été le secours de son intrépide
directeur. L'évêque de Maurienne, lui-même, disait-on, montre bien l'abus de la communion fréquente, puisqu'il vient de l'interdire, dant tout
son diocèse. M. Favre écrivit aussitôt la lettre suivante, où l'on admirera son respect de l'autorité
non moins que la fermeté de ses convictions.

« Conflans, le 3 janvier 1836. — Ma fille, je vous
souhaite au commencement de cette année beaucoup de croix et beaucoup de courage. Mon Dieu !
ma fille, ce souhait sera-t-il de votre goût? Sans
doute, puisqu'il est du goût de votre bon Jésus qui
a vécu constamment contre ses goûts pour se mettre au goût de son Père. Voyez-vous comme Jésus
vous console après la désolation, comme il vous
encourage après le découragement ! Il est donc
bien vrai, ma fille, que jamais on n'est plus près
de Jésus que lorsqu'on s'en croit plus loin, que
jamais on n'est mieux soutenu que lorsqu'on est le
plus abandonné de Dieu et des hommes. Quant à
la défense de votre digne évêque, de donner la communion plus de deux fois la semaine aux personnes les plus avancées et les plus désireuses de la
communion, je ne la crois pas réelle. On l'aura
mal compris. Votre bon, savant et pieux évêque est
loin de défendre la communion quotidienne aux
âmes qui ont le temps, les dispositions et les désirs pour la recevoir. Il y en a fort peu qui en soient
capables. Il ne faut point avoir d'affection au péché
véniel ; il ne faut pas même commettre des péchés
véniels de propos délibéré ou du moins sans s'en
repentir aussitôt. Ce seront les imprudences de

quelques directeurs qui auront provoqué des avis
sur ces abus. Mais une défense générale n'est pas
croyable, puisque Jésus, l'Eglise, les Saints Pères,
invitent à une communion quotidienne. Comment
pourrait-on défendre de recevoir chaque jour Jésus
qui désire tant se donner à nous chaque jour, si
d'ailleurs on a les dispositions mentionnées ci-
dessus? On aura mal compris votre digne évêque,
comme il arrive si souvent (1). La communion est
toujours laissée à la disposition du confesseur, à
moins qu'il n'y ait des abus extérieurs évidents.
Oh! mon Dieu, ma fille, quand on vous refusera
la communion, soumettez-vous-y pour l'amour de
Jésus que vous désirez tant recevoir. Il saura bien
vous dédommager de cette privation. Jamais on
ne le sert mieux que lorsqu'on le sert contre ses
goûts. Un grand amour de Jésus et de ses croix,
pour l'amour de Jésus, à vous, à votre petite Ma-
riette, et une bonne année à tous les trois.— L'abbé
FAVRE. »

Cette lettre fit le calme dans l'âme de Mme Buis-

---

(1) M. Favre interprète ici l'esprit de la brochure publiée par
Mgr Billiet, en 1836, sous forme de mandement et qui renferme
les principaux points de théologie sur lesquels, en Savoie du
moins, on discutait alors avec vigueur. Cette brochure constitue
un document très intéressant et qui importe, pour l'histoire ecclésiastique de la Savoie dans la première moitié du xixᵉ siècle.
M. Favre y releva quelques opinions ou décisions contestables,
mais ne publia pas son mémoire. Il le légua à la maison de
Mélan sous ce titre : *Remarque sur...* et avec cette note : que le
légataire (Père Vignet, S. J.) pouvait le lire et ensuite le communiquer sous secret à M. Mermier « qui ne le fera voir qu'à M.
Gaiddon. »

son, mais elle n'en éloigna pas les croix. M. Favre
vint de nouveau l'encourager.

« Ma fille, le bon Sauveur partage avec vous ses
croix, ses humiliations, ses peines et ses travaux,
pour vous faire part de ses richesses et de sa
gloire. Il vous montre en cela un grand amour et
vous traite comme il a traité sa chère Mère, ses
bien aimés apôtres et tous les saints, ses amis. Ré-
jouissez-vous-en et bénissez-le de vous accorder de
telles faveurs. Courage, ma fille; restez attachée
avec Jésus sur la Croix. Le temps de l'épreuve va
bientôt finir : viendra le temps du repos où vous
vous saurez si bon gré d'avoir souffert avec patience et avec joie pour votre cher époux Jésus. Je
suis bien aise que votre petite Miette soit au couvent. Je voudrais bien que cette pauvre enfant, que
j'ai admise à la première communion, devint
l'épouse de Jésus-Christ. Si telle est sa vocation,
je l'en félicite. Mes amitiés à votre bien aimé
Buisson. Priez pour moi et les missions. — L'abbé
FAVRE (1). »

A cet exemple de direction apostolique, joi-
gnons-en un autre non moins édifiant, celui du
docteur Chatron. Voici la lettre par laquelle nous
en avons été instruit nous-même.

« Chambéry, 13 avril 1900, rue du Lycée, 11. —
Mon Révérend Père, ayant appris par la *Semaine
religieuse* que vous recherchiez les traits ou docu-

---

(1) Lettres copiées sur leurs autographes et à nous communiquées par le R P. Jules, capucin, missionnaire à Conflans.

ments qui se rattachent au R. P. Favre, missionnaire, je puis vous en relater un qui, d'ailleurs, a
été reproduit dans la petite biographie de notre
père, parue en 1883.

« M. Chatron, né à Thônes en 1805, avait reçu
du ciel les plus
riches dons de
l'esprit et du
cœur. Nature
essentielle-
ment artiste, il
songeait à con-
sacrer sa vie à
la peinture;
doué d'un ta-
lent naturel, il
faut dire que
dès son enfan-
ce, sans avoir
pris aucune le-
çon, il dessinait
et peignait, et

Le Docteur Chatron.

que *trois mois* passés à Annecy, sous la direction
du peintre Moreau, développèrent ses facultés
d'une façon merveilleuse. Toutefois, les parents de
M. Chatron n'encourageant point ses aspirations
artistiques, il essaya pour leur complaire l'étude
du droit et s'exerça quelque temps au notariat. Un
moment, l'idée d'entrer au séminaire lui vint à l'esprit, ses tendances religieuses l'y portaient comme
naturellement. Toutefois, voulant s'appuyer sur
des conseils autorisés, il se soumit à l'examen

d'un homme profond, le R. P. Favre, et fit sous sa
direction une retraite sérieuse. Cet homme de Dieu
avait reçu du ciel le don de lire dans les âmes.
M. Chatron lui confia tous les élans de la sienne.
Le Père Favre observa attentivement celui qui se
livrait à lui et, avec le sûr coup d'œil d'une vision
supérieure, lui dit : « Soyez médecin, Dieu vous a
« doué pour cet apostolat. En soignant les corps,
« vous gagnerez des âmes au Christ, en aussi grand
« nombre que vous le feriez dans le sacerdoce. »

Peu de jours après, M. Chatron partait pour
Turin, y étudiait la médecine et la chirurgie, sans
recevoir aucune aide de sa famille, vivant avec une
stricte économie et avec les ressources que lui
créaient ses pinceaux ; il parvint ainsi à conquérir
son doctorat après de brillants examens qui lui
valurent la *laude* suprême, récompense qui se dé-
cernait alors aux lauréats hors ligne.

« Le docteur Chatron avait reçu du R. P. Favre
un règlement de vie tracé de sa main et auquel il
demeura constamment fidèle. Nous l'avons retrouvé
jauni dans son portefeuille après sa mort. Ci-après
la copie et les annotations de notre père qui, en
effet, fut un apôtre au milieu du monde, édifiant
tous ceux qui l'entouraient.

« Souvent ses malades s'en allèrent répétant : le
docteur Chatron est le médecin du corps et de
l'âme. Pour lui la médecine était un vaste champ
d'apostolat.

« Excusez ces longueurs, mon Révérend Père,
elles sont pour prouver que le R. P. Favre sut
orienter vers son vrai but la vie de notre père qui

se plaisait à le rappeler souvent. Agréez, mon Révérend Père, l'assurance de mon profond respect en Notre-Seigneur. — Marie CHATRON. »

Copie textuelle du règlement de vie donné à M. le docteur Chatron, par le Rd abbé Favre, vers 1826.

1. Regardez tout ce qui vous arrive comme venant de Dieu, pensez que Dieu le veut pour votre bien et soumettez-vous-y au moins avec patience;

2. Obéissez à vos confesseurs, à l'aveugle, comme à Dieu en personne, suivez leurs conseils. Vous ne sauriez vous égarer en leur obéissant;

3. Tenez-vous gai à l'extérieur, malgré votre tristesse intérieure, ne laissez paraître votre tristesse que le moins possible;

4. Contentez-vous de réciter le matériel de vos prières, de vos pénitences, sans vous inquiéter de l'attention au sens des mots, jusqu'à ce que vous n'éprouviez plus d'inquiétude à cet égard;

5. Dans tous vos doutes, jugez en votre faveur et regardez dans vos doutes le parti qui vous favorise comme le parti le plus sûr. L'obéissance vous en fait un devoir;

6. Suivez le train de vos exercices de piété, quoique vous n'y trouviez point de goût, et n'y cherchez pas même du goût et de la consolation;

7. Occupez-vous sans cesse, mais variez beaucoup vos occupations, travaillez sans empressement et plutôt par mode de distraction;

8. Prenez peu à peu l'habitude de parler avec Dieu le long du jour. La pensée de Dieu deviendra votre plus doux délassement;

9. Confessez-vous tous les huit à quinze jours, et communiez tous les huit jours, si on vous le permet.

Ainsi affermi, éclairé et contenu, le docteur Chatron commença de goûter cette paix sans laquelle un homme ne saurait vivre avec lui-même. Bien des fois, le plus souvent possible, il retourna auprès de son directeur chercher des forces nouvelles et de nouveaux avis. Voici quelques-unes des résolutions prises au sortir de ces entrevues :

« S'offrir à la Sainte Trinité, à la sainte Vierge et demander sa bénédiction.

Eviter de confesser les anciens péchés oubliés, parce que cela trouble la paix de l'âme et que Dieu les ayant pardonnés, ne l'exige pas.

Confiance en Dieu, inspirée par le sentiment de la faiblesse de mes forces.

La défiance de moi-même sera un aiguillon qui me portera à prier celui qui est tout puissant, avec une grande ferveur, un grand désir d'obtenir les secours nécessaires et le sentiment de reconnaissance des bontés de mon Dieu envers moi animeront mes prières.

Le besoin de devenir meilleur, la pensée des grands efforts des saints, plus forts que moi, pour se vaincre ; la force des passions, les attraits de la diversité des objets, l'expérience de mes chûtes, la grande impuissance où je me sens de faire le bien sans le secours de Dieu, le danger, le poison du siècle doivent me rendre sévère envers moi-même

et me faire veiller avec une exactitude continuelle
sur mes actions, regards, paroles et pensées.

Pureté d'intention en tout : comment n'agirais-
tu pas pour Dieu qui te voit, t'observe, et qui te
jugera.

Etre scrupuleux dans mes devoirs, pensant que
celui qui y manque est jugé sans douceur.

Tout par humilité et obéissance.

Seigneur, faites que je sois fidèle, je ne l'espère
qu'avec votre secours. »

De si beaux sentiments suffisent à montrer l'action de notre directeur; ils font voir en même temps
la piété dont les hommes du monde sont capables
dès qu'ils veulent se donner tout à Dieu.

Arrêtons ici notre étude sur la sagesse avec
laquelle M. Favre employait au triomphe de la religion, l'ascendant qu'il avait acquis sur les esprits d'élite, et retournons au récit des travaux plus
directement apostoliques accomplis encore par ce
puissant ouvrier.

CHAPITRE X.

Avant de mentionner quelques nouvelles missions prèchées par M. Favre, il convient de faire connaître l'instrument merveilleux dont il se servit avec le plus de succès, pour opérer au sein du peuple des fruits durables de conversion. C'est un petit livre composé par lui sous le nom de *Manuel du Pénitent* et dont il serait difficile de trop louer la valeur. Voici comment l'analyse M. Gondrand : « Il est divisé en trois parties : Méthode pour *se convertir, se réconcilier avec Dieu et persévérer*.

La première partie explique ce que c'est que se convertir, qui peut convertir, les moyens de conversion, qui sont au nombre de neuf : le courage et la confiance, le recueillement, la prière assidue, la méditation, l'assiduité à entendre la parole de Dieu, la lecture des bons livres, le jeûne, l'aumône, la direction d'un bon confesseur. Suit l'exposé de dix-sept sujets ou vérités à méditer pour se convertir.

Dans la seconde partie, l'auteur fait voir ce que c'est que se réconcilier avec Dieu, la différence entre se réconcilier et se convertir, quand il faut se réconcilier avec Dieu, qui peut réconcilier avec lui ; les conditions exigées pour cela ; il en énumère neuf : l'instruction, l'examen de conscience, la contrition (ici sont développés les motifs de la contrition parfaite et imparfaite), le bon propos, la confession, la pénitence, la réparation des scan-

dales, la réconciliation avec les ennemis, la restitution. — C'est dans cette seconde partie que se
trouve l'examen de conscience qui a été et sera toujours si utile aux confesseurs et aux pénitents.

La troisième partie traite de la persévérance, de
sa nature, de sa nécessité, de l'impossibilité de
persévérer par soi-même, du pouvoir de persévérer avec la grâce Dieu, des moyens de persévérer. Ceux-ci sont : la prière assidue, la dévotion à
la sainte Vierge, le souvenir des fins dernières, la
fuite des occasions, la confession fréquente, la
communion fréquente, la formation de la conscience, la pratique des vertus, l'observance d'un
règlement de vie.

Chacun verra aisément que le but de cet ouvrage
est de faciliter la conversion aux pécheurs, qui,
trop souvent demeurent les esclaves du crime,
parce qu'ils ignorent la route à suivre pour retourner à Dieu et vivre d'une nouvelle vie. » (*Éloge.*
p. LXVI.) Le lecteur, ajouterons-nous, verra aussi
que M. Favre était loin du quiétisme ou de la naï-
veté de ceux qui n'exigent presque point d'efforts
de la part des pénitents, sous prétexte que la
prière et la bonne volonté suffisent.

Enumérant les principaux livres à conseiller in-
distinctement à tout le monde comme souvenir de
mission, le Père Nampon place le Manuel de notre
missionnaire au premier rang. Le *Pensez-y bien*, la
Conversion d'un pécheur réduite en principes, la *Guide
des pécheurs* elle-même, suivant cet auteur, ne viennent qu'après. Le clergé accueillit cette publica-
tion suivant les dispositions dont il était animé

pour ou contre M. Favre. La plupart, M. Mermier
et ses missionnaires surtout, s'en firent les propa-
gateurs. Quelques fins critiques cependant persis-
tèrent à combattre le manuel. L'une de ces fortes
têtes disait : « Comment peut-on jurer par un
tel auteur ? Son manuel commence par une hérésie,
à savoir que, pour se convertir, neuf choses sont
nécessaires. Or, pour se convertir, une âme n'a que
deux choses à faire : quitter le péché et observer la
loi de Dieu. » Je laisse au lecteur le soin de quali-
fier cette objection.

En dépit des contradicteurs, l'utilité du *Manuel* fut
immense. Elle continue d'être réelle. De nos jours,
le R. P. Tissot, regretté supérieur des missionnaires d'Annecy, en a publié une douzième édition légèrement retouchée. Plusieurs missionnaires, en effet, ont cru devoir supprimer dans cette
œuvre du maître certains détails théologiques trop
précis pour les chrétiens ordinaires. — Mais il est
grand temps de revenir aux missions de notre infatigable apôtre.

Dans les années 1827-1828, M. Favre prêche
l'importante mission de Rumilly et donne en
même temps les saints exercices au séminaire de
cette ville. Animé d'une dévotion extraordinaire
envers la sainte Vierge, il ne manqua pas de visiter
l'antique sanctuaire de l'*Aumône*, dont M. Simond,
son compatriote, devait bientôt doubler la nef et
refaire la sainte popularité. Au cours de la mission,
M. Favre eut à triompher d'un libertin forcené qui
poussa l'audace jusqu'à courir nu par les rues de
la ville insultant à la vertu des passants. Contre ce

débauché, l'apôtre employa la rigueur. Au nom de
Dieu et de la pudeur humaine, il l'accabla tant et
si bien que ce malheureux rentra en lui-même,
s'humilia publiquement pour réparer ses scandales et donna les signes d'une sincère conversion.

Rumilly — Sanctuaire de Notre-Dame de l'Aumône.

Du 4 au 25 mai 1828, mission de Doucy, près Ai-
gueblanche

Une autre mission de M. Favre fit grandir encore le renom de sainteté dont il jouissait depuis
longtemps. Ce fut celle du Pont-de Beauvoisin
(Savoie). Dans cette paroisse, nous racontait un
jour le chanoine de Chevilly, un scandale avait été
concerté entre quelques jeunes libertins pour empêcher les fidèles de suivre les prédications. L'un
d'eux, d'une audace reconnue, s'était vanté d'in-
terpeller M. Favre en plein sermon. Il alla, en

effet, se placer à l'église en face de la chaire, et là
il attendit le prédicateur, tout en préparant son
apostrophe. M. Favre paraît, fait le signe de croix
et commence son sermon. Le jeune libertin reste
coi. Le missionnaire continue ; lui, devient immobile. Les compagnons attendaient quelque coup de
théâtre pour finir. Leur attente est déçue. M. Favre
achève l'exercice et rentre en sacristie. Notre prodigue éclate alors en sanglots, court se jeter aux
pieds du serviteur de Dieu, se confesse et sort de
l'église absolument converti. Le reste de sa vie
s'écoula dans la pratique austère de la vertu ; et
quand on lui demandait ce qui l'avait subitement
transformé, il répondait en pleurant : « Je ne puis
vous le dire, je l'ignore moi-même, je n'arrive point
à me l'expliquer. Tout ce que je me rappelle, c'est
que la figure amaigrie et sainte de M. Favre eut à
peine frappé mes regards, que je me sentis en-
chaîné et comme fasciné par cet homme. Ensuite
quelque chose d'insolite me poussa à aller me confesser à lui. Sa bonté, la vigueur et la sagesse de
ses exhortations, jointes à la grâce de Dieu, ont fait
le reste. » — Le lecteur comprendra que la population entière ait voulu voir en cette conversion
un miracle de la grâce. Chacun, du reste, en conviendra sans peine, le fait n'était pas ordinaire.

La fidélité avec laquelle notre missionnaire suivait les enseignements de saint Alphonse de Liguori, l'avait porté à propager de tout son pouvoir
la dévotion envers la Très Sainte Vierge ; son grand
moyen à cet égard était de placer, dans chaque
église où il donnait la mission, une belle statue de

Marie Immaculée. Ces statues (que nous avons retrouvées en plusieurs églises) étaient en bois doré, et les fidèles y attachaient une grande valeur. Pourquoi devons-nous dire sur la foi d'un témoin des plus graves, M. le chanoine Dompmartin, que Mgr Martinet goûtait peu ce procédé apostolique? On l'entendait fréquemment s'écrier en voyant ces statues très bien faites d'ailleurs : « Voilà ! Favre a passé ici ! » C'était son antipathie pour les doctrines alphonsiennes de notre héros qui le faisait parler ainsi et nullement son peu de dévotion envers la sainte Vierge. Quoi qu'il en soit, une telle réflexion ne pouvait guère édifier de la part d'un évêque. Tout ce que l'on peut dire pour expliquer ces paroles est que, par elles, le prélat pensait diminuer l'estime enthousiaste que professait le clergé pour notre saint missionnaire. Or, il croyait devoir agir ainsi pour ôter aux directions du Liguorien (comme disaient les rigoristes d'alors) leur crédit grandissant.

M. Favre à qui ces réflexions étaient rapportées ne se permit jamais de critiquer son archevêque. Nous tenons ce détail de l'archidiacre de Chambéry, M. Charbonnier. Mais, dès l'année 1830, la pensée de quitter le ministère des missions le poursuivait sans relâche. Les amis, auxquels il la laissa entrevoir, le supplièrent de poursuivre la rude bataille qu'il menait seul contre les préjugés et la routine des théologiens du diocèse. Il continua donc. Sa manière d'attaquer l'erreur n'était pas toujours, il est vrai, très parlementaire, elle n'en était que plus incisive. Un jour qu'un prêtre lisait le

20.

livre intitulé *Des vrais principes de l'église gallicane,*
M. Favre lui dit : « Changez le titre de ce livre et
écrivez : *Des vrais principes de l'église du diable !* » De
son côté, Mgr Martinet ne désarmait point. A la fin
de décembre 1829, il essaya une dernière fois de
courber le moraliste alphonsien sous le joug des
doctrines diocésaines dont M. Missilier était le
fougueux défenseur au grand séminaire. Sa Grandeur n'obtint que le silence. Mais par la suite,
quand les amis de M. Favre le pressaient de faire
campagne en faveur de la bonne doctrine, il leur
répondait : « J'ai peur de déplaire à Dieu en lut-
tant contre son représentant, car Monseigneur m'a
dit ces propres paroles : « Eh ! bien, si vous ne
voulez pas prêcher la morale du diocèse, allez
manger votre pain ailleurs. »

Au milieu de ces tristesses, la Providence ménageait à M. Favre une consolation : sa chère théologie du bienheureux Liguori, de plus en plus
connue et appréciée, fut annoncée au public par
la seule voie officielle de ce temps, « *le Journal de
Savoie* » (1). Ce fait que nous jugerions minime
aujourd'hui était alors très important, vu l'étroite
surveillance de la presse par les autorités civiles
et ecclésiastiques. Les amis de M. Favre ne purent
que le féliciter de voir annoncés ainsi en plein
jour des livres naguère arrêtés à la frontière par le
Sénat et ouvertement dénigrés par les professeurs
du grand séminaire.

---

(1) Année 1829, p. 126.

Pour notre missionnaire, à l'exemple de Notre-
Seigneur, il allait son rude chemin et Dieu restait
avec lui. Les âmes s'éclairaient, revenaient aux
saintes pratiques et aux fortes vertus de la religion ; les pasteurs apprenaient la vraie manière de
paître les brebis du Christ ; la Savoie tout entière
commençait de revivre. Et qui sait combien de ses
enfants doivent le bonheur d'être prêtres à ce fait
trop peu connu, que leur mère a eu pour apôtre
notre saint M. Favre !

CHAPITRE XI.

On rapporte du célèbre Eschine le mot suivant. Il récitait à un de ses amis le discours de Démosthène. Tout à coup cet ami s'émeut. Le narrateur alors de lui dire : Quoi, le simple récit du discours de Démosthène vous trouble ? Qu'auriez-vous dit si vous aviez entendu les rugissements de la bête ! voulant signifier par là l'extraordinaire véhémence de cet orateur. — De même, cher lecteur, si le pâle récit que nous

Mgr Rochaix, évêque de Tarentaise.

avons fait des missions de M. Favre nous intéresse et nous émeut, nous répéterons volontiers : Que serait-ce donc si nous l'avions vu à l'œuvre ! Hélas ! notre rôle de simple chroniqueur ne nous permet pas de reconstituer vivantes la parole et l'action de cet admirable ouvrier. Voici, du moins, un chapitre où vous retrouverez quelques-uns de

ses accents, quelques traces de ses manières apostoliques. Nous les détachons textuellement d'un
compte-rendu rédigé au jour le jour par un audi-
teur, simple montagnard écrivant pour ses enfants.
Ce n'est pas qu'il y ait là ces envolées oratoires que
le monde recherche. On y voit — chose plus rare
et plus précieuse — la vive simplicité de langage et
ce pain rompu si désiré des petits, si désirable à
tous, et cependant si rare.

« Le 6 mai 1830, M. Favre ouvrait la mission de
Montagny par ces mots : « Que la paix soit avec
les hommes de bonne volonté ! » Ensuite il fit
demander pardon à Dieu à haute voix par toute
l'assistance. Continuant alors de prêcher il démon-
tra la nécessité du salut. A propos de ce sujet fon-
damental il s'écriait dans l'ardeur de sa foi :
« Croyez-moi bien, sauvez-vous, travaillez sans
cesse à votre salut, travaillez-y continuellement,
car du monde entier, je ne donnerais pas un cen-
time ; il n'y a rien en cette vie qui nous puisse
contenter. Quant à moi, il m'est égal qu'on me
traite comme on voudra. Qu'on me retranche les
bras ou les pieds, qu'on me coupe la tête, qu'on me
hache par morceaux, on ne pourra jamais donner
la mort à mon âme, et pourvu que je sois sauvé
c'est tout ce que je désire ! Oh ! qu'on est insensé
de s'attacher aux plaisirs qui ne durent qu'un moment et de perdre un ciel qui ne finira jamais !
Moi, je désire beaucoup le ciel ; c'est pour le
gagner que j'ai quitté mes parents, mes amis, mon
pays et mes biens. »

« M. Favre disait souvent qu'il faut s'appliquer

à faire une bonne mission, à combattre le découragement, à le fouler aux pieds. Il ajoutait que les répugnances, quelles qu'elles fussent, devaient être surmontées quand même. « Toujours bon ! criait-il avec force ; si vous tenez ferme, si vous avez bonne volonté, Dieu vous aidera, vous accordera sa grâce. Oh ! que cette grâce est précieuse ! Avec la grâce on peut tout ! » Et pour preuve de cette toute-puissance de conversion attribuée à la grâce, il racontait ainsi un trait arrivé à lui-même : Une fois, faisant la mission à Montmélian, nous voyions venir tous les jours au sermon un carabinier du roi, non pour en profiter, mais pour s'en moquer. Il riait des missionnaires, les contrefaisant, gesticulant comme eux. Pendant une semaine il se tint à distance, au fond de l'église. Un jour il tombe évanoui. Revenu à lui-même il reconnaît sa faute et va se jeter aux pieds d'un confesseur, pleurant à chaudes larmes, détestant ses péchés à haute voix. Le confesseur l'envoie de suite à la communion. « Voilà la grâce ! » Ce carabinier a persévéré, il communiait très souvent.

« Dans l'après-midi on chantait les litanies de la sainte Vierge à deux voix. Au quatrième verset M. Favre expliquait, du haut de la chaire, les grandeurs, la puissance de Marie, son amour pour les hommes. Il exhortait vivement à avoir une grande confiance en elle, à la prier avec ferveur, afin d'obtenir la grâce de bien s'examiner, de surmonter les tentations de découragement, de ne pas déguiser ses péchés mortels, de ne pas s'excuser en se confessant.

« Un jour M. Favre a fait la conférence sur la nécessité de la contrition, prouvant qu'il est impossible d'obtenir le pardon de ses péchés, si on n'a pas la douleur de les avoir commis et le ferme propos de s'en corriger. « Quand on se confesserait à un religieux, à un évêque, au saint-père lui-même, si on manque de contrition, point de pardon à espérer. Quand on jeûnerait tous les jours, qu'on prierait sans cesse, qu'on dirait son chapelet sans discontinuer, qu'on donnerait ses biens aux pauvres, tout cela ne servirait de rien pour apaiser la colère de Dieu, si l'on n'a pas la contrition. Tous les saints ont pleuré leurs péchés. Combien de personnes de Montagny sont damnées pour s'être confessées sans contrition ! Combien qui sont scrupuleux pour découvrir leurs péchés et qui ne se mettent point en peine pour obtenir la contrition ! Voilà une vérité bien importante !

« Ah ! dit-il encore, une femme avait un fils qu'elle aimait beaucoup, aucune femme n'a tant aimé ses enfants. Ce fils tomba malade et sa tendre mère veilla pendant six ans, jour et nuit, toute seule. L'enfant revint à la santé, mais la mère épuisée de fatigue tomba malade. Oh ! que cette mère aimait son enfant ! Cependant il arriva qu'un jour elle voulut le reprendre d'une faute qu'il avait commise. L'enfant, oubliant toutes les bontés de sa mère, lui enfonça un poignard dans le sein : elle tomba morte à ses pieds. A cette vue, il se dit : Malheureux, qu'as-tu fait ? tu as tué ta mère !... Il s'enfuit dans un pays étranger et s'efforça, mais vainement, d'étouffer les remords de sa conscience :

il souffrait horriblement et n'eut plus un moment
de tranquillité. Voilà, mes frères, ce que vous avez
fait à Jésus-Christ sur la croix. Voyez les plaies
que les clous ont formées, dans ses pieds, dans ses
mains : le sang coule goutte à goutte jusqu'à terre.
A ces mots il fit mettre à genoux l'auditoire pour
demander pardon à Notre-Seigneur. Il ajouta le
récit suivant : Un homme avait laissé de la paille
près du foyer. Le feu brûla la paille, toute la
maison. Les voisins accoururent pour éteindre
l'incendie, mais inutilement. Les membres de la
famille n'ont pu sauver que les vêtements qui les
couvraient à peine. Six enfants, demi-morts, furent
extraits de leur chambre. On était à l'entrée de
l'hiver. Que ferons-nous ? disaient le père et la
mère. Où irons-nous ? Ils se désolaient, se lamen-
taient; personne ne pouvant les consoler, ils s'aban-
donnaient au désespoir. Voilà, disait le missionnaire, voilà votre malheur. Vous avez perdu le
ciel qui était votre maison, où irez-vous ? Dans
l'éternité, il n'y a que deux maisons : le ciel et l'enfer ! Demandons tous pardon à Dieu de nos péchés ;
supplions-le de nous rendre notre maison? A ces
mots l'auditoire tombe de nouveau à genoux demandant à Dieu de lui rendre la maison perdue. »

Quelle simplicité dans ces comparaisons, mais
aussi quelle profonde et frappante justesse ! On
dirait un écho des paraboles évangéliques. C'est
que M. Favre savait parler, non seulement pour
instruire et plaire, mais surtout pour toucher et
convertir. On aura remarqué en outre dans ces extraits, que nous aurions pu multiplier encore,

còmbien, à l'exemple de saint Alphonse, notre missionnaire avait à cœur de faire réciter publiquement l'acte de contrition.

Le ciel voulut marquer cette mission de Montagny par une faveur extraordinaire. Voici comment
la rapporte celui-là même qui en fut l'objet :

« Au mois de mai 1830, M. Favre donnait les
exercices d'une mission dans une paroisse de Tarentaise. Un séminariste, récemment promu au
diaconat, était au lit depuis quatre mois, violemment tourmenté par une fièvre inflammatoire qui
dégénérait en phtisie pulmonaire. Les expectorations sanguinolentes ne laissaient plus d'espoir de
guérison. L'art médical avait été impuissant. Les
praticiens étrangers n'avaient pas mieux réussi.
Tout à coup le timbre vocal se brise et la parole
arrive à peine à l'oreille la plus attentive. L'irrita-
tion nerveuse est à son paroxisme ; l'alimentation
la plus légère administrée même à petite dose et à
de longs intervalles ne pénètre plus dans un corps
sans chaleur et sans vitalité. Le malade demande
les derniers sacrements.

« M. Favre, directeur de la mission, accompagné de trois de ses confrères, vient visiter le jeune
diacre. Il n'est pas entré dans sa chambre qu'il
s'écrie : « M. l'abbé, donnez donc des coups de
poings à tous ces dia... qui environnent votre lit. »
Après quelques paroles d'encouragement, il ajoute :
« La mission se termine ici demain. Nous allons en
commencer une seconde dans la paroisse qui est
vis-à-vis de votre maison (les Allues). A cinq heures du matin et pendant un mois, je dirai la messe

pour vous ; vous réciterez à la même heure trois
Ave Maria. »

« Ces paroles dites, il se retire. Les parents le
reconduisent et lui demandent ce qu'il pense de
l'état du malade. « Sans un miracle, répond-il, il
ne guérit pas ! » — Les trois *Ave* sont récités chaque
matin. Au troisième jour, le malade ne pouvant
articuler un mot frappe comme de coutume sur une
planche avec un bâton pour appeler ses parents. Il
veut s'habiller, se lever. On hésite à lui donner ses
vêtements, il insiste, descend du lit sans aide et
se dirige vers le foyer. Les expectorations ont cessé.
Cinq jours plus tard, il fait une promenade d'une
demi-heure. A son retour, sa voix vibre, nette et
sonore ; dix jours s'écoulent et le malade recouvre
assez de force pour se rendre sur les hauteurs d'une
montagne, où son rétablissement s'achève en cinq
jours. Témoin oculaire du fait, nous en garantis-
sons la vérité. »

Ce témoin, ou plutôt cet heureux protégé de
M. Favre, n'est autre que le chanoine Pont, lequel
écrivit la vie de son protecteur en reconnaissance
d'un si grand bienfait.

Après la mission de Montagny, notre saint directeur donna les exercices à la paroisse des Allues.
Mgr Rochaix, évêque de Tarentaise, tint à visiter
ces deux paroisses au cours de leurs missions.

Peu de temps après, nous trouvons M. Favre
dans la paroisse des Echelles (Savoie). Un fait
nous a été raconté concernant cette mission par
M. le chanoine Bise, curé de Notre-Dame de Chambéry, qui le tenait de M. André lui-même, alors

curé des Echelles. Notre missionnaire avait, selon
sa coutume, passé tout un jour à catéchiser les
demi-crétins de la paroisse. Brisé de fatigue, il
rentra au presbytère pour souper et se reposer.
Tout à coup il dit à M. André : « Ce soir à neuf heures, je partirai d'ici. N'attendez pas mon retour
dans la nuit, je ne rentrerai qu'au matin. J'ai un
prêtre à consoler. » Il partit en effet, mais où ? chez
qui ? On se le demanda longtemps. Plus tard, on
apprit qu'il était allé à trois heures loin, chez un
pauvre prêtre qui avait recommandé son âme à
ses prières. Il entendit sa confession, mit ordre à
ses affaires, séance tenante, et revint dire la première messe de la mission aux Echelles. Le prêtre
qui fut l'objet d'une telle charité raconta lui-
même le fait et mourut saintement, non sans
regarder M. Favre comme son sauveur. Or, ajoutait
notre honorable narrateur, des faits de ce genre
n'étaient pas rares pour M. Favre, tant était vif et
dévorant son zèle pour les prêtres abandonnés et
éprouvés.

Citons pour mémoire la mission d'Albens qui
eut lieu en 1832. M. Pont rapporte le fait suivant :
Un jour, revenant de la mission d'Albens, M. Favre rencontra des malheureux qui se battaient
armés de barres de fer. Au risque d'être assommé
lui-même, notre missionnaire se jette au milieu
d'eux.

Racontons maintenant la trop fameuse mission
qu'on essaya de donner alors à la ville de Chambéry.

Le célèbre jésuite Guyon, après avoir prêché
avec éclat, du 28 novembre 1830 au 17 janvier 1831,

la mission d'Annecy, fit encore la station du Carême suivant à Saint-Jean de Maurienne. Le renom
de ce missionnaire et ses hautes relations avec le
monde lui avaient ménagé les bonnes grâces du
roi, à tel point qu'il obtint de lui, sans même en
parler à l'archevêque de Chambéry, l'autorisation
de prêcher une mission dans toute cette ville.
Mgr Martinet, un peu décontenancé par l'assurance de ce prédicateur, mais peu soucieux de
déplaire au roi, donna son assentiment. Les exercices s'ouvrirent solennellement à la Métropole le
6 janvier 1832. Les quatre paroisses de la ville
étaient accourues et remplissaient le vaisseau de
cette vaste et belle église De son côté, le *Journal
de Savoie* avait annoncé des prédications spéciales
dans chaque paroisse. Tout semblait promettre un
brillant succès, lorsqu'une aventure de tous points
malheureuse vint faire échouer cette mission. Des
étudiants, préoccupés de se préparer aux fêtes de
carnaval, virent de mauvais œil le ton pénitent
qui commençait à gagner la ville. Un jour, aidés
par des étourdis malveillants, ils se glissent dans
la foule qui écoutait le sermon. Tout à coup, écla-
tent des cris, des injures et des pétards. « L'éven-
taire d'un marchand de chapelets est mis à mal.
Puis on va donner un charivari aux Jésuites du
collège. Le désordre croissant, la troupe est man-
dée. L'émeute, hardie contre les missionnaires,
mollit devant les soldats. On arrête les principaux
boute-feux. Veyrat (le poète), qui était un des
plus échauffés de la bande, gagne au pied et passe
en France. La sédition avait mis la ville sens

dessus dessous (1). » Le Père Guyon dut quitter la
place.

Pour qui se rappelle l'effervescence de la France
à cette époque et les efforts audacieux des meneurs
de l'impiété contre notre sainte religion, il est
impossible de ne voir dans cette émeute que le
fait de jeunes libertins en révolte contre la morale
évangélique. Un complot avait été ourdi par quelques-uns de ces sectaires pour qui la religion est
la peste des nations ; et ceux qui auraient dû résister
laissaient faire. Dieu sembla prendre en main sa
cause. Deux des perturbateurs moururent inopiné-
ment quelques jours après leur attentat, triste fin
qui causa un grand émoi.

A l'enterrement du premier, mort dans le délire,
les révolutionnaires firent du scandale. D'où, nouvel émoi et renforcement des troupes destinées à
les contenir. « Ils ont crié à bas la mission, écrivait Mgr Rey ; elle est tombée, mais elle les a écra-
sés dans sa chute ; on n'a pas voulu de processions, on a des enterrements ; on ne voulait pas
troubler le carnaval par des exercices religieux, on
le célébra par des pompes funèbres (2). »

Pour ramener le calme dans la ville, Mgr Martinet fit appel au Père Mac-Carthy, jésuite, ancien
élève du séminaire de Chambéry et prédicateur
de grand talent, puis à notre cher abbé. Mac-
Carthy prêcha le Carême, Favre la retraite pas-

_____

(1) Cfr. *J.-P. Veyrat, journaliste*, par M. Cl. BOUVIER, p. 12.
(2) Lettre à Mgr Billiet, 31 janvier 1832.

cale ou plutôt toute une mission en raccourci. Le
matin à 5 heures, il parlait à la Métropole, à 6 heures, autre instruction dans l'église de la Charité.
Le soir, une conférence à Notre-Dame. Son air
exténué, nous disait un témoin, sa parole éclairée
et pratique, ses qualités apostoliques en un mot,
firent une immense et très salutaire impression.
Dans un sermon sur l'enfer, il fut si véhément
contre la mondanité des femmes, que nombre
d'entre elles, honteuses de leur toilette, auraient
voulu jeter au feu leur parure et revêtir le sac de
la pénitence. Ce sont leurs propres expressions.
Mais, à quel prix notre missionnaire achetait de si
précieux résultats, il n'est pas possible de l'expliquer. « Vous vous fatiguez vraiment trop, » lui dit
un jour un ancien magistrat (1).

« — Oh ! répondit notre héros, l'éternité est
assez longue pour me reposer ! »

L'impression que laissa l'aventure de M. l'abbé
Guyon fut si pénible, que plus de cinquante ans
après, elle était encore très vivace. Le clergé de
Chambéry ne pouvait se persuader qu'une mission
dans cette ville pût avoir lieu sans graves difficultés. Cependant, grâce au zèle intelligent et énergique de Mgr Hautin, elle fut acceptée, et quatorze
Pères Rédemptoristes, dirigés par le Père Gavillet,
supérieur provincial, s'y employèrent avec succès
au Carême de l'année 1896.

Un mot maintenant sur la mission donnée par

---

(1) Parent de M. l'avocat Fr. Descostes.

M. Mermier, à Sallanches, en juin 1833. M. Favre
tint à y prendre part, pour une raison que M. Jacquier, employé à la même mission, expose en ces
termes : « Comme on avait dit à M. Favre que la
communion un peu fréquente (lisons des dimanches et des fêtes), avait été établie dans cette paroisse avec la confession seulement de trois semaines, il demanda d'y venir et cela, m'a-t-il dit,
afin de voir par lui-même comment la communion
fréquente pourrait s'établir avec la confession de
trois semaines. Il y vint donc avec M. Mermier et
d'autres missionnaires. J'y fus avec eux. M. Favre
travailla beaucoup et tint le haut bout de la mission. Il me dit plus d'une fois : j'ai confessé plus
de 700 personnes habituées à la communion fréquente ; je n'ai trouvé parmi elles que deux sacrilèges positifs et trois douteux ; j'en ai rencontré
beaucoup parmi les personnes qui ne se confessent
que rarement. »

Voilà ce qu'il m'a affirmé. Ce saint homme a pu
en cette circonstance constater ce qu'il cherchait
depuis longtemps. Il résolut dès lors de rédiger son
ouvrage inappréciable connu sous le nom de *Ciel
ouvert*. C'est la mission de Sallanches qui l'y a décidé. On verra plus loin que cette mission fut pour
lui l'occasion d'une cruelle épreuve à propos de
M. Allard.

Vers le même temps, notre ardent propagateur
des doctrines romaines se promettait un pèlerinage
à Rome. Le bien des missions l'empêcha de satisfaire ce désir le plus cher à son cœur. « L'homme
propose, se contenta-t-il de dire, et Dieu dispose. »

Là-dessus, il reprit une fois encore sa croix de missionnaire et partit. Avant de rapporter la dernière mission de M. Favre, citons, au risque de répéter l'un ou l'autre menu fait, quelques particularités qui n'ont pas pu trouver place en leur temps.

Sa manière d'ouvrir une mission rappelle celle de saint Alphonse. Il faisait sonner la cloche dès son arrivée, montait en chaire et exposait le but des exercices, leurs avantages et leur nécessité d'une façon impressionnante. Depuis lors, quand on disait d'un missionnaire qu'il avait donné un beau discours, les vieux répondaient : Ah ! si vous aviez entendu M. Favre à l'ouverture de la mission ! — Si ingénieuse que fût son humilité, il ne parvenait pas toujours à cacher ses vertus ou les faveurs dont le ciel les récompensait. Un domestique entrant par mégarde dans la chambre du saint missionnaire vers le milieu de la nuit, le trouva à genoux, les bras en croix, et si plongé en oraison qu'il ne s'aperçut de rien. — Il priait beaucoup et faisait beaucoup prier. « Oh ! disait-il, si durant vingt-quatre heures tout le monde priait, on verrait cesser tous les scandales. » — Pendant les exercices, tous les missionnaires et coopérateurs devaient être à l'église. Il leur faisait interdire l'accès du presbytère afin de laisser aux personnes de service le temps de faire leur mission. — Lui arrivait-il d'en réprimander vivement l'un ou l'autre? il se mettait à genoux pour lui demander pardon.

Un jour, il envoie le curé de la paroisse où se

donnaient les exercices inviter à la mission un
pécheur scandaleux. Le digne pasteur revient morfondu : Il m'a craché au visage, dit-il, il m'a jeté
dehors ! — Bon signe ! réplique M. Favre, le
démon est à bout ; récitez un chapelet et retournez
vers cet homme, il vous suivra à l'église. Le curé
obéit et revient suivi de sa brebis perdue. Ce pécheur était — la suite le montra — converti pour
de bon. Une paroisse tardait-elle à venir aux exercices ? Jeûnons, disait-il à ses compagnons, jeûnons pour les pécheurs ; on n'obtient rien de
grand sans user de violence. On le voyait alors
ajouter la discipline au jeûne et se flageller jusqu'au sang. — La servante du curé de Beaufort
affirma avoir trouvé plus d'une fois ensanglanté le
lit du saint missionnaire.

Pour le catéchisme du peuple, il le faisait tous
les jours avant la conférence, et selon la méthode
de saint Alphonse. — Il ne souffrait pas qu'on se
servît de l'Ecriture Sainte par mode de conversation. — Il répétait avec complaisance la boutade
suivante : De tous les verbes le plus difficile à
apprendre est celui-ci : *Abneget semetipsum !*

En chaire, il était d'une simplicité et d'un laconisme inimitables. Il faut, disait-il, que la dernière des femmes nous comprenne et que nos
instructions se répètent dans le peuple à la façon
des proverbes. — On l'entendit plus d'une fois, non
sans sourire un peu, dire aux bonnes gens de la
campagne : Le monde ! je le donne pour deux cen-
times ; même, si on marchande, je le donnerai
pour rien. — Parlant de la mort subite : Ecoutez,

disait-il : Un pilier de cabaret, après avoir avalé
deux ou trois verres de vin, baisse tout à coup la
tête sur la table. Lève-toi, crient ses compagnons,
lève-toi donc ? — Oui, lève-toi ? lève-toi ? — Il est
mort ! — Ecoutez encore : On peut mourir en
jouant. Deux hommes jouaient aux échecs : l'un
appuie sa tête sur ses deux mains comme pour
méditer un coup habile. Après un moment d'attente son compagnon, commençant de s'impatienter, le presse de jouer. Joue donc, mais joue
donc ! — Oui, joue donc ! — Il est mort !...
Ce laconisme dans la bouche de M. Favre produisait des effets extraordinaires. On disait de lui :
Quel rude ouvrier ! quel bon faucheur ! Tout ce
qu'on aurait pu lui reprocher, c'était de trop crier.
Il en convenait, du reste, aimablement : « Nous
avons hurlé la parole de Dieu, disait-il, mais si
l'on est lion en chaire, au moins faut-il être agneau
au tribunal. » Ayant reproché son ignorance religieuse à une grande dame, celle-ci répliqua : Comment, Monsieur, vous avez le front de m'appeler
ignorante, moi qui n'ai fréquenté que de bonnes
compagnies ! C'est vous, Monsieur, qui êtes un
ignorant. A cette sortie de femme, M. Favre fit
cette réponse : Bravo, Madame, bravo, je ferai
quelque chose de bon de vous, continuez ! —
A un curé un peu rude, il disait : Soyez bon envers vos gens, soyez bon. — Vous étiez autrefois
rigoureux vous-même ! — Je m'en repens, je m'en
repens ! — A qui lui reprochait d'absoudre parfois
de grands pécheurs dès la première confession, il
répondait : « Prouvez-moi que c'est le temps qui

donne la contrition et je serai de votre avis. » Il
s'enquérait des dictons du pays afin de s'en servir
dans ses prédications, pratique très agréable au
peuple. En récréation, le temps ne durait pas avec
lui. Il avait le petit mot pour rire. Un jour, dit un
curé, nous étions à table ; je ne parvenais pas à
découper une poule un peu vieille : « Donnez-moi
cela, dit-il, je suis fils de charpentier. » Lui témoi-
gnant, continue le même curé, la peine que j'éprouvais de retomber si facilement dans le péché :
« Eh ! que voulez-vous, me dit-il, on va en paradis
clopin-clopant, en passant par le purgatoire. » Il
m'exhortait à bien faire chaque jour l'examen de
conscience : Mais, répondis-je, souvent on ne
trouve rien. — « Pas nécessaire de trouver, répli-
qua-t-il, il suffit de bien chercher ! » On lui a
reproché d'être dur envers ses collaborateurs, c'est
une calomnie, il n'était dur que pour lui-même.
A quelques exceptions près, la masse du clergé
avait pour lui autant d'affection que d'estime. Le
peuple des campagnes l'adorait. On aurait fait
tous les sacrifices pour lui venir en aide, mais il
se dérobait à tous les services.

« Etant allé le voir dans sa cellule de Conflans, je
le priai de venir prêcher à mes paroissiens, il accepta aussitôt mais refusa le cheval que je voulais
lui envoyer. Il vint à pied, à travers la montagne
et sous une pluie torrentielle. Arrivé à la cure,
trempé, il se mit à réciter son office près du feu. —
Il faut changer de linge, lui dis-je. — Je ne change
jamais, il y a prescription. — Vous êtes robuste, il
est vrai, mais pourquoi abuser de votre santé ! —

Oh ! je suis dur, je n'ai que des os. Et, pour détourner la conversation, regardant un tableau de la médaille miraculeuse appendu au mur, il fit cette belle réflexion : Voyez, elle a les mains pleines de grâces : pour les recevoir, on n'a qu'à se mettre dessous. »

Plusieurs mois après la mission de Montvalezan-sur-Bellentre, le cours de ses travaux le fit passer dans cette paroisse. Il entre au presbytère et, pour tout repos, témoigne le désir d'adresser la parole aux habitants. M. le curé qui l'aimait « comme ses yeux » court sonner la grande cloche. Croyant à un incendie tout le monde se précipite. Une fois son peuple rassemblé devant l'église : Entrez, entrez, leur dit le brave curé, c'est M. Favre qui veut vous prêcher. Tous entrent pêle-mêle, et le missionnaire leur fait une si belle instruction qu'aucun d'eux ne se repentit d'avoir quitté son travail pour venir l'entendre.

On le voit, cet apôtre, qui riait des prédicateurs qui se servent d'un beau mouchoir pour s'essuyer les lèvres après avoir versé sur l'auditoire un torrent de crème fouettée, s'était par sa parole vive, doctrinale, pratique et familière attaché pour toujours le cœur des vrais chrétiens.

« La dernière mission donnée par M. Favre est celle de Venthon, diocèse de Tarentaise. Il y déploya un zèle surhumain. Sa renommée toujours croissante, la facilité des communications, la reconnaissance de tant de pécheurs convertis y avaient amené une foule immense d'auditeurs. Les paroisses les plus éloignées comme les locali-

tés environnantes s'y étaient portées. Chaque
vallée de la Savoie y avait ses représentants.
L'église ne désemplissait pas. Les réconciliations
se prolongeaient fort avant dans la nuit. Les pénitents qui n'avaient pu arriver la veille aux tribunaux prenaient domicile au lieu saint, attendant
le lendemain pour satisfaire leur piété.

« L'infatigable directeur s'épuise, ses forces le
trahissent et ne répondent plus à son zèle. Le
timbre vocal se brise, on n'entend plus que des
cris étouffés qui arrivent à peine à l'oreille des
auditeurs, encore sont-ils souvent insaisissables.
Pour se faire quelque peu comprendre, il se livre
aux plus violents efforts, il ramasse tout ce qui lui
reste de vie et prouve par lui-même qu'un missionnaire tel qu'il le conçoit ne peut travailler que dix
ans.

« Ses vénérables coopérateurs racontent que les
entretiens qu'il leur faisait le soir au presbytère
révélaient un homme nouveau, un apôtre inconnu.
Jamais ils ne l'avaient vu si touchant, si sublime,
si embrasé d'amour de Dieu. On eût dit le dernier
chant du cygne, le suprême adieu aux missions.
Le salut des âmes! « Oh! le salut des âmes
s'écriait-il! Que ne me suis-je trouvé aux grandes
batailles de l'empire, à Austerlitz, à Wagram, à
Eylau, à la retraite de Moscou! Que d'âmes à
sauver, quelles moissons, quelles richesses pour
le ciel! (1) »

_____

(1) *Vie*, par M. Pont.

Nous dirons, nous aussi, en terminant la série des missions de M. Favre : Oh ! une âme vraiment apostolique, que d'âmes elle sauve, quelles gerbes elle amasse pour les greniers du Père céleste et quels trésors elle accumule pour elle-même en la bienheureuse éternité !

En dépit des apparences — parfois décevantes — il reste vrai que les missionnaires sont des sauveurs, et que toujours il faudra dire d'eux cette parole de nos Saints Livres : *Qu'ils sont beaux les pieds de ceux qui annoncent la Paix et les biens éternels !*

LIVRE QUATRIÈME

LA GRANDE ÉPREUVE DE M. FAVRE
1833 — 1835

CHAPITRE PREMIER.

M. FAVRE, ÉCLAIREUR ET PIONNIER DU MINISTÈRE ECCLÉSIASTIQUE EN SAVOIE.

C'est un spectacle consolant pour notre foi et qui fait éclater l'infinie sagesse de Notre-Seigneur, de

Eglise paroissiale de Beaufort.
La chaire.

voir l'Eglise sortir des révolutions avec une nouvelle force et une nouvelle splendeur. — Les orages qui brisent les trônes humains ont pour effet de consolider la chaire de Pierre. Observons-le cependant, il n'entre point dans les plans de la Providence d'agir seule. Là où elle veut accomplir le prodige dont nous venons de parler, elle suscite un homme assez grand pour

servir ses desseins. Jetons un coup d'œil sur notre
France au lendemain de la grande Révolution, nous
verrons chacune de ses provinces ecclésiastiques
relever les ruines accumulées, réformer ses grands
séminaires, ranimer la foi des fidèles, dans la
mesure où lui ont été départis les vrais hommes
de Dieu. N'y a-t-il pas là de quoi stimuler le zèle
des ouvriers apostoliques et les pousser à la vertu
de magnanimité chrétienne?

Généralement, — on pourrait dire toujours —
l'instrument choisi par Dieu pour cette grande
œuvre, l'initiateur des vrais progrès religieux d'un
peuple a été un apôtre savant. La lumière de ces
hommes divins éclaire la route, leur commandement dirige la marche, et prêtres et fidèles s'avancent à leur suite, comme les Hébreux vers la Terre
Promise, quand luisait dans les airs la nuée de lumière.

Nous ne craignons pas de l'affirmer, M. Favre
fut un de ces élus de Dieu. Elever moins haut son
piédestal, ce serait manquer à l'histoire et se placer trop bas pour mesurer toute la grandeur de cet
homme.

A première vue, quand le lecteur s'apercevra
qu'il n'a pu, malgré d'héroïques tentatives, mener
à bonne fin l'œuvre qui fut son rêve de toute la
vie : la création d'une société de prêtres éduca-
teurs, professeurs et missionnaires, il sera tenté de
se demander si notre héros n'a pas échoué au
port? Nous répondrons que nous ne le croyons
nullement. Fonder une corporation n'est pas toujours réaliser pour un pays l'effort le plus large-

ment régénérateur. Quant à M. Favre, un examen approfondi fait comprendre et reconnaître qu'il a été destiné à mieux encore par ce fait, déjà démontré, qu'il a été l'âme de plusieurs fondations importantes et l'inspirateur des meilleures œuvres apostoliques de son pays. Et tout particulièrement, quelle est des sociétés de missionnaires de Savoie celle qui voudrait dire : Nous ne sommes pas le fruit des enseignements de M. Favre, notre manière de donner les missions vient d'un autre, nous ne le connaissons point pour le père de notre apostolat? Les missionnaires d'Annecy, de Tarentaise et de Myans ne nient point avoir vécu et vivre encore de M. Favre. Le R. P. Boujeon, S. J., à qui nous demandions un jour de nous préciser le rôle joué par cet homme admirable, relativement aux autres missionnaires de Savoie, nous fit la réponse suivante : Tous ont beaucoup travaillé, mais M. Favre, qui ne voulut jamais qu'obéir, a conduit tous les autres sans en excepter son ami M. Mermier, dont il avait fait cependant son directeur et le père de sa conscience.

Il est temps de voir avec quelle largeur ce grand esprit concevait pour sa chère patrie l'œuvre régénératrice par excellence et qu'il appelait : *Congrégation des Oblats de saint François de Sales.* Nous citons, pour n'être pas trop long, le plan qu'il soumettait à M. Mermier à la date du 23 octobre 1832 :

« Mon cher ami, je dois vous donner une idée plus ample de la congrégation des Oblats de saint François.

I. — Les Oblats de saint François se proposent de régénérer le clergé :

1° En tenant, du consentement des évêques, les grands et petits séminaires pour former les aspirants à l'état ecclésiastique aux vertus et aux sciences sacerdotales. Sans cette mesure nous n'aurons que des prêtres ignorants et presque sans vertus.

Ignorants, parce qu'il n'y a que des corps enseignants qui puissent acquérir des connaissances étendues et trouver le véritable mode de les communiquer. Chaque découverte, dans un corps enseignant, devient l'héritage du corps. Il n'y a d'ailleurs qu'une société qui puisse se faire un devoir rigoureux d'acquérir et de communiquer les connaissances utiles aux prêtres. Sans corps enseignant, les prêtres n'auront que des connaissances vaines et superficielles, souvent hasardées, etc.

Sans vertus, parce qu'il faut des maîtres saints pour faire de saints élèves : *nemo dat quod non habet.* Quel est le professeur séculier qui voudra se sacrifier pour ses élèves, pour sa communauté et pour un diocèse qui lui en saura fort peu de gré, s'il n'y est pas poussé par des vœux et par l'exemple de ses collègues ? Sans corps enseignant, point d'exemples accomplis de vertu, point de science spirituelle et véritablement ascétique, point de surveillance exacte, soutenue, universelle, point d'accord ni d'ensemble, ni de méthode de direction dans les collèges et séminaires ; point d'instruction vraiment chrétienne et sacerdotale ; et dès lors, prêtres manqués, prêtres à préjugés, orgueilleux, fiers,

présomptueux, pédants, routiniers Les missions
pourront bien ouvrir les yeux à quelques-uns, mais
le grand nombre demeurera à jamais étranger à
l'action sanctifiante et *éclairante* des missionnaires.

2º En formant, du consentement des évêques,
une congrégation de prêtres séculiers affiliée à
celle des Oblats et suivant une règle et des constitutions qui leur seront propres.

3º En donnant des retraites publiques ou particulières, avec l'agrément ou sur la demande des
évêques, aux prêtres du diocèse où ils se trouveront. Ces retraites sont en général mal données,
parce qu'elles sont données ou par des hommes
peu versés dans les voies de la vie intérieure et
dans l'esprit de saint Ignace, ou par des hommes
trop étrangers à l'exercice du ministère ordinaire.

4º En faisant connaître et procurant aux prêtres
les bons livres qui circulent dans la société.

5º En répandant les bonnes doctrines, les bonnes
pratiques de ministère qu'un long usage et l'approbation des évêques auront consacrées.

6º En unissant les paroisses aux prêtres et les
prêtres aux évêques.

7º En mettant les évêques au courant de tous les
abus du diocèse et de toutes les réformes à faire,
mais avec toute la charité et prudence possibles.

II. — Les Oblats de saint François se proposent
de régénérer, d'améliorer la société, les paroisses,
les laïcs : 1º par le moyen des missions, des retraites publiques, privées, particulières, selon l'exi-
gence des cas ; 2º par le moyen d'une corporation
de maîtres d'école qu'ils formeront pour être clercs,

maîtres d'école et peut-être domestiques de curés ;
3° par le moyen des Sœurs de la Croix qui tiendront les écoles des filles dans les paroisses, et
exerceront toutes les œuvres spirituelles et corporelles de charité qui seront en leur pouvoir et con-
tribueront puissamment au décor de la religion,
lorsqu'on porte le saint viatique aux malades ;
4° par le moyen des confréries, des congrégations
érigées, organisées, dirigées et visitées d'après l'approbation des évêques ; 5° par le moyen des bons
livres, des bonnes pratiques répandues et mises
en vogue de toutes les manières ; 6° par le moyen
des missions étrangères auxquelles se livreront les
Oblats qui auront de l'aptitude et une vocation
marquée pour ce genre de bien ; 7° par le moyen
de la bonne tenue des collèges et petits séminaires
qui formera de bons magistrats.

Voilà un aperçu des vues que se proposeront les
Oblats de saint François et qu'ils exécuteront au
fur et à mesure que la Providence leur en fournira
l'occasion et les moyens. La congrégation ne re-
pousse aucun genre de bien, si ce n'est la direction
des religieuses, dont elle ne se chargera jamais,
et le ministère ordinaire de curé dont elle ne devra
pas se charger. Elle pourra même former, toujours
du consentement des évêques, une congrégation de
prêtres séculiers et réguliers, jusqu'à un certain
point, pour desservir chaque paroisse deux à deux
et y faire des missions stationnaires.

Mais, pour mettre à exécution une horloge à tant
de rouages, il faut d'habiles *ouvriers,* il faut une
congrégation solidement établie, fortement cons-

tituée, puissamment dirigée, constamment surveillée, ce qui ne peut être sans l'exemption (des
Ordinaires), car la dépendance en tout :

1° Entrave l'administration de la congrégation ;

2° Met le supérieur dans de fausses positions ;

3° Expose à la violation des règles et constitutions ;

4° Eveille les ambitions des Oblats qui cherchent
à courtiser les évêques pour avoir leurs bonnes grâces et de bonnes places ;

5° Dissout la congrégation en lui enlevant peu à
peu ses bons sujets pour des places de professeurs, etc.;

6° La sacrifie au bien des diocèses que les évêques cherchent toujours, sans chercher le bien de
la congrégation.

7° Les Oblats dans leur pays sont trop connus
pour oublier le monde et se donner tout à Dieu ;

8° Ils n'ont pas la confiance qu'auraient des
étrangers ;

9° S'ils sont des imprudents, où iront-ils ? etc...

Que serait devenu le P. Guyon s'il avait été
oblat du diocèse de Chambéry après sa mission
manquée de Chambéry ? Les missionnaires ne demandent pas l'exemption pour se révolter contre
les évêques, avec lesquels ils veulent vivre en
bonne harmonie, mais pour être plus réguliers et
plus forts en administration. Sans exemption, je
n'en veux rien. Mais il n'est pas nécessaire qu'on
en jouisse dès les commencements, il suffit qu'on
puisse l'espérer et l'avoir quand on aura une ou
deux maisons solidement fondées.

Il faut que les missionnaires soient éminemment
savants : 1° pour dominer le clergé et se concilier
l'estime et le respect de tous les prêtres ; 2° pour
enseigner les doctrines saines et éminemment
apostoliques ; 3° pour diriger les âmes et décider
tant de cas difficiles. Il faudra qu'ils soient parfaitement versés dans la grammaire, dans la langue du pays, dans la littérature, la philosophie, le
dogme, la morale, le droit canon, le droit civil, les
rubriques, le cœur humain, le monde et surtout
l'histoire. Chacun a une branche qu'il exploitera
et dont il fait part à ses confrères. Et cette mise en
commun de toutes les connaissances qu'on acquiert
rend bientôt universels les membres qui la com-
posent. Elle explorera tous les modes d'instruction
dont les congrégations existantes se servent pour
acquérir des sciences, s'appropriera ceux qui lui
conviendront, tiendra note de ceux qu'elle décou-
vrira. Une congrégation ne naît pas parfaite comme
l'entendent tant d'improvisateurs de constitutions,
mais elle se perfectionne peu à peu et à la longue

Il faut que les Oblats soient éminemment vertueux avant tout : 1° pour savoir enseigner la vertu :
on ne connaît bien que le pays qu'on a parcouru ;
2° pour avoir le droit de l'enseigner ; 3° pour être
crus sur parole ; 4° pour savoir la persuader. Il faudra avoir au moins deux ans de noviciat, un, avant
les grandes études, et un autre après. On ne rece-
vra qu'en humanités. Il faut qu'ils soient irréprochables, et, pour cela, les astreindre et les soumettre à la correction de chaque huitaine, comme
je vous l'ai indiqué dans une lettre.

Il n'est pas nécessaire que chaque missionnaire suive pour ainsi dire à la piste ses confrères et furette leurs défauts ; il suffit qu'il tienne note de ceux qu'il pourra apercevoir tout en s'occupant de son emploi. Cette correction redresse sans cesse l'extérieur, exerce à l'humilité et entretient plus d'intimité entre tous les membres. Je la regarde comme un point capital et essentiel. La première mission à donner c'est le bon exemple à tous les laïcs, mais surtout aux prêtres ; et, pour cet exemple parfait, la correction est indispensable. Faire une heure entière de méditation chaque jour, afin que les prêtres nous imitent. Si nous nous en dispensons en travaillant, nous perdons le clergé en lui apprenant à s'en dispenser, et cela pour confesser deux ou trois douzaines de femmes de plus ; le beau résultat ! Faire un quart d'heure d'action de grâces après la messe pour la même raison. Lire un quart d'heure pendant le dîner, en temps de mission, et 20 versets des épîtres des apôtres au souper ; tout le temps des repas, hors des missions.

Soi avant tout, le prochain après, afin de détromper tant de prêtres qui mettent le prochain avant leur salut et s'épuisent par l'action. Jésus-Christ a passé 30 ans en contemplation, 40 jours et 40 nuits en retraite dans un désert et, pendant 3 ans : *transiit benefaciendo*. Il ne faisait, pour ainsi dire, que se montrer et disparaissait et se retirait dans des déserts, sur des montagnes. Les hommes apostoliques en font de même. — Méditation en commun sur un sujet déterminé, le soir et le matin. — Chacun doit le suivre, à moins que le confesseur n'ait

22.

indiqué un sujet particulier. Il faut que les Oblats
enseignent quelque temps avant de se fixer tout de
bon aux missions, pour apprendre à enseigner ; et
qu'ils fassent des missions quelque temps avant
de se fixer à l'enseignement, pour savoir enseigner
d'une manière pratique. Rien ne peut suppléer à
l'expérience. Il faut qu'il y en ait qui prient pour
faire descendre les bénédictions du ciel sur ceux
qui travaillent. »

Suit un coup d'œil sur différentes congrégations.
Aucune ne lui paraissant répondre assez bien à
ses intentions, il continue ainsi : « Qu'en conclure ? ou faire quelque chose de mieux, ou ne rien
faire ; mais seulement admettre ou appeler une des
congrégations existantes.

« Si l'on veut faire quelque chose de mieux, il
faudrait réunir tous les missionnaires de la Savoie
à Tamié et former ensuite des maisons particulières dans les différents diocèses, dépendantes de
celle-là. C'est toujours ce qu'il y a de mieux à faire.
Votre brave évêque s'oppose sans le savoir à un
grand bien, en s'opposant à cette réunion. Si vous
pouviez le lui faire comprendre et l'amener à un
consentement, vous feriez une excellente œuvre ;
travaillez-y, mais ne consentez jamais à une corporation diocésaine, — ou bien, formez un corps
exempt dans le diocèse d'Annecy, par exemple à
Mélan, qui nous irait si bien : mais prenez garde
que les missionnaires de France ou d'autres congrégations ne vous l'enlèvent, on y travaille en ce
moment. »

« *Faisons mieux que ce qui existe ou ne faisons rien
de nouveau.* » Cette parole à elle seule peint tout
l'esprit de notre héros. Nous allons voir qu'il fut
constamment fidèle à ce principe, aimant mieux ne
rien faire de personnel, préférant utiliser au besoin les congrégations existantes, qu'enfanter une
congrégation inférieure à la perfection dont le Seigneur lui avait donné l'idée.

CHAPITRE II.

De plus en plus convaincu de la nécessité d'un ordre religieux-apostolique, tel qu'il vient de le décrire dans sa lettre à M. Mermier, M. Favre ne cesse durant toute l'année 1832 de pousser à sa formation. Rien d'ailleurs ne trahit en lui le désir d'être fondateur. Au contraire, son unique désir était de quitter le ministère afin de s'appliquer à l'étude, à l'oraison et à l'apostolat de la plume.

La nouvelle que le choléra venait d'éclater en Savoie s'étant répandue autour de lui, il fit ses malles, régla ses affaires et s'offrit à Dieu pour secourir au péril de sa vie tous ceux que le fléau viendrait à toucher. Heureusement, la nouvelle fut trouvée fausse. Il rouvrit alors ses malles, en disant : « Que voulez-vous? il faut bien se remettre à la besogne ordinaire, puisque le choléra n'est pas venu chez nous ! »

Une raison particulière le détournait véhémentement des missions. L'archevêque de Chambéry, Mgr Martinet, avait confié à M. Hybord, depuis quelque temps déjà, le soin de commencer à Tamié la fondation des missionnaires de Savoie, et M. Favre s'était séparé de M. Hybord. Moins que jamais, il était l'homme de l'administration. Si la majorité des curés le suppliaient de continuer les missions, la défiance de son archevêque lui persuadait le contraire, et, sans une disposition toute

providentielle, il se fût retiré à ce moment. Comment dut-il entreprendre l'essai d'une congrégation, malgré les répugnances et les oppositions

Mgr Martinet.

dont nous venons
de parler ? C'est
ce que nous al-
lons raconter,
après avoir prié
le lecteur de ne
pas trouver mau-
vais que nous en-
trions dans le dé-
tail : cette partie
de la vie de M.
Favre deman-
dant à être éluci-
dée pleinement.

L'archevêque de
Chambéry ayant
reçu du roi l'au-
torisation d'éta-
blir une commu-
nauté de prêtres-
missionnaires dans son diocèse, choisit pour leur
résidence l'ancienne trappe de Tamié, située au
sein des montagnes qui séparent la vallée d'Albertville de celle de Faverges ou du lac d'Annecy. Ce
lieu assez central pour les quatre diocèses de Savoie paraissait tout indiqué, dans un temps où,
les routes faisant défaut, les hommes savaient
aller à pied et à cheval. Aujourd'hui, il ne con-
viendrait, tout au plus, qu'à un noviciat ou à une

maison de repos. Cet ancien couvent, dévasté à la
Révolution, demandait des réparations très coû-
teuses, vu la difficulté des travaux dans ce lieu
écarté. Malgré cela, Mgr Martinet chargea secrètement son compatriote Hybord de s'y installer avec
MM. Molin et Richard et de commencer la fondation. A la date du 1er octobre 1830, M. Hybord écrivait à Monseigneur : « J'ai reçu la lettre dont votre
Grandeur a daigné m'honorer, aussitôt après lui
avoir envoyé la mienne ; j'ai été charmé de voir
que mes vues et manières de voir coïncident avec
les vôtres ; il me semble bien que je suis, pour les
réparations à faire ici, etc., toutes vos dispositions.
Comme j'aurai à m'occuper du matériel jusqu'à la
Toussaint environ, il m'est venu en pensée de
prier votre Grandeur, si la chose est possible, de
nous adjoindre deux ou trois sujets de son diocèse, de prier Messeigneurs les évêques de Tarentaise et de Maurienne d'en fournir chacun deux ;
nous serions neuf à dix, nous ferions une espèce
de noviciat jusqu'à Noël, nous irions ensuite commencer les missions, nous irions six ou sept à la
fois et l'on se reposerait alternativement ici, deux
ou trois ensemble. J'ai ouï dire que M. Page, vicaire
de La Motte, M. Maitral, économe de Saint-Louis,
et peut-être encore M. Vignet, pensaient à se faire
missionnaires. Je ne voudrais cependant rien dire,
ni déterminer à leur égard. En Maurienne, M. le
curé de Sollière y pense aussi, à ce qu'on m'a dit; en
Tarentaise, il y en aurait deux ou trois ; et si avec
cela l'on pouvait nous fournir un peu d'argent pour
la maison, j'espère que dans trois ou quatre mois

elle serait montée. Au reste pourtant, il ne nous faudrait pas de bien grosses sommes, et je me fais fort avec nos messes et les 1,600 francs de revenus dont votre Grandeur m'a parlé, de nourrir ici dix à douze personnes ; je pourrai déjà lui donner ici un aperçu à peu près juste des dépenses nécessaires pour réparations, etc.; elles paraîtraient et seraient fortes pour une maison ordinaire, mais pour un bâtiment aussi vaste que celui-ci, il ne me paraît guère pouvoir le préserver de caducité à moins de frais que je l'ai fait. »

L'hiver se passa sans grands résultats et bientôt Monseigneur comprit que, pour former des missionnaires, un homme supérieur est indispensable. Ne voulant pas néanmoins charger M. Favre de la fondation, et n'ayant personne sous la main pour la direction du noviciat, il proposa à M. Hybord de lui adjoindre M. Favre comme maître des novices. M. Hybord répondit le 3 mai 1831 : « Je prends la liberté de prier votre Grandeur de nous procurer des collègues à l'ordination prochaine. M. Favre, comme me l'a proposé votre Grandeur, pourrait rester à Tamié pour les former alternativement, tandis que j'irais en mission tantôt avec les uns, tantôt avec les autres. » Pour des motifs que nous n'avons pu découvrir, M. Favre ne fut pas envoyé aussitôt à Tamié et M. Hybord continua de réparer les immeubles et de constituer la communauté. La lettre qu'on va lire donne une juste idée de l'esprit qui l'animait.

« Tamié, 31 août 1831.— Monseigneur, il est bien temps de rompre le silence tenu depuis longtemps

envers votre Grandeur et de lui faire part de ce
qui se passe à Tamié : 1° Nous nous y plaisons toujours plus. Le bon air que nous y respirons ne
contribue pas peu à nous faire réparer les forces
perdues pendant l'année ; nous y avons des retraitants presque habituellement ; nous y confessons
des personnes des paroisses environnantes, nous
y faisons deux instructions, les dimanches et fêtes :
il y vient encore assez de monde. La Providence
veille sur nous et nous aide jusque dans les plus
petits détails, j'espère que votre œuvre sera l'œuvre de Dieu et que, petit à petit, elle cheminera....
L'on travaille à force à réparer la toiture ; j'ai fort
bien réussi pour les charpentiers ; M. Dénarié ne
les a pas trouvés chers dans leurs prix et ils travaillent bien ; pour quant aux dépenses à faire, j'espère quelles se feront sans qu'on s'en aperçoive. —
2° Je dirai confidentiellement à votre Grandeur que
mon père est dans le cas de me faire une cession
et que j'achèterai ici un fonds qui suffira presque
pour nourrir une quinzaine de personnes et peut-
être plus, et que nous pourrons réserver l'argent
que nous fournissent les fondations en faveur de
notre maison avec quelques secours qu'on peut
trouver pour œuvres pies, et que par ces moyens
nous viendrons peu à peu à bout de faire ici tout
ce qu'il faudra sans toucher ni au fonds ni aux revenus du séminaire. Je me dévoue entièrement à
ceci, je vais jusqu'à m'épargner pour mon entretien, je m'en occupe beaucoup, et je suis bien aise
de le faire sous la conduite de votre Grandeur et
de demeurer sous sa direction et obéissance ; mais

je répugne invinciblement à rendre compte du temporel à l'administration du séminaire. Votre Grandeur met ici les sujets en qui elle a confiance, ils ont plus de fatigue que beaucoup d'autres ; à moins d'abus, ils aimeraient à n'être pas plus restreints que les curés pour leurs bénéfices. — 3° Pour quant aux sujets, au supérieur, etc., c'est à la Providence de faire les vocations et de les manifester. J'espère véritablement qu'elle ne nous manquera en rien... Si votre Grandeur peut me faire envoyer de l'argent, je l'en prierai ; si la chose n'est pas encore possible, je puis encore attendre quelque temps... J'ai tant combiné et cherché à m'industrier de toutes manières que j'espère que, dans une année, notre maison aura, moyennant qu'il nous vienne des sujets, une tournure de communauté religieuse, et qu'alors votre Grandeur accomplira la promesse donnée l'année dernière de venir ici... Pour quant aux lettres dont votre Grandeur daigne m'honorer, ne pourrait-elle pas me les adresser directement ainsi : A M. le recteur de Tamié, près l'Hôpital..., et nous faisons bien toutes les fonctions de recteur, excepté baptiser et marier... Enfin, je finis en priant votre Grandeur d'agréer de nouveau les sentiments de respect, d'attachement, de reconnaissance, avec lesquels j'ai l'honneur d'être son très humble et obéissant serviteur. — J.-B. Hybord, prêtre-missionnaire. »

On peut dire, sans calomnier M. Hybord, que tout en partant d'un zèle vrai, ses idées n'avaient ni l'élévation ni le surnaturel nécessaires.

Entre temps, les évêques de Savoie essayaient de
s'entendre au sujet de cette fondation. Mgr de
Thiollaz, évêque d'Annecy, allait laisser le siège
épiscopal au célèbre Mgr Rey, alors évêque de Pignerol, homme apostolique et capable de fonder
une société de missionnaires. Cet évêque, possé-
dant à lui seul un diocèse aussi étendu que Chambéry, Maurienne et Tarentaise réunis, semblait
préférer s'en tenir à M. Mermier et à l'institution
apparemment diocésaine, dont celui-ci était le digne directeur. Les autres évêques hésitaient.
« Monseigneur de Maurienne, écrit M. Hybord à
l'archevêque, serait disposé à fournir des sujets,
et il en aurait de bons ; il donnerait aussi des sub-
sides pécuniaires, mais il dit qu'il ne sait pas
comment les choses vont et iront par ici. Il dit que,
pour les missions, il ne peut presque point en
avoir dans l'hiver, qui est le temps le plus propice ;
il fait voir, en un mot, qu'il craint d'avoir à fournir, sans parvenir à jouir ; ou de jouir seulement
de ce qui est le moins avantageux. Il serait pourtant bien à désirer qu'il ne se séparât pas de nous.
D'autant plus que Monseigneur de Tarentaise fera
comme lui et que le diocèse de Chambéry ne pourra
former seul un corps apostolique qu'à la longue, et
qu'il n'y aurait jamais autant d'émulation entre un
petit nombre de sujets que s'ils étaient plus nombreux (1). »

L'archevêque de Chambéry, en attendant une

_____

(1) Lettre du 13 septembre 1831.

solution, poursuivait la restauration du couvent
de Tamié. Quelques nuages commençaient à poin-
dre au sujet des comptes de cette maison. Hybord
ne tenait aucun livre, agissait arbitrairement, et
Monseigneur le lui fit sentir. Après s'être excusé
de son mieux par sa lettre du 30 septembre 1831,
celui-ci tâcha de se rendre nécessaire en faisant
entendre que, à de certaines conditions faciles à
deviner, il pourrait fournir des appoints d'argent,
argument auquel les administrations ne sont généralement pas insensibles. Lisons l'entrefilet sug-
gestif de M. Hybord.

« Quant aux ressources, j'espère faire quelque
chose : 1° avec ce que je reçois pour œuvres pies ;
2° avec les secours de quelques amis riches et vertueux qui promettent gros et donneraient bientôt,
s'ils pouvaient savoir *quelle est ma position* et quel
degré de stabilité promet notre affaire ; ce que je
ne puis leur dire puisque je n'en sais rien ; 3° par
les moyens que je pourrai avoir par devers moi-
même dans la suite ; 4° par plusieurs autres moyens
encore. »

Après cette ouverture assez pleine de promesses,
M. Hybord propose à Monseigneur la formation
d'un « corps de jeunes gens instruits, capables
d'instruire les hommes ignorants et de bien catéchiser les enfants. Je me sens, ajoute-t-il, fortement
porté à cet établissement, et je trouverai bientôt
des éléments *ad hoc,* si je fais avec mon père l'acquisition dont j'ai parlé à votre Grandeur, etc. »

Mgr Martinet fit alors venir près de lui l'abbé
Hybord et lui proposa le plan de vie ou la Règle

qu'il comptait donner aux missionnaires de Tamié.
De retour au couvent, M. Hybord lui répond par
une lettre de quatorze pages où il lui dit en substance que cette Règle ne lui semble pas acceptable :

« 1° Les fonds pécuniaires, devant être adminis-
trés par l'archevêché, ne viendront point, vu que
l'on veut donner aux missionnaires et non à l'archevêché. Je connais, ajoute-t-il, deux personnes
dont l'une serait dans le cas de nous donner au
moins vingt mille francs pour sa part; mais tant
que les choses demeureront ainsi réglées, il ne
donnera pas un liard. Si on voit, disait cette personne, que votre maison est un corps religieux,
s'administrant lui-même, au moins pour le temporel, on ne vous laissera pas manquer. — 2° Les
sujets feront défaut, car si votre Grandeur n'a en
vue qu'une œuvre diocésaine, Monseigneur de
Tarentaise pourrait me réclamer comme étant de
son diocèse, et Monseigneur de Maurienne en ferait
autant pour M. Molin, et personne ne voudrait
s'engager dans une maison mal formée et sans garantie de stabilité. — 3° S'il vient des sujets, qui
les formera ? Quand ils auront un peu usé leur
santé, qui les retiendra au couvent ? — 4° Que feront les six missionnaires projetés, pour desservir
168 paroisses ? » — Nous faisons grâce au lecteur
des autres considérants. M. Hybord conclut en
proposant à Monseigneur de céder aux missionnaires la propriété du couvent, moyennant quoi il
se charge de former une communauté religieuse
qui inspirera confiance aux quatre diocèses et où
tout prospérera bientôt.

Cette lettre est datée du 22 octobre 1831.

Un mois plus tard, Mgr Billiet, évêque de Maurienne, écrivait à son tour à l'archevêque : « Monseigneur, j'ai toujours donné une grande importance à l'œuvre des missions ; j'ai toujours désiré
former quelque établissement de ce genre pour
l'avantage de ce diocèse ; mais les ressources m'ont
toujours manqué jusqu'ici et me manquent encore
en ce moment. Le diocèse n'a aucun fonds pour cela,
et, pour ce qui me concerne, les dépenses que j'ai
faites jusqu'ici pour le séminaire, pour les sœurs
de Saint-Joseph et pour racheter une partie du clos
de l'évêché, me laissent dix mille francs de dettes.
Je veux les payer avant tout. Il me serait donc impossible de faire des sacrifices pour Tamié, comme
je l'ai déjà écrit à M. Hybord. Quant aux sujets,
jusqu'ici j'ai dû être difficile parce que le diocèse
se trouvait dans un besoin pressant ; mais je vais
être au courant, et, pour l'avenir, si l'œuvre prenait
une bonne tournure, je ne ferais pas difficulté
d'accorder quelques sujets, moyennant de vraies
marques de vocation, moyennant l'espérance
d'avoir aussi quelques missions. Dans ce cas, je
m'engagerais encore de donner à la communauté
pour chaque mission la somme qui serait jugée
convenable, afin de contribuer aussi un peu à l'entretien des missionnaires en proportion de l'avantage que le diocèse en retirerait. Si la communauté
s'établissait d'une manière satisfaisante, je pour-
rais, dans la suite, leur procurer une maison dans
le diocèse afin d'en avoir une petite section. Voilà
tout ce qu'il me sera possible de faire.

« Du reste, je m'aperçois aussi que M. Favre a
perdu depuis quelque temps dans la confiance publique. M. Hybord n'a pas assez de tête pour être
mis à la tête d'une entreprise de ce genre. Je ne
connais pas les dispositions de M. André comme
missionnaire, mais, pour la direction d'une communauté, je crois qu'il serait en effet difficile de
mieux choisir ; mais il faudrait qu'il fût bien
secondé : jusqu'ici les choix ont été bien faibles.
Il faudra à cette communauté un règlement et des
vœux ; ces vœux pourraient être faits pour un temps
indéfini ; mais il me semble que vous devez vous
réserver d'en dispenser, et de replacer plus tard
dans le ministère les sujets discordants ou inutiles. Sans cela la maison finirait par être encombrée d'invalides : le travail des missions ne peut
pas être un travail de toute la vie. Du reste, je vous
laisse pleine liberté de tirer de la maison de Tamié
tout ce que vous jugerez convenable.

« Je vous réitère l'hommage du profond respect
avec lequel j'ai l'honneur d'être, Monseigneur,
votre très humble et très obéissant serviteur.

« ✝ ALEXIS, *évêque de Maurienne.* »

Nous devons relever le jugement, faux selon
nous, par lequel Mgr Billiet crut pouvoir pousser la
complaisance envers Mgr Martinet jusqu'à lui accorder que M. Favre « avait perdu dans la confiance
publique. » Tout homme peut être trompé et nous
croyons que Mgr Billiet l'avait été lorsque, sur des
renseignements inexacts, il formula cette assertion.
M. Favre, se demandant parfois s'il faisait bien
l'œuvre de Dieu en continuant de prêcher publi-

quement une doctrine que les évêques censuraient, pouvait avoir perdu un peu de sa première ardeur ; mais de là à dire qu'il avait baissé dans la confiance publique, il y a une distance grande. D'ailleurs la conduite des évêques eux-mêmes, qui choisirent M. Favre pour maitre des missionnaires novices, prouve bien que, dans tout leur clergé, aucun homme ne leur paraissait plus digne et plus capable de ces délicates fonctions.

Continuons d'étudier la marche de moins en moins assurée que suivait la fondation des missionnaires de Savoie. Peu à peu, en effet, la confiance qu'on avait pour cette œuvre dans l'autorité ecclésiastique de Chambéry faisait place au découragement ; et les meilleurs esprits se prenaient à dire que Mgr Martinet n'aboutirait à rien, et que même il empêcherait de rien fonder.

Entendons là-dessus trois témoins du temps, bien au courant de cette pénible affaire : M. Ducrey, de Mélan ; M. Allard, d'Annecy, et l'évêque de Maurienne, Mgr Billiet. Nous leur laissons la parole. M. Ducrey d'abord :

« Deux ecclésiastiques, dit-il, pleins de l'esprit de Dieu, M. l'abbé Favre et M. l'abbé Mermier, ont commencé, il y a environ vingt ans, un corps de missionnaires et quand on a divisé les diocèses, M. Favre est resté à Chambéry, M. Mermier est venu à Annecy dans l'intention de s'associer des ecclésiastiques pour une congrégation de missionnaires. Plusieurs se sont joints à eux, mais après avoir travaillé quelques années, ils ont demandé successivement à leur évêque à être placés, désirant

se pourvoir d'un poste pour leurs vieux jours ; surtout que le corps de missionnaires n'offre point
de garantie pour la vieillesse.

« De là il arrive qu'après vingt ans, M. Favre,
avec la meilleure intention du monde, n'a à présent
que deux missionnaires, et M. Mermier en a six
maintenant ; mais, en réalité il n'en a que deux,
parce que les autres ont été envoyés par Monseigneur comme on les envoie à un poste de vicaire,
pour un temps.

« De là est arrivé qu'après vingt ans, la Savoie possède à peine neuf missionnaires ; encore ce sont
des jeunes gens, et en réalité il n'y en a que cinq :
les autres sont d'emprunt (1). »

Une autre lettre écrite par M. Allard, le principal
sujet sur lequel comptait M. Favre, corrobore l'idée
de M. Ducrey, à savoir que la direction imprimée
à l'œuvre par Mgr Martinet ne pouvait conduire
qu'à un échec.

« Séminaire de Chambéry, 9 mai 1833. — Monseigneur, je communique de suite à M. Favre les
dernières résolutions que votre Grandeur a prises
au sujet de notre projet d'une congrégation de missionnaires, lesquelles vous m'avez fait l'honneur
de m'adresser ce matin. J'ai lu votre règle, Monseigneur, avec beaucoup d'intérêt et d'édification.
Des prêtres formés par cette règle trouveront un
puissant moyen de sanctification, des secours
abondants à cette fin. Ce seront d'autres ouvriers

---

(1) Archives de Mélan.

évangéliques que ceux qu'on obtient communément ;
j'ai l'honneur, Monseigneur, de vous parler sincèrement, et quand je me suis trouvé engagé à faire des
observations sur cette règle, j'en ai été peiné et je
me suis trouvé en fausse position, cela ne me va pas.
Je dois donc me borner à ce qui me regarde per-
sonnellement. Je n'ai le courage et la détermination
d'être de l'œuvre qu'autant qu'elle commencerait
sur les bases que nous avons eu l'honneur de vous
présenter, et avec lesquelles seules nous pouvons
attendre l'union des autres diocèses. Les modifications que sa Grandeur vient d'y opposer ruinent
complètement plusieurs articles de ces bases.

« Je prie Monseigneur de ne voir donc dans ma
lettre aucune discussion mais seulement l'expression de mes intentions, et de vouloir bien agréer
une nouvelle assurance de mon profond respect et
de mon entier dévouement avec lesquels j'ai
l'honneur d'être, de sa Grandeur, le très humble et
très obéissant serviteur. — ALLARD, prêtre-missionnaire. »

Terminons par la note suivante extraite d'une
lettre de Mgr Billiet à l'archevêque de Chambéry :
« S'il s'agissait d'établir des missionnaires exclusivement pour ce diocèse, je préférerais qu'ils ne
fussent pas exempts ; mais s'il était question de
former une maison pour quatre diocèses, je pense
qu'une indépendance sagement modérée leur serait nécessaire. Car, s'ils dépendaient totalement
d'un seul évêque, ces missionnaires ne pourraient
plus convenir aux autres. Si vous tenez, comme
Mgr Rey paraît le faire aussi, à une soumission

absolue, il est clair qu'il n'y aura jamais de missionnaires de Savoie (1). »

Cette note de l'évêque de Maurienne peint bien
la situation. Par une tournure d'esprit assez commune, Mgr Martinet voulait être le directeur et le
maître de ses œuvres au point de n'oser les abandonner pleinement à personne. A M. Hybord il fit
faire les réparations du couvent, à un autre il voulait confier le spirituel de la communauté, aux
évêques ses collègues, il aurait accordé certains
droits sur le travail des sujets, lui seul resterait
supérieur de fait comme de droit. Il résulta de
cette manière étroite d'administrer l'impossibilité
de fonder la congrégation projetée. Mgr Martinet,
pressentant un échec, voulut tenter un dernier
moyen : celui de confier à M. Favre la tâche de
diriger le noviciat des missionnaires. Voyons avec
quelle héroïque abnégation notre saint directeur,
après avoir été écarté sans ménagements, accepta
et remplit ce rôle plus qu'ingrat.

-----

(1) Lettre datée de Saint-Jean de Maurienne le 5 juin 1833.

CHAPITRE III.

Au commencement de l'année 1833, Mgr Billiet consulta Mgr Rey sur la grosse question des missionnaires de Savoie à établir pour toute la province. L'évêque d'Annecy qui était loin de partager toutes les vues de Mgr Martinet n'admettait surtout pas sa manière d'entendre la création de cette œuvre. Il répondit : « Le projet que vous m'avez envoyé pour les missions ne saurait réussir de cette manière : les seules conditions de Mgr l'archevêque le prouveraient ; mais ensuite jamais un établissement n'a commencé sur de telles bases. Dans l'avenir cela pourra arriver et

Mgr Rey, évêque d'Annecy.

j'espère de voir, en effet, un corps de missionnaires savoyards pour tous nos diocèses ; mais ce sera
le résultat des essais partiels qu'on aura faits dans
chaque diocèse, et que l'on coordonnera ensuite
vers ce but : impossible que cela aille autrement.
Je n'ai pas le temps d'entrer dans le détail, mais
c'est pour moi une démonstration (1). » Dès ce
jour, l'œuvre à laquelle M. Favre devait être appliqué par l'archevêque devenant irréalisable, Dieu
semble n'avoir permis d'y employer notre directeur que pour faire éclater sa vertu.

Autant la direction de Mgr Martinet avait été
mal inspirée, autant celle que Mgr Rey, évêque
d'Annecy, donna dès le début à ses missionnaires
fut heureuse et féconde. Aussi M. Mermier, fort
d'un tel appui, pouvait-il, sans être prophète, prédire dès l'année 1833 que seul il fonderait un corps
de missionnaires en Savoie. La Haute-Savoie se
détachait de plus en plus de la Savoie. Conduite
avec intelligence et esprit de suite par un évêque
habitué aux fondations — il avait déjà fondé une
maison d'Oblats dans son diocèse de Pignerol —
elle allait enfin fournir à M. Mermier le moyen de
constituer sinon toute l'œuvre conçue par M. Favre
— elle est encore à faire — au moins une corporation qui tendrait au même but, dans le même
esprit, par les mêmes procédés.

Pendant que la Savoie était ainsi divisée en
deux branches, l'une prête à fleurir, l'autre en voie

---

(1) Lettre du 6 mars 1833.

de se dessécher, que devint notre saint mission-
naire? M. Favre commençait la montée du calvaire.
Les jansénistes et les gallicans, comme aussi les
prêtres que l'exigeante ferveur de notre héros
fatiguait, se crurent-ils soutenus tacitement par
Mgr Martinet? Nul n'en saurait douter longtemps.
Ils s'unirent plus que jamais pour renverser le zélé
réformateur. « Comment, disaient-ils, aurons-nous
jamais une société de missionnaires, tant que
Favre restera directeur des missions du diocèse?
Il tue ses hommes, sa dureté est insupportable.
Tous les prêtres qu'on lui a adjoints ont été forcés
de le quitter, et nous avons vu M. Hybord prendre
peu à peu la place de son maître. » M. Favre n'opposa longtemps qu'un héroïque silence à toutes ces
clabauderies. Il aurait dû, pour les faire cesser,
dévoiler certains défauts intimes de ses collègues
et donner la vraie raison de leur défection. Sa charité et son humilité répugnaient à ce moyen de défense. Un jour cependant, il le fit avec simplicité
et réserve dans une lettre à Monseigneur, datée du
mois de juillet 1834.

« M. Ducis, écrit-il, a quitté les missions d'après
ma permission, parce qu'il ne pouvait ni dormir ni
reposer pendant la nuit. M. Martin a été renvoyé
comme un original fait pour vivre seul. M. Richard
a quitté sans rime ni raison, par le seul effet de son
inconstance bien connue dans toute la Maurienne,
et qui lui ferait encore aujourd'hui quitter son
canonicat si on ne le détournait pas d'une semblable idée. M. Golliet a été renvoyé pour m'avoir
dit qu'il quitterait les missions pour aller servir

son oncle malade, si on ne lui donnait pas un
vicaire. Le nombre de ceux qui m'ont quitté, tant
de fois exagéré, prôné, reproché, répété à satiété,
se réduit à un ! Voilà la fable des œufs réalisée »

Un trait plus sensible à M. Favre fut de voir
s'éloigner M. Allard, l'homme sur lequel il comptait le plus après M. Mermier. Notre missionnaire
ayant eu lieu de craindre que celui-ci, complètement dominé par son évêque, ne fût obligé de
former, au lieu de la congrégation projetée, une
simple communauté de missionnaires diocésains,
s'était entendu avec M. Allard pour parer à cette
éventualité, — quand tout à coup cet homme de sa
droite l'abandonna. Le lecteur a vu la première
cause de cette séparation dans la lettre de M. Allard
à Mgr Martinet.

M. Favre nous apprend la cause occasionnelle
dans les termes suivants : « Sentant mon incapacité
pour une telle entreprise (la création de la Société
des missionnaires), j'attendais que Dieu m'envoyât
quelqu'un pour seconder, exécuter et réaliser mes
vues. Le bon Dieu exauça mes vœux l'année dernière, en m'envoyant M. Allard, qui entrait dans
tous mes projets, qui partageait avec moi les mêmes
idées et les mêmes sentiments, et qui était véritablement fait pour nous diriger et exécuter le plan
de la nouvelle congrégation. J'eus le malheur de le
laisser seul avec mes collègues à la mission des
Chapelles, en qualité de supérieur de la mission,
pendant que j'allais à la mission de Sallanches,
dans le dessein de connaître les missionnaires
d'Annecy et de les amener à une union générale.

Mes bons confrères manquèrent à toutes les con-
venances à son égard. L'abbé Molin et l'abbé Retornaz passèrent ensemble toutes leurs récréations
sans daigner lui parler une seule fois. L'abbé
Hybord, selon sa coutume, plein de confiance en
sa manière de voir et de faire, crut devoir et pouvoir désapprouver la manière de procéder de
M. Allard : prêcher, confesser, donner des avis,
sans aucun égard pour lui et pour la Règle. De tels
procédés dégoûtèrent de l'œuvre M. Allard, qui
me dit au sortir de la mission : 1º que je n'avais
pas su former à la Règle et à l'obéissance mes
collègues ; 2º qu'il ne voyait pas en eux des dispositions pour l'entreprise d'une congrégation, si ce
n'est peut-être dans l'abbé Molin qui paraissait lui
promettre quelque chose de mieux ; 3º qu'en conséquence, il abandonnait l'œuvre pour toujours.
Cette détermination, à laquelle je m'attendais si
peu, fut pour moi un coup de foudre. »

Que va donc devenir notre missionnaire, ainsi
abandonné ? Une tempête horrible s'éleva dans
son âme : « Je ne savais, écrit-il, à quoi me résoudre. Je me sentais attiré vers l'œuvre par le sentiment de sa nécessité, par la confiance en Dieu, par
une certaine facilité qu'il m'a donnée pour exercer
le saint ministère. D'un autre côté, je me sentais
repoussé de l'œuvre par le sentiment de mon incapacité, par le peu de dispositions de mes confrères, par le discrédit dans lequel notre rupture
de trois ans avait jeté l'œuvre des missions, par
ma réputation de sévérité assez répandue et si propre à éloigner les vocations, quoique elle ne soit

pas fondée autant qu'on le croit. Je me sentais repoussé encore par le désaccord des évêques, par le
peu de ressources que présentaient les diocèses de
Tarentaise et de Maurienne, et surtout par l'indifférence de notre siècle, si pauvre en générosité. Je
me lançais, j'oscillais, j'hésitais, sans savoir à
quoi me déterminer. »

Cette tempête affreuse se prolongea trois mois
entiers. C'était l'agonie, et quand, fatigué de combattre, l'intrépide soldat voulait se laisser tomber
à terre, ou s'aller reposer au fond d'une cellule de
moine, ses amis, ses directeurs lui disaient : Non !
Avancez jusqu'au bout, buvez le calice jusqu'à la
lie.

Il dut en effet l'épuiser. Monseigneur de Chambéry, qui l'avait combattu publiquement, qui le
discréditait sans ménagement, qui lui avait ôté la
confiance des quelques sujets dont il était entouré,
sentant que tout allait crouler, eut le courage de lui
dire : Maintenant, allez à Tamié, ouvrez le noviciat, fondez ma maison de missionnaires à moi, selon mes vues particulières, et conformément à ma
seule volonté. Il le chargea de contrôler l'administration Hybord : mission plus que délicate, on
le devine. Pour tout dire en un mot, il lui enjoignit de tenter à ses risques et périls une œuvre
qu'on savait irréalisable dans les conditions données.

Devant la parole de son évêque, M. Favre ne
connaissait qu'une chose, l'obéissance. Pour s'encourager au sacrifice, il se persuadait que Dieu
bénirait sans doute son humiliation en lui envoyant

un supérieur, un fondateur, M. Mermier peut-être. En tous cas, il voulait pouvoir dire après essai loyal : Dieu ne m'appelle pas à la mission que son ministre m'a confiée. C'est dans ces sentiments de saint qu'il s'inclina sous la croix, faisant, selon ses propres expressions, « le sacrifice de ses répugnances et de la prudence humaine, *le plus grand sacrifice de sa vie.* »

Nous le trouvons à son poste de Tamié dès l'automne 1833. A peine le sut-on père-maître, et chargé de constituer un corps de missionnaires, que les vocations commencèrent à se montrer. A elle seule, la Tarentaise présenta trois sujets.

Cependant, une préoccupation plus urgente encore que le recrutement des futurs missionnaires s'imposait à M. Favre ; il se décida à faire un dernier appel aux différents diocèses de Savoie en vue de l'œuvre générale, que de concert avec M. Mermier il avait toujours projetée. Hélas ! cette union si désirable et si désirée ne devait jamais s'accomplir. Le lecteur en connaît déjà plusieurs raisons. La lettre qui suit le renseignera mieux encore sur ce point ; elle montrera en même temps de quelle manière notre Maître des novices préluda à ses fonctions. Cette lettre est adressée à l'archevêque de Chambéry.

« J. M. J. — Tamié, le 21 novembre 1833. — Monseigneur, je viens de visiter Monseigneur de Tarentaise pour lui demander des sujets et lui faire signer les bases d'union. Il a dit qu'il lui était impossible pour le moment de nous céder un de ses prêtres, vu la disette dans laquelle il se

trouvait par le départ de MM. Jarre, Chessay, par
la maladie de M. Anceney, curé d'Allondaz, par
une espèce d'aliénation mentale survenue à un de
ses vicaires ; qu'il ne pouvait nous donner des sujets que dans une huitaine de mois. Pour les bases
d'union, il a trouvé un grave inconvénient à les
signer telles quelles, parce que, d'après la teneur
de ces bases, chaque évêque signataire doit fournir
300 francs de pension et l'assurance des rétributions de messes pour chacun des sujets qu'il enverra à Tamié, ce qui ferait une somme et en même
temps une charge considérable pour lui et ses successeurs, si le nombre des sujets s'augmentait d'année en année ; charge qui pourrait se prolonger à
l'indéfini vu qu'il n'y a point de terme précisé. Il
consent à payer 300 francs de pension pour chaque
année de noviciat, ce qui ferait 600 francs pour les
deux années, et à fournir des rétributions de messes pendant le noviciat et hors le temps du noviciat. Mais, hors le noviciat, les rétributions tien-
draient lieu de pension et devraient suffire, vu que
les missionnaires sont, la moitié de l'année, en
mission. C'est du moins sa pensée, je laisse à votre sagesse le soin de s'entendre avec ce digne évêque, ou du moins je prierai votre Grandeur de me
dire si elle approuve son projet, afin que je lui renvoie les bases de l'union qu'il signera avec la clause
que je viens d'indiquer. Du reste, le diocèse de
Tarentaise était riche en vocations cette année-ci.
M. Ducis, curé de Moûtiers, M. Reymondaz, recteur de La Côte-d'Aime, M. Golliet, recteur de La
Bâthie, les vicaires de Chevron, du Bourg et de

Marthod demandaient à entrer dans notre petite congrégation. Il est fàcheux que le brave évèque n'ait pas été un peu plus généreux. Quant aux vocations de Maurienne, elles sont toutes restées en route. M. Gaden s'est trouvé trop vieux, il n'a pas tant tort. M. Bonnetty n'y pense plus, et quant à M. Albrieux, recteur, archiprêtre de Bonvillard, mes confrères le trouvent et trop vieux (44 ans) et trop peu robuste, et nous avons conclu qu'il ne fallait plus y penser.

« Nous n'avons pas encore pu commencer notre noviciat, soit parce que les croisées ne sont pas encore faites, soit parce que nous n'avons pas encore les livres qu'il nous faut, soit parce que nous ne pouvons pas encore mettre l'ordre dans la maison. Nous nous livrons à l'étude en attendant, et faisons trois classes par jour. Nous suivons l'ordre suivant : à 5 heures, lever ; 5 h. 1/2, méditation dans nos cellules ; 6 h. 1/2, messe, petites heures, action de grâces ; 8 heures, déjeuner et récréation ; 8 h. 1/2, étude ; 10 heures, classe ; 11 heures, étude ; 11 h. 3/4, examen particulier ; midi, dîner, lecture, récréation ; 1 h. 3/4, vêpres, complies, visite au Saint-Sacrement ; 2 h. 1/2, étude ; 4 heures, Matines, Laudes ; 5 heures, classe ; 6 heures, étude ; 7 h. 1/2, classe ; 8 heures, souper, récréation ; 9 h. 1/2, examen de conscience, préparation de la méditation ; 10 heures, coucher. Un jour de congé par semaine. Mes collègues ont fort bonne volonté, se portent fort bien, hormis M. Molin qui n'a qu'une santé médiocre.

« L'étude et la Règle m'occupent si fort que je

n'ai pas encore pu prendre une connaissance un
peu détaillée du train et des affaires temporelles
de la maison, je vous en parlerai sitôt que mes occupations auront un peu diminué. Notre congrégation réduite à cinq est bien petite, mais si Dieu
le veut, il saura bien faire croître le grain de *chcne-
ris*. Ma confiance est en lui pour les vocations, je
n'ai d'autre souci que celui de nous former aux
sciences et à la vertu. Je compte beaucoup sur vos
ferventes prières pour le succès de cette œuvre *qui
est la vôtre*, et je vous renouvelle, au nom de tous
mes collègues, l'expression de ma vive reconnaissance et du parfait dévouement avec lesquels nous
sommes tous, Monseigneur, de votre Grandeur, les
très humbles et obéissants serviteurs et enfants.
— L'abbé FAVRE, supérieur. »

Nous n'insisterons pas pour faire ressortir le
zèle de M. Favre à promouvoir l'union des diocèses dans l'œuvre des missions de Savoie. Il alla
jusqu'à offrir sa démission de supérieur pour permettre à Monseigneur d'Annecy de placer M. Mermier ou M. Allard à la tête de la fondation. « Si
Mgr Rey, écrivait-il à l'archevêque, faisait quelques difficultés par rapport à mon élection à la
supériorité, je suis tout disposé à ce que l'on voudra et à me décharger d'une charge dont je sens le
poids plus que jamais (1). »

Tout échoua. Mgr Rey avait jugé d'un coup d'œil
toute la situation et, sans perdre un jour, s'était

_____

(1) Lettre du 15 janvier 1834.

mis à l'œuvre avec M. Mermier, dès son arrivée au siège d'Annecy. Quant à MM. Favre et Allard, il écrivait d'eux cette boutade : « Ce sont deux saints, oui ; mais qui seront *singulariter, donec transeant.* » Il disait encore : « Quant à l'abbé Favre, je doute fort qu'on puisse le mettre à un autre moule que celui qu'il s'est fait lui-même. » Et, sans doute, Mgr Rey croyait qu'il aurait fallu un moule moins absolument personnel, pour mieux couler sa propre statue.

Les documents que nous avons sous les yeux fatigueraient l'attention du lecteur. Nous nous contenterons d'en donner une brève analyse. On manquait d'argent. Pour en avoir, l'administration parlait de faire valoir les biens ruraux de Tamié par des employés laïcs. Les missionnaires demandaient que l'on confiât cette exploitation à des frères convers dont ils auraient la direction. Mais où prendre et comment former ces frères ? Les essais de M. Hybord à cet égard et ses entreprises pour la culture des terres de Tamié avaient été si malheureux, que l'archevêque en était venu à menacer de fermer la maison. Notre saint missionnaire, à qui l'œuvre des missions semblait digne de suprèmes efforts, écrivit alors à Mgr Martinet pour le prier de laisser s'accomplir le noviciat, avant de prendre des mesures découragées. « Je suis venu ici, disait-il, d'après votre invitation et d'après l'avis des personnes que j'ai consultées, uniquement pour faire la volonté de Dieu et en faisant le sacrifice d'une partie de mes intérêts spirituels, que j'aurais bien mieux trouvés dans la compagnie des

Jésuites que dans une congrégation naissante. J'y
suis venu, avec répugnance, faisant même le sacrifice du bon sens qui me faisait regarder comme fou
et téméraire le projet de commencer une congrégation avec d'aussi faibles éléments : avec un Père
Hybord qui s'est matérialisé à Tamié et s'est ruiné
la santé ; avec un Père Retornaz qui a une voix si
faible et dont les forces sont également épuisées ;
avec un Père Molin, mon meilleur novice, mais
qui a si peu de santé ; avec un Père Dephanix
d'une santé délicate et lequel tourne autour de sa
conscience comme un écureuil dans sa cage, et avec
l'abbé Favre le moindre de tous. Je suis vraiment
armé à la Gédéon. Il faut avoir une grande confiance en Dieu pour être audacieux à ce point. Mais
je reste à mon poste jusqu'à ce que j'aie constaté
que Dieu se contente de ma bonne volonté. Quant
au déshonneur dont vous nous menacez (en fermant
la maison) je le craindrais peu pour ma part, désirant même de toute mon âme devenir la fable de la
Savoie, si cette ignominie ne devait pas contrarier
la fondation (1). »

L'appel de M. Favre aux quatre diocèses parut
un moment avoir été entendu. M. Allard était
disposé à reprendre le projet d'union et M. Mermier l'aurait certainement suivi sans Mgr Rey,
qui, las de tant de difficultés et assez fort pour
marcher tout seul, ne voulut plus en entendre
parler.

---

(1) Lettre du 23 février 1834.

Faut-il approuver ou blâmer cette manière d'agir? Doit-on dire que le digne évêque eut raison — vu les circonstances — de passer outre les projets de M. Favre? L'union qui, aujourd'hui encore, est à faire n'aurait-elle pas fini par se réaliser, si on avait accordé à M. Favre la confiance dont il était digne? Sans résoudre ces questions, nous constatons qu'elles défrayaient alors la plupart des conversations et tenaient les quatre diocèses de Savoie en une confusion pénible, funeste et regrettable.

Le noviciat de Tamié se ressentit d'un tel désarroi; il fut le dernier des efforts tentés par MM. Favre et Mermier pour unir la Savoie et la Haute-Savoie. Reste à dire comment il fut conduit.

Tamié — Vue d'ensemble.

CHAPITRE IV.

M. FAVRE, MAITRE DES NOVICES A TAMIÉ.

Commencé le 1er janvier 1834, le noviciat de Tamié fut dissous à la fin du mois de juin; il vécut donc six mois à peine.

Prenons d'abord, par une lettre de M. Favre à l'archevêque, connaissance de *l'ordre du jour de janvier*. Nous y verrons l'idée que M. Favre se faisait d'un noviciat de missionnaires. Nous disons l'ordre du jour de janvier, car la disposition des exercices variait souvent, pour rompre la monotonie et appliquer les novices aux exercices nouveaux dont ils ont besoin à mesure qu'ils avancent.

A 5 heures, lever, offrande, bénédiction demandée à la Trinité divine et à la Trinité humaine (la Sainte Famille), *Te Deum* récité pour se réveiller, lit, visite au Saint-Sacrement, examen et prière pendant la visite, souvenir de la méditation en rentrant dans sa cellule ; 5 h. 1/2, méditation dans la cellule sans lumière ; 6 h. 1/2 moins cinq minutes, signal pour clore la méditation ; 6 h. 1/2, messes, petites heures, actions de grâces ; 8 heures, déjeuner en silence, promenade en s'entretenant de ses lectures ; 8 h. 1/2, revue et notes sur la méditation du matin ; 8 h. 3/4, lecture posée et réfléchie de la Bible en latin ; 9 h. 3/4, réflexions et notes sur cette lecture ; 10 heures, instruction sur la méditation du matin ; 10 h. 1/2, notes sur l'instruction et temps libre ; 11 heures, lecture réfléchie d'une considération sur les exercices du noviciat et la manière de les bien faire et notes ; 11 h. 3/4, examen particulier et note du nombre des fautes sur le cahier d'examen ; 12 heures, dîner, lecture à tour de rôle selon les règles de la grammaire et de la prononciation, récréation en se promenant et en s'entretenant de ses lectures ; 1 h. 1/2, récitation du chapelet à tour de rôle en se promenant et en proposant les mystères, vêpres et complies à la chapelle en son particulier, chemin de la croix, lecture réfléchie des *Gloires de Marie ;* 2 h. 3/4, lecture de la Bible ; 3 h. 3/4, réflexions et notes sur la lecture ; 4 heures, Matines et Laudes, temps libre ; 5 heures, répétition de l'instruction de 10 heures par un novice, après laquelle chacun fait ses remarques, exposé de l'instruction en forme de méditation : méditation dans la cellule depuis 5 h. 1/2 jusqu'à 6 heures ; à 6 heures moins cinq, signal pour clore

24.

la méditation ; 6 heures, revue et notes sur la méditation : 6 h. 1/4, revue de la considération de 11 heures du matin ; 6 h. 1/2, étude de l'évangile ; 7 heures, récitation de l'évangile et explication de la considération de 11 heures, exposé de la visite du Saint-Sacrement qui est le même que celui de la méditation ; 7 h. 1/2, visite au Très Saint Sacrement ; 8 heures, souper, pendant lequel lecture, puis récréation en se chauffant et en écoutant le récit de l'histoire de l'ancien Testament ; 9 h. 1/2, préparation du sujet de la méditation ; 9 h. 3/4, examen de conscience et notes des fautes de l'après-midi et des fautes remarquées dans les confrères ; 10 heures, coucher. A déjeûner, une soupe ; à dîner, deux plats et la soupe et un peu de dessert ; à souper, de même. Trois plats à dîner, aux fêtes de 1ʳᵉ classe. Chaque samedi soir, un discours sur la sainte Vierge, composé et débité à tour de rôle. A 6 h. 1/2 de chaque samedi, préparation à la confession ; 7 heures, confession. Chaque semaine, deux promenades, les lundi et jeudi après dîner jusqu'à 3 ou 4 heures du soir. Chaque dimanche, correction publique des défauts remarqués pendant la semaine, après l'instruction de 10 heures, suivie de la tenue du conseil sur les améliorations à faire ; 5 h. 1/2, rendement des comptes qui roulent sur la méditation, les examens, la lecture, l'observance de la règle, sur les notes prises pendant la semaine, et chaque samedi, après dîner, balayer et mettre ordre dans sa chambre. »

A la fin de cet *ordre* du jour, nous croyons devoir placer cette réflexion de M. Gondrand. « On est saisi d'étonnement à la simple inspection des moyens prescrits par M. Favre aux novices, soit pour l'acquisition de la science, soit pour leur avancement dans les voies de la perfection. Et ce qu'il leur commandait, il le faisait lui-même, quand il n'allait pas au-delà (1). »

Un trait nous peint la délicatesse de sa direction. Rendant compte de l'état spirituel des novices à Mgr Martinet, il avait dû relever certains défauts de l'un d'entre eux. L'archevêque écrivit à ce novice une lettre capable de l'impressionner péniblement. M. Favre lui répond : « Monseigneur, depuis ma dernière lettre le pauvre abbé X obéit un peu mieux et prend une tournure plus satisfaisante. Je l'ai humilié plusieurs fois et cela lui a été très utile. Je n'ai pas osé encore lui remettre la lettre que vous lui avez adressée, crainte de le décourager. Il serait beaucoup trop sensible pour le moment au moindre reproche de votre part et cette sensibilité nuirait, j'en suis sûr, considérablement à son noviciat ; j'attends votre avis à cet égard avant de la lui remettre (2). »

Edifiés et soutenus par les instructions et l'exemple de leur Père maître, les novices de Tamié commençaient à goûter les consolations ordinaires à la ferveur. L'un d'eux, l'abbé Retornaz, écrit à l'archevêque les lignes suivantes : « Tamié, 15 février 1834.

---

(1) *Eloge*, p. 42.
(2) 29 janvier 1834.

— Monseigneur, il est bien doux à mon cœur
de pouvoir informer votre Grandeur que le Seigneur daigne répandre des bénédictions abondantes sur l'établissement qui ne doit son existence
qu'aux bontés, aux libéralités et aux sacrifices sans
nombre de votre Grandeur.

« Notre très digne supérieur pour correspondre
au dévouement total et à la sollicitude pastorale de
votre Grandeur, met en œuvre tout ce que sa capacité, la règle et la sagesse peuvent lui suggérer.

« De notre côté, nous tâcherons de correspondre
à ses soins multipliés autant que la faiblesse humaine peut le permettre. Nous ne cessons et ne
cesserons de demander au ciel la prolongation des
jours de votre Grandeur, qui est à la fois le père
de son peuple, le modèle de son clergé et le digne
successeur des apôtres. Je suis avec bien du respect, Monseigneur, de votre Grandeur, le très humble et obéissant serviteur et enfant. — RETORNAZ. »

Un autre, l'abbé Dephanix explique le bien spirituel que lui fait la direction de M. Favre. Ecoutons-le : « Tamié, 17 février 1836. — Monseigneur,
j'ai l'honneur de vous écrire pour vous faire part de
l'état dans lequel je me trouve maintenant, je
prends cette liberté parce que je sais qu'un père
aime connaître ses enfants et qu'il est avantageux
pour un enfant d'être connu de son père. Quand
j'allai prendre votre agrément pour m'engager dans
les missions, votre Grandeur eut la bonté de m'obs-
server qu'elle espérait que le bon Dieu me tirerait
de cet état de scrupule dans lequel j'étais tombé
depuis quelque temps. J'ai l'avantage de vous dire

aujourd'hui , Monseigneur , que vos espérances
sont réalisées presque entièrement ; je vous remercie de tout cœur de m'avoir adressé au médecin
habile qui m'a guéri d'une maladie qui me rendait
nul pour l'exercice du saint ministère. J'espère
maintenant qu'avec la grâce de Dieu, je pourrai
faire quelque chose pour sa gloire. Je vous demande bien pardon d'avoir si mal secondé le digne curé avec lequel vous avez eu la bonté de me
placer vicaire. Je tâcherai à l'avenir de me laisser
conduire par l'obéissance et j'espère que le Seigneur me rendra utile à sa gloire. J'ai trouvé le
directeur qu'il me fallait, un homme dont les lumières et la fermeté pussent fixer mes incertitudes.
Je me plais au noviciat. Je n'y ai encore rien rencontré de pénible, sinon un peu de difficulté pour
quitter quelques mauvaises habitudes contractées
dans le monde, où l'on est toujours livré à soi. Je
finis, Monseigneur, en vous demandant votre bénédiction et vous prie d'agréer l'hommage du profond respect avec lequel j'ai l'honneur d'être votre
très obéissant et soumis prêtre. — DEPHANIX. »

On le voit, M. Favre avait réussi en peu de temps
à établir l'observance religieuse dans la fondation
de Tamié. Mais les intérêts matériels étaient loin
de prendre une tournure aussi satisfaisante. A première vue, M. Favre avait cru pouvoir adopter une
mesure de l'archevêque qui voulait faire valoir les
biens de Tamié par un régisseur. M. Hybord lui
ayant représenté qu'il faudrait dès lors renvoyer
les domestiques entrés à Tamié dans l'espoir de
se faire religieux et que cette mesure entraînerait

de graves inconvénients, il revint sur sa décision
et, d'accord avec ses collègues, proposa à Monseigneur d'aliéner ces biens. Restait à l'assurer que
M. Hybord modèrerait un peu plus les dépenses.
On l'a déjà vu, en effet, l'administration diocésaine
jetait feu et flammes à ce sujet, préférant fermer
la maison que subir plus longtemps une gestion
de biens aussi désastreuse. M. Favre lui donne
dans les termes qu'on va lire, toute l'assurance
désirée.

« Quant aux dettes et dépenses, j'espère que votre
lettre, Monseigneur, aura guéri le Père Hybord
pour longtemps de l'envie d'en faire. Et pour plus
d'assurance de ce côté-là, je lui ferai faire vœu pour
un an, de ne faire aucune dépense, aucun achat,
sans vous en faire part ou m'en faire part; et
comme je suis l'ennemi juré et implacable des dettes et des dépenses au-delà de ses avoirs, je crois
que vous aurez en moi un véritable interprète de
vos intentions. J'ai été toutefois un peu surpris de
voir que vous paraissiez, dans votre lettre, nous
impliquer dans une accusation à laquelle moi et
mes confrères sommes fort étrangers. Je veux dire
l'accusation des dettes du Père Hybord, dont nous
ne sommes ni les auteurs ni les conseillers. J'ai
été un peu surpris de voir que les imprudences
mercantiles du Père Hybord seraient dans le cas
de déterminer votre Grandeur à vendre les terres
de Tamié et à fermer la porte du couvent. Fau-
drait-il donc tuer un corps parce qu'il a un membre
malade ? Ne vaudrait-il pas mieux de mettre de
côté le Père Hybord en cas qu'il ne voulût pas en-

tendre raison, que d'éteindre notre œuvre naissante ? Et le sort d'une congrégation doit-il dépendre de la conduite d'un seul homme ? Au reste,
Monseigneur, j'ai regardé cette menace comme une
menace de mère, que votre paternité a crue nécessaire pour brider la fougue mercantile de l'abbé
Hybord, ce qui me rassure pour l'existence d'une
œuvre qui commence. Je vous parle franchement
et je vous ouvre mon âme, et je vous prie en même
temps et instamment de me dire franchement tous
vos sujets de mécontentement par rapport à Tamié,
à moi ou à mes collègues, toutes les fois que vous
en aurez ; je recevrai toujours avec le plus grand
plaisir vos corrections, vos avis, vos reproches,
quelque amers qu'ils puissent être, et je me ferai
un devoir et un plaisir de m'y conformer. Car,
après tout, vous voulez le bien et moi aussi ; nous
serons bien vite d'accord, moyennant explication,
mais je vous prierai, pour le bien de la congrégation, de ne faire connaitre à personne ces sujets de
mécontentement qui s'ébruitent, viennent aux
oreilles des prêtres et nous font passer pour être
en guerre quand nous sommes en paix, et ne peuvent que détourner des vocations et nuire à l'œuvre. »

Dans cette même lettre, M. Favre ajoute quelques détails sur sa communauté :

« Nous sommes en ce moment à faire la retraite
de la confession générale. Nous sommes tous
bien portants, à l'exception du P. Retornaz, qui a
un rhumatisme qui se porte autour du cœur. Nous
avons trouvé une vocation ecclésiastique dans notre

tre cuisinier que nous avons mis à l'étude du latin.
Il a 18 ans, il a un bon caractère, une bonne santé,
beaucoup de jugement, je crois qu'on en tirera un
bon parti.

« Un carabinier vaudois s'étant converti à la
mission du Bourget, près la Motte-Servolex, par
le ministère du Père Hybord, et ayant fait son
abjuration entre les mains de Mgr Bigex, d'heureuse mémoire, le Père Hybord lui a promis, dans
l'effervescence de son zèle et de son bon cœur, de
partager avec lui le morceau de pain qu'il aurait.
Ce pauvre carabinier, atteint d'une maladie de
consomption, incapable de gagner sa vie, disgracié
de ses parents et sans autre ressource que celle du
bon cœur de son Père Hybord, est en ce moment à
la charge de la maison et nous fait de grandes dépenses. Nous ne pouvons pas le mettre à la porte
sans blesser la charité et sans passer pour cruels
aux yeux du public. Nous prions votre Grandeur
de vouloir bien lui obtenir une place à la Charité.
Le malheur temporel dans lequel il s'est jeté en
renonçant à l'erreur, mérite quelques égards.

« Il faut finir ma longue épître et vous dire, en la
finissant, que je sens plus que jamais le besoin
d'un corps de missionnaires, pour former et styler
les prêtres dans l'exercice du saint ministère,
pour réveiller les peuples qui dorment dans l'ignorance et le vice, pour tenir les collèges dont je connais les vides par une expérience de 3 ans. C'est le
bien de votre diocèse qui me retient ici pour l'expérience de la formation d'un corps de missionnaires.
Cette œuvre est autant au-dessus de mes forces que

le ciel l'est sur la terre, et si elle réussit comme je l'espère, on ne sera pas tenté d'en attribuer le succès au pauvre abbé Favre. Je compte beaucoup sur vos ferventes prières et votre paternel dévouement. Vous excuserez la liberté et la franchise avec lesquels je vous ai parlé. Une once de franchise vaut plus que cinquante mille quintaux de politique, selon ma manière de voir; et je déteste souverainement le monde, parce que tout y roule sur le faux. Recevez l'expression du profond respect, de la vive reconnaissance et de l'entier dévouement de vos enfants de Tamié et de moi en particulier, qui suis, Monseigneur, de votre Grandeur, le très humble et obéissant serviteur. — Le Père FAVRE, supérieur. »

Les espérances que M. Favre cherche à se donner et la crainte trop fondée qui semblait les ruiner d'avance, sont nettement exprimées dans la lettre qu'il écrivait quinze jours plus tard à son archevêque.

« Tamié, le 6 mars 1834. — Monseigneur, je pense que le Père Hybord, d'après les promesses qu'il m'a faites, le repentir qu'il m'a marqué pour ses imprudentes dépenses, les garanties qu'il vous a données pour sa prudence future, les menaces de votre avant-dernière lettre, se réglera invariablement sur vos volontés, qui sont si raisonnables et lui sont bien connues, mais je n'ose ni ne puis les garantir, ni être caution de son amendement sans exposer ni compromettre l'œuvre des missions pour laquelle seule je suis venu ici et ai fait le sacrifice de mes répugnances, de la prudence humaine, et

j'ose dire le plus grand sacrifice de ma vie en y
venant. Il n'est pas raisonnable de faire dépendre
le principal de l'accessoire. Ce dont je puis vous
garantir, c'est que jamais je ne ferai de dettes, ni
ne permettrai au P. Hybord d'en faire à ma connaissance. Je suis ennemi des dettes au-delà de
tout ce que je puis vous dire. La preuve de ceci
est que j'ai répandu des livres pour plus de 20,000
francs depuis dix ans et que, malgré ce commerce
qui est assez considérable pour un pauvre comme
moi, je ne dois pas un sou. Si ces assurances ne
vous suffisent pas, Monseigneur, je me soumets
parfaitement à tout ce que votre Grandeur statuera
par rapport au temporel de Tamié, dont je ne puis
en aucune manière me charger à cause de mon emploi de maître des novices qui m'absorbe tout entier. Si, tout en vous proposant comme meilleur le
projet d'aliéner vos terres de Tamié, je vous ai prié
de nous en laisser pour une année l'administration
aux conditions voulues par votre Grandeur, c'est
dans la crainte de m'opposer à l'œuvre des frères
qui tient si fort au cœur du Père Hybord, et pour ne
pas contrister ce pauvre enfant qui s'est morfondu
à Tamié dans l'espérance d'y voir un jour des frères cultivateurs.

« Ce serait cependant une imprudence de prendre
des engagements pour plus d'une année, soit parce
que je ne puis pas encore savoir si le Père Hybord
— le seul sur lequel je puisse me reposer pour
l'administration du temporel — est assez entendu,
exact, pour m'inspirer et vous inspirer de la confiance, soit parce qu'en cas qu'il ne soit pas propre

à l'administration du temporel, comme j'ai lieu de le soupçonner, j'ignore si la divine Providence me donnera l'année prochaine ou cette année un sujet apte à ce genre d'occupation. Car il faut ici deux prêtres ou deux missionnaires de résidence habituelle, l'un pour le noviciat, l'autre pour la tenue de la maison ; nous ne passons donc le bail que pour un an, sauf à le renouveler à pareille époque si nous avons lieu d'en être contents.

« Mgr Billiet est fort exact aux conditions des bases d'union ; il nous fait passer des rétributions de messes et nous a annoncé le paiement prochain de la pension de 300 francs. Un curé de son diocèse qui ne manque pas de talent et qui a réussi dans des retraites qu'il a données, est venu se présenter ici pour entrer dans notre congrégation. J'en ai fait la demande à Mgr Billiet qui, probablement, vous en parlera. Il nous convient assez. Je vous prie d'appuyer ma demande en cas de besoin ; c'est le cousin du Père Retornaz, curé d'Argentine.

« Quant à Monseigneur de Tarentaise, il m'a montré de la bonne volonté et m'a promis de laisser aux prêtres de son diocèse, qui postulent l'entrée dans notre Congrégation, la liberté d'y entrer dans quelques mois. L'essentiel est qu'il signe les bases et qu'il paie la pension du Père Hybord et lui fournisse des rétributions de messes, puisqu'il le réclame comme prêtre de son diocèse. Je me repose sur votre zèle et ascendant pour en obtenir ces résultats.

« Mgr Rey vous dira peut être que M. Mermier a

de la répugnance à s'unir à nous à cause du départ
de M. Allard. Mais je viens de recevoir de lui une
lettre dans laquelle il me témoigne le désir d'opérer cette réunion qui est ce qu'il y a de mieux à
faire. Car, à quoi bon monter en Savoie deux petits
ménages de veuves, quand on peut faire une bonne
et solide congrégation par la réunion de tous les
diocèses? Il dira peut-être que nous ne pourrons
pas nous accorder. A nous l'embarras. Les exercices d'un noviciat plient l'homme à tout, pourvu
qu'on y apporte de la bonne volonté. Quant aux
pensions de 300 francs, ses missionnaires les dé-
penseront bien où qu'ils soient et vivent. Monseigneur d'Annecy est trop zélé, trop ami du bien pour
ne pas concourir, contribuer à une aussi bonne
œuvre. Mgr Billiet peut avoir beaucoup d'influence
sur lui. Vous pourriez peut-être, Monseigneur,
vous en servir pour le gagner. Il vient d'approuver
pour son diocèse mon plan de bibliothèque d'une
manière charmante et flatteuse et en accordant 40
jours d'indulgence à tous ceux qui concourront
aux frais des bibliothèques à établir dans les paroisses de son diocèse d'Annecy.

« Rien de nouveau pour le moment. Nous avons
terminé heureusement notre retraite de confessions
générales. Le Père Retornaz est remis de son indisposition. Le Père Dephanix commence à prendre
goût à la carrière des missions ; il fait des efforts
pour se corriger de ses scrupules qui ont passablement diminué. Le Père Hybord vous donnera les
renseignements demandés dans votre lettre.

« Je vous renouvelle, etc. — FAVRE, supérieur. »

M. Hybord n'était pas le seul qui donnât des inquiétudes à M. Favre. Sous un autre point de vue et malgré sa bonne volonté, M. Dephanix lui devenait de plus en plus à charge.

« L'abbé Dephanix, écrit le digne père-maître, est travaillé de peines d'esprit presque depuis son enfance. Il a de la bonne volonté et a fait bien des efforts pour se mettre au-dessus de ces peines qui sont assez grandes. Il a déjà beaucoup gagné quoi qu'il ait encore bien du chemin à faire, vu la longueur et la force de l'habitude ; et ses progrès me font présumer qu'il parviendra à une entière guérison. Mais les violences qu'il s'est faites pour aller contre ses craintes et ses inquiétudes lui ont tellement fatigué l'esprit qu'il n'est plus dans le cas, pour le moment, de continuer les exercices du noviciat, qui ne feraient qu'accroître son mal au lieu de le diminuer. Il a besoin de repos, d'action et d'une sainte dissipation pour se calmer et se remettre. Je lui ai bien donné un relâche de dix jours pour se promener, se récréer, se dissiper et se détendre l'esprit, mais comme il n'a personne ici avec qui il puisse se promener, converser, se dissiper un peu, vu que nous sommes occupés à notre noviciat et qu'il trouve sa tête partout où il la porte, le séjour de Tamié ne lui convient pas dans sa position actuelle. Il a besoin de vacances, de conversations, de sociétés un peu moins sérieuses que la nôtre, pour se débrouiller et détendre l'esprit et dissiper son mal de tête. Il m'a demandé à reprendre les exercices du noviciat après ses vacances ; je n'y verrais pas d'obstacle s'il parvenait

à se mettre entièrement au-dessus de ses inquiétudes et à se calmer au point de pouvoir se livrer
aux exercices de la vie intérieure, mais je crois
qu'il n'arrivera pas là si tôt; en tous cas, il m'écrira
sa position, ses progrès en fait de calme, avant
de revenir ici, afin de ne pas faire un second essai
qui lui réussirait aussi peu que le premier. Un
noviciat demande de la tête et du calme, et ne convient pas plus aux scrupuleux que la chaleur ne
convient à ceux qui sont attaqués de la fièvre ma-
ligne.

« Je vous l'adresse comme un prêtre de bonne
volonté et qui ne manque pas de talent, et qui a un
grand besoin d'encouragements, de conseils, de
direction et je le recommande à vos bontés paternelles.

« Nous sommes bien portants pour le moment et
nous continuons nos exercices du noviciat avec
joie, courage et confiance.

« Le Père Hybord a donné une tournure déjà
bien satisfaisante aux domestiques ; mais comme
je ne puis pas les suivre, ni le suivre dans les détails de son administration, je ne puis pas vous
donner de grands renseignements à cet égard.

« On a commencé à dresser les ponts pour blan-
chir l'église et c'est pour nous un véritable sujet de
joie de pouvoir occuper de nouveau une église
sanctifiée par la présence de tant de saints personnages. — FAVRE, supérieur (1). »

----

(1) Lettre du 1ᵉʳ avril 1834.

Citons, pour terminer ce chapitre, une lettre où M. Hybord cherche à recouvrer les bonnes grâces de l'archevêque :

« Tamié, 9 avril 1834. — Monseigneur, mon regret des peines que j'ai eu le malheur de causer à votre Grandeur est toujours plus vif. Je viens de nouveau lui en demander grâce ; étant toujours plus fortement résolu de me conduire par sa direction : je lui ai renvoyé dernièrement la note du mobilier du couvent signée d'après l'ordre que j'en avais reçu, mais je crains qu'elle ne soit pas parvenue ; je me suis pourtant servi d'une occasion qui me paraissait sûre d'après les ordres de votre Grandeur : 1° j'ai donné le prix fait de la réparation de l'église, il est de 200 livres, ce n'est qu'après avoir fait voir cet ouvrage à plusieurs que je me suis déterminé pour les ouvriers les plus accommodants, à qui je reconnais le plus de conscience, avec une habileté suffisante pour faire ce travail... j'ai donné aux mêmes à faire la maçonnerie nécessaire au hangar de Martignon avec un petit endroit pour retirer les harnais des chevaux, etc... La dépense sera de 95 livres... tout calculé... Comme votre Grandeur m'a ordonné de ne rien exécuter sans son approbation préalable, je l'ai prié de me l'envoyer au plus tôt si elle le juge à propos parce que le temps étant beau, les ouvriers veulent mettre la main à l'œuvre de suite. Pour ce qui est du toit du hangar, la chose a été convenue entre M. Masson et le charpentier Floret ; elle s'achèvera d'après cette convention. Je prierai aussi votre Grandeur de vouloir bien nous permettre de bénir provisoirement l'église des étrangers aussitôt quelle sera prête, afin que nous n'en soyons plus dérangés dans nos exercices, en ne les laissant plus entrer dans notre chapelle dans laquelle nous restons jusqu'à ce que la grande église soit arrangée. Monseigneur, je prie votre Grandeur de me condamner à tout ce qu'elle jugera à propos, je me sens disposé à tout ce qui me sera possible, trop heureux de trouver grâce à ses yeux et qu'elle daigne agréer mes respects, et m'honorer du titre et de l'honneur d'être, Monseigneur..., son très humble et très obéissant serviteur. — J.-B. HYBORD, prêtre-missionnaire. »

Qu'il nous soit permis de laisser paraître ici quelque chose des sentiments que nous inspirent les pages précédentes.

Une profonde compassion nous gagne à la vue d'un homme aussi supérieur que M. Favre et si mal secondé. N'y avait-il donc, dans toute la Savoie, que les Hybord, les Retornaz, les Molin et les Dephanix pour tenir et lever au dessus des têtes le drapeau de l'apostolat, ou bien Mgr Martinet — oublieux de son intelligence ordinaire — croyait-il possible d'asseoir l'œuvre si grande des missions de Savoie sur d'aussi fragiles fondements? Quoi qu'il en soit, nous ne pouvons que déplorer un tel état de choses ; bien moins étonné de l'effondrement qui s'en suivit que de la patience admirable avec laquelle M. Favre s'y comporta jusqu'au bout.

Couvent et église de Tamié (Savoie).

CHAPITRE V.

RÉVOLTE DES NOVICES.

Au moment où nous sommes arrivés de notre histoire, la Savoie entière avait les yeux fixés sur Tamié et se demandait quelle issue aurait l'entreprise de Mgr Martinet.

Chargé non seulement de diriger le noviciat, mais encore de rédiger et de mettre à l'essai un *modus vivendi* pour les missionnaires de Chambéry, Maurienne et Tarentaise, M. Favre s'était mis à l'œuvre avec ce dévouement froid et sublime d'un chef qui n'a plus qu'un but : tomber noblement sur le champ de bataille. Trouvant infiniment peu de dispositions à la vie religieuse dans les rares

25.

sujets que lui avait fournis l'administration ecclésiastique, il hésita plusieurs mois avant de leur
communiquer le libellé de la règle qu'il élaborait.
De temps en temps, il leur demandait s'ils se sentaient le courage de poursuivre l'œuvre commencée et de la poursuivre conformément à la règle à
laquelle il s'efforçait de les accoutumer. Tous
répondirent affirmativement. Le mois de mai 1834
fut consacré aux exercices d'une retraite préparatoire à l'acceptation de cette règle. Après cette retraite, M. Favre les prit en particulier l'un après
l'autre et leur posa ces questions : La règle vous
va-t-elle? Etes-vous décidé à l'embrasser? Vous
êtes libre : dites-moi simplement votre pensée?
Toujours la réponse fut unanimement affirmative.

Cette réponse des novices était elle bien sincère?
N'avait-elle point pour but principal d'arriver à
·recevoir communication de la lettre même de la
règle? M. Favre le craignait. De là ses atermoie-
ments. « Mais enfin, écrit-il à l'archevêque, ces
précautions étant ainsi prises par deux fois avec
les abbés Hybord et Molin, par cinq fois avec
l'abbé Retornaz, le plus suspect, je crus d'après les
assurances de bonne volonté qu'ils me donnèrent
devoir aller en avant. » Une grande partie du mois
de juin se passa à copier, à expliquer et à éprouver,
par l'essai de tous et de chacun, le texte latin des
règles que M. Favre se proposait de présenter à
l'approbation des évêques de Savoie. Cet essai avait
pour but de faire connaître à fond le nouveau genre
de vie et d'y apporter au besoin les modifications
nécessaires. « Quant au règlement que nous avons

suivi, dit encore M. Favre, j'ai demandé chaque
dimanche à mes bons collègues, s'il fallait y changer quelque chose et je l'ai changé, modifié dans
tous les points qui paraissaient un peu trop pénibles, et je suis resté loin de la rigueur des jésuites,
qui crachent presque tous le sang au cours de leur
noviciat. » Trois quarts d'heure pour le dîner et
autant pour le souper, chacun lisant pendant onze
minutes pour l'édification des trois autres novices
et M. Favre, bien entendu, donnant l'exemple; un
quart d'heure pour le déjeûner suivi d'une petite
promenade au cours de laquelle le père-maître
expliquait les épîtres de saint Paul ; une heure de
récréation après le dîner et autant après le souper ;
dans la matinée une heure de travail manuel facul-
tatif, et l'après-midi une demi-heure obligatoire ;
deux demi-journées de promenade chaque semaine:
voilà pour le corps. Voici pour l'âme : le matin,
une heure de méditation et, après la messe, une
demi-heure d'action de grâces ; une demi-heure de
visite au Saint-Sacrement dans la journée, et le soir
encore une demi-heure d'oraison mentale. Sept
heures au moins de sommeil. En vérité, il n'y
avait là rien d'outré ; mais ce qui était moins outré
encore, c'est le désir de sanctification dont étaient
pourvus ces braves novices. A mesure qu'avançait
le noviciat, ils sentaient les liens de l'obéissance
les enlacer et captiver leur esprit d'indépendance.
M. Retornaz surtout gémissait de se voir ainsi
attaché à la croix de l'observance. M. Hybord
auquel pourtant M. Favre avait fait toutes les con-
cessions possibles trouvait la règle bien gênante.

M. Molin, subissant l'influence de ses deux compagnons, finit par se croire malade d'un régime si dur. Les chaleurs de l'été achevèrent d'ébranler ces pauvres apprentis de la vie religieuse.

Au lieu de recourir à Dieu et à leur père-maître, ils écoutèrent alors l'esprit de cabale et se prirent à murmurer contre M. Favre, comme les Hébreux contre Moïse. « N'est-ce pas assez de nous avoir arrachés à la terre où coulaient pour nous le lait et le miel de la vie aisée et de nous faire mourir dans ce désert? Faut-il encore que vous soyez notre maître? » L'orage qui grondait éclata bientôt d'une manière aussi malheureuse que soudaine. Nous pourrions donner le détail des torts de chaque novice ; nous aimons mieux abréger et laisser M. Favre nous faire, dans la lettre d'explications qu'il dut écrire à Monseigneur, le récit de cette déplorable aventure. « Le 29 juillet. — Dimanche matin, j'allai dire à l'abbé Hybord de renvoyer ou son petit neveu ou un autre petit pâtre qui était à charge à la maison, et que si dans huit jours l'un ou l'autre n'était pas loin, j'en porterais des plaintes à votre Grandeur, attendu qu'on avait moins besoin de bouches que de bras. Le même dimanche soir, je les vois arriver tous les trois dans ma chambre. L'abbé Hybord me présente un écrit au nom de tous les trois, me dit de le lire et de lui rendre réponse au jardin. Je lus cet écrit dans lequel je trouvai la liste de tous mes défauts et manquements vrais, supposés, exagérés, suivie de la déclaration *formelle et irrévocable* par laquelle ils ne me reconnaissaient plus pour leur supérieur.

Ils ajoutaient que je n'avais qu'à prendre mon
parti, que le leur était pris irrévocablement, qu'ils
vous avaient écrit dans le même sens et que je ne
pouvais plus en revenir. J'allai leur rendre réponse
et leur déclarer que je ne voulais pas plus être leur
supérieur malgré eux, qu'un médecin ne veut l'être
malgré les malades, que je leur en avais bien souvent
donné des preuves en sondant leurs dispositions ;
qu'étant tous indisposés et malades, ils n'avaient
pas besoin d'en venir à une rupture si scandaleuse
et si odieuse pour se soustraire à mon despotisme,
qu'il était inutile de me perdre par leur triple
signature dans l'idée de mon évêque. Là-dessus
l'abbé Hybord me dit gracieusement que j'étais
déjà assez décrié. Ce n'est pas une raison, lui ré-
pliquai-je, d'ôter à un pauvre le morceau de pain
qui lui reste. L'abbé Retornaz me consola en me
disant d'un ton prophétique : Dieu saura bien vous
rendre votre réputation, s'il le veut. — Oui, lui
disais-je, mais il ne vous autorise pas pour autant à
me l'ôter. Ils ont fait cet éclat avec tant de bonne
foi, que pas un ne s'est fait un cas de conscience de
m'avoir fait un affront public, de m'avoir compro-
mis sans nécessité, sans utilité, auprès de mon
évêque, d'avoir donné ce sujet de scandale à toute
la Savoie. Ils sont allés dire la messe depuis lors
sans se croire obligés de me faire la moindre excuse, ni d'adoucir auprès de votre Grandeur ce
qu'ils ont écrit dans un moment de passion et
d'effervescence. Nous mangeons, nous parlons
ensemble comme si rien n'était. Il faut convenir,
Monseigneur, que ces gens sont bien simples pour

être les premières pierres d'une congrégation. Depuis lors, chacun fait son affaire, sauf les récréations et les repas qui sont encore en commun.
M. Hybord est seul selon son attrait, et l'abbé
Retornaz et l'abbé Molin se promènent, parlent,
jasent ensemble comme des rentiers dans un café.
Personne ne sait la chose, excepté l'évêque de Maurienne et le frère de l'abbé Molin, à qui j'ai dit que
les indispositions de l'abbé Retornaz et de l'abbé
Hybord ne permettaient pas de continuer le noviciat. Mais la chose s'ébruitera tôt ou tard, j'en suis
sûr, et causera un scandale. Tant il est vrai que la
médiocrité, sans la défiance de ses propres lumières, est bien à craindre. »

Afin d'édifier complètement le lecteur sur cette
affaire, autant que nos documents le permettent,
donnons maintenant les lettres des autres intéres-
sés, à commencer par M. Molin.

« Monseigneur, votre Grandeur aura sans doute
reçu la lettre sous date du 29 courant, par laquelle
nous l'informions que, ne pouvant plus tenir sous
le gouvernement de M. Favre pour les raisons que
nous y avons mentionnées, nous lui avions déclaré
que nous ne le reconnaissions plus pour notre supérieur ; en conséquence de cette déclaration, il vient
de m'intimer l'ordre de partir d'ici dans les vingt-
quatre heures, parce que, m'a-t-il dit, je ne suis
pas de ce diocèse ; cependant, à la prière que je lui
en fis, il étendit ce terme à huit jours.

« Dans cette extrémité, d'un côté désirant uniquement faire la volonté de Dieu, de l'autre connaissant avec combien de zèle votre Grandeur s'inté-

resse à la formation d'un corps de missionnaires pour l'utilité commune des diocèses, et combien elle a déjà fait de sacrifices pour la réussite de cette bonne œuvre, je viens, avec toute la confiance d'un enfant, me mettre à la disposition de votre sagesse et de votre bonté paternelle et vous supplier, de concert avec MM. Hybord et Retornaz, de vouloir bien me faire connaître vos intentions et me dire ce que je dois faire dans une lettre ostensible, que je prie votre Grandeur d'avoir la bonté de m'adresser et que j'irai prendre à la poste de l'Hôpital mercredi ou jeudi prochain. Je suis avec un profond respect, Monseigneur, de votre Grandeur, le très humble, très obéissant et très attaché serviteur et enfant. — P. MOLIN. »

Après M. Molin, M. Hybord. — « Tamié, 4 juillet 1834. — Monseigneur, j'ai oublié de marquer à votre Grandeur que M. Favre m'avait porté comme nécessairement, lui-même, à la protestation et démarche pénible que nous avons faite : en me disant, je ne sais combien de fois, que j'étais un scrupuleux, que je n'avais point d'esprit, que j'étais une bête, que je ne valais rien pour cette congrégation ; et, la semaine passée, il m'en a exclu formellement, et voici de quelle manière : après m'avoir entretenu assez longtemps dans sa chambre et avoir blâmé, je ne sais combien de fois, ma manière de confesser dans les missions, il m'a dit : Changerez-vous ce mode ? Comme je m'y applique à bien soigner les âmes, à bien sonder les consciences, à bien m'assurer des dispositions, en un mot à préparer les âmes à la mort, et si on ne le

fait pas dans les missions, quand le fera-t-on ? pas
même à la mort peut-être ; que j'ai remarqué et vu
évidemment que, par ce moyen, j'ai réparé des milliers de sacriléges, que les Révérends curés des
paroisses me rendent un excellent témoignage, je
ne puis en conscience que m'appliquer de mieux
en mieux à suivre la même marche ; en conséquence, je lui ai répondu que je ne pouvais changer ; alors, il m'a dit d'un ton agité et risible :
Quand la montagne de Chevron et celle de Plan-
cherine se rapprocheront et s'uniront, alors nous
pourrons être religieux ensemble. Je n'ai pu que me
croire exclu par ces mots ; en conséquence, ce n'est
pas moi qui me suis séparé en premier lieu... »

Cinq jours plus tard, nouvelle épitre du même,
mais cette fois en latin. On y sent le ton d'un
homme qui a conscience d'avoir fait une faute
énorme et qui, pour se la faire pardonner,
éprouve le besoin d'en rejeter la responsabilité sur
autrui (1).

---

(1) *Stamedii, 9ᵃ julii 1831.* — *Reverendissime ac
Colendissime Pater, Rubescit vultus meus nec non
mœrore confectum est cor meum tuam a me dilectis-
simam paternitatem in dolorem versam fuisse : Die
nocteque quam optimum tuæ celsitudini consolatio-
nem quam primum restituendi modum mente revolvo,
nec ulla verâ frui tranquillitate poterit spiritus meus
donec ad desideratum finem allaboraverit aliquaque
spes effulserit. Expressum igitur ad tuam celsitudi-
nem mitto nuntium, illam, donec repererit, quæsitu-
rus* (sic) *has illi perlaturus* (sic) *litteras in quibus :*
*1° Totis ex præcordiorum affectibus pro nimia stul-
taque in agendo celeritate veniam humiliter peto ;*

Terminons ce triste épisode par les conclusions de M. Favre. Nous les trouvons dans une lettre de lui, à Mgr Martinet : « C'est l'abbé Retornaz qui

---

2° *Pro salutaribus mihi præcipue privatim datis monitis toto corde gratias ago ;*

3° *Nos omnes in pace et amœnitate conversari nunc et vivere nuntio ;*

4° *Quamvis excusationem afferre sæpius nefas sit, mihi tamen dicere liceat me ad istum talem agendi modum a quodam dicente se diutius talia ferre non posse fuisse compulsum, cum prius ut quisque alio modo sua exponeret hortatus fuissem ;*

5° *Ad ista me non prædeterminavit superioratûs ambitio ; me quidem nec talentis, nec scientia, nec virtutibus debitis pollere, et si pollerem, solum superioratûs desiderium ipso me indignum ac incapacem efficere teneo : sed cum præsentem rerum ordinem vix ferre possem nec tempus omnino perdere vellem ad dandas missiones ubicumque et quibuscumque, me meaque juxta celsitudini tuæ beneplacitum offerebam animarum salutem temporis ac virium rectum usum quæritans, alia parvi pendens ;*

6° *Tandem cum pluries me ad congregationem nihil valere mihi dixerit D^{nus} Favre expresseque me prior ejecerit jam ante nostram declarationem, præcipue ob meum confessiones audiendi modum quem utilem mihi sæpius perspectum fuit, cujus effectum pluries laudaverunt Parœciarum rectores quemque mutare mihi non fore possibile ipsi declaravi ; quid agere debeam, quid aggredi, quid incipere, in rerum temporalium administratione præcipuè, nesciens, quanto tempore permansurus sim vel in tali statu res servandæ a te humiliter peto, me meaque tuæ paternitati committens, obsequiaque mea cum omni qua par sum affectione ac reverentia Celsitudini tuæ offerens, illam enixe rogans, ut me semper habeat suum obsequentissimum ac fidelissimum famulum. — J.-B. HYBORD. »*

a monté la tête aux deux autres, les a portés à faire
cette incartade et a anéanti l'œuvre; il en rendra
compte au jugement. En voilà assez pour affaires
de famille, j'ai fait d'avance le sacrifice de ma réputation. Il adviendra ce qu'il pourra. Ce qui me
touche plus que mon intérêt particulier, ce sont
les besoins du diocèse, des prêtres et des fidèles.
Je regarde l'œuvre comme anéantie par l'imprudence de mes confrères, sans doute à cause de mes
péchés et de mes défauts. Impossible de la relever.
M. Ducis, pour tout au monde, n'accepterait pas la
supériorité de la congrégation. Votre seule ressource, Monseigneur, serait d'appeler ici une congrégation déjà établie. Ce qui me peine beaucoup
aussi, c'est l'ennui qu'une telle rupture vous
cause ; c'est de voir vos desseins frustrés, vos travaux sans résultat. Vous avez visité Tamié, réparé
la maison et l'église, fait des acquisitions pour l'entretien des missionnaires, et vous voilà sans ouvriers. Voyez, Monseigneur, ce qu'il y a de mieux à
faire, et si je puis quelque chose pour seconder vos
vues, ne m'épargnez pas. Croyez, Monseigneur,
qu'aucun prêtre dans le diocèse ne vous est plus
sincèrement attaché, et plus dévoué au bien de votre diocèse que l'abbé Favre, tout bourru qu'il est.
C'est la seule vue du bien qui m'a attaché à votre
œuvre sans autre récompense que celle d'être criti-
qué, censuré ; monnaie plus précieuse à mes yeux
que toutes les récompenses dont les pauvres hommes sont si avides.

« Veuillez, Monseigneur, me dire si je puis
encore vous être utile en quelque chose. Je garderai

secret tout ce que vous me communiquerez à cet
égard, afin de ne compromettre en rien l'exécution
de vos bons desseins. Mais il me tarde de savoir à
quoi m'en tenir, afin de ne plus perdre mon temps
en vains projets et de tourner mes vues et mon
travail vers des buts réels (1). »

L'archevêque blâma les révoltés de Tamié mais
sans leur imposer, croyons-nous, de réparer à fond
leur désobéissance. C'était lâcher M. Favre. Celui-
ci fidèle jusqu'à la fin s'occupait encore de recruter
des sujets au diocèse. Il écrivit le 15 juillet la
lettre suivante :

« Monseigneur, M. Emprin, de Villaroger, en
Tarentaise et curé d'une paroisse de 1,400 âmes,
dans le diocèse de Nevers, est venu se présenter
ici dans le dessein d'entrer dans la congrégation
des missionnaires et de ne pas même retourner en
France, s'il y est reçu. Plusieurs prêtres du même
diocèse de Nevers et trois autres de la Tarentaise
veulent imiter son exemple, à ce qu'il dit. Il a une
bonne santé, de la voix et des connaissances en
fait de mathématiques, d'histoire, de droit, etc. Il
a du goût pour les missions et pour l'enseignement.
Ce sujet me paraîtrait utile à la congrégation. Je
vous l'adresse ; vous pourrez l'examiner vous-
même et vous assurer jusqu'à quel point il peut
convenir à la congrégation. Mais en cas que vous
le receviez, il ne serait pas à propos de l'envoyer
ici où chacun fait ce que bon lui semble, depuis

(1) Lettre de juillet 1834.

l'histoire que vous connaissez et où il ne trouverait que des choses bien capables de le dégoûter.
Vous pourriez le mettre au séminaire en attendant
que vous ayez pris des mesures pour réorganiser
l'œuvre. Je m'occupe en mon particulier, en
attendant votre visite ainsi que celle de Monseigneur de Maurienne et les mesures que vous
déterminerez par rapport à l'œuvre des missions.
— FAVRE. »

L'archevêque put voir alors le fruit de sa trop
peu clairvoyante sagesse. « Il me fut donc démontré, écrira-t-il bientôt, que ce projet était inexécu-
table (1). »

Mgr Martinet cependant, donnant suite à l'idée
suggérée par M. Favre, songeait à céder Tamié à
une congrégation déjà formée. Une circonstance
l'y décida. Parmi les missionnaires dont on parlait
alors, il y avait un certain P. Lœwenbruck rosmi-
nien. Cet excellent prédicateur donna la retraite au
clergé savoyard en août 1834. Monseigneur lui
proposa la succession de M. Favre à lui et à son
institut naissant. Les choses s'arrangèrent et l'œuvre des missions sembla fondée.

M. Favre, déchargé du rôle de père-maître, se
résolut à quitter le diocèse, mais son archevêque lui refusa l'exeat. Notre saint directeur en
écrivait en ces termes à la vénérable mère Barat à
Chambéry, jour de saint Jean de la Croix (24 novembre 1824). « Je viens de demander à mon évêque

---

(1) Lettre au garde des sceaux de S. M., 30 mai 1836.

la liberté de sortir de son diocèse dans le dessein de vaquer à l'étude : il me l'a refusée et m'a obligé d'aller faire des missions. J'espère de l'obtenir sous peu sans pouvoir vous dire où j'irai me fixer. » Mgr Martinet dut enfin céder aux instances de M. Favre et nous avons sous les yeux la copie de l'acte d'excorporation qu'il lui délivra le 12 décembre suivant. Il est correct mais rien de plus. L'archevêque atteste que M. Favre est de mœurs excellentes, qu'il possède la science ecclésiastique, qu'il a dirigé longtemps et avec fruit les missions de son diocèse, et qu'il n'est soumis à aucune censure de l'Eglise (1).

Avant de suivre notre missionnaire dans la retraite que Dieu lui avait ménagée, voyons avec quelle héroïque discrétion ce saint homme se retira du diocèse, et quelle haute estime il y laissa de sa personne et de ses œuvres. Au dire de la plupart des prêtres de Savoie, si M. Favre eût été maître plénier de l'œuvre de Tamié, les aspirants sérieux n'auraient pas fait défaut. La Congrégation se fût fondée ; M. Allard était acquis ; M. Mermier aurait accepté sinon la direction de fait, au moins le supériorat : les sujets récalcitrants et inférieurs auraient dû rentrer dans le rang ou sortir de l'institut. De toute manière, l'œuvre à laquelle M. Favre travaillait comme un saint depuis quinze années aurait abouti. Nous trouvons cela très vraisembla-

---

(1) Archives archiépiscopales de Chambéry. Registre des ordinations, 12 décembre 1834.

ble. Pourquoi Mgr Martinet manqua-t-il à l'égard
de notre héros de cette confiance absolue qui aurait fait réussir son œuvre au grand avantage de
la Savoie tout entière ?

Quel motif lui fit exploiter comme un simple
ouvrier cet homme manifestement fait pour commander ? Nous n'en trouverons qu'un seul. M. Favre était un *liguoriste* ou un *liguorien (sic)* ; ce qui,
aux yeux des rigoristes, équivalait à être un relâché et un excentrique.

Si nous pensons maintenant qu'en 1834, époque
où M. Favre fut ainsi sacrifié pour la cause du
bienheureux Liguori, le Souverain Pontife se préparait à canoniser ce bienheureux, nous compren-
drons que M. Favre aurait pu avantageusement
faire connaître au grand jour la cause de ses tribulations. Et, nous disait à ce propos l'archidiacre
Charbonnier, les principaux curés du diocèse de
Chambéry, MM. Mercier, Bouvier, André, Gros,
n'auraient pas manqué de le soutenir. M. Favre
aima mieux disparaître que de faire de l'opposition
et du scandale. Lui qui aurait pu tout bouleverser,
dirons-nous, avec M. Charbonnier, il s'est enseveli
dans un silence héroïque. Pas une lettre, pas un
mot capable d'infirmer le prestige de l'autorité. A
qui lui parlait de Tamié, il répondait toujours :
Mes compagnons se trouvèrent indisposés, et puis
Dieu ne voulait pas que je fisse l'œuvre ! Aucune
plainte, nul dépit, même auprès de ses intimes. A
M. André, il déclare une seule chose : j'étais impropre aux missions. Et le voilà sans ressources,
sans position, traité de lunatique et de fou par ses

adversaires. M. Charbonnier répétait avec admiration : « Oh ! la belle page qu'il y aurait à écrire sur ce sujet ! la page sublime ! »

Simple chroniqueur, nous ne tentons point d'écrire cette page. Voyons l'appréciation d'autres prêtres, dignes de foi, concernant l'admirable conduite de notre saint. Le curé des Echelles, M. André, répétait à qui voulait l'entendre qu'il « aurait baisé cinquante fois les pieds de M. Favre, tant il le vénérait. » Le Père Cœsare Mechia, qui arriva à Tamié avec le Père Lowenbruck, en septembre 1835, et y resta jusqu'en août 1838, nous écrit entre autres ces paroles que nous traduisons de l'italien : « M. Favre faisait beaucoup de bien, mais il avait une méthode particulière de donner les missions, et surtout il poussait beaucoup à la communion fréquente, chose insolite alors. Les deux vieux prêtres que j'ai trouvés à Tamié (Hybord et Molin), m'ont dit qu'il avait quitté le diocèse parce que sa doctrine était trop large pour ces temps. Du reste, il eut toujours le renom d'homme saint... Pour moi, comme tant d'autres qui le connaissaient, je le tenais sincèrement pour un homme extraordinaire que Dieu avait envoyé pour accomplir un grand bien, surtout en Savoie, qui commença d'étudier et de propager la doctrine du grand saint docteur Liguori, laquelle n'était, paraît-il, ni connue ni approuvée de Mgr Martinet. Cet évêque le persécuta par une permission de Dieu qui voulait augmenter ainsi les mérites et la sainteté de son grand serviteur l'abbé Favre, lequel était universellement vénéré comme un homme savant, saint

et dévoré de zèle pour le salut des âmes. Cette
persécution, M. Favre la supporta avec une patience héroïque, pleine d'humilité et de résignation. »

Nous clorons ce chapitre et ce livre par le mot
de Notre-Seigneur, si justement applicable à
M. Favre : *Bienheureux ceux qui souffrent persécution pour la justice.*

LIVRE CINQUIÈME

DERNIÈRES ANNÉES ET MORT DE M. FAVRE
1835 — 1838

26.

Vue de Conflans en Savoie.
Au premier plan : le Collège royal.

CHAPITRE PREMIER.

M. FAVRE SE RETIRE A CONFLANS-L'HOPITAL (1).

Saint Alphonse de Liguori, abandonné par ses premiers compagnons, devint l'objet du mépris de la société de Naples. Des prêtres, même du haut de la chaire, le traitèrent d'insensé. Dieu qui façonne ses amis à l'image du divin Crucifié, voulait lui faire goûter l'amertume de la dérision publique et partager la croix et les ignominies du Rédempteur.

M. Favre eut l'honneur d'être appelé à cette épreuve et le bonheur de la porter sans défaillance.

---

(1) Aujourd'hui Albertville (Savoie).

Quand on le vit quitter Tamié d'abord, puis le séminaire de Chambéry, couvert d'une sorte de ré-
probation de l'archevêque, les incorrigibles du
rigorisme ou du *far niente* pastoral exultèrent.
Nous avons entendu M. Carret, ancien bibliothé-
caire de Chambéry, et qui avait suivi M. Favre à
la mission de Lémenc, nous dire à nous-même :
« Mais votre Favre, savez-vous qu'il a fini par devenir fou ? » Le chanoine Ducis, ancien archiviste
départemental de la Haute-Savoie, témoigne aussi
de cette dure épreuve : « Le diocèse de Belley, dit-
il, comme ceux de la Savoie, était infecté de jansénisme. M. Favre, qui s'était muni de la théologie
du bienheureux Alphonse de Liguori, ouvrit une
guerre incessante à cette hérésie. Il avait à lutter
contre le clergé et contre les fidèles. Il ne faiblit
jamais. Son action s'est fait sentir surtout dans les
diocèses de Chambéry, Maurienne et Tarentaise,
dont l'esprit religieux a été complètement transformé et relevé. Le diocèse d'Annecy, qu'il avait
quitté jeune, et *où on l'avait traité de fou*, resta
longtemps en dehors de cette rénovation. »

D'autres humiliations atteignirent notre missionnaire. Il n'a plus les pouvoirs de prêtre, se répétaient, non sans un douloureux étonnement, les
foules simples évangélisées par lui. Jamais pourtant la juridiction ne lui fut enlevée. Une nonagé-
naire que nous rencontrâmes un jour aux portes
de l'ancien collège de Conflans, nous disait : « Tenez, c'est là que les évêques ont mis en prison
notre saint. »

M. Favre supportait avec une joie surnaturelle

ces dures calomnies. Provisoirement installé à
Chambéry chez un de ses amis, M. Dolin, il donna
des retraites dans les couvents de cette ville, au
Sacré-Cœur et au Carmel, entre autres. Ayant
obtenu son *exeat* vers la mi-décembre, il se mit en
quête d'un refuge hors du diocèse de Chambéry.
D'abord il songea à reprendre son œuvre dans le
diocèse d'Aoste, puis à rejoindre M. Mermier à
Annecy. Mgr Rey, qui avait fait de ce dernier
l'Ignace de son établissement (ce sont ses expressions), consentait à ce que M. Favre en devînt
« le Xavier. » Notre héros crut plus agréable à
Dieu de consacrer ses dernières forces à l'apostolat de la plume. Bien au courant de son mérite
et de son dénuement, Mgr Billiet lui offrit de
demeurer dans son propre palais. Cette invitation
qui honore le prélat, notre héros ne crut pas devoir
l'accepter. « C'était trop beau et trop gênant, observe finement l'archiviste Ducis. Il craignait d'y
perdre la liberté de ses allures. »

Quittant Chambéry, il se dirige sur Moûtiers, dans
le dessein de fixer sa demeure au grand séminaire
de cette ville. On le reçoit d'abord avec joie. Deux
jours après, on lui laisse entendre que sa présence
« pourrait fatiguer. » Il dut chercher ailleurs où reposer sa tête. Ici se place un trait particulièrement
douloureux pour notre cher persécuté. Attiré toujours vers les hauteurs et sans cesse altéré de solitude, il pensa un moment s'aller cacher dans un
petit presbytère perdu au sommet de la Tarentaise.
Là vivait un curé, un homme pour lequel il avait été
un sauveur. Il lui demanda l'hospitalité. Celui-ci,

crainte de se compromettre, n'eut pas la force de
lui ouvrir sa porte, et lui répondit je ne sais quoi
de banal qui signifiait : Mon cher bienfaiteur,
j'ai trop besoin de mon évêque pour vivre, et vous
plaisez trop peu à mon évêque pour que je puisse

Grand séminaire de Moûtiers.

vous recevoir sans partager votre disgrâce. Excu-
sez-moi ! — Plus tard, ce prêtre faible, dont nous
taisons le nom par charité, racontait lui-même ce
trait avec force soupirs en répétant : Malheureux,
j'ai rougi d'un saint, j'ai refusé l'hospitalité à mon
sauveur !

Heureusement, M. Favre comptait parmi ses
amis des hommes au caractère mieux trempé. Celui qui devait avoir la gloire de recueillir notre
proscrit, fut un prêtre de valeur, M. Maxime Bugand, alors supérieur et préfet des études au collège

royal de Conflans. Il avait été élève de M. Favre à St-Louis-du-Mont; quand il vit venir à lui, pauvre, fatigué et humilié, son ancien maître et directeur, il ne put retenir ses larmes, et lui fit un accueil digne de sa grande âme. « Restez ici, lui dit-il, je me charge de vous. La seule difficulté sera le peu de chambres dont je dispose. Si vous pouvez vous contenter d'une modeste cellule, je vous assure tout le reste avec bonheur. » M. Favre comprit que Dieu ne l'abandonnait pas, mais, craignant d'attirer des ennuis à son généreux disciple, il lui répondit : « J'ai une grosse objection. — Laquelle? — On vous inquiétera. — Ne craignez rien, répondit le digne supérieur, laissez-moi faire, et soyez sûr qu'on ne vous chassera pas facilement d'ici. » M. Favre accepta. Il trouvait ainsi, observe l'archiviste Ducis, dans le supérieur le dévouement filial dont il avait besoin, et dans les professeurs la société sacerdotale qui lui convenait.

Le char qui transporta son mobilier de Chambéry à Conflans ne contenait guère que des livres, seule richesse de notre missionnaire. Le plus modeste mobilier n'eût pu d'ailleurs tenir dans sa cellule. Ce fut du moins notre impression lorsque nous visitâmes cette chambre exiguë, aujourd'hui convertie en salle à conserver le pain, entre le réfectoire et la cuisine du couvent.

Cependant, la nouvelle de cette installation était à peine connue que des lettres de blâme arrivèrent à l'adresse de M. l'abbé Bugand. Celui-ci ne s'en laissa pas émouvoir. « Je ne me crois pas répréhensible, répondait-il, pour avoir donné asile à un

prêtre qui a fait tant de bien en Savoie. » On continua de le critiquer, mais le ferme supérieur tint
bon et finit par demeurer vainqueur.

Dès que l'on sut M. Favre installé au collège, ce
fut auprès de lui un vrai pèlerinage de prêtres, de
laïcs, d'âmes éprouvées ou avides de lumière. Tous
venaient chercher la direction de leur vie, l'appui
de leur vertu ou le plaisir édifiant de sa conversation. M. Favre excellait dans ce dernier genre.
Voici le portrait que fait de lui M. Gondrand : « Ses
récréations même avaient leur utilité : entretiens
pieux, conversations scientifiques mêlées de mots
piquants, de saillies vives et spirituelles, d'observations pleines de finesse et d'originalité, tels en
étaient les objets habituels. En gardant alors les
bienséances sociales, il avait encore l'art de jeter
souvent des réflexions utiles, qu'il savait rendre
agréables par des tournures singulièrement propres à les faire écouter avec plaisir. »

Quant au genre de vie de notre missionnaire
en sa laborieuse retraite, nous l'empruntons, en
presque totalité, à M. Bugand :

« M. Favre se levait à quatre heures du matin, se
livrait ensuite à ses exercices spirituels, prières,
méditation, examen de prévoyance. A cinq heures
et demie, il disait la messe, déjeunait avec un morceau de pain, un verre de vin, et, sans prendre de
récréation, récitait les heures canoniales et travaillait dans sa petite cellule ; à onze heures et demie, il se rendait à la chapelle pour adorer le
Saint-Sacrement jusqu'à midi. Il dînait en communauté ; après dîner, il causait avec MM. les

professeurs. On s'entretenait de la direction des
élèves ; on citait des faits amusants et instructifs ;
pendant la saison d'été, on jouait quelquefois aux
boules. A une heure et demie, il se retirait pour la
récitation des vêpres et complies et se remettait au
travail jusqu'à six heures, où il disait matines et
laudes suivies de la prière et d'une visite au Saint-
Sacrement.

« Cette visite se prolongeait jusqu'à sept heures
et demie. Après souper, il conversait un moment
avec les professeurs, se rendait dans sa chambre
où il passait une demi-heure à lire la méditation
du lendemain. Il se couchait invariablement à
neuf heures. Aux repas, il était très sobre. On nous
servait trois plats, le plus souvent il ne touchait
pas au troisième. Au dessert, il ne prenait qu'un
peu de fromage, rarement du fruit. Le pain était ce
dont il mangeait le plus. Plusieurs fois, j'ai compris qu'il ne satisfaisait pas son appétit. Je lui ai
souvent entendu dire que le genre de travail auquel
il se livrait augmentait chez lui le besoin de manger. Il ne prenait jamais plus de deux verres de vin
à chaque repas.

« Il ne fréquentait personne en ville, il prenait
quelquefois un peu de récréation le jeudi et l'employait à faire des recherches de pierres pour enrichir son cabinet de minéralogie. Il visitait aussi
MM. les curés de Sainte-Hélène et des Millières.
C'est dans ces deux paroisses qu'il a fait l'essai de
la communion fréquente. Les pasteurs de ces localités ne craignaient pas la fatigue, ils instrui-
saient, disposaient les personnes capables de pro-

fiter de cette sublime pratique. Lorsque le temps
ne lui permettait pas de sortir, il venait s'entretenir
avec moi dans ma chambre. Je lui posais des difficultés qu'il résolvait sur-le-champ avec autant de
solidité que d'animation. Je lui disais un jour:
« Votre communion fréquente soulève des murmures. » Il répondit: « C'est la paresse et le peu
de zèle qui causent ces plaintes. »

« Jamais il n'acceptait de dîner d'invitation, et
apercevait-il des préparatifs pour recevoir des
amis, il disparaissait aussitôt, même le jour du
patron du collège. Son habillement était fort simple.
A sa mort, il n'avait qu'une soutane presque usée
et deux mauvaises paires de haut de chausses ;
son chapeau était vieux mais propre ; lorsqu'il
sortait, il le tenait sous le bras, marchant nu-tête,
par respect, disait-il, pour les anges gardiens des
paroisses. Dans l'intérieur de la maison, il se
servait d'un bonnet carré qui pouvait être du
même âge que lui. De linge blanc, il n'avait que
le strict nécessaire. Il portait un cilice usé. L'abbé
Bugand s'en est emparé comme d'une relique. »

Coupons ici la narration de M. Bugand pour
noter quelques souvenirs d'un ancien élève du collège, l'archiviste Ducis : « M. Favre était bien pauvre ; soutane rapiécée, guêtres tenant lieu de bas,
barette longue, alors qu'on commençait de les porter
courtes. Il travaillait debout sur un pupitre élevé.
Quand le sommeil le surprenait, un poids habile-
ment agencé par lui tombait à ses côtés pour le
réveiller. Pendant les promenades, nous ramas-
sions des plantes ou des pierres et, de retour au

collège, nous allions lui demander les noms et le classement de ces plantes ou de ces minerais. Jamais je n'oublierai la retraite qu'il nous prêcha pour la Noël 1835. »

Il donnait, en effet, de temps en temps, des retraites au collège et toujours avec le plus grand succès. Les élèves l'aimaient éperdûment, le vénéraient comme un saint. Dès qu'ils le voyaient sortir de sa cellule revêtu de sa soutane jaunie et rapiécée, ils disaient : M. Favre descend en ville, il a mis son bel habit. — Arrivait-il quelque accident, incendie, inondation, ils disaient dans leur simplicité : « Ah ! si M. Favre avait été là, il aurait bien tout arrêté ! »

Il prêchait quelquefois à Saint-Jean d'Albertville ; on accourait à ses instructions avec le plus grand empressement. On n'oubliera jamais sa conférence sur les devoirs d'état. Elle dura plus de deux heures. Un des auditeurs le plus capable d'en juger nous disait : « Je n'ai jamais rien entendu de plus profond, de plus rationnel. » Il prêchait aussi à Notre-Dame-des-Millières et à Sainte-Hélène. Chaque sermon se terminait par une vive exhortation en l'honneur de la sainte Vierge et de saint Joseph.

Il ne confessait que dans des circonstances particulières, pour rendre service et non pour diriger ; c'était la première condition qu'il mettait avant d'entendre les pénitents. Lorsque des personnes du sexe allaient le consulter, il laissait la porte de sa chambre entièrement ouverte. Cette porte donnait sur la grande cour du collège. S'il était obligé de les confesser, il les entendait à la chapelle (1).

A ce propos, nous avons voulu nous rendre compte d'un bruit qui courut. M. Favre, disait-on, avait été privé de juridiction et ne pouvait confesser. Outre ce qu'on vient de lire, voici la déposition d'un témoin qui prouve le contraire : M. Buthod, chanoine honoraire de Moûtiers, mort curé de Venthon, et professeur au collège de Conflans lors du séjour qu'y fit notre missionnaire, nous écrit : « A Conflans, M. Favre confessait. J'en suis une preuve. Je me suis adressé plusieurs fois à lui, notamment dans ma retraite d'ordination au Diaconat que je reçus à la Pentecôte en 1836. »

Nous en avons une autre preuve. Un grand vicaire de Moûtiers lui écrivit un jour quelques lignes de blâme, auxquelles M. Favre répondit en ces termes : « Je prie votre charité et votre justice de vouloir bien enjoindre à votre serviteur et aux curés qui m'ont accusé d'avoir confessé à Pâques, sans donner le billet de confession, de comparaître devant vous le jour et l'heure que vous jugerez à propos. Si je suis convaincu d'être coupable, je me soumets d'avance à la pénitence qu'il plaira à

---

(1) M. Bugand (Vie, par l'abbé Pont, p. 90) rapporte en détail une victoire obtenue par M. Favre dans cette chapelle sur l'esprit malin. Les Sœurs de Ruffieux nous ont attesté aussi qu'il délivra leur première maison de Saint-François en Bauges de bruits nocturnes qui les terrifiaient. Le très distingué supérieur de Conflans, et courageux ami de M. Favre, était de Saint-Maxime-de-Beaufort, en Savoie.

votre sagesse de m'imposer. Si je suis reconnu in-
nocent, je désire que l'injustice de l'accusation de-
vienne publique, au moins dans le diocèse » (1837).

M. Bugand poursuit : « Il avait un caractère vif et
gai et savait compatir aux souffrances d'autrui. Je
ne l'ai vu s'impatienter qu'une fois, voici à quel
sujet : Dans une conversation, je lui reprochai avec
fiel d'avoir été dur et très sévère à l'égard de
ses collègues des missions. M. Favre me répondit
avec vivacité : « Comme vous envers vos élèves. »
Un moment après, il m'appelle pour me dire combien il était affligé d'avoir ainsi riposté. Après
souper, il invite tous les professeurs à l'accompagner chez moi, pour me témoigner par cette démarche combien il regrettait d'avoir été trop sensible
au reproche qui lui avait été adressé.

« Chacun regardait M. Favre comme un homme
extraordinaire ; quand on le voyait, traversant les
rues, on disait : « Voilà le saint qui passe. » Ses
conversations roulaient toujours sur des objets de
théologie ou d'histoire naturelle. Jamais je ne lui
ai entendu dire un mot de nature à blesser la charité. Sans inspirer de crainte, ni écarter la confiance,
son extérieur était grave. Il avait une humeur toujours égale, entendant bien la plaisanterie.

« Quand le froid était vif, il faisait quelquefois
du feu à sa chambre. Il parait cependant que
son foyer n'était pas très ardent : car souvent on
le rencontrait portant dégeler son aiguière à la
cuisine.

« Il payait sa pension comme nous. Il n'acceptait
pas de dons ; à peine recevait-il quelques rétribu-

tions de messes. Il vivait très retiré, ne recevait aucune visite de personnes distinguées. »

En terminant cet exposé, il convient d'ajouter que M. Favre, tout en vivant très retiré, ne laissait pas de s'occuper encore de quelques âmes privilégiées. En voici un exemple :

Mlle Anselme, d'Albertville, ayant à déterminer sa vocation, ne voulut d'autre juge que lui Voici en quels termes les Dames Visitandines rapportent le fait :

« Possédé de la sage folie de la croix, M. Favre avait demandé et pleinement obtenu la grâce de l'humiliation et de la souffrance. Un tel directeur devait être bien propre à comprendre les desseins de Dieu sur les âmes ; aussi, n'hésita-t-il pas à déclarer à Mlle Anselme qu'elle était appelée à la Visitation. Notre très honorée Mère Marie-Justine de Granval l'y admit dans l'automne de 1836.

« Aux approches du beau jour de la profession, ce fut au vénérable abbé Favre qu'elle s'adressa pour apprendre les dispositions qu'elle devait apporter à la divine alliance. Il lui répondit par une lettre qui, heureusement, échappa aux inspirations de dépouillement qu'eut dans la suite notre chère sœur ; elle y avait trouvé, nous disait-elle plus tard, un puissant secours dans ses épreuves, et, à notre tour, nous pouvons affirmer que toute sa conduite fut le commentaire vivant des conseils reçus alors.

« Vous voilà donc, lui disait M. Favre, sur le point d'être tout à Jésus. Par cet engagement irrévocable, vous allez recouvrer votre robe d'innocence. Renoncez en ce jour, non seulement à ce monde et à

ses riens, mais à votre volonté, mais aux consolations mêmes spirituelles, pour ne vous rattacher
qu'à la très aimable volonté de votre bien aimé
Jésus ; plus vous ferez sa volonté, plus il fera la
vôtre. Ne cherchez point à être d'une façon plutôt
que d'une autre, mais à être telle qu'Il voudra,
autant qu'Il voudra, comme Il voudra, vous aban-
donnant sans réserve à être consolée ou désolée,
en paix ou en trouble, en santé ou en maladie, honorée ou méprisée, si c'est son plaisir. Dites-lui
bien . Mon bien-aimé Sauveur, qui vous êtes fait
obéissant jusqu'à la mort et à la mort de la croix,
je m'offre corps et âme en holocauste comme une
victime de votre amour vous donnant un plein et
entier pouvoir de me traiter comme vous le trouverez bon. »

« Notre chère sœur, fidèle à ce conseil, laissa
au Maître-Souverain un si entier pouvoir de la
traiter comme *Il le trouvait bon,* que ce divin Maître lui choisit toujours *la meilleure part,* c'est-à-
dire ce qu'il y a de plus crucifiant pour la nature.
Se souvenant qu'elle s'était offerte corps et âme en
holocauste, elle fut heureuse de ce choix, et, toujours, malgré les frémissements de la partie inférieure, elle répéta avec le prophète : *La part qui
m'est échue est avantageuse et mon calice est précieux !*

« Après avoir ainsi fortifié son courage, excité sa
générosité, devinant que cette âme trouverait dans
sa générosité même, matière à de nouvelles lut-
tes, qu'elle s'étonnerait de ne pouvoir se débarrasser
tout d'un coup de l'héritage d'Adam, le saint mis-

sionnaire ajoute ce conseil non moins utile que le précédent : « Ne croyez pas que l'œuvre de la perfection et l'entier renoncement à soi-même soit l'ouvrage d'un jour. Non, non, l'agonie de la mort à soi-même est longue et il faut du temps pour mourir ! Le Seigneur vous fera longtemps sentir vos misères pour vous déprendre de vous-même, pour ruiner la confiance en vous-même ; mais, soyez pleinement résignée, soumise dans toutes vos épreuves, et tenez-vous bien amie de votre sainte patronne la sainte Vierge, qui vous soutiendra et vous encouragera à travers les épreuves que votre Epoux crucifié vous réserve. »

CHAPITRE II.

Quand un missionnaire digne de ce nom se voit
contraint de renoncer aux glorieux combats du

Cl.-Fr. Ducis,
cousin du poète de ce nom,
compagnon et ami de M. Favre.

ministère apos-
tolique, il se fait
en tout son être
un brisement que
les travaux de la
plume, les char-
mes de l'oraison
et tous les adou-
cissements pos-
sibles de la vie
matérielle sont
impuissants à ré-
parer. C'est l'eau
qui manque au
poisson. M. Fa-
vre ressentit cet
étouffement.

La perte de son
père, mort le 11
juillet 1835, vint
ajouter encore
aux épreuves de
son cœur. Rien pourtant ne put abattre son âme,
rien surtout ne parvint à l'aigrir. Loin de se ren-

27.

fermer dans une abstention systématique, assez
souvent l'indice d'un amour-propre blessé, il
continua de prêcher dans les paroisses avoisi-
nantes, chaque fois que ses travaux d'écrivain le
lui permettaient. Il appelait cela « faire le coup de
fusil. » Lui parlait-on du bien produit par ses
missions ? Se rappelant seulement ses vivacités il
répondait d'un ton pénétré : Je demande pardon à
Dieu de tout le mal que j'y ai commis. M. Buthod
qui nous a rapporté ce détail ajoutait : « Impossible de le faire convenir que l'archevêque avait été
bien dur à son égard. »

Du fond de sa retraite, notre missionnaire ne
pouvait se désintéresser de l'œuvre des missions
en Savoie. Depuis son départ de Tamié, la Tarentaise essayait de fonder un corps de missionnaires
à Vilette ; M. Ducis, un de ses premiers et plus
fidèles compagnons, et M. Martinet, le philosophe
et théologien bien connu, étaient occupés à cette
fondation. M. Favre, écrivant à son ami l'abbé
Maitral, aumônier des Dames du Sacré-Cœur à
Rome, en parle comme suit : « Revenons à notre
pays qui est pour vous une seconde Rome. On ne
sait point encore quel sera votre évêque, pas même
à Turin. Mgr Charvaz, qui est venu en Tarentaise
où il a été choyé et fêté on ne peut plus, par politique, par amitié et pour recommandations auprès
du roi, n'en savait encore rien. Il est allé à Vilette
où il a pontifié et prêché à un grand concours de
monde, il y a eu un grand gala et une grande réunion de prêtres et de laïques : la fête a été des plus
brillantes. Monseigneur l'archevêque a aussi visité

cette maison et ce pays qui devient de jour en jour
plus célèbre. On travaille maintenant à faire la
toiture de ce couvent de missionnaires. Le matériel avance à mesure que le corps de missionnaires
baisse. M. Raymondaz, curé de La Côte, s'est en-
rôlé sous leur bannière par suite des invitations
de M. Martinet. Mais on dit qu'il s'en repent et
qu'il pense à reprendre une cure. On voulait l'employer pour le matériel et le temporel des missionnaires, mais la paroisse de Vilette ne l'a pas voulu
pour curé ; il a fallu qu'il se mit en campagne, le
sac sur le dos. Ce qui a porté un grand coup à
cette bonne œuvre, c'est l'esprit de désunion qui
s'est introduit entre M. Ducis et M. Martinet.
Cette désunion en est venue à un tel point que
M. Ducis voulait abandonner l'œuvre des missions
et reprendre une cure. Pour l'arrêter, M. le grand-
vicaire Portier l'a affranchi de toute dépendance
de M. Martinet, que l'on a réduit à surveiller la
construction de la maison. Voilà donc hors de
l'œuvre ce pauvre homme qui s'est sacrifié pour
l'œuvre. Quelle lourdise dans une pareille mesure!
Aussi toutes les vocations qui commençaient à
paraitre et à se montrer ont-elles disparu. Rien
de plus odieux pour le pauvre supérieur Ducis et
pour M. Portier. Le chanoine Martinet a pris son
parti en brave ; c'est ce qu'il y avait de mieux à
faire. Je vous remercie de toutes vos démarches et
réponses ; continuez à rendre notre Savoie un peu
plus romaine : tout n'ira que mieux. Mais que
notre confidence reste entre nous deux. Recommandez-moi à saint Pierre, pour lequel j'ai beau-

coup de dévotion depuis que j'ai bien connu nos
féodalités. Tout à vous. — L'abbé FAVRE. »

M. Favre eût-il pu se désintéresser de l'œuvre
des missions, les directeurs de cette œuvre l'en
auraient bien empêché. Comme des disciples vont
au maître pour assurer leurs débuts, ainsi les
Ducis et les Mermier continuaient de solliciter ses
conseils et de lui représenter les objections renou-
velées de l'opposition janséniste. Ses lettres, sur
ce point, sont trop significatives pour ne pas mériter attention. Dans l'une d'elles, adressée le 26
mai 1837 au P. Gaiddon, il dit ce mot prophétique à
l'adresse des missionnaires d'Annecy : « Serrez
vos rangs, tenez-vous unis; l'enfer va vous soule-
ver de grands obstacles ; tenez bon, vous vain-
crez. »

Voici la lettre adressée à M. Ducis, supérieur
des missionnaires de Tarentaise à Vilette :

« Albertville, 14 octobre 1836. — Mon très cher
confrère, j'avais la pensée d'aller faire un petit
voyage de vos côtés et de vous voir en passant.
La crainte de vous compromettre m'en a détourné :

« 1º Le bon Dieu vous ayant placé à la tête de
l'œuvre, vous devez la poursuivre, sans vous mettre en peine de ce qu'on en peut penser en bien ou
en mal dans le diocèse. Vous ferez un bien d'autant
plus grand que vous serez plus contredit. C'est
ainsi qu'ont été traités les prophètes, Jésus-Christ,
les apôtres, les hommes apostoliques. Vous ne serez pas fâché d'avoir part à leurs contradictions.
Dans nos parages, on a une bonne idée de votre
œuvre. Les supérieurs craignent pour votre persé-

vérance ; ne dites rien, ne faites rien qui puisse les confirmer dans leur crainte ;

« 2° Quant au genre de missionner, il est bon, et je vous engage beaucoup à le continuer, sauf à former mieux les consciences au tribunal et surtout dans les examens de conscience, en apprenant à distinguer les tentations des péchés, la manière de combattre les tentations, les conseils des préceptes, les principaux péchés véniels des péchés mortels, et ne jamais prononcer mortel sans en être sûr et sans mettre les conditions requises pour rendre le péché tel, la dévotion de bonne volonté et d'application que Dieu exige seulement, d'avec la dévotion de cœur et de sentiment qu'il ne demande pas. Apprendre à traiter l'imagination comme une folle dont il faut mépriser les folies et les extravagances, sans s'amuser à les combattre, car ce serait vouloir mettre une folle à la raison. Traiter le cœur comme le temps, en ne se mettant pas plus en souci de ses variations qu'on ne se met en peine des variations du temps qu'on ne saurait régler. S'en tenir purement à la volonté et à l'application dont nous sommes toujours maitres, vouloir ce que Dieu veut, c'est-à-dire les commandements de Dieu et de l'Eglise, les devoirs de son état et tout ce qui arrive. Ne pas seulement le vouloir, mais s'appliquer à le faire, non pas de toutes ses forces, mais aller son pas. S'appliquer plus que moins pour éviter la paresse si l'on n'est pas scrupuleux, moins que plus si on l'est.

« Enseigner des règles à suivre dans les doutes pratiques. Dans le doute si on a consenti à une

tentation, si l'on a péché mortellement, juger en sa
faveur, si l'on est timoré et jugé tel par le confesseur. Dans le doute si l'examen, si la contrition,
si le bon propos sont suffisants, s'en rapporter à
l'autorité du confesseur qui possède, tant qu'il ne
conste pas du contraire. Dans le doute si les
confessions passées sont bonnes, les croire bonnes
tant qu'il ne conste pas de leur nullité, parce que
la présomption est en faveur de l'acte, et, hors des
missions, ne pas obliger à refaire des confessions
douteuses pour ne pas exposer les pénitents à cacher contre leur conscience des péchés déjà accu-
sés, à moins qu'on ne les avertisse qu'ils n'y sont
pas obligés.

« Enseigner qu'on peut communier avec des péchés véniels avant de s'en confesser et même sans
s'en confesser, puisque la communion a été ins-
tituée secondairement pour les effacer : *Quotidie
peccas, quotidie sume.*

« Enseigner qu'on peut communier avec des péchés mortels oubliés avant de s'en confesser,
pourvu qu'on se sente la volonté de les déclarer et
de les quitter, pour ne pas exposer les âmes à
communier avec ces oublis contre leur conscience.

« Apprendre et répéter qu'une once de prière et
de bonnes œuvres faites avec dégoût, avec répugnance et à contre-cœur, vaut plus qu'un quintal
fait avec la dévotion sensible.

« Apprendre que l'Angelus, les prières avant et
après le repas, les signes de croix devant une
croix, l'assistance à l'office des pénitents, donner

la première pensée à Dieu le matin, penser souvent
à Dieu pendant le jour, prier pendant la messe les
jours de dimanche, lorsqu'on ne peut pas y assister,
se mortifier lorsqu'on ne peut pas jeûner, etc...,
ne sont que de conseil. Ne pas dire que c'est un
péché mortel d'être distrait volontairement pendant toute la messe du dimanche, parce que ce
n'est pas sûr.

« Apprendre la manière de combattre les tentations :

« 1° En se tournant vers Dieu par une aspira-
tion ; c'est faire servir le démon de cheval de re-
monte pour faire la montée vers Dieu.

« 2° En faisant un acte contraire ; c'est obliger le
démon à nous pousser dans la vertu ;

« En les fuyant, comme les tentations d'impureté.
Pendant qu'on ne s'en aperçoit pas, point de péché ;
pendant qu'on ne s'en aperçoit qu'à demi et qu'on
ne s'en détourne pas, péché véniel ; dès qu'on s'en
aperçoit en plein et qu'on ne s'en détourne pas,
péché mortel, à moins qu'en voulant s'en détourner on ne se monte la tête ; dans ce cas il faut les.
négliger, les mépriser et ne pas s'en confesser à
moins qu'on ne soit sûr d'y avoir consenti au point
d'en prêter serment.

« Inculquer fortement pour la persévérance :

« 1° L'examen de prévoyance, en s'habillant, sur
la vertu à acquérir ;

« 2° Pratiquer cette vertu le long du jour. Etrange
est la direction savoyarde qui se réduit toujours à
défricher sans jamais ensemencer ;

« 3° L'examen de conscience du soir dans lequel

on voit en particulier si on a été fidèle à pratiquer
la vertu ;

« 4° Aspirations mentales ou vocales le long du
jour, selon son attrait ou son besoin ;

« 5° Méditations, ou soleil qui éclaire par les
considérations, qui échauffe le terrain de notre
âme par les colloques, qui fait sortir les fleurs des
résolutions et enfin le fruit de la pratique des résolutions ;

« 6° Lecture de piété chaque jour, ne fût-ce que
de quelques lignes. Livre de direction, ou l'*Introduction à la vie dévote* ou le *Combat spirituel,* à
lire toute sa vie. Livres d'instructions selon les
besoins.

« Inculquer fortement la communion fréquente
sans laquelle la persévérance se réduira toujours à
un bien petit nombre d'âmes. Voilà le solécisme
de nos missions passées. Beaucoup de peine et peu
de laine, comme celui qui tondrait un porc. Donner la vie, c'est bien ; mais l'entretenir et la déve-
lopper par la communion est meilleur : on ne naît
que pour manger. Apprendre aux curés à faire
communier sans confession, en formant les consciences auparavant. Et comment les former ?

« 1° En laissant tout dire au tribunal et en qua-
lifiant tout ce qu'on accuse et à mesure qu'on
l'accuse. Dans peu de temps on a parcouru le cycle
des consciences et les âmes savent à quoi s'en
tenir ;

« 2° En donnant des conférences particulières
après vêpres aux âmes qui communient chaque
semaine pour leur apprendre à distinguer : 1° les

conseils des préceptes ; 2° les tentations des péchés,
etc..., tel que je l'ai dit plus haut. Les âmes ainsi
formées peuvent communier deux ou trois dimanches ou quatre sans confession, ce qui fait qu'on
peut tout soigner. Il n'y a pas de danger qu'elles
aillent communier avec un péché mortel commis.
On n'a commencé à confesser les péchés véniels
que depuis le huitième siècle ; pourquoi y mettre
aujourd'hui tant d'importance ? Croit-on bien que
la communion les efface ? N'a-t-on pas plus besoin
de manger que de se purger ?

« Les dispositions pour communier se réduisent
à trois : 1° pour communier tous les huit jours,
exemption actuelle du péché mortel ; on peut en
priver quelquefois, mais pour peu de temps, lorsque l'âme y est habituée et y tient, quand on prévoit
que la privation donnera plus de respect pour
Jésus et plus d'horreur pour le péché véniel ; 2° pour
communier tous les jours ou plusieurs fois par
semaine, si les devoirs d'état le permettent, trois
conditions : exemption de toute affection au péché
véniel ; on y a de l'affection lorsqu'on veut positivement continuer de le commettre ou que, sans le
vouloir positivement, on le commet souvent et facilement sans faire d'efforts pour s'en corriger ;
exemption de tout péché véniel délibéré, à moins
qu'on s'en repente d'abord après, et qu'on veuille
communier pour avoir la force de s'en corriger ;
tendance à la perfection, selon son état, par les
exercices de la méditation, des deux examens, des
aspirations et des bonnes œuvres ; 3° on peut
cependant communier tous les jours ou plusieurs

fois par semaine avec l'affection au péché véniel,
lorsque la communion est nécessaire pour préserver du péché mortel.

« La communion de chaque dimanche est facile,
si on la permet sans confession après avoir formé
les consciences ; sinon impossible pour les fidèles
et les pasteurs, si ce n'est pour un petit nombre de
dévotes qui occupent tout le clergé de bien des
pays. Exhorter souvent, fortement, tous les fidèles à
cette communion hebdomadaire qui est commune,
ordinaire, et qui a été en pratique jusqu'au x° siècle. Si vous obtenez cela, vous obtenez tout. Si
vous ne l'obtenez pas, vous obtiendrez toujours
beaucoup, mais toujours assez peu pour la persévérance.

« Inculquer beaucoup la communion spirituelle
qui produit une partie des fruits de la communion
sacramentelle, lorsque celle-ci n'est pas possible.
Balayer la maison par un acte de contrition, inviter Jésus à venir s'y loger : voilà à quoi elle se
réduit.

« Inculquer fortement les devoirs d'état qui cons-
tituent la perfection de chaque âme et caractérisent
chaque saint. Si un charpentier ne mange que
pour travailler selon son état, l'on ne doit prier,
communier que pour travailler selon son état, et
ne pas faire un état des exercices de la vie spirituelle, à moins qu'on n'ait point de devoirs d'état à
remplir.

« Le pied n'est parfait qu'en faisant sa fonction de
pied, une servante qu'en faisant bien son service de
domestique, etc. On gagne autant en moissonnant

qu'en priant, en dormant qu'en travaillant, en
mangeant qu'en entendant la messe, parce que Dieu
veut qu'on mange, qu'on dorme, etc... Et faire
la volonté de Dieu pour lui plaire, soit d'une manière, soit d'une autre, c'est parfait. Etrange est
l'erreur des paysans qui ne regardent comme bons
que les exercices de piété, et comme perdues leurs
occupations temporelles ou corporelles. Désabusez-
les sur ce point important, et apprenez à être saint
selon son état, sa vocation. Dites-leur bien de ne
pas rêver après des états auxquels Dieu ne les
appelle pas, afin de ne pas perdre les mérites de
l'état dans lequel ils sont.

« Inculquer la manière de faire les exercices de
piété :

« *Examen de prévoyance :* Prévoir les occasions d'acquérir une vertu, résolution d'en profiter. Pratique d'une vertu, de la présence de Dieu
avant tout pendant quelques mois, ensuite de la
vertu opposée au vice dominant. Supposons l'orgueil : 1° éviter les fautes d'orgueil extérieures
jusqu'à ce qu'elles soient très rares ; 2° les fautes
d'orgueil intérieures de même. Voilà le *declina a
malo*, ou dresser le bâton courbe. Reste le *fac bonum*
en le courbant du côté opposé : 1° supporter avec
patience les humiliations de quelque part qu'elles
nous viennent ; 2° avec joie, avec amour, en les
cherchant. Chaque degré occupera l'âme pendant
plus ou moins de temps. Les âmes tristes ou scru-
puleuses doivent commencer par la résignation à
tout ce qui leur arrive comme étant un effet de la
volonté ou de la permission de leur bon Père.

« *Examen de conscience :* 1° ramasser les balayures ;
2° les jeter hors de la porte par un acte de contrition. Examen de conscience pour la confession
suffisant dès que le confesseur le juge tel en absol-
vant. — Nombre et espèce des péchés mortels seulement. — Les péchés mortels douteux ne sont pas
matière nécessaire de confession à moins que
l'âme ne soit relâchée ; contrition, douleur spirituelle, comme le mal qui en est l'objet. La sensibilité n'est pas nécessaire quoique désirable.

« *Confession.* — Confesser tout ce qui est mortel
ou qu'on croit mortel ; dispenser les âmes timorées
de l'accusation des péchés douteux. — Bon propos
compatible avec la crainte de retomber.— La bonne
volonté actuelle suffit pour être absous, vu que
Dieu n'a pas dit *Par hominibus bene facientibus*,
mais *bonæ voluntatis*. Dieu donne la grâce pour
faire valoir la bonne volonté, et les sacrements ne
sont pas seulement la récompense de la sainteté,
mais les moyens de devenir saint. Une probabilité
prudente de la bonne volonté actuelle suffit pour
absoudre. — Absoudre facilement les rechutes de
faiblesse, vu qu'aucune fièvre ne s'en va sans laisser quelques ressentiments, à moins d'une guérison miraculeuse. — Encourager les âmes au tribunal, en chaire et partout, malgré tout ce qu'elles peuvent présenter de désespérant, pour aller en sens
inverse de notre ennemi qui ne cherche qu'à décourager et à désespérer. — Promettre une miséricorde sans bornes aujourd'hui, mais point de lendemain. — Dire aux hommes qu'ils ne sont pas
obligés de faire tout ce que les femmes font en fait

de piété, mais seulement d'observer les commandements de Dieu et de l'Eglise et les devoirs d'état.
— Les hommes se confessent en gros, les femmes
en détail ; les femmes sont sensibles comme les re-
présentantes de la divine Providence auprès des
misères humaines, et les hommes raisonnables
comme les rois des familles. — Le dire bien aux
curés qui veulent que les hommes se confessent en
femmes.

« *Fin de l'homme*. — Nous sommes à Dieu :
1° comme son ouvrage, puisque l'ouvrage appartient à l'ouvrier ; 2° puisque nous sommes faits
pour le bonheur qui n'est que dans Dieu. Donc, il
faut jouir de Dieu en mettant en lui sa fin, son
contentement, son repos, et n'user des créatures
que pour aller à Dieu comme on use d'un chemin, d'un remède, d'une échelle. User ainsi du
repos, des repas, des richesses, des biens, des
maux, etc.

« J'arrête ici ma plume qui court sans ordre.
Courage, mon cher confrère. Le bon Dieu est et
sera avec vous. Déroutinez les prêtres qui regardent la routine comme de tradition apostolique et
font aujourd'hui telle chose parce qu'ils l'ont faite
hier, comme les abeilles font leurs rayons depuis
six mille ans.

« Courage et confiance ; vous ferez un bien incalculable. Voilà pourquoi le démon vous en veut
à mort et se sert de ses envoyés ou de ses joués et
dupés pour *corner* contre vous. Vous ferez infiniment plus de bien que moi parce que vous êtes plus
humble et plus prudent. Comme fils de charpen-

tier, j'allais à grands coups. Excusez la franchise
avec laquelle je vous écris : *Mea omnia tua sunt.*
Je vous enverrai un nouveau *Ciel ouvert*, sitôt que
j'en aurai reçu. Tout à vous. — L'abbé FAVRE. »

Nous n'insisterons pas davantage sur le rôle admirablement apostolique de cet homme caché dont
Dieu faisait l'inspirateur et l'appui de ses meilleurs ouvriers, et nous passons à son apostolat
d'écrivain. Aussi bien le lecteur peut-il s'être demandé à quoi fait allusion M. Favre dans ce dernier mot de sa lettre : « Je vous enverrai un *Ciel
ouvert* sitôt que j'en aurai reçu. »

CHAPITRE III.

Un illustre missionnaire du siècle dernier, le vénérable Père Sarnelli, disait à ceux qui s'étonnaient de le voir, malgré des occupations accablantes et des maladies continuelles, composer sans cesse de nouveaux ouvrages : « Il ne me suffit pas de prêcher jusqu'à ma mort, je veux prêcher encore jusqu'au jour du jugement. » M. Favre voulut lui aussi perpétuer son apostolat. De là,

Saint Alphonse de Liguori,
maître et modèle de M. Favre.

les livres solides et pratiques dus à la plume vigoureuse de notre missionnaire.

Quels sont ces ouvrages? Nous ne les connaissons pas tous, et notamment nous n'avons pu trouver aucun exemplaire de son *Plan de bibliothèque paroissiale*. Les principaux sont le *Manuel du*

Pénitent, édité pour la douzième fois en 1862 (1), et le *Ciel ouvert*, dont nous connaissons neuf éditions.

Premier fruit des travaux de M. Favre, à Conflans, le *Ciel ouvert* — 1ʳᵉ édition — est un volume de 317 pages, divisé en deux parties et intitulé : « *Le Ciel ouvert par la confession sincère et la communion fréquente.* » Partout la doctrine y est appuyée sur des preuves théologiques solides et confirmée par des exemples frappants. Saint Alphonse de Liguori y est largement cité. On pourrait dire que M. Favre y a mis en œuvre toute sa doctrine sur la matière. Cette façon de vulgariser les écrits du saint docteur n'est pas pour diminuer la valeur de notre missionnaire. Voici une idée de son ouvrage :

Déclarez, leur dit-il dès le début, tous vos péchés mortels ou que vous croyez mortels. Jésus-Christ, l'Eglise, les saints vous le commandent. Cela est indispensable pour obtenir le pardon, éviter d'horribles sacrilèges, ne pas vous exposer à mourir en mauvais état. Vous le devez sous peine de passer par la justice de Dieu, la tristesse et le remords en cette vie, la honte universelle au jour du jugement. Sans cet aveu sincère, pas de ciel pour vous. — Suit un examen sur les confessions à réparer et une réfutation piquante des prétextes que l'on apporte généralement pour ne pas accuser certains péchés. Combien vives, solides, populaires, nous ont paru ces pages ! Que d'âmes elles convertiraient encore de nos jours !

___

(1) Annecy, imprimerie Ch. Burdet.

La seconde partie de l'ouvrage concerne la fréquente communion recommandée instamment par Jésus-Christ, les saints Pères, les Docteurs anciens et modernes, les maîtres de la vie spirituelle ; communion que réclament les besoins de notre âme et qu'accompagnent les plus précieux avantages. Vient ensuite la réfutation des prétextes invoqués pour ne pas communier souvent. On dirait un résumé complet de toutes les arguties, de tous les scrupules, de toutes les illusions que les pauvres âmes ont coutume d'employer ou d'éprouver à ce sujet.

Ce livre est de ceux où l'art pour l'art n'a point de place ; mais où la doctrine, choisie et mesurée, est donnée avec autant de pureté que d'abondance. De tels livres se font lire de tout le monde, même des lettrés sérieux. Ce résultat, que les nombreuses éditions du *Ciel ouvert* démontrent, est dû sans doute à un mérite plus rare que celui des phrases raffinées.

Les critiques littéraires ne manquèrent pas d'exercer leur facile talent sur ce livre du missionnaire. Le vent a emporté leurs observations. La critique théologique mérite davantage notre attention. Elle fut présentée par le chanoine Ducis, frère aîné du missionnaire de ce nom et professeur de morale au grand séminaire de Moûtiers. Voici la réponse de M. Favre :

« Conflans, le 2 juillet 1835. — Monsieur le chanoine et cher confrère, j'ai tardé jusqu'aujourd'hui, pour affaires, à vous remercier bien sincèrement de vos excellentes observations sur mon *Ciel ouvert*.

28.

J'en ferai mon profit dans une seconde édition que
je me propose de donner. J'ai trouvé vos réflexions
fort sages, à l'exception de quelques-unes qui ne
m'ont pas paru aussi fondées en raison.

« I. — *Vous me dites que le catéchisme enseigne que
pour communier souvent il ne faut point avoir d'affection au péché véniel.* — Le mot *souvent* doit s'entendre
de la communion de plusieurs fois par semaine
qui seule est regardée comme fréquente par le
Bienheureux Liguori.

« II. — *Mes principes sont contraires à l'enseignement
du séminaire.* — Je les ai presque tous tirés de la
morale du Bienheureux Liguori, reconnue pour
orthodoxe à Rome. Hormis une discipline particulière et la législation du pays où il se trouve,
un diocèse n'a et ne peut avoir que le dogme, la
morale et la discipline générale de l'Eglise catholique et romaine. Ces expressions de morale du
séminaire, enseignement du diocèse, m'ont toujours paru schismatiques et fort inconvenantes.
Faites-moi part de vos lumières sur ce point, et
détrompez-moi si je suis dans l'erreur ; vous me
rendrez un véritable service.

« III. — *J'aurais dû parler de la confession fréquente.* Je la trouve quasi trop fréquente parmi les
femmes qui ont plus de dévotion, soit dit tout bas,
aux confesseurs qu'aux sacrements et surtout à la
communion. Un peu moins de confessions et un
peu plus de communions n'irait que mieux. C'est
à cette fin que je n'ai pas cru devoir parler de la
confession fréquente. Je ne sais si j'ai raison.

« IV. — *Je n'écris que pour des scrupuleux.* Je puis

vous dire qu'en général la piété savoyarde est
noire, ennuyeuse, scrupuleuse, inquiète. Ce mal
est très répandu ; j'en puis parler pour avoir parcouru bien des paroisses,

« Ces inquiétudes, ces scrupules viennent de ce
que les prêtres ne font pas assez distinguer : les
sentiments, les tentations d'avec le péché, le consentement ; la dévotion d'application et de bonne
volonté que Dieu demande, d'avec la dévotion
sensible qu'il ne demande pas ; les imperfections
ou l'omission des pratiques chrétiennes, d'avec le
péché proprement dit ; les péchés véniels les plus
ordinaires d'avec le péché mortel.

« Autres causes : 1° l'exagération en fait de morale, en enseignant qu'on peut faire des sacrilèges
sans le savoir, par manque d'examen, de contrition,
de bon propos, lors même qu'on se fait connaître
à son confesseur comme l'on sait, et qu'on s'en
rapporte à sa décision. — 2° L'incertitude des âmes
pieuses qui n'ont point de règles pour se décider
dans leurs doutes pratiques. On devrait dire aux
âmes timorées de juger en leur faveur et aux âmes
lâches de juger en leur défaveur, dans tous leurs
doutes pratiques. A défaut de ces règles, les âmes
agissent avec une conscience douteuse, dangereuse
et souvent criminelle. — 3° L'examen éternel de
leurs misères qui les porte au découragement, à la
tristesse, au désespoir, et qui fait qu'elles s'occupent d'elles-mêmes au lieu de s'occuper de Dieu,
leur fin unique. Affreuse diversion que le démon
leur fait pour les détourner de Dieu et les dégoûter
de son service. On ne leur fait pas assez compren-

dre et sentir que tous les hommes sont sujets aux
tentations, aux distractions, aux dégoûts et au
péché, qu'il faut examiner sa misère non pour se
décourager et se désespérer comme fait le démon,
mais pour s'encourager et mettre sa confiance en
Dieu, puisque Dieu fait l'aumône aux misérables
et aux plus misérables qui se reconnaissent tels.
— 4° On ne leur fait pas assez distinguer la partie
sensible, animale et inférieure de notre âme qui
passe de la joie à la tristesse, du courage au découragement, de la ferveur à la tiédeur, d'un sentiment à un autre ; qui change, varie, toute la vie,
sans qu'on y puisse porter remède, pour l'exercice
de notre amour envers Dieu, d'avec la partie raisonnable supérieure qui est toujours en notre disposition et qui peut être immuable comme Dieu,
auquel elle peut demeurer unie au milieu de tous
ces changements de la partie inférieure. — 5° La
direction molle, sensuelle, qui rend les âmes pieuses extrêmement *douillettes*, tendres sur elles-
mêmes, et qui fait qu'elles croient tout perdu et
souvent abandonnent tout, à la moindre épreuve.
Que ne leur fait-on sentir la nécessité, l'importance
et les avantages indicibles des épreuves pour devenir saint et parfait! On en ferait des âmes détachées
d'elles-mêmes et des consolations et des confesseurs, et uniquement attachées à Dieu et à sa sainte
volonté dans les épreuves comme dans les consolations, dans le bas comme dans le haut; et le
mot : *fiat voluntas tua* serait la base solide de leur
vertu. — La fausse dévotion de tant d'âmes ignorantes qui mettent toute la perfection dans de longs

examens, dans des confessions minutieusement détaillées, dans des exercices de piété qui ne s'allient point avec leur position, au lieu de la mettre dans l'accomplissement de la volonté de Dieu et de leurs devoirs d'état pour l'amour de Dieu, ce qui fait des dévotes bien propres à décrier la religion et à en dégoûter. — 7° On devrait apprendre aux âmes à s'oublier peu à peu pour s'occuper de Dieu et de sa volonté; mais au lieu de le faire, on porte ou on leur laisse porter toute leur attention sur leurs fautes présentes, passées, à venir, sur l'abus des grâces, sur leurs souffrances, sur leurs afflictions, sur le confesseur, sur mille inutilités. — 8° Enfin des examens et des confessions éternelles en matière d'impureté, empoisonnent grand nombre de ces âmes qui finissent par devenir *monomanes* et voir tout en sale. Que n'interdit-on tout examen et toute confession de pensées, de désirs impurs à ces âmes timorées qui ne font que se tourmenter là-dessus! Je vous ai signalé quelques-uns des abus que j'ai remarqués dans mes courses, comme étant à portée d'y remédier peu à peu par vos sages enseignements. Je ne puis assez vous marquer ma reconnaissance pour les réflexions que vous m'avez communiquées. Veuillez joindre à cette bonté un petit souvenir dans vos saints sacrifices pour celui qui est tant, Monsieur le professeur, votre tout dévoué. — L'abbé FAVRE. »

« P.-S. — Obliger les âmes ou leur conseiller de faire des confessions générales sans nécessité, grande imprudence qui met souvent ces âmes dans le cas de cacher des fautes déjà accusées et pardon-

nées, lorsqu'elles ne les ont pas demandées elles-
mêmes et même lorsqu'elles les ont demandées. »

Cette lettre aura paru longue. Impossible pourtant de sonder à fond les préjugés de l'école rigoriste sans prendre la peine de lire ces sortes de
documents. En eux, plus qu'en tous autres écrits,
l'on découvre avec ses mille nuances l'erreur funeste qui a découragé beaucoup de fidèles au siècle
dernier et leur a fait déserter l'église.

Qu'on nous pardonne de citer encore la réponse
de M. Favre aux objections que fit contre son *Ciel
ouvert* le professeur de morale de Maurienne :

« Albertville, le 14 février 1836. — Mon cher confrère, je vous remercie bien sincèrement des observations que vous m'avez fait passer. C'est là une
preuve d'amitié à laquelle je suis fort sensible. Je
vous communique avec la même franchise quelques
remarques.

« 1° Dans mon *Ciel ouvert,* vous n'avez pas fait
attention à la phrase qui vous a paru trop sévère :
*Qui ne sait pas ou au moins ne croit pas ces cinq vérités
lorsqu'on les lui propose,* etc. Ma doctrine est donc la
vôtre, je pense qu'on peut et qu'on doit absoudre
les demi fous qui ne peuvent pas retenir les mystères ; mais je pense qu'un fou qui n'est pas capable
de faire un acte de foi sur ces mystères n'est pas
capable de pécher mortellement. A l'article de la
mort, on peut et on doit absoudre sans la connaissance de ces mystères, et même sans acte de foi
lorsqu'il n'est pas possible. Mais n'écrivant pas
pour des prêtres directement, je me suis abstenu
d'en parler.

« 2° La théologie morale de saint Liguori ayant été déclarée exempte de toute censure, Benoit XIV veut que, tout en réfutant ses opinions, on ne fasse pas de difficulté de les reconnaître pour probables. J'ai cru et je crois pouvoir encore suivre en sûreté de conscience toute la doctrine de saint Liguori dans la rédaction de mon *Ciel ouvert*. Si je m'en suis écarté, c'est pour ne l'avoir pas bien comprise. En fait de théologie, je choisis toujours l'auteur dont le nom est précédé d'un B., béatifié, ou d'un C., canonisé, ou d'un S., saint, selon le conseil de saint Philippe de Néri. Le dernier qui a écrit est le meilleur à mes yeux, parce qu'il est censé avoir profité de toutes les lumières de ses devanciers. La plupart des théologiens ont écrit plus ou moins sous l'influence de leurs préjugés d'éducation, de pays, de caractère, de corporation ou d'école, ou sous l'influence des passions. Voilà la raison principale qui m'attache à saint Liguori.

« 3° Si j'ai dit qu'on n'est pas obligé de remplacer la messe par de bonnes œuvres, c'est que saint Liguori n'en fait pas une obligation. Si j'ai dit qu'après qu'on est converti il faut communier aussi souvent qu'on en a besoin pour ne pas retomber, c'est que le saint l'a dit. Quant à l'abus qu'on pourrait faire de la communion fréquente, c'est ce que je crains le moins, à l'exception d'un petit nombre de dévotes sensuelles dont les jeunes confesseurs s'occupent beaucoup trop, et dont je m'occupe assez peu. Quiconque communie souvent, surtout si c'est un homme, veut bien faire. Ceux qui pensent et parlent autrement, connaissent assez peu le monde.

« 4° Si j'ai peu insisté sur les péchés véniels, c'est pour ne pas effrayer et éloigner de la sainte table nos pauvres Savoyards qui n'en sont déjà que trop éloignés Au reste, mon cher confrère, je renvoie les pénitents aux confesseurs et les confesseurs aux dispositions pour la communion,et la communion fréquente que j'explique à la fin de l'ouvrage, d'après saint Liguori. Les imprudences des pénitents sont donc cautionnées par la prudence des confesseurs, celles des confesseurs par la prudence de saint Liguori.

« 5° Dire: je me suis confessé il y a trois semaines, ne me semble pas une restriction purement mentale ; je la crois permise aux pénitents honteux ; cette réponse suppose une confession intermédiaire. Bref, je dois pouvoir étendre la miséricorde aussi largement que l'Eglise le permet, et pour ne pas trop l'étendre, je m'en tiens à saint Liguori que je préfère à tout autre théologien.

« 6° Je crois enfin qu'il faut laisser une entière liberté en fait d'opinions controversées, ainsi que l'Eglise le déclare aux docteurs et même aux évêques, et que personne n'a droit de les imposer à qui que ce soit. Voilà ma manière de voir.

« 7° Je vous remercie de votre lettre que je regarde comme un témoignage bien sincère d'amitié et de bienveillance ; je suis bien convaincu que c'est l'amour de la vérité et du bien qui vous l'a inspirée. Si notre manière de voir ne s'accorde pas entièrement en fait d'opinions, nous n'en serons pas moins unis et amis. Priez un peu pour moi qui suis tant votre tout dévoué. — L'Abbé FAVRE. »

Si les lettres auxquelles M. Favre vient de répondre avec tant de sagesse et d'aménité, contenaient tant d'objections, qu'en devait-il être des vrais jansénistes et des *diocésains* à outrance? Que pensaient du livre de M. Favre, ses véritables adversaires? La lutte n'était donc pas finie! On avait fermé la bouche à cet extravagant, pensaient les rigoristes, et la presse venait lui rendre une voix centuplée! Décidément, la foi du diocèse était menacée. Il fallait agir sans retard et vigoureusement.

Un zélé supérieur, que son intention excusait peut-être, déféra le *Ciel ouvert* au *Saint-Office*, sans en prévenir notre auteur. De son côté, M. Favre essayait de faire approuver à Rome ce même ouvrage, afin de porter lui aussi un coup décisif. Sa correspondance à ce sujet est des plus intéressantes. On y voit en outre quel amour le brûlait pour le Saint-Siège et la vraie doctrine de Pierre. Le 5 juin, il écrit à M. Maitral :

« Mon cher ami et confrère, soit dit une fois pour toutes, on ne saura rien, absolument rien, de mes rapports avec vous; vous pouvez compter dessus : je n'en dirai rien à personne, mais à personne. Voilà qui est sûr. Vous aurez le plaisir de voir M. Touche : il porte avec lui un *Ciel ouvert*. Je tiendrais singulièrement à ce que vous travaillassiez à le faire approuver à Rome.

« Cette approbation serait d'un grand poids et ne contribuerait pas peu à propager la fréquente communion et à adoucir notre rude morale. Je le soumettrais bien à la censure de nos évèques, comme je l'ai fait à l'égard de celui d'Annecy ; mais ils se croient obligés en conscience de ne pas approuver ce qui s'écarte le moins du monde de ce qu'ils appellent la *Morale du diocèse, l'enseignement du Séminaire ;* je veux dire les opinions reçues. On dénigre la morale de saint Liguori tant qu'on le peut ; on la réfute d'une manière même grossière. Et pourquoi ? Pour se mettre en lieu et place. On cherche l'Eglise dans le diocèse, dans le séminaire, et non pas le séminaire, le diocèse dans l'Eglise. Voilà ce que nous ont valu le gallicanisme et le jansénisme.

« Je vous recommande donc, pour le bien de notre Savoie, pour le bien des âmes, pour le triomphe des vraies doctrines, de ne rien épargner pour obtenir les décisions que je vous ai chargé de demander. La Providence divine vous a placé à Rome, le centre de l'unité catholique, la source de tout vrai enseignement, pour faire rejaillir sur nos montagnes quelques rayons de sa divine sagesse.

« Je compte sur votre zèle et sur celui des personnes charitables, qui s'intéressent à une si bonne cause et vous seconderont puissamment. J'aurais une envie démesurée d'aller à Rome, que j'aime, que je vénère, que j'écoute comme ma mère, malgré tout le mal qu'on m'en dit. Mais qu'y ferais-je à Rome, sinon le rôle fort louable sans doute, fort désirable de pélerin, mais insuffisant pour le but qui m'occupe ? Pendant que je voyagerais, je puis écrire quelques mauvaises lignes, et dissiper quelques préjugés. Aussi je vous prie et vous recommande instamment de garder le secret de toutes les ouvertures que je pourrai vous faire.

Toute révélation pourrait être fort nuisible, non pas à moi qui me mets fort peu en peine du qu'en dira-t-on, mais au bien que je me propose de faire. Je compte entièrement sur votre discrétion comme vous pouvez compter sur la mienne. Votre lettre m'a procuré une véritable satisfaction par les détails intéressants qu'elle contient. Ecrivez-moi de temps en temps et dites-moi toujours quelques-unes des merveilles de Rome, notre patrie commune ; parlez-moi de ses monuments, de son gouvernement civil et religieux, de ses cérémonies, de sa morale, de sa discipline diocésaine, etc...

« Je reviens à notre pays pour en donner des nouvelles. L'œuvre des missions en Tarentaise menace ruine. M. le chanoine Martinet et M. Ducis, le supérieur, ne s'entendent pas sur le plan à suivre. M. Martinet veut embrasser tous les genres de bien à faire dans un diocèse. M. Ducis veut absolument se borner aux missions. La rupture est devenue publique, par l'indiscrétion des uns ou des autres. Cette rupture fait un très mauvais effet. M. Martinet est trop confiant, et dit ses secrets à des laïques qui ne devraient jamais savoir ce qui se passe entre eux. On en est à faire le siège de M. Ducis ; je ne sais si on viendra à bout de le faire capituler. On m'en a chargé: j'attends une occasion favorable.

« Mille choses, s'il vous plaît, aux révérendes Mères Barat et de Limminghe. Remerciez-les bien de leurs bons offices en attendant que je puisse leur rembourser leur déboursé. Continuez de prier pour moi qui vous aime toujours en Jésus-Christ

comme un de mes plus chers confrères. — L'abbé
FAVRE. »

A cette lettre était jointe une série de cas théologiques, dont M. Favre demandait la solution à
Rome.

Sur ces entrefaites, notre savant directeur apprit
qu'un dignitaire ecclésiastique venait de déférer
au Saint-Office la nouvelle édition du *Ciel ouvert*.
La prudence lui faisait un devoir de parer à certaines difficultés auxquelles l'exposait la précipitation
de son éditeur; il devait aussi se choisir un avocat
à Rome qui sût et pût faire comprendre quel esprit
était le sien. M. Favre se servit pour cela de l'intermédiaire de la vénérable mère Barat, sa pénitente, et lui adressa l'important mémoire qu'on va
lire :

« Albertville, le 24 octobre 1837. — Ma très digne Mère, je viens d'apprendre par une voie sûre
qu'une des sommités du diocèse de Chambéry
vient de déférer au tribunal du Saint-Office de
Rome mon *Ciel ouvert* comme un ouvrage suspect
en fait de doctrine. Cette délation entre parfaitement dans mes vues puisque j'ai toujours désiré
que mon écrit fût approuvé ou condamné à Rome.
Je souscris d'avance d'esprit, de cœur et de bouche
à tout ce que ce sacré tribunal décidera à cet égard.
Ma cause est entre les mains de Dieu et de son
église ; peut-elle être entre meilleures mains ? Je
ne me mets donc nullement en peine, ni de mon livre, ni de ma réputation, dont j'ai déjà fait le sacrifice au Seigneur, si le Seigneur l'exige. Cependant,
des personnes qui s'intéressent vivement à cette

cause, m'ont conseillé de vous fournir sur ce sujet des renseignements qui peuvent être utiles au tribunal de l'Inquisition dans l'examen qu'il en fera. Je vous les adresse donc en toute confiance, ma digne Mère, laissant à votre sagesse le soin de voir à qui, quand et par qui il faudra les communiquer.

« 1° L'édition de Lyon a été manquée et voici comment. Nous étions convenus, mes amis et moi, avec MM. les frères Périsse, qu'ils nous enverraient six épreuves de l'ouvrage avant d'en faire le tirage, afin de les soumettre à l'examen de Nos Seigneurs les évêques de Savoie, aux professeurs de morale, et d'y faire tous les changements et toutes les corrections qu'ils jugeraient nécessaires ou convenables. Quelques semaines après cette convention, les ouvriers employés à la confection de cette édition sont tombés malades presque tous à la fois, et l'édition languit sept ou huit mois. Fatigués de nos plaintes sur ce retard, MM. les frères Périsse ont fait brusquement le tirage de six mille exemplaires sans penser à nous envoyer les épreuves demandées. Dès lors, comme toute correction devenait impossible, nous aurions volontiers laissé l'édition aux frais des éditeurs si la clause des six épreuves à envoyer avant le tirage s'était trouvée écrite dans la convention passée avec eux. Mais, malheureusement, cette clause ne s'y trouvant pas, nous avons été contraints d'ajouter une longue liste d'errata à la fin de chaque exemplaire, sauf un certain nombre qui, par la précipitation des éditeurs, sont sans cette liste. Je crains qu'on ait envoyé au Saint-Office un de ces derniers exemplaires, ce qui nuirait beaucoup à la cause. S'il en était ainsi, je vous prierais, ma digne Mère, de vouloir bien remettre ou faire remettre à ce tribunal un exemplaire qui ait cette liste. L'exemplaire que j'ai remis à M. l'abbé Maitral et celui que je vous ai fait remettre se trouvent de ce nombre, ainsi que celui que M. Touche a remis à son Eminence le cardinal-vicaire.

« 2° En composant mon *Ciel ouvert* j'ai suivi, autant que j'ai su le faire, la doctrine et l'esprit de saint Alphonse de Liguori, sur la communion fréquente. Ses sentiments pourront donc servir à faire connaître les miens sur ce même sujet.

« 3° Pendant les quinze années que nous avons fait des missions, mes compagnons et moi, dans les diocèses de Chambéry, de Tarentaise et de Maurienne, nous avons constamment travaillé à rapprocher les fidèles des sacrements, qu'une direction et une morale beaucoup trop sévères et la crainte excessive d'en abuser ou de les profaner en avaient éloignés au point que la masse ne se confessaient et ne communiaient qu'à Pâques, et un bon nombre passaient plusieurs années sans s'approcher de la sainte table. Nous avons beaucoup gagné, mais bien peu comparé à ce que nous désirions, car nous n'avons pu amener qu'un bien petit nombre d'âmes, et encore dans un petit nombre de paroisses, à communier tous les quinze jours, toutes les trois semaines, tous les mois et quelques-unes tous les huit jours. Fortement convaincu de l'importance de la communion fréquente, pour

ranimer la foi et la piété que la révolution française avait comme étouffées dans nos montagnes,
et en même temps de la difficulté à y amener les
âmes d'ailleurs bien disposées, j'ai cru devoir
composer un écrit sur les réticences en confession
que la rigidité de la morale et de la direction a
prodigieusement accrues, et sur la communion
fréquente que la crainte générale des sacrilèges a
rendue si rare. La lecture de cet écrit a fait réparer,
de l'aveu de MM. les curés, un nombre prodigieux
de sacrilèges et a réconcilié, pour ainsi dire, un
certain nombre de prêtres et de fidèles, avec la
communion fréquente. Cette sainte pratique renait
insensiblement dans nos montagnes et, avec elles,
renaissent la foi et la piété. Tels sont le but et le
résultat de mon *Ciel ouvert*.

« 4° La lecture de cet écrit a produit un autre effet
que Messeigneurs les évêques voient avec peine ;
c'est d'avoir divisé le clergé séculier en deux partis. Les uns (ce sont les plus zélés et les moins
nombreux) sont pour la communion fréquente ; ils
y exhortent en public et en particulier les fidèles
ainsi qu'aux dispositions quelle demande, et y
admettent au tribunal ceux qu'ils trouvent dispo-
sés. Les autres (et c'est le plus grand nombre et
qui parait le plus appuyé des supérieurs ecclésiastiques) sont fortement prononcés contre la communion fréquente ; ils la désapprouvent, la blâ-
ment à cause des abus qui en résultent quelquefois
ou qui peuvent en résulter, sans égard aux dispositions de ceux qui la pratiquent ou peuvent la
pratiquer, et prennent de là sujet de critiquer

comme relâchés les prêtres qui la recommandent.
Les évêques et supérieurs des trois diocèses de
Chambéry, de Tarentaise et de Maurienne, sans se
déclarer positivement contre la communion fréquente, paraissent favoriser et soutenir ce dernier
parti. L'un a défendu la communion quotidienne
d'une manière générale dans son diocèse. Un autre
a fait improuver par son grand-vicaire la communion fréquente dans une retraite ecclésiastique, à
cause de quelques abus qui s'en étaient suivis
dans une paroisse de son diocèse. La même impro-
bation a été faite dans le troisième diocèse par l'un
des grands-vicaires. Je ne parle point de Monseigneur l'évêque d'Annecy qui s'est déclaré ouvertement pour la communion fréquente, et l'a recommandée et la recommande dans ses visites
pastorales et les retraites ecclésiastiques. Voilà,
ma digne Mère, les deux camps qui attendent avec
une sainte impatience la décision du Saint-Siège.
Qui se serait imaginé qu'un misérable écrit que je
n'ai rédigé que pour les simples fidèles eût pu
faire tant de bruit ?

« 5° En entrant dans la carrière des missions, je
me trouvai tout de suite aux prises avec le rigorisme qui a perdu en partie la religion en Savoie et
en France en éloignant les fidèles des sacrements,
et avec le gallicanisme qui a introduit un étrange
arbitraire dans l'enseignement surtout de la morale,
en isolant jusqu'à un certain point les diocèses de
l'Eglise Romaine, la mère et la maitresse de toutes
les Eglises et le centre de l'unité catholique. Je
crus devoir les combattre en recommandant par-

tout l'attachement au Saint-Siège en fait d'enseignement et la théologie morale de saint Alphonse
de Liguori comme ne contenant rien qui soit digne
de censure. Ces recommandations m'attirèrent des
persécutions : on me traita de Liguorien, de relà-
ché, de novateur, de prêtre désobéissant, qui ne
veut pas se soumettre aux opinions du diocèse
qu'on appelle la morale du diocèse. Malgré ces
persécutions, j'ai poursuivi mon entreprise, avec
toute la prudence que Dieu m'inspirait, sans jamais
manquer aux égards ni à l'obéissance que je devais
à mes dignes supérieurs. J'ai eu la consolation de
gagner un bon nombre de prêtres à la morale de
saint Alphonse et à l'autorité du Saint-Siège
comme première autorité en fait d'enseignement.
Messeigneurs les Révérendissimes évêques l'ont vu
de mauvais œil, et ils ne seraient point fâchés de
voir mon *Ciel ouvert* censuré, bien convaincus que
cette censure leur ferait reconquérir ce qu'ils ont
perdu par l'effet de mon zèle et de mon ascendant
sur les prêtres. Vous pouvez voir, ma digne Mère,
les conséquences que va avoir la condamnation de
mon *Ciel ouvert*.

« Quelles que soient ces conséquences, je m'y
soumets d'avance de tout mon cœur. Je vous prie
seulement : 1° De me tenir au courant de cette
affaire. — 2° De m'indiquer les mesures à prendre
pour adoucir la condamnation de mon livre au
cas qu'il mérite de l'être. — 3° D'employer auprès
du tribunal de l'Inquisition les personnages les
plus propres à servir ma cause : la cause des jésuites et la mienne ne font qu'une, ou peu s'en faut

29.

en Savoie. — 4° De m'envoyer une copie authentique du jugement que le Saint-Office aura porté sur
ce livre, car s'il est favorable on ne m'en dira rien.
Après cela, je me repose entièrement sur la divine
Providence. Mes amitiés respectueuses, s'il vous
plaît, à votre chère compagne, et à M. l'abbé Maîtral,
et à vous en particulier que je prie de vouloir bien
me recommander à saint Pierre. Tout à vous. —
L'abbé FAVRE. »

M. Métral, qui avait communiqué à M. Pont un
abrégé de cette lettre, ajoute : « Le *Ciel ouvert* ne
fut point condamné, et s'il n'a pas été positivement
approuvé, ce ne fut point parce qu'il aurait contenu
une doctrine répréhensible, mais parce que Rome
n'approuve en général que les ouvrages qui ont été
composés à Rome. Pour obtenir néanmoins quelque chose de rassurant, qui tranquillisât et satis-
fît ce cher abbé Favre, j'en remis une copie au
professeur du collège Romain qui enseignait la
morale depuis vingt ans. Il me dit en me le rendant : « Il n'y a pas un mot à dire contre cet
ouvrage ; il est écrit dans le meilleur esprit et selon les principes les plus solides et les plus
exacts. »

« Tel est l'enseignement de Rome ; je m'en suis
assuré dans le temps auprès du secrétaire de la
Pénitencerie, chargé de donner la solution des cas
ordinaires qui sont proposés à ce bureau. »

Au milieu de ces débats, M. Favre continuait de
répandre son *Ciel ouvert*, accompagnant de conseils
éminemment pratiques le don qu'il en faisait aux
ecclésiastiques ses amis.

Voici ce qu'il écrivait à l'un d'eux :

« Mon cher confrère, je suis charmé d'avoir pu vous donner un souvenir d'attachement par un don de mon *Ciel ouvert*. Je crois que la lecture de cet ouvrage pourra vous être utile pour l'exercice du saint ministère. — Le meilleur *examen* que je puisse vous indiquer pour les prêtres, c'est l'*Homo Apostolicus* de saint Liguori. Il est clair et court, et renferme toute la morale d'une manière vraiment satisfaisante. — Je vous engage beaucoup à introduire dans votre paroisse la communion fréquente, surtout celle de tous les huit jours ou des dimanches et fêtes. Mais, pour y amener vos gens, il faut former leur conscience, en leur apprenant les six distinctions qui se lisent depuis la page 427 jusqu'à la page 440 inclusivement, et leur permettre ensuite de communier pendant quinze jours, trois semaines ou un mois, sans se confesser, pourvu qu'ils ne se sentent pas coupables de péché mortel.

« Il faut porter, avant tout, les âmes à l'accomplissement de leurs devoirs d'état. Sans cet accomplissement, toute dévotion n'est qu'une bigoterie. Le poirier n'est parfait qu'en donnant des poires, une âme n'est bien qu'en donnant aussi le fruit de ses devoirs d'état; vouloir donner d'un autre fruit, c'est cesser de vouloir être ce que Dieu veut que l'on soit. Rien ne fait plus mépriser Dieu, la religion, les confesseurs, et ne scandalise plus, que les dévotions de femmes et de filles en dehors de leurs devoirs d'état.

« C'est aussi un abus d'examiner et de confesser

tous les péchés véniels, puisqu'il est impossible
de se corriger de tous à la fois. Il ne faudrait permettre aux pénitents que d'accuser deux ou trois
péchés véniels relatifs à la vertu qu'ils travaillent
à acquérir, dont ils ont une véritable douleur et la
volonté de se corriger. Les examens minutieux
sont les joujoux dont le démon se sert pour amuser
les confesseurs et les pénitents, et les détourner de
pourvoir à la contrition et au bon propos. C'est un
abus étrange de se borner à arracher des consciences les péchés véniels, sans les porter à pratiquer, à acquérir les vertus. C'est arracher les mauvaises herbes d'un jardin sans les remplacer par
de bonnes plantes, et laisser le jardin dans un état
stérile. *Declina a malo et fac bonum.*

« Porter chaque pénitent à l'acquisition de la
vertu dont il a le plus besoin ; prévoir, en s'habillant le matin, la manière de la pratiquer pendant
le jour ; voir le soir, dans l'examen de conscience,
si on l'a pratiquée ; faire la guerre à la routine,
dont le démon se trouve si bien, voilà ce que vous
devez tenter de faire. Priez pour moi qui suis tant
votre tout dévoué. — L'abbé Favre. »

Cependant, l'échec à Rome des adversaires du
Ciel ouvert ne tarda pas à être connu. Ce fut pour
notre théologien une victoire éclatante. Cela n'empêcha pas le *Journal ecclésiastique* de Paris de
revenir à la charge le 13 septembre 1838, c'est-à-dire
après la mort de l'auteur, et d'accuser ce précieux
ouvrage « d'opinions laxes et de mauvais style ».
Il se trouva pour relever cette critique un prêtre de
Savoie que nous croyons être M. Gondrand. On

inséra sa réponse au même journal dans le numéro
du 15 décembre 1838. Le rédacteur de cette réponse
aurait pu ajouter la note suivante de M. Favre à
son ami le Père Gaiddon : elle explique parfaitement le discrédit des doctrines romaines sur la
communion fréquente :

« La fréquente communion réunit tous les ennemis de la religion, parce qu'elle attaque toutes les
passions : 1° l'ignorance et les préjugés de ceux
qui croient, par respect pour la raison privée, devoir
rester immuables dans leur manière de voir ; 2° l'orgueil et les prétentions des dévots orgueilleux qui
se croient exclusivement appelés à cette pratique ;
3° la paresse et la lâcheté des tièdes qu'elle incom-
mode trop par les sacrifices qu'elle exige ; 4° toutes
les passions des pécheurs dont elle remue puissamment la bile en leur prêchant hautement les
sacrifices à faire pour s'en rendre dignes ; 5° la paresse et l'ignorance des prêtres qui étendent l'apos-
tolicité de l'église jusqu'à leur routine et qui la
condamnent pour couvrir d'un respectueux prétexte leur paresse à y préparer les âmes ; 6° enfin,
l'enfer dont elle sape si efficacement la puissance.
Aussi l'enfer ne craindra jamais bien les missions
et les missionnaires, tant qu'on ne travaillera pas à
amener les fidèles à la communion au moins hebdomadaire (1). »

Malgré tant d'attaques, le *Ciel ouvert* obtint si

---

(1) Lettre du 26 mai 1837, communiquée par le R. P. Messelod,
des missionnaires d'Annecy.

vite la faveur du peuple chrétien, que dans l'espace
de trois ans il s'en fit trois éditions (1).

M. Favre ne se contenta pas d'avoir mis entre les
mains des fidèles cet instrument de salut, il composa pour les prêtres et dans le but de les aider à
sanctifier leurs paroisses, un ouvrage en deux volumes in-8°, intitulé: *Théorie et pratique de la communion fréquente*. Analyser ce livre ne serait pas en
donner une idée suffisante. Il renferme des trésors
de doctrine pastorale et résume toute une vie d'observations et d'études. Pour le connaître, il faut le lire.

Cet important ouvrage fut édité une première fois
en 1840 par Pélagaud de Lyon, et réédité en 1842
par Lesne, libraire de la même ville. Au dire de
Mgr de Ségur, aucun ouvrage concernant l'importante et difficile question de la communion fréquente n'est plus orthodoxe.

Une simple page de ce livre admirable donnera
une idée de la manière forte et grande dont M.
Favre réfute les objections contraires à la communion fréquente. Il vient d'aborder celle-ci : *On
voit cependant plus de scandales dans les paroisses où
la fréquente communion est en usage que dans les
autres paroisses*. Après une série de réponses où la
sagacité et l'éloquence brillent d'un vif éclat, l'auteur conclut en ces termes :

« Que prouvent donc tous ces scandales qu'on
relève avec tant de complaisance et même d'exa-

(1) Le *Ciel ouvert* vient d'être réédité en un beau volume in-12
de 456 pages compactes, chez Lecoffre, 90, rue Bonaparte, Paris.

gération pour décrier la communion fréquente ? Le grand bien qu'elle opère dans les paroisses où elle s'introduit ; comme les persécutions, les scandales que les prophètes, Jésus Christ, les apôtres et les hommes apostoliques soulevaient en annonçant la parole de Dieu, montraient l'efficacité de leur ministère.

« Ne sait-on pas que le bien se fait à travers les croix et les contradictions ? Il en a été ainsi dès le commencement, il en sera ainsi jusqu'à la fin. Pour moi, je suis moins étonné de tous ces scandales que de la surprise de ces prêtres qui s'en étonnent, s'en scandalisent et en parlent comme des laïques ignorants ou impies pour décrier le bien et la fréquente réception des saints Mystères. A les entendre raisonner, on dirait qu'ils ne connaissent ni l'histoire de la religion, ni la conduite de la divine Providence dans le perfectionnement des âmes, ni la lutte terrible et continuelle des justes avec les pécheurs, avec le démon et la chair, ni la fragilité et l'inconstance humaine, ni les scandales de tous les temps, ni les persécutions des prophètes, de Jésus-Christ, des apôtres et de tous les hommes apostoliques.

« L'un dit : jamais je n'ai vu tant de scandales dans ma paroisse que depuis la mission ; donc la mission a fait plus de mal que de bien. Jamais, dira un autre, je n'ai vu tant de désordres dans ma paroisse que depuis que j'y ai introduit la communion fréquente ; donc la communion fréquente fait plus de mal que de bien. — Autant dire : jamais on ne vit tant de scandales en Judée que depuis

que Jésus-Christ et les apôtres y ont paru ; donc
Jésus-Christ et les apôtres y ont fait plus de mal
que de bien. Jamais on n'a vu tant de remuement
dans l'Asie-Mineure que depuis que Paul et Barnabé y ont passé ; donc ces deux apôtres y ont fait
plus de mal que de bien. — Laissons cette triste
logique à l'ignorance, à l'impiété et à la prudence
de notre siècle qui veut tout pacifier, tout concilier :
le bien avec le mal, le vice avec la vertu, l'ordre
avec le désordre, les ténèbres avec la lumière, la
mort avec la vie, la vérité avec l'erreur. Pour nous,
n'oublions pas que faire le bien et être persécuté,
faire le bien et provoquer la rage du démon et de
ses nombreux partisans, faire le bien et voir des
scandales, faire le bien et trouver des oppositions
de tout genre, oppositions d'autant plus grandes
que le bien doit être plus grand, sont inséparables,
quelle que soit d'ailleurs notre prudence. Qui fut
jamais plus prudent et cependant plus persécuté
que Jésus-Christ ! (1) »

Un mot du dernier ouvrage de M. Favre. Ce livre
intitulé *Grand Manuel du Pénitent*, destiné à former
de bons confesseurs, est resté manuscrit. M. Favre
y renvoie à chaque instant le lecteur de son *Manuel*
ordinaire (édition 1837), preuve qu'il comptait le
publier incessamment. Dans une lettre au Père
Vignet (2), il le range parmi ses manuscrits « déjà
fort avancés. » Jamais cependant le public ne l'a

---

(1) *Théorie* etc., tome I, p. 188 et 189.
(2) *Vie*, par M. PONT, p. 98.

vu paraitre et M. Gaiddon, supérieur des Missionnaires d'Annecy, qui l'avait entre les mains, déclara que rien n'était achevé, excepté une dizaine
de méditations de la première partie.

Peut-être une étude plus attentive de cet important manuscrit permettra-t-elle à quelque éditeur
de le publier un jour, tel que l'a laissé notre saint
auteur.

CHAPITRE IV.

MALADIE ET MORT DE M. FAVRE.

L'heure du repos approchait pour notre infatigable ouvrier. Appelé auprès de son frère Michel, malade à Samoëns, M. Favre partit au printemps de 1838, à pied, le sac sur le dos comme toujours et sans ménager sa santé déjà bien compromise par les travaux si débilitants de la composition. Arrivé au milieu des siens, il leur prodigua ses soins sans en vouloir aucun pour lui. Il ne mangeait qu'une fois le jour, ce qui était sa règle en Carême. Le malade allait mieux (1). M. Favre resta deux jours auprès de lui. Les reproches de sa famille qui l'accusait de garder pour lui seul le produit pécuniaire de ses publications, et de ne pas l'employer à élever ses jeunes neveux n'étaient pas faits pour le retenir ; mais un motif plus sérieux lui fit quitter au plus tôt le foyer paternel, nous voulons parler de ses démarches pour entrer dans la Compagnie de Jésus.

Le lecteur se rappelle que M. Favre avait pensé à se faire jésuite déjà en 1821. Ayant dû consacrer la principale partie de sa vie aux âmes de son pays, il voulait du moins en employer les dernières années à sa propre sanctification, dans la Compa-

_____

(1) Il ne mourut que l'année suivante (16 mars 1839.

gnie de Jésus. Nous le voyons, plus d'un an avant la démarche que nous allons raconter, fortement occupé à étudier les constitutions de l'Ordre. Un billet qu'il écrit à M. Mermier pour lui réclamer ces constitutions montre une vraie impatience de recouvrer ce livre précieux. « Je vous avais prié, dit-il, de me renvoyer les constitutions des Jésuites. J'ai chargé M. Martin de vous faire la même commission. Je ne les ai pas encore reçues. J'en ai cependant un besoin urgent. Je viens encore vous faire la même demande. Je pense que je n'aurai pas besoin de vous faire de nouvelles instances pour recevoir cet ouvrage que, certainement, je ne vous eusse pas prêté si j'eusse prévu que vous ne me le feriez pas passer avant les missions. J'aime à croire que ce sera un oubli de votre part, mais je vous dis franchement que je tiens à avoir cet ouvrage au plus tôt (1). »

Ces constitutions lues et pesées au pied du crucifix, notre saint missionnaire avait résolu d'en vouer l'observance.

Il se rend donc à sa chère maison de Mélan alors occupée par les Pères Jésuites et s'adresse au R. P. Vignet, recteur de la communauté. Voici comment ce digne supérieur rapporte leur entrevue : « L'abbé Favre vint me voir à Mélan où j'étais supérieur. Après une courte conversation, il me déclare son intention bien arrêtée de demander à être admis dans la compagnie de Jésus et il me

---

(1) Lettre du 14 janvier 1837.

supplie de faire à cette fin les démarches nécessaires auprès de nos supérieurs. Etonné de cette
déclaration, je ne peux m'empêcher de lui dire :
« Eh quoi ! M. l'abbé, vous voulez entrer dans
notre compagnie ! Mais votre carrière n'est-elle
pas toute tracée depuis longtemps ? Vos missions,
vos travaux apostoliques, voulez-vous y renoncer ?
Pourquoi ne continueriez-vous pas le bien que vous
avez commencé, il y a plusieurs années, et que vous
pouvez continuer encore ?

« A ces paroles, voici la réponse de l'humble missionnaire : « Je n'ai rien fait jusqu'ici, et si j'ai fait
quelque bien, j'ai tout gâté parce que je n'obéissais
pas et que j'agissais comme je l'entendais ; j'ai
besoin d'obéir et voilà pourquoi je demande mon
admission dans la compagnie de Jésus. » J'étais
confondu par tant d'humilité. Je repris cependant :
« Sans doute, M. l'abbé, vous trouverez dans notre
Compagnie l'exercice et la pratique de l'obéissance.
De plus, comme notre Compagnie est essentielle-
ment appliquée au ministère apostolique pour le
salut des âmes, vous pourrez y continuer vos travaux de missionnaire. Mais je ne dois pas vous le
dissimuler, vous n'y jouirez pas de la liberté dont
vous jouissez actuellement. Il pourrait fort bien
vous arriver, dans le cours de vos travaux apostoliques, ce qui est plus d'une fois arrivé à saint Jean-
François Régis que vous aimez tant : au plus fort
et au beau milieu d'une mission, un ordre des
supérieurs venait suspendre ses travaux et l'en-
voyait faire la classe dans un petit collège. »

« Ces réflexions loin de déconcerter M. Favre ne

font que l'encourager et il persiste dans sa demande. Mes démarches auprès des supérieurs obtinrent un résultat favorable et quelque temps après, M. Favre étant revenu me voir, je lui annonce qu'il est admis dans la Compagnie. « Revenez, lui dis-je, dans le courant de juin, vous entrerez au noviciat et vous y prendrez votre habit de religieux le jour de saint Jean-François Régis. »

Heureux de cette faveur, notre saint missionnaire revient à sa cellule de Conflans pour mettre ordre à ses affaires et préparer son entrée au noviciat. Cependant Dieu avait écrit que ce noviciat se ferait au ciel. M. Favre mourut le jour même où il devait y être reçu.

De Mélan, M. Favre se rendit aux Houches, chez M. Jacquier, curé, qu'il trouva indisposé et auquel il donna les meilleurs conseils, mais dont il ne voulut accepter que pour une nuit la cordiale hospitalité, crainte de lui être à charge. Le lendemain, il partit avant le jour, à jeûn, et s'en alla dire la messe à Megève. C'est alors, dit M. Jacquier, qu'il contracta sa maladie mortelle (1).

Laissons aux témoins oculaires le soin de raconter la dernière maladie et la mort de ce saint homme :

« M. Favre, retour de Samoëns, écrit M. Bugand, arrive à cinq heures du soir, tout baigné de sueur. Pendant qu'on prépare le dîner, il vient se

_____

(1) Pont, p. 15.

réchauffer au soleil, assis sur les dalles du parapet
de la cour : je m'y trouvais avec deux professeurs,
mes collègues. Nous lui fîmes observer que l'air
vif et froid pourrait lui être nuisible ; il se met à
l'abri du vent et, peu après, va prendre son repas.
Malgré le besoin évident qu'il en a, il refuse de
changer de linge. Son dîner fini, il se retire dans
sa chambre.

« Le lendemain 10 avril, il nous invite dans
l'après-midi à faire une promenade sur les hauteurs de Conflans ; arrivé à quelque distance, il
nous engage à nous reposer. J'ai cru qu'il demandait le repos pour moi qui souffrais depuis longtemps d'une fièvre intermittente ; je le remerciai,
disant que l'accès était passé. Alors il nous fit
l'aveu qu'il était indisposé, qu'il ne pouvait continuer la promenade. Le soir, il se contenta d'une
légère collation, et nous dit avant de se retirer,
qu'étant en communauté, un prêtre de l'établissement pouvait célébrer la sainte messe pour pouvoir
tous communier le lendemain, jeudi-saint. Pendant la messe, il prit mal deux fois ; ce ne fut
qu'avec beaucoup de peine qu'il put achever.
S'étant mis à table pour dîner, il éprouva une répugnance invincible à boire et à manger, il n'accepta
qu'une infusion et sortit du réfectoire, se dirigeant
du côté de Sainte-Hélène-des-Millières. Il passa le
vendredi-saint chez M. le curé et repartit le len-
main pour Conflans. Le jour de Pâques, 15 avril,
il fait appeler un élève pour lui servir la messe.
Pendant que l'élève prépare les ornements à la sacristie, M. Favre tombe évanoui au milieu du

chœur. On le porte sur son lit, et dès ce jour, il n'est plus remonté à l'autel pour célébrer. Dans l'après-midi, il écrit à l'abbé Brondex, curé de la paroisse de Saint-Jean-Baptiste d'Albertville, pour l'informer de son état et le prier de vouloir bien lui accorder l'hospitalité dans son presbytère ; il pré-

voyait que sa maladie serait longue et que sa chambre, donnant sur la cour des élèves, il en serait incommodé et entraverait lui-même les exercices de la communauté. Il souffrait de la fièvre thyphoïde. — L'abbé Brondex le fit transporter immédiatement à sa cure. »

Albertville, église et presbytère du temps de M. Favre.

Notre cher malade ne tarda pas à pressentir sa mort. Elle lui parut amère sans pourtant le troubler. Dès le 9 mai, il rédigeait de sa main, vaillante encore, un testament de quatre pages où brille sa profonde piété. M. Pont le publie intégralement.

Nous en donnerons seulement les lignes suivantes :

« J'accepte avec résignation, amour et reconnaissance la mort et toutes les souffrances qui la pré-
cèdent et l'accompagnent en expiation de mes
innombrables iniquités et pour l'amour de Jésus-
Christ, qui a sacrifié sa vie avec tant de générosité
pour l'amour de moi.

« Je veux être enterré à la manière des pauvres,
c'est-à-dire avec une messe basse, suivie du chant
de l'absoute et des autres prières prescrites par le
rituel, sans aucune assistance de prêtres ni son-
nerie, si ce n'est celle des pauvres. »

Une maladie ainsi acceptée devait se transformer
en longue retraite préparatoire à la mort. M. Favre
en profita pour centupler ses mérites et répandre
autour de lui la plus parfaite édification.

« A la première nouvelle de sa maladie, reprend
notre narrateur, ses amis s'empressent de le venir
visiter. Ceux à qui la distance des lieux ne permet
pas de lui rendre ce témoignage d'estime et d'affection se hâtent de lui écrire. Il reçoit des lettres de
Turin, de Naples, de Venise, de Milan, de Lyon,
de Grenoble, de Paris. Plusieurs médecins étrangers lui offrent leurs conseils. Toutes les personnes pieuses lui présentent à indulgencier des croix,
des médailles, des chapelets. On se met à genoux
au pied de son lit. Les mères de famille lui demandent sa bénédiction pour leurs enfants. Les
élèves du collège de Conflans, qui l'avaient toujours regardé comme un saint, lui font une visite
en corps, se recommandent en pleurant à ses priè-

res et se prosternent pour recevoir sa dernière bénédiction. »

Un de ses amis, M. Ducis, lui fit plusieurs visites. « La première fois, dit-il, que je fus voir M. Favre, il s'écria en me voyant entrer : Ah ! voici celui qui a appris par expérience à connaître ce que c'est que d'être malade. — Oui, lui répondis-je, mais on ne peut pas dire de moi que j'ai été un malade patient, gai et obéissant comme vous. Cette réponse lui fit parler d'autre chose. »

Vous souffrez beaucoup, lui disait-on souvent. — Oh ! moins que vous ne pensez ! telle était sa réponse. Il s'oubliait lui-même pour vous parler des moyens de sanctifier les gens de la campagne : « Se confesse-t-on souvent chez vous ? Communie-t-on souvent ? Ah ! ayez bien soin de ces braves gens. Soyez bon, soyez bon ; distinguez bien les péchés véniels d'avec les péchés mortels : les premiers n'empêchent pas de tirer un certain profit de la communion. Il vaut mieux que les âmes aillent en purgatoire qu'en enfer ! » Voilà le fond de ses entretiens.

Il était très heureux de recevoir la visite des prêtres. — Ne pouvant déjà plus parler, dit l'un d'eux, il vous prenait la main et la baisait, pratiquant ainsi ce qu'il avait dit souvent : « Oh ! un prêtre, un prêtre, je baiserais la trace de ses pieds. »

Le démon, à qui son zèle avait arraché tant d'âmes, ne manqua pas de l'attaquer alors plus que jamais. Il ne lui laissait point de repos. M. Ducis affirme que M. Favre « eut à soutenir de terribles assauts contre l'antique serpent ; mais,

30.

ajoute-t-il, la sainte Vierge en qui il avait une
confiance sans bornes, venait à son secours et lui
rendait la tranquillité. Il avait attaché avec une
épingle au rideau de son lit une petite image de
cette mère de miséricorde et de saint Joseph, son
patron, défenseur des mourants. »

Il demande un jour à se lever. Il s'habille et va
au jardin. On croit qu'il est en voie de guérison,
on le félicite. Après une courte prière, il dit à ceux
qui l'entourent : « Détrompez-vous, je sais quelle
sera l'issue de ma maladie, je mourrai dans ce lit
où vous me voyez malade. » On le communiait à
une heure du matin. J'ai pu apprécier, dit un professeur du collège, les sentiments de foi, d'espérance et d'amour qui l'animaient dans ces moments
solennels. Quand il avait communié, il voulait
qu'on le laissât plusieurs heures seul. Qui pourrait
dire ce qui se passait alors entre un Dieu tout
charité et un cœur si fervent !

Se considérant d'ores et déjà comme le sujet du
R. P. Vignet, le cher malade lui écrit : « Albertville
15 mai 1838. — Mon très Révérend Père, la gastrite
entérite ou fièvre muqueuse dont je suis atteint
depuis trente-quatre jours n'a point encore fait
crise et ne semble pas devoir la faire de sitôt. Je
ne puis prendre que de l'eau froide toute pure, et
encore cette eau froide toute pure se convertit en
grande partie en bile. Je suis obligé de temps à
autre de rendre cette bile. Mes forces vont en dé-
croissant d'une manière sensible. Je n'ai ni faim,
ni soif, ni sommeil, sauf de temps en temps où je
dors quelques heures d'un sommeil agité. Voilà

mon état habituel. Quelle sera l'issue de cette maladie ? Dieu seul le sait. Je me suis mis entre ses mains malgré le désir extrême que j'ai de me faire religieux, afin qu'il dispose de ma personne selon son bon plaisir. A moins d'un miracle d'en haut, je ne crois pas échapper. Dans cette extrémité, mon Révérend Père, je me recommande instamment à vos prières et à celles de votre chère communauté. Si la divine Providence juge à propos dans sa sagesse de me retirer de cette vallée de larmes, aussitôt que vous apprendrez ma mort, vous enverrez un homme de confiance pour recueillir le petit héritage que j'ai délaissé à votre maison de Mélan (1).

« Priez, mon Père, mon cher Père, le Seigneur, si c'est son bon plaisir, de m'accorder la grâce d'être un jour des vôtres ! Qu'il me paraît doux de mourir dans un couvent, après avoir mené la vie d'un bon religieux ! Bénis soient à jamais ces heureux habitants de la terre de Gessen ! O vie religieuse ! Paradis sur la terre ! Séjour de paix, de concorde, de franchise, de mortification, d'humilité, de charité, de vie laborieuse, de zèle pour le salut des âmes ! L'importance des missions a pu seule m'éloigner de toi jusqu'ici ! — Voilà, mon cher Père, les sentiments qui m'animent en ce moment pour la vie religieuse.

« Veuillez offrir mes amitiés au Révérend Père

---

(1) Cet héritage consistait en livres et manuscrits, plus tard légués aux missionnaires d'Annecy. (*Vie,* par M. Pont, p. 98.)

Molin, mon cher et ancien collègue (1), au Père
Million pour lequel j'ai toujours eu une tendre affection, au bon frère Girardin, notre ancien cordon-
nier à Tamié, dont j'ai tant admiré l'obéissance
aveugle. Agréez l'expression du profond respect, de
la vive reconnaissance et de l'entier dévouement
avec lesquels j'ai l'honneur d'être, mon très Révérend Père, de votre Révérence le très humble et
obéissant serviteur et enfant. — Marie-Joseph
FAVRE, ancien supérieur des missions. »

De leur côté, les Jésuites de Mélan aimaient déjà
notre saint comme un frère. Le R. P. Dalby lui fit
visite aussitôt qu'il le put. Le vénérable malade
l'accueille avec des transports de joie. La personne
qui servait M. Favre lui avait présenté une potion
fort désagréable, un mouvement, un geste d'impatience lui échappe; la personne sort de la chambre.
Un moment après, M. Favre demande à s'habiller,
il se lève et quand cette personne rentre il se jette à
genoux et lui demande pardon de l'impatience qu'il
lui a témoignée. Le docteur Maigrat, une célébrité mé-
dicale de la région, voulant connaître la cause de sa

---

(1) M. Molin, dont nous avons parlé au chapitre : Noviciat de
Tamié, était entré dans la Compagnie de Jésus avec plusieurs
autres disciples de M. Favre. Il affirma au R. P. Berger, de la
même Compagnie, que M. Favre avait fait les vœux de religion
sur son lit de mort. Nous pensons que ce fut entre les mains du
Père Dalby, son ami de grand séminaire, et nous aimons à rapprocher de ce fait secret la saillie suivante racontée par le prêtre
qui le soignait : Ayant quitté le malade pour aller rendre visite
au Saint-Sacrement, le Père Dalby oublia son chapeau ; M. Favre
s'en empara, le posa sur sa tête et dit avec une aimable gaîté :
Comme ce chapeau me va bien !

maladie le prie de lui dire les principaux détails de
sa vie. M. Favre y consent, mais à la condition qu'il
gardera le secret. Le docteur fidèle à sa promesse n'a
dit de son malade que cette parole : Tout en n'ayant
que 47 ans, cet homme en a vécu 80. — Il vint un jour
lui proposer deux remèdes assez violents. Lequel
préférez-vous, dit-il au malade? — Le plus violent,
répond M. Favre, et il l'endure sans un soupir.

Ces remèdes épuisants ne firent que hâter la consomption de notre cher moribond.

Alors eut lieu une dernière démarche de l'autorité contre les idées liguoriennes de M. Favre. Le
nouvel évêque de Moûtiers vient voir cet athlète de
la vérité et lui dit ces mots : « Il est encore temps,
rétractez vos enseignements, sinon je crains pour
votre salut. — *Doctrina mea non est mea*, répondit
notre théologien. J'ai enseigné la morale de saint
Liguori, je ne crains pas de paraître devant Dieu
en si bonne compagnie ». L'évêque se retira et
quelques jours après il aurait tenu ce propos :
« M. Favre est mort ; est-ce un bien ? est-un mal ? je
ne saurais répondre ! (1) » Mgr Rey exprima d'une
manière moins perplexe et plus heureuse les sentiments de son cœur à cette occasion : « On dit, écrivait-il à Mgr Billiet, le saint abbé Favre absolument hors d'espoir d'en revenir. C'est donc une perte
que les peuples sentiront vivement ; je le regretterai
avec sincérité, mais il priera pour nous (2). »

---

(1) Déposition de M. l'abbé Bertrand, prêtre retiré à Conflans.
(2) Lettre du 31 mai.

« La veille de sa mort, raconte M. Michel, vicaire
de la paroisse, me trouvant seul auprès de lui, je
me recommande à ses prières. Il me prend la
main, la porte à ses lèvres. L'émotion me suffoque,
d'abondantes larmes coulent sur mon visage. Je
le prie de me permettre de l'embrasser, il me serra
contre son cœur et me dit : « Si j'ai le bonheur
d'aller au ciel, je vous recommanderai bien à la
sainte Vierge. » Dans l'après-midi, je le vis comme
en extase devant un crucifix et l'image de la sainte
Vierge : il avait les yeux ouverts et se frottait les
mains, riait, s'agitait beaucoup, il semblait jouir
d'un bonheur tout particulier. Pour m'assurer si
sa contemplation était réelle, si je ne parviendrais
pas à le distraire, je lui passai la main devant les
yeux à plusieurs reprises; il ne s'en aperçut pas et
continua de jouir de son ravissement. Revenu à
lui-même, il était gai, répondant avec justesse à
toutes les questions qu'on lui adressait J'eus la
curiosité de lui demander si Dieu ne lui accordait
pas quelque faveur, quelque grâce extraordinaire, il
me répondit : « Oh! oui, mon bon Jésus m'apprend
à bien mourir. » C'est par humilité sans doute qu'il
n'a pas voulu s'expliquer davantage. »

C'était le vendredi 15 juin 1838. Cette faveur du
bon Maître ne laissa plus aucun doute à M. Favre
sur l'imminence de sa mort. Loin de s'endormir
dans une fausse sécurité, cet homme de Dieu se
souvint qu'il est téméraire à tout homme de paraître devant son souverain Juge sans s'y être préparé
par une humble et sincère pénitence. « Tout le
temps qu'il fut malade, dit M. Michel qui le soigna,

il se faisait réciter les psaumes de la pénitence,
mais, aux approches de la mort, il redoubla d'instance à cet égard et se prépara aux derniers sacrements, qu'il reçut avec une piété touchante. Dans
l'après-midi du lendemain, il ne faisait plus que
répéter sans cesse les saints noms de Jésus, Marie,
Joseph. Par intervalles, cependant, on ne voyait
plus remuer ses lèvres, il entrait dans un recueillement profond, dit encore l'abbé Michel, et demeu-
rait immobile. » Enfin, son corps exténué de mortifications, brisé par les incroyables travaux de
son apostolat, épuisé par soixante-cinq jours de
maladie, fut contraint de céder. L'agonie commençait. Disons mieux, l'épreuve était finie, car
cette agonie ressembla bien plus à un paisible
sommeil qu'à une souffrance. « Elle fut douce, dit
encore notre narrateur-témoin, calme, rayonnante ;
à peine a-t-on aperçu un suintement sur son front. »
Et quand sonnèrent six heures du soir, cette âme
fidèle et forte entre mille s'élança dans le sein de
son créateur. C'était un samedi, jour consacré à la
sainte Vierge, que M. Favre avait si filialement
servie et si admirablement fait honorer dans toute
la Savoie.

« Il n'avait pas encore rendu le dernier soupir,
reprend M. Michel, que déjà on venait couper ses
cheveux. Je suis resté auprès de son lit pour m'y
opposer, dans la crainte qu'on blessât son humilité s'il s'en fût aperçu. Je ne pouvais me persuader
qu'il eût perdu le sentiment de ce qui se passait
autour de lui.

« Aussitôt que sa mort fut constatée, je commençai moi-même à couper sur la tempe gauche une mèche de cheveux ; les assistants et tous ceux qui venaient le voir en firent autant et bientôt il fut entièrement dépouillé de sa chevelure. On recueillait avec vénération tout ce qui avait servi au malade : il suffisait qu'un linge eût touché ses membres pour qu'on s'en emparât comme d'une relique. Ayant appris qu'une tailleuse de Conflans avait été chargée par M. Favre de lui raccommoder un habillement déjà fort usé, le public se porta en foule chez elle, le vêtement fut bientôt mis en lambeaux ; chacun en voulut sa part. Son chapeau, son bonnet carré furent littéralement hachés. A peine avait-il été mis dans la bière qu'on s'enhardit à tailler en pièces sa soutane, à le dépouiller de son linceul mortuaire et de tous les ornements qui enveloppaient son corps ; mais des gardiens placés à propos eurent ordre de couvrir la bière et d'empêcher tout excès de dévotion et de zèle. Un vertueux ecclésiastique, ami intime de M. Favre, voulait avoir une relique particulière ; il me sollicita vivement de permettre qu'il coupât, avec des ciseaux bien tranchants, la phalange du petit doigt. Je m'y opposai formellement.

« Dès le moment de sa mort qui eut lieu après midi, les visites se sont succédé jour et nuit sans interruption jusqu'au lundi suivant. On déposa son corps dans la chambre inférieure du presbytère qui s'ouvre sur le passage conduisant à l'église paroissiale. Les visiteurs se munissaient de chapelets, d'images, de médailles et autres objets de piété, les appliquaient aux mains, aux joues, au

front du vénérable défunt avec une foi et une confiance extraordinaires. Ces marques de dévotion et
d'amour se renouvelèrent encore le lundi, au
moment où la bière allait descendre dans la fosse ;
les chapelets, les images et les croix passaient et
repassaient sur la face aimée du saint prêtre.

« Le dimanche, la foule de visiteurs a été jour
et nuit si nombreuse, si compacte que rien de
semblable ne s'était vu dans nos parages. La foire
du lendemain avait amené à Albertville toutes les
populations des environs et beaucoup de négo-
ciants étrangers. Le nom de M. Favre n'était inconnu à personne ; tous s'empressaient de visiter
le bon et zélé missionnaire. On lui baisait les pieds
et les mains. Les prêtres, au nombre de trente-cinq,
étaient accourus des quatre diocèses de Savoie.
Toutes les classes de la société se firent un honneur et un devoir de visiter, comme l'on disait,
l'homme de Dieu. »

Les funérailles, qui eurent lieu le lundi, furent
un véritable triomphe, une « canonisation par le
peuple, » selon l'expression énergique de l'archiviste Ducis, alors élève de Conflans et l'un des
douze qui portèrent le corps du vénérable défunt (1).
Cinq à six mille personnes prirent part au convoi
qui se déroula dans toute la longueur de la ville,
au chant du *Miserere*. A l'église, on célébra la

(1) « Au collège, dit le même M. Ducis, nous étions si persuadés
de sa sainteté, que j'avais composé des prières et des méditations
pour sa neuvaine et que tous conservaient avec le plus grand
soin les moindres objets venus de lui. »

messe suivie de l'absoute et le convoi se rendit au cimetière.

« Au moment où le corps descend et disparait dans la fosse, dit M. Pont, un cri perçant s'échappe de toutes les poitrines. Les prêtres (parmi lesquels les Pères Lœwenbruck, Martin de Tarentaise et Dom Cesare Fleccia descendus de Tamié), récitent en pleurant les prières de l'Eglise ; ils ne verront plus leur confident, leur modèle, leur père ! »

Albertville. — Eglise et cimetière désaffectés.
Au dernier plan, sous la fenêtre, à droite, parait un morceau de l'inscription mortuaire de M. Favre.

La fosse s'est refermée sur les restes de notre saint missionnaire, la foule ne se résigne que péniblement à s'en éloigner, et l'on peut dire que tout le reste du jour il ne fut question à Albertville que de la perte irréparable que venait de faire, prématurément hélas ! l'Eglise de Savoie.

CHAPITRE V.

Le tombeau de M. Favre était au pied du mur
nord-est de l'église paroissiale de Saint-Jean-
Baptiste d'Albertville; une balustrade en bois le
protégeait et le séparait des autres morts. Sur la
paroi du mur de l'église, à un mètre au-dessus de
la fosse, on lit encore l'épitaphe suivante :

CI-GIT
RÉVÉREND MARIE-JOSEPH FAVRE
NÉ A SAMOENS LE 7 NOVEMBRE 1791
MORT A LA CURE DE SAINT-JEAN-BAPTISTE D'ALBERTVILLE
LE 16 JUIN 1838
PRÊTRE PIEUX ET FERVENT
MISSIONNAIRE ZÉLÉ ET INFATIGABLE
THÉOLOGIEN SAVANT ET PROFOND
MORALISTE JUDICIEUX ET ÉCLAIRÉ
R. I. P.

Cette épitaphe n'est que juste. Dieu semble avoir
voulu environner M. Favre d'une auréole de sainteté. Bien des faveurs ont été obtenues à son tombeau et l'on peut dire de celui-ci qu'il fut glorieux. Nous emprunterons encore au biographe de
notre héros le récit de ces faveurs.

« Il n'est pas nécessaire, dit M. Pont, de prévenir le lecteur que nous ne faisons que constater
des faits : l'Eglise seule est compétente pour juger
de leur nature ; ce que nous affirmons est leur
authenticité. On n'a recueilli que ce qui est digne
de foi. Nous avons sous les yeux, à la disposition

de ceux qui nous en feront la demande, les preuves
écrites de toutes les faveurs obtenues par les prières adressées à M. Favre. »

« On nous écrit d'Albertville : « Une jeune fille
dont les parents occupent un rang distingué tombe
malade ; ce sont des douleurs de poitrine, des coliques insupportables. Les parents, les médecins
font de vains efforts pour la soulager, sinon la
guérir, tous les soins sont inutiles. La maladie est
jugée incurable. Voyant la mort sur les lèvres de
sa fille, la mère se lamente et tombe évanouie ; on
la porte sur son lit sans connaissance. Revenue à
elle-même, elle se lève avec rapidité et court sortir
de son écrin un carré des bandelettes qui avaient
servi à fixer un topique au bras de M. Favre. Pleine
de confiance, elle pose cette relique sur la poitrine
de sa fille, invoquant avec ferveur le nom du saint
missionnaire. La malade éprouve tout à coup du
soulagement ; les douleurs sont moins vives, les
coliques cessent, la poitrine se dilate ; quelques
instants ont suffi pour opérer cette guérison. Toute
la famille l'attribue à l'intercession de M. Favre. »

« Un homme de haute vertu, imitateur parfait de
Joseph Labre, pauvre comme lui, ayant vendu
son patrimoine pour relever un frère de faillite, et
le remettre en état de reprendre son commerce,
d'élever sa famille, recueillant pour vivre les
miettes qui tombent de la table du riche, — encore
les partage-t-il avec d'autres pauvres, — atteste que
M. Favre lui a plusieurs fois apparu dans sa chambre, en voyage, à l'église, tout rayonnant de gloire.
Les deux dernières apparitions eurent lieu à l'église

au moment où le pieux chrétien était en adoration devant le Saint-Sacrement. M. Favre lui adresse la parole et lui dit que « ce qui lui avait procuré le plus de bonheur au ciel était d'avoir établi la communion fréquente. » Le narrateur qui nous transmet ces lignes, chrétien instruit et digne de foi, ajoute : « Je ne doute nullement de la vérité de ces faits : ils m'ont été expliqués, détaillés tels que je vous les raconte moi-même. Le personnage dont il s'agit était un ami intime de M. Favre qni m'en parlait souvent, le regardant comme un saint. »

« Trois mois après le décès du vénérable missionnaire, une personne affligée d'une dartre qui avait déraciné et fait tomber sa chevelure s'applique sur la tête une mèche de ses cheveux. Quelles ne furent pas son admiration et sa reconnaissance quand, quelques heures après, elle vit à la place de la dartre une nouvelle chevelure ombrageant son front ! »

« En 1839, une princesse polonaise qui avait été en rapport de lettres avec M. Favre venait faire une neuvaine à son tombeau. »

« La même année, au mois de juillet, une dame très vertueuse des environs de Grenoble, se rendit aussi à Albertville pour le remercier d'une grâce signalée qu'elle avait obtenue par son intercession. Désirant se procurer des reliques, elle s'adresse à un des amis du saint prêtre et lui raconte le fait suivant : « Une dame de ma connaissance souffrait d'une plaie à un doigt ; cette plaie envahit insensiblement tout le bras. Les médecins ne négligent aucun moyen de guérison, tous les remèdes sont

inutiles ; on épuise les ressources de l'art, le mal
fait des progrès alarmants ; on craint une mort
prochaine. Pleine de résignation, elle se recueille
pour rendre bientôt son âme à Dieu. Le vicaire de
la paroisse la prépare à bien mourir. Ayant entendu
parler des vertus du Fondateur des missions de
Savoie, le vicaire lui conseille de se recommander
à sa charité, à ses ferventes prières, afin d'obtenir
par son intercession le bienfait d'une guérison devenue désespérée ; il promet aussi de lui adresser
ses vœux personnels. Une neuvaine est commencée ; tous deux, par l'entremise du vénéré missionnaire, demandent au Seigneur, un rétablissement
nécessaire à une famille naissante, plongée dans
une profonde désolation. — La relique de quelques
cheveux est appliquée au siége principal de la
douleur ; la double neuvaine continue et se termine sans amélioration de l'état de la malade.
Loin de là, elle se sent défaillir, perd connaissance et touche à l'agonie. Le médecin déclare ouvertement qu'il n'y a plus d'espoir. On accourt de
toutes parts auprès de la malade. On observe
cependant que les traits du visage se colorent, que
l'organisme n'est plus si agité ; une placidité visible fait croire à un sommeil réparateur ; elle dort
toute la nuit. Le jour venu, elle mande le médecin ,
enlevant elle-même les compresses, elle présente
aux regards des nombreux spectateurs, un bras
radicalement guéri. Chacun s'en assure et atteste
que la guérison est parfaite. Les yeux des assistants
se mouillent de larmes ; la joie est universelle.
La dame se lève pleine de santé et dès ce moment

elle continue à être le soutien et le charme de sa famille. »

« Un homme, aussi distingué par ses connaissances que par ses vertus, ayant pu apprécier l'abbé Favre me disait : « Je le regarde comme saint, je ne prie pas pour lui, mais je m'adresse souvent à lui afin qu'il m'obtienne, par l'intercession de Marie, les grâces dont j'ai besoin. Dans sa dernière maladie, il m'a promis qu'il me recommanderait à cette mère de miséricorde; mon espérance ne peut être trompée. »

« Une femme d'une rare piété, dont la vie a toujours été exemplaire, jouissant dans la ville où elle demeure d'une estime générale qui ne s'est jamais démentie, a laissé une note relative à M. Favre ; nous la donnons textuellement.

« C'était le premier novembre, jour où l'Eglise célèbre la fête de tous les Saints : je me sentis portée tout à coup à un grand recueillement; j'en étais d'autant plus surprise que depuis deux ans, je n'éprouvais que répugnance et dégoût pour la prière et les autres devoirs de la religion ; je fréquentais rarement les sacrements. Le temps me manquait un peu. Les occupations de mon ménage, les soins multiples de ma condition paralysaient aussi ma volonté. Mon esprit et mon cœur sont tout à coup délicieusement absorbés par une sorte de visite surnaturelle ; je ne pouvais définir mon état ; mais je comprenais que cette délectation me laissait calme et sereine ; je crus voir et entendre M. Favre qui, durant sa vie, m'avait donné ses avis pour assurer mon salut au milieu du monde.

Il me semble qu'il m'adresse la parole, et me fasse
sentir les avantages de la vie religieuse avec obligation de rapporter ses paroles à ma sœur qui venait
de faire profession dans un couvent de Savoie. Il
appuie sur la nécessité de la prière, la récompense
réservée à ceux qui prient beaucoup et qui portent
le prochain à bien remplir ce devoir. Il disait que
partout et toujours, en marchant, en conversant,
en travaillant, on pouvait prier, que sans la prière
il n'y avait rien à espérer ; il me fit voir l'influence
de la prière, et me recommanda la sainte communion.

« Il m'ordonna de faire la prière tous les soirs
en famille, de m'associer aux confréries du Saint-
Sacrement et du Rosaire. Manifestant ma répugnance à m'imposer ces obligations, je fus saisi
d'un violent tremblement qui ne cessa qu'après
mon adhésion à ce qu'il m'avait prescrit. Un doute
m'étant survenu sur la réalité de cette apparition,
craignant que ce ne fût un jeu d'imagination, un
éblouissement du père des mensonges, je sentis
tout à coup une frayeur mortelle courir dans mes
membres, un point de côté m'empêchait de respirer, je devins immobile, j'allais mourir. Je m'adres-
sai à M. Favre lui demandant le secours de ses
prières, la délivrance de mes tourments ; ma confiance ne fut pas trompée : à peine avais-je articulé
son nom que je me trouvai rétablie dans un état
parfait de calme et de santé. Revenue à moi, je l'ai
entendu me dire : « Je viens d'obtenir votre guérison ; n'oubliez pas ce que je vous ai dit ; recommandez bien à tous ceux à qui vous avez occasion

de parler la nécessité de la prière. » Cette vision a
duré une heure. Je puis certifier que jamais je n'ai
éprouvé plus de joie intérieure, plus de douce émotion, plus de désir d'aimer et de servir Dieu que
pendant cet entretien. »

« Conférant au mois d'avril dernier avec la supérieure d'une communauté religieuse de Savoie
(Sœur Séraphine, à Saint-Sigismond), elle me dit :
« Nous allons tous les mois prier sur le tombeau
de M. Favre ; de toutes parts on vient nous demander des neuvaines, on nous sollicite avec larmes de recourir à sa médiation ; jamais nous ne
refusons cet acte de charité. — En ce qui me concerne particulièrement, ajouta-t-elle, je puis assurer que j'ai toujours obtenu les grâces, tant intérieures qu'extérieures, que j'ai demandées à Dieu
par son entremise. J'en mentionne trois seulement :
la conversion d'un pécheur endurci, — le rétablissement d'un malade que des transports de fureur
empêchaient de remplir ses devoirs de religion, —
la troisième, plus extraordinaire que les deux premières, est une grâce dont la connaissance ne peut
être livrée à la publicité ; elle rayonne trop haut et
trop loin ; le temps de la divulguer n'est pas venu
encore : mais j'affirme qu'elle est d'une certitude
mathématique (1). »

---

(1) Sœur Saint-Augustin, religieuse du même Ordre, de résidence à Moûtiers, ayant appris que sa sœur Mme Masson, des
Pointières, venait d'être condamnée par les médecins, se mit en
prières avec une grande confiance pour obtenir sa guérison.
Elle s'adressa à Dieu par l'intercession de M. Favre qu'elle tenait pour un vrai saint. Quelques jours après, la malade vit

31.

« Peu de semaines se passent qu'on ne voie des
visiteurs, des pélerins venir s'agenouiller sur la
tombe de M. Favre. Non seulement on s'y rend des
paroisses voisines, mais de toutes les vallées de
la Savoie et des pays étrangers. Nous avons nous-
même visité son tombeau, nous avons interrogé
les hommes les plus véridiques, les plus compé-
tents, prêtres et laïques, tous sont unanimes dans
leurs dépositions, attestant que beaucoup de personnes vont prier sur cette cendre chérie. »

« Un religieux, très connu en Savoie par ses péré-
grinations, nous disait que jamais il ne rentrait
au couvent sans être chargé d'aller prier sur le
tombeau de M. Favre. Bien des personnes, empêchées de faire ce voyage, recourent à sa charité
pour des neuvaines à leur intention. La classe
instruite comme les simples fidèles lui confient le
secret de leur piété et de leurs vœux. »

« En 1835, il se fit un mariage où, n'appréciant
que l'intérêt pécuniaire, sans tenir compte des
sympathies, du rapport de caractère et d'âge, les
époux refusent bientôt de cohabiter. Le désordre,
les querelles, les altercations de tous genres se
multipliant chaque jour, l'épouse quitte son mari,
et rentre dans la maison paternelle. Tous les
moyens de persuasion pour la déterminer à rejoin-

M. Favre passer près de son lit : « Prenez courage, lui dit-il,
Dieu vous accorde la santé à cause des prières de votre sœur
religieuse. » Et il disparut. Elle guérit en effet, et racontait avec
complaisance cette visite du grand missionnaire, ajoutant qu'elle
ne songea pas un instant qu'il ne fût plus en vie.

dre son époux sont vainement employés. L'autorité
ecclésiastique et civile s'interposent inutilement.
L'inflexible épouse prend une résolution extrême :
elle annonce à ses parents qu'elle part pour l'étranger. Ses préparatifs achevés, elle s'élance dans les
messageries de Paris. Sa mère l'accompagne jusqu'à Albertville ; là, après de vains efforts pour la
faire rétrograder, elle l'embrasse une dernière fois
en pleurant. Un nuage de poussière soulevée par
le char rapide l'a bientôt dérobée à ses regards, la
mère désolée se retire dans sa chambre et prie le
Dieu de toute consolation de venir à son aide.

« Tout espoir n'est pas perdu. Il reste à cette femme pieuse une puissante ressource. Elle se rappelle
que la cendre du missionnaire de Savoie repose au
cimetière de cette ville. Elle y court avec la conviction qu'elle sera délivrée de tous ses maux, guérie
de toutes ses blessures. Elle n'a pas oublié que
M. Favre, donnant les exercices de la mission dans
sa paroisse, jouissait d'une réputation de sainteté
que le temps n'a fait qu'accroître et rendre universelle. Agenouillée sur sa tombe, elle verse un torrent de larmes ; elle le supplie d'intercéder pour
elle, de ramener sa fille sous le toit conjugal, de
renouer les liens d'un mariage fait par des vues
terrestres que le ciel n'a pu bénir. Elle se pros-
terne, épanche toute son âme et ne se relève que
lorsque sa prière paraît avoir été exaucée.

« Pleine de confiance et de joie, elle va prendre
un peu de repos. La nuit met fin à un drame jusqu'alors inconnu dans une famille si exemplaire,
si chrétienne. A peine le jour a-t-il reparu que,

rentrant dans le champ des morts, elle dépose
encore une courte prière, sorte de recommandation
amicale sur la tombe du saint prêtre, comme elle
avait coutume de l'appeler, et se hâte d'aller retenir,
pour rentrer dans sa famille, une place dans les
Messageries du soir. Mais, ô surprise ! au moment
du départ, elle rencontre sa fille bien-aimée qu'elle
croyait déjà près de Paris. Elle la presse longtemps sur sa poitrine et demande à connaître les
circonstances de son retour. Cette fille, naguère si
agitée, si emportée, lui raconte avec une âme sereine, un cœur joyeux que « arrivée à la frontière
de Savoie, à la petite ville de Pont-de-Beauvoisin,
elle se sentit violemment repoussée par une main
invisible, qui résiste à tous ses efforts ! Tremblante,
effrayée, je me recommande à Dieu qui, changeant
mes dispositions, me ramène entre vos bras pour
aller rejoindre mon époux : tout mon désir est de
vivre désormais en paix avec lui, de consoler ses
parents et les miens, de réparer, par une vie exemplaire, le scandale d'une séparation trop prolon-
gée. » C'est de la mère elle-même que nous tenons
ces détails. »

Le Père Blanchin, missionnaire de N.-D. de
Myans, nous communique la note suivante, de la
part des R^des Sœurs de Ruffieux (Savoie).

Sœur Agathe racontait que le jour des funérailles
de M. Favre, une jeune fille de Tarentaise affligée
d'un mal de doigt rebelle à l'art de nombreux
médecins eut la pensée de demander un cheveu du
vénéré défunt. Ayant réussi à se le procurer, elle
en entoura son doigt et fut guérie « subitement et

radicalement. » Le fait a été constaté, ajoutait cette bonne sœur, par bon nombre de personnes présentes aux funérailles.

Le tombeau de notre missionnaire continua d'être l'objet de pieuses visites jusqu'au jour où le cimetière et l'église furent désaffectés. Il demeura alors plus ou moins abandonné. Trop longues, dirions-nous, passèrent les années où furent laissés dans un injuste oubli les restes de celui qui, tout particulièrement, avait été l'apôtre d'Albertville.. Grâce à la piété de M. Biolley, curé actuel de cette paroisse, M. Favre repose maintenant au centre du nouveau cimetière, dans le caveau du clergé, entre ses amis Brondex et Bugand. La croix protège ses cendres ! (1).

---

(1) Voir aux *Documents* le procès-verbal d'exhumation.

CHAPITRE VI.

VIE INTÉRIEURE DE M. FAVRE.

Rien n'est plus difficile à connaître dans la vie des saints que leurs rapports intimes avec Dieu,

Croix centrale du cimetière d'Albertville, sur le tombeau actuel de M. Favre.

selon cette parole de nos Saints Livres : *Toute la gloire de la Fille du Roi est cachée au fond de son cœur.* — Vrai pour tout homme de Dieu, cet axiome est pour M. Favre d'une exactitude frappante. Le mystérieux travail de la grâce en cette âme d'élite ne nous a pas été révélé. C'est pourtant dans les arcanes du cœur et de la vie intime qu'il faudrait plonger, pour voir notre héros dans son admirable réalité. Dire que M. Favre fut un martyr de l'apostolat, justifier ce beau titre nous serait facile. Non moins facile serait-il de montrer en lui le sauveur

d'âmes, la lumière du clergé, le consolateur de
ces affligés que le monde abandonne au désespoir ;
mais introduire le lecteur dans le secret des relations de cette âme ardente avec le ciel, cela ne nous
est pas donné ; et comme nous ne voulons rien
accorder à la manie de supposer les faits, même
sous prétexte d'édification, nous nous contenterons
de produire quelques documents qui suppléeront
à notre manque de renseignements.

Le premier est le témoignage de M. Pont sur les
retraites de notre saint missionnaire à la Grande
Chartreuse, retraites annuelles qui duraient un
mois et qui pour cela occupent une place importante dans sa vie ; ils sont rares les hommes d'action qui savent consacrer un mois chaque année
aux exercices de la retraite. Ecoutons M. Pont :

« M. Favre, dit-il, va chaque année à la Grande-
Chartreuse faire une retraite d'un mois selon la
méthode de saint Ignace. Arrivé dans cette solitude
il se fait donner un pain et une cruche d'eau, se
renferme dans une cellule, n'en sort que par l'ordre
de son directeur, pour célébrer la sainte messe.
Dieu seul a été témoin des jeûnes et des macérations auxquels il se livrait alors. J'ai eu le bonheur,
il y a cinq ans, de dire la messe à l'autel où il
célébrait. Le frère qui le servait me fit connaître
cette particularité. J'en éprouvai une grande joie.
Les Pères de la Chartreuse, justes appréciateurs
de la sainteté du vénérable missionnaire, ne pouvaient revenir de leur étonnement ; effrayés de
tant de mortifications, ils se prosternaient à ses
pieds, lui demandant le secours de ses conseils et

de ses prières. Ce sont les Pères eux-mêmes qui
nous ont donné connaissance de ces faits (1). »

Le principal document où nous apparait la vie
intérieure de M. Favre nous a été conservé par
M. Pont; nous le reproduisons tel quel avec le
préambule de ce digne biographe.

Règlement de M. Favre.

Ce n'est pas sans une juste crainte que nous
livrons à la publicité le règlement de vie du vénérable missionnaire ; ce qui nous retient est l'ordre
exprès qu'il a donné de détruire toutes les notes,
tous les documents qui n'ont pour objet que sa
personne, son avancement spirituel, ses pratiques
de piété. Le supérieur des missionnaires de saint
François de Sales, M. Mermier, de sainte mémoire,
à qui M. Favre a confié ses manuscrits les plus
importants, ne l'ayant pas fait, nous avons cru
pouvoir conserver ce précieux dépôt. Un de ses
amis intimes nous a fortement engagé à le publier,
disant que la défense de M. Favre n'était qu'un
acte d'humilité, qu'il fallait passer outre et faire
connaitre sa vie dans tous ses détails, qu'il y allait
de la gloire de Dieu et de l'honneur de la religion.
Dès lors nous n'avons plus hésité, nous avons
transcrit les pages qu'on va lire.

Règlement personnel.

I.—Examen de prévoyance de cinq minutes tous
les matins en me levant, — penser que c'est peut-

---

(1) *Vie*, p. 50.

être le dernier jour de ma vie, — examen particulier d'un quart d'heure avant midi, et d'un quart d'heure le soir, y compris quelques prières pour demander la grâce de bien mourir, — me préparer à la mort.

II. — Faire tous les jours, ou de jour ou de nuit, une heure de méditation. La préparer le soir, y mettre tout le soin possible. Me rappeler pendant le jour ce qui m'aura le plus frappé, et surtout mes résolutions.

III. — Eviter l'empressement qui est le principe de mes inquiétudes, de mes impatiences, de mes scandales, de ma dissipation, de mon orgueil. *Age quod agis,* comme si je n'avais que cela à faire; et le bien faire, sans penser à autre chose.

IV. — Dire posément, attentivement la sainte messe, — m'y préparer par un quart-d'heure de considérations affectueuses, autant que je pourrai ; la faire suivre d'un quart-d'heure, même d'une heure, si je puis, d'actions de grâces pour jouir en repos de mon Dieu. — Tout prévoir avant de la commencer.

V. — Réciter l'office avec foi, attention et modestie et surtout posément. — Tout préparer avant de le commencer. Prime et Tierce après ma méditation du matin. Sexte et None avant l'examen particulier. Vêpres et complies, autant que possible, après la récréation de l'après-midi. Matines et Laudes avant ou après la lecture de piété.

VI. — Prière continuelle pendant le jour, — vigilance habituelle, retenue, modestie dans la tenue, le maintien, le marcher, le parler, — grande ré-

serve et simplicité en tout : *Vigilitate et orate sine
intermissione.*

VII. — Je me confesserai le plus tard tous les
huit jours, sans jamais y manquer ; et autant de
jours j'aurai tardé de le faire par ma faute, autant
je ferai de jeûnes par pénitence. Je préparerai ma
confession par les examens du soir, et par une
demi-heure de préparation avant de me confesser.
Je me confesserai toutes les fois que j'aurai des
fautes qui me feront de la peine. — Je ferai tous
les six mois une revue, je la ferai avec la plus
grande sincérité et exactitude possibles.

VIII. — Humilité. — C'est la vertu dont j'ai le
plus besoin ; l'orgueil est la source de toutes mes
misères spirituelles. Je m'appliquerai chaque jour
à le détruire par des actes intérieurs et extérieurs
multipliés à l'infini. Je ne dirai rien à mon avantage, rien de piquant qui puisse faire rire, à moins
que ce ne soit pour le bien Je m'abaisserai au-dessous de tout le monde. Je serai humble, ouvert,
obéissant à mes supérieurs ; doux, patient à l'égard
de mes inférieurs ; sans prétention envers mes
égaux. Je ferai mes méditations et mon examen
particulier sur l'humilité ou du moins j'appliquerai tous mes sujets de méditation à cette vertu.

IX. — Défauts. — Mes défauts sont la sensualité
ou le trop grand amour de mon corps, l'orgueil, la
paresse spirituelle et l'empressement : 1° je m'appliquerai à me corriger d'abord de ma trop grande
activité qui est la source de beaucoup de fautes, en
agissant avec calme, en faisant ce que je fais comme
si je n'avais que cela à faire, en le faisant bien et

pour la gloire de Dieu ; 2° je me mortifierai toutes
les fois que je n'aurai rien à souffrir d'ailleurs ;
3° je ferai bien toutes mes prières d'obligation, et
je m'appliquerai à prier sans cesse. Je travaillerai
sans relâche à devenir humble, en méditant les
motifs d'humilité, en pratiquant cette vertu toutes
les fois que l'occasion s'en présentera, en me sou-
mettant à Dieu et aux hommes en tout, en surveillant la pratique de cette vertu par les examens, en
la demandant toujours dans mes prières.

X. — Indépendance. — J'ai trop vécu dans l'indépendance. Je me suis trop fié à mes idées, et le
manque de direction est, ce me semble, une des
causes qui m'ont rendu la vertu si âpre et si longue à acquérir. Je ne me conduirai plus par mes
lumières, mais je consulterai les personnes les
plus expérimentées et je ne ferai rien d'important
sans consulter. Je me soumettrai de bon cœur à
mes supérieurs.

XI. — Croix. — Je connais la nécessité des croix,
j'ai même de l'amour pour les croix, surtout pour
celles que Dieu m'envoie ; mais je crains fort
celles que je m'impose, comme les veilles, la solitude pendant la nuit, les macérations, les mépris,
l'ouverture de conscience, le jeûne, le froid, etc...
M'exercer à surmonter les répugnances dans tout
ce qui me déplaît est le seul moyen de me vaincre.
Je suis décidé à le faire peu à peu avec la grâce de
Dieu, sans laquelle je ne puis rien.

Béatitudes.

XII. — Pauvreté. — *Beati pauperes.* — C'est celle

qui me coûte le moins, quoique mon amour pour
les biens terrestres qui provient d'un manque de
confiance en la Providence, me rapproche fort de
l'avarice.

XIII. — Componction. — *Beati qui lugent.* — Cet
esprit de componction serait fort de mon goût. Il est
la force de mon âme, le principe de mes vraies lumières, de ma prudence, de mon recueillement, de
ma discrétion. Dans la dissipation de la joie je n'ai
ni lumière, ni sagesse, ni fermeté de caractère, ni
discrétion, ni consistance. Je parviendrai à cet
esprit de componction : 1° par le recueillement qui
me fera sentir sans cesse et mes misères et celles
des hommes et m'attristera par ce sentiment pénible ; 2° par des peines corporelles, lorsque mon
âme n'en éprouvera point. Toujours souffrir ou
dans le corps ou dans l'âme est le principe de la
tristesse selon Dieu, de la prudence, de la charité.

XIV. — Persécutions. — *Beati qui persecutionem
patiuntur propter justitiam.* — Les persécutions
sont assez de mon goût, et je désirerais en avoir
sans cesse, mais souvent je m'en prends aux instruments dont Dieu se sert pour me persécuter.
Mon orgueil et mon manque de foi me jettent
alors dans des critiques, des murmures et des
sentiments de vengeance. Y couper court en pensant au *Beati qui lugent*, etc. — *Capilli capitis vestri,*
etc.

XV. — Esprit de paix. — *Beati pacifici.* — Qui
réconcilie le prochain avec Dieu et avec lui-même.
Ce talent m'a été donné de Dieu, je le reconnais ;
c'est à moi à le faire valoir pour sa plus grande

gloire. Mais le manque de patience pour m'instruire à fond de l'état des âmes et des procès, pour
supporter ce que le prochain peut me dire d'humi-
liant me fait perdre bien des occasions et gâter l'ouvrage. Il faut mourir à mon plaisir et à ma gloire,
et alors rien ne me résistera, du moins avec le
temps. Une abnégation entière de mon âme me fera
participer à cette béatitude.

XVI. — Douceur. — *Beati mites.* — Ceux qui sont
doux possèderont ce monde et l'autre. La douceur
tempérée par une fermeté raisonnable ne trouve
aucune résistance. C'est la béatitude à laquelle j'ai
le moins de part. La vue de mes défauts et de ceux
du prochain, le mécontentement habituel dans lequel je vis, me jettent dans l'inquiétude et le trouble, de là, dans l'impatience qui irrite le monde,
indispose les pénitents, les plaideurs et mes confrères, et me fait perdre l'estime et la confiance. Je
dois couper ces impatiences à leur racine : 1° en suivant bien mon règlement pour contenter mon âme ;
2° en évitant l'empressement, l'envie de tout faire
à la fois, qui est ma perdition ; 3° en me résignant
à tout ce que je ne pourrai pas corriger. *In patientia
vestra possidebitis animas vestras.* La douceur et la
douceur entraînante, conciliante, m'est cependant
très naturelle et très facile, lorsque mon âme est
dans son assiette. Une douceur ferme et constante
sera le fruit d'une entière abnégation.

XVII. — Miséricorde. — *Beati misericordes.* —
Je la pousse trop loin, lorsque je suis de belle hu-
meur ou prévenu en faveur de celui qui en a besoin.
Mais si je suis de mauvaise humeur, ou choqué par

des réponses injurieuses, ou par le ridicule des refus, ou prévenu contre les coupables, je suis d'une
dureté assommante, d'une force et fermeté repous-
santes, d'un laconisme accablant. Je me corrigerai
de ces deux extrêmes : 1° en me tenant uni à Celui,
qui est ma lumière et ma force ; 2° en mourant à
moi-même pour tenir mon âme calme ; 3° en ayant
pour le prochain un cœur de mère qui me prévien-
dra en sa faveur. Voilà mes dispositions à l'égard
du prochain.

XVIII. — Pureté du cœur. — *Beati mundo corde*.
— J'ai bien à craindre d'avoir commis un grand
nombre de péchés véniels dont je n'ai plus l'horreur que j'en avais. Désordre affreux dans mes facultés : mon esprit court, bat la campagne. toute la
journée, mon cœur est à mille petites affections,
ma volonté à toute main. Je m'efforcerai d'y remédier par la fidélité à mon règlement et surtout par
la prière continuelle. Mais j'attends ce don de la
bonté et de la puissance de Dieu qui, seul, peut
faire cesser un si grand désordre. Ce désordre me
prive des lumières, des consolations, des grâces
et de l'union avec lui. De là, que de misères !

XIX. — Soif de justice. — *Beati que esuriunt*.
— Cette béatitude va en moi jusqu'à l'ambition.
J'ai plus soif de ma propre gloire que de celle de
Dieu. Cette soif qui me tourmente, me jette dans
le découragement, la tiédeur, le murmure, la colère
à la vue de mon peu d'avancement. Je voudrais
avancer, mais je n'en prends pas les moyens. Il
faut être exact à un règlement, faire des sacrifices
en fait de mortification, d'humilité, de charité, de

prière, de recueillement, et je n'en fais presque
point. Je veux m'y mettre dès ce moment : *dixi
nunc cœpi*.

XX. — Bon exemple. — *Vos estis sal terræ*. — Je
ne suis pas assez édifiant, ni réservé dans mes paroles, ma tenue, mes actions, mes prédications ;
de là, la diminution de l'estime et de la confiance
qu'on avait pour moi. Il faut que je répare mes
scandales par une vie de saint.

XXI. — Instruction. — *Vos estis lux mundi*. —
J'en ai toute la facilité par les talents que Dieu m'a
donnés. C'est à moi à les faire valoir par mon application à m'instruire, à édifier le prochain : *nisi
abundaverit... dicunt et non faciunt*.

XXII. — Pratique.— Ma conscience me le reproche vivement : Que de choses je recommande aux
autres, sans les faire le premier, et cependant :
*cœpit Jesus facere et docere — ex ore tuo te judico, serve
nequam*. Il ne sera pas fort difficile à Dieu de me
condamner sur tant de chefs d'accusation, que mon
inconduite entasse contre moi. Il faut être saint,
savant et laborieux.

XXIII.— Je parle : 1° trop, même de bonnes choses, ne donnant presque pas aux autres le temps de
parler; 2° trop vite et avec peu de circonspection,
coupant souvent la parole au prochain ; 3° avec trop
d'autorité, ce qui ressent l'orgueil ; 4° de choses
inutiles, de temps en temps ; 5° d'une manière trop
badine et trop peu grave ; 6° de moi mal à propos ;
7° du prochain quelquefois contre la réputation ;
8° des paroisses en bien ou en mal ; 9° des supérieurs, des confrères, d'une manière trop peu

avantageuse. Je veux me corriger de ce défaut, et m'examiner chaque soir là-dessus, pour me conformer à Jésus-Christ, mon modèle, qui parlait peu, jamais de lui-même, sinon en mal ; ne parler que des choses de Dieu, en passant toujours du sensible au spirituel, avec réserve et en peu de mots.

XXIV.— Répugnance.— Exiger qu'on me dirige, qu'on me commande ce qui me répugne davantage. C'est le plus court et le plus sûr moyen de me vaincre selon la volonté de Dieu.

XXV. — Tentations. — Jusqu'ici, je me suis effrayé des tentations ; il me semblait que je ne viendrais jamais à bout de m'en défaire. Il n'y a qu'à les combattre en faisant des actes opposés et les faire même revenir plusieurs fois, à moins que ce ne soit des tentations d'impureté, et les repousser par des actes contraires, c'est le vrai moyen d'acquérir en peu de temps les vertus opposées. Mais il faut les combattre pour la plus grande gloire de Dieu. *Gloria Patri et Filio et Spiritui Sancto.*

XXVI. — Pratiques essentielles. — Veiller et prier sans cesse : *Vigilate et orate sine intermissione.* Souffrir toujours, ou dans le corps ou dans l'âme, de manière que la vie soit à charge, *confixus sum cruci.* Combattre sans cesse les tentations par des actes opposés, avoir l'intention de chercher la plus grande gloire de Dieu, en général et en particulier : *Sive manducatis, sive bibitis, omnia in gloriam Dei facite.* Tenir la conscience pure par les examens, la vigilance et la confiance : *Beati mundo corde.*

XXVII. — Tiédeur. — Ma tiédeur vient de mon infidélité à la règle, de mon peu d'application à la prière continuelle, dont j'ai un si grand besoin, mais surtout de mon opiniâtreté à ne vouloir ni m'humilier, ni m'abaisser sous les pieds de tout le monde, comme Dieu le demande.

Tel est le règlement personnel de M. Favre, règlement où le lecteur attentif aura vu quelle profonde connaissance avait, de lui-même et des exigences d'une vraie spiritualité, notre cher missionnaire.

En terminant cet exposé, nous croyons à peine opportun de rappeler ce mot de nos saints livres. *Le juste est son premier accusateur.* Confondu par l'humilité de ce saint homme, il nous tarde d'étudier ses vertus et de montrer la rayonnante beauté de cette âme si petite à ses yeux.

CHAPITRE VII.

HÉROICITÉ DES VERTUS DE M. FAVRE.

L'éminente charité répandue par le Saint-Esprit dans le cœur d'un saint, fait de cet homme un être quasi-divin, où les faiblesses de la nature déchue n'apparaissent presque plus ; qui possède, au contraire, une facilité exceptionnelle pour accomplir les grandes œuvres de Dieu (1). Le moyen d'arriver à ce degré sublime consiste à pratiquer la vertu héroïquement. Quand donc nous cherchons à connaître si un homme a possédé les vertus chrétiennes dans un degré héroïque, nous nous demandons si les vertus théologales et morales ont élevé cet homme assez haut pour lui rendre faciles les œuvres d'abnégation et de dévouement surnaturels qui effraient même les chrétiens fervents. Nous allons, à cette fin, jeter un coup d'œil sur la sainteté de M. Favre, sans vouloir pour autant prévenir les décisions de l'Eglise, seul juge en l'espèce. Pour la gloire de cet homme extraordinaire, nous essayerons de montrer le degré étonnant de perfection auquel il s'est élevé.

Avant d'étudier en détail l'héroïcité de ses ver-

---

(1) *Virtus christiana ut sit heroïca efficere debet ut eam habens operetur, expedite, prompte et delectabiliter supra communem modum ex fine supernaturali et sic sine humano ratiocinio, cum abnegatione operantis et affectuum subjectione. (Benedictus XIV de serv. Dei beatif.,* liv. III, c. XXII.)

tus, voyons l'ensemble de sa vie. Tout y est à la hauteur de la grande sainteté : mission providentielle de l'homme, obstacles à vaincre, moyens employés pour la remplir. — Selon la pensée de Bossuet, les démons s'ingénient bien plus à séduire ou à tromper les hommes qu'à les effrayer. Aussi les adversaires principaux de ces mauvais génies, ce sont les docteurs de l'Eglise. Que si les démons à combattre et les

Buste de M. Favre,
conservé au grand séminaire de Chambéry.

hérésies à déraciner possèdent un rare degré de subtilité, l'homme à qui échoit la mission de les vaincre est évidemment investi d'une mission extraordinaire. Le jansénisme passe à bon droit pour la plus subtile des hérésies, « la plus dangereuse que *le diable ait tissue,* » dit le comte J. de Maistre (1).

_____

(1) *Eglise Gallicane,* liv. I⁰ʳ, ch. III.

Que faut-il en penser si on lui adjoint le gallicanisme et ses ruses sans nombre ? Ces deux hérésies,
comme une hydre à deux têtes, s'emparant plus ou
moins à fond du haut clergé et de la noblesse admi-
nistrative, constituaient une puissance irrésistible,
surtout au temps où la facile diffusion des directions pontificales n'existait pas.

Bien avant Rohrbacher, les adversaires du gallicanisme ont essayé de l'abattre ; il a fallu ce grand
homme et ce saint prêtre pour lui porter un coup
mortel jusqu'au-delà de nos frontières. — Saint
Alphonse de Liguori n'est pas le premier champion
qui soit allé sus à l'esprit janséniste ; il est cependant le principal de ses exterminateurs.

Pour nous renfermer dans notre sujet et rester
en la vieille province de Savoie, nous dirons que
le jansénisme et le gallicanisme, combattus vigoureusement déjà par d'éminents esprits — les Jésuites notamment — attendaient encore le coup mortel
et il fallait, pour lui donner ce coup, la massue
de notre héros. Ce service incalculable rendu à
l'Eglise de Savoie, n'est point le fait d'un archevêque influent auprès des souverains, ni d'un ordre
religieux puissant : un enfant de la montagne, un
pauvre et simple prêtre seul est parvenu à le rendre. C'est Joseph-Marie Favre, de Vercland. Et la
gloire d'avoir terrassé le jansénisme gallican dans
nos contrées lui est si personnelle qu'elle résume
pour ainsi dire toute sa vie.

Pareil aux Mazenod et aux Gousset, M. Favre a
implanté en-deçà des monts la théologie libératrice
de saint Alphonse. Plus qu'eux, il a été héroïque

en cela, n'ayant point disposé, pour obtenir un tel résultat, de la puissance attachée à la dignité épisco-pale. Tout au contraire, il dut, pour y arriver, vain-cre l'opposition des autorités religieuses et civiles réunies (1). Ses armes furent la science acquise con-trairement aux enseignements de son séminaire, la vertu poussée jusqu'à la plus complète abnégation, l'immolation totale de lui-même. Si on lui érige un monument, il faudra y graver cette inscription : Victime et Vainqueur du jansénisme en Savoie. Nous le répétons, une œuvre pareille, conduite par de tels moyens, à un résultat aussi admirable, nous paraît providentielle et héroïque au premier chef. Voyons maintenant les vertus principales de ce héros.

La foi de M. Favre. Encore élève au grand sémi-naire, il se distingue par son ardeur à catéchiser les prisonniers de la ville, les domestiques du séminaire, et les ignorants qu'il rencontre au cours de ses promenades. Pour répandre dans le cœur des humbles les lumières de la foi, il recommence ses études théologiques à Sallanches, prêche à la manière apostolique, sans souci de la vaine gloire, entreprend de catéchiser les enfants un par un au

---

(1) Le chanoine L. Bouchage nous communique, à la dernière heure, un trait qui montre l'animosité de certains prêtres de Savoie contre l'admirable Docteur saint Alphonse de Liguori. « Je tiens de M. le chanoine Canet, nous écrit-il, le détail sui-vant. Un curé qui entendait annoncer la prochaine canonisation de saint Alphonse répondit : Eh bien ! si l'Eglise de Rome éta-blit la fête de saint Alphonse, moi je célébrerai, au jour fixé, une messe de *Requiem* pour le repos de son âme. »

confessionnal, accepte le ministère des missions, et élève ce ministère à un rare degré de perfection.

On a dit de saint François de Sales que, pour évangéliser le Chablais, cet illustre apôtre affronta les dangers des plus âpres voyages. Bien plus périlleux étaient les voyages que fit M. Favre à travers les rochers de la Haute-Maurienne. Le saint évêque de ce diocèse nous disait que, de nos jours encore, il est des paroisses où il ne peut pénétrer que porté sur un brancard. M. Favre allait à pied, sac au dos, risquant sa vie à travers les torrents, les avalanches et les éboulis d'un pays alors à peu près sans chemins et presque désert.

Dans ses missions, il se réservait le catéchisme des demi-fous et des crétins. Nul ne pouvait lui ôter ce privilège, peu envié du reste. Un de ses compagnons prêchait-il en style un peu pompeux ou recherché, il le faisait descendre de chaire.

Formés par lui, les plus humbles paysans savaient s'examiner et méditer, mieux que beaucoup de dévotes aujourd'hui. Son *Manuel du Pénitent* était compris, tout le monde le méditait ; c'est pourtant un livre plein de théologie.

Dans beaucoup de presbytères, il triomphait aimablement et sans bruit des objections tenaces que l'ignorance du clergé opposait à son enseignement. Partout et toujours il fut le zélé propagateur des idées romaines, l'homme de la juste mesure en morale. Il ajoutait à ses fatigues incroyables le soin de diriger pendant la nuit ou à l'heure des récréations les exercices des prêtres qui recouraient à sa charité.

Ornementation digne et propreté des églises (1), ampleur des cérémonies religieuses, œuvres d'instruction pour la jeunesse, il ne négligeait rien.

Nous ne reviendrons pas sur les écrits qu'il composa et répandit pour introduire en Savoie la communion fréquente. Le peu que nous venons de rappeler montre assez que la foi de cet homme surpassa de beaucoup en activité et en lumière celle des meilleurs prêtres de son temps.

L'espérance chrétienne chez M. Favre lui fit porter un saint mépris aux honneurs et à l'argent, chercher uniquement la gloire de Dieu, le salut des âmes et sa propre sanctification, compter enfin de la plus inébranlable manière sur le secours de la prière et de la grâce pour arriver à ses fins.

Compatriote, ami et protégé de Mgr Bigex, archevêque de Chambéry, il aurait pu, ce semble, arriver aux dignités ecclésiastiques. Nommé directeur des missions de trois diocèses, admiré par Mgr Devie et par un nombreux clergé, il ne lui manqua, pour parvenir aux honneurs, que de sacrifier aux idées et coutumes reçues son amour de la vérité et du Pape. Le désir des grandeurs ne put monter jusqu'à son cœur. Le bien, la vertu, la sainteté du clergé, le salut du peuple étaient ses seules ambitions, au

---

(1) A propos du zèle de M. Favre pour l'entretien des églises, M. Coutem, curé-archiprêtre de Bozel et ancien élève de M. Bugand, entendit ce dernier raconter que M. Favre, durant son séjour à Conflans, balayait souvent la chapelle. Or, il avait en telle estime la sainteté des églises qu'il mettait alors un surplis et qu'on ne pouvait le voir dans cette action sans être ému de sa piété.

point qu'il eût voulu pour les réaliser devenir « la
fable et la risée de son pays ».

L'argent ne le tenta pas davantage. A peine se
préoccupait-il d'avoir le nécessaire. Un jour que
ses vêtements étaient tout déchirés, un prêtre lui
envoya des bas et des chemises. Oh ! que la Providence est bonne ! s'écria-t-il en riant. Une autre
fois, il donna l'un de ses vêtements à raccommoder. La couturière s'y refusa, disant qu'il n'y avait
plus moyen d'y faire tenir la moindre pièce.

Il mit sa confiance en Dieu seul, n'aspirant qu'au
bonheur de le glorifier en ce monde et d'en jouir
en l'autre. Mais cette confiance fut inébranlable.
La disgrâce complète de son archevêque ne le
troubla point. L'opposition irritante dont il souf-
frit jusqu'à son lit de mort ne put ni l'aigrir ni
l'abattre, parce qu'il s'appuyait uniquement sur la
grâce de Dieu. Aussi, excella-t-il dans l'esprit de
prière. A l'autel, on eût dit un saint. En mission
même, il récitait le Bréviaire publiquement et à
l'église avec ses confrères. Le Carmel qu'il rouvrit
à Chambéry avait pour but, dans sa pensée, d'amas-
ser en faveur du peuple chrétien un trésor inépui-
sable de grâces. Enfin, il vit venir la mort sans
effroi, quoiqu'elle lui ait arraché des larmes pour
une heure.

Cette même vertu d'espérance le porta à vouloir
finir sa vie en Religion, uniquement occupé de son
salut et du ciel après lequel il avait tant soupiré.

La charité de M. Favre ne pouvait, après cela, être
vulgaire. Ayant tout quitté pour Dieu, lui ayant
sacrifié jusqu'à sa réputation, comment ne l'aurait-

il pas chéri de tout son cœur et de toutes ses forces ?
Et quel autre amour qu'un amour brûlant pour
Jésus-Christ lui put donner la constance admirable avec laquelle il soutint les combats dont sa vie
est remplie ? Avoir toujours la pensée de Dieu
présente à l'esprit et au cœur, parler fréquemment
de lui, méditer assidûment sa Passion, afin de nourrir et d'exciter en soi son tout désirable amour ;
souffrir de son absence, lui offrir les actions et les
souffrances de chaque instant, exceller dans l'accomplissement exact des commandements de Dieu
non moins que dans la patience à supporter les
épreuves de la vie et les douleurs de la mort, travailler enfin à se sanctifier toujours davantage afin
de pouvoir s'unir à lui de plus en plus intimement,
tels sont les principaux signes d'une ardente charité. Tels aussi les caractères de la dévotion de
M. Favre, depuis sa conversion jusqu'à sa mort.
Encore cette conversion, nous l'avons vu, ne fut
pas du vice à la vertu, car M. Favre paraît n'avoir
jamais offensé Dieu mortellement, mais de l'espièglerie à la vie parfaite. Son innocence, sa mortification, ses travaux exténuants et continuels pour
la gloire de Dieu, son désir de donner sa vie pour
Jésus-Christ et les âmes, toutes ces marques de
charité réunies et ininterrompues suffiraient, à
défaut des extases, à prouver péremptoirement
l'héroïcité de son amour. Plus d'un saint Fondateur d'ordre n'offre à notre admiration qu'une charité pareille, sinon en réalité, — Dieu seul juge le
cœur, — du moins dans les actes de leur canonisation. Encore ne peut-on pas dire d'eux qu'après

avoir consumé leur vie à fonder une œuvre, ils se
sont vus privés de la consolation de l'établir. On
ne saurait répliquer que M. Favre a échoué par sa
faute. Nous pensons avoir démontré suffisamment
le contraire.

La charité de M. Favre envers le prochain fut si
grande que, loin de divulguer les torts de ses
compagnons, il les dissimula le plus possible,
répétant toujours : je n'étais pas fait pour fonder
l'œuvre ; j'étais impropre aux missions, je n'y ai
fait que des sottises, et autres paroles où brille sa
parfaite humilité et charité.

Fidèle à notre rôle de chroniqueur, nous nous
sommes contenté de consigner, au cours de cette
histoire, les principaux actes de zèle de M. Favre
sans en faire ressortir la beauté. Qu'on y réfléchisse,
on verra que la plupart de ces actes ont atteint
l'héroïcité. Ce vieux mendiant de Lémenc qu'il
entreprend de convertir, ce pauvre prêtre qu'il va
assister de nuit pour mettre ordre à ses affaires,
cette ardeur à préparer ses malles pour se livrer
aux soins des pestiférés, cette force à instruire avec
une patience incroyable les demi-fous, cette constance à persévérer dans les missions alors que s'offrait à lui le ministère plus attrayant de la direction des âmes dévotes à Chambéry, cette longani-
mité à supporter les attaques d'adversaires qu'il
aurait pu confondre en manifestant leurs torts ;
ces écrits si laborieusement composés et si minutieusement adaptés aux besoins des âmes incultes ;
en un mot, cette vie entière de dévouement peut-
elle être assimilée au zèle respectable mais ordi-

naire de ceux qui ne sont que bons prêtres! Et
quand nous voyons ce noble persécuté inscrire,
au rang de ses héritiers, les évêques mêmes qui
l'ont anéanti, nous ne pouvons nous défendre d'une
admiration attendrie.

La prudence de M. Favre fut-elle aussi évidemment supérieure ? Si l'on entend par prudence l'art
de dissimuler sa pensée aux dépens du bien commun, non. Sous ce rapport notre missionnaire fut
la simplicité même, se montrant tel qu'il était à
tous et partout, sans aucune acception de personnes, tranquille, enjoué, avouant ses torts et
reconnaissant ses fautes sans détour, appelant les
choses par leur nom et disant la vérité aux plus
grands comme aux plus petits. Cela n'empêche qu'il
sut conseiller aux autres — M. Mermier surtout —
de ménager leur ouverture de conscience quand le
bien général l'exigeait. Il eut en effet à un degré
éminent la vraie prudence : 1° dans le choix de ses
opinions morales, car il préféra saint Alphonse à
la morale du diocèse, ce que les évêques de son
pays ne surent ni imiter ni même tolérer ; 2° dans
la rédaction des règles qu'il laissa à M. Mermier
pour la fondation de ses missionnaires ; 3° dans
l'administration de ses biens ; 4° dans la direction
des âmes et surtout de la V. Mère Barat ; 5° dans
l'organisation des retraites ecclésiastiques et des
missions.

Mais pourquoi cette énumération? M. Favre n'a
manqué que de cette politique stérile et coupable
qui, pour se hisser aux postes élevés, tait la vérité
aux grands et fait passer son bien privé avant

l'avantage de la communauté. Cette évangélique
simplicité ne l'a pas empêché de faire de grandes
choses. M. Favre a délivré de l'erreur le clergé et
les fidèles de son pays, doté nos bibliothèques
d'ouvrages lumineux, édifiants, réconfortants. Un
tel mérite n'est pas commun.

M. Favre fut d'un esprit de *justice chrétienne* non
moins admirable. Ses devoirs de religion et les
obligations de son état, il les remplit constamment de manière à édifier prêtres et fidèles. Sa soumission aux supérieurs, on a pu le constater, fut
ce qui causa le plus d'édification de sa part, son
amour des parents était tendre, mais digne de
Celui qui a conseillé de préférer le règne de Dieu
à père, mère, frères, sœurs et enfants. Il aime son
pays au point de lui consacrer toute sa vie, alors
que ses désirs le portaient à s'enfermer dans un
couvent ignoré.

Quant à la *force chrétienne* en lui, elle éclate; on
le surnomma l'*homme barre de fer*. Pourquoi?
Manquait-il d'affabilité, de condescendance, de
douceur? Aucun prêtre de son temps ne fut plus
aimé, ni d'un abord plus facile aux humbles : sa
force était dans sa conviction, dans son indépendance de tout intérêt mondain, dans la ténacité
de sa volonté. Il sut remuer les masses inertes,
endiguer le torrent des attaques malveillantes dont
le poursuivaient ses adversaires, imprimer un
mouvement définitif au clergé vers la vraie doctrine et le vrai zèle pastoral. Ceux qui essaient de
remuer un peuple n'hésiteront pas à voir dans ce
fait la preuve d'une force plus divine qu'humaine.

Quant aux vertus de tempérance, de mortification
et d'humble douceur, M. Favre rivalise avec les
plus grands saints. Il jeûna rigoureusement dès
son grand séminaire l'espace de deux ans ; chaque
année, son mois de retraite était accompagné du
jeûne au pain et à l'eau ; en carême, il ne faisait
qu'un seul et maigre repas. Aussi, disait-il, avec
une conviction toute personnelle : « On est aveugle
parce qu'on ne fait pas pénitence. » Plus d'une fois,
après avoir été visiter quelques malades pendant
le dîner de ses confrères, il se remettait au confessionnal à jeûn.

Vue de Chambéry au temps de M. Favre
La Métropole.

Quant à la mortification, il la pratiqua non seulement par le cilice et le jeûne, mais surtout par le
combat acharné et constant de ses moindres passions déréglées. C'est grâce à cette lutte, vigoureuse et continuée jusqu'à la mort, qu'il obtint de
son cœur, naturellement fier et indomptable, cette

douceur qui lui fit rendre le bien pour le mal à ses contradicteurs, cette humilité qui le jetait aux genoux de ses confrères et même d'un domestique lorsqu'il croyait avoir été brusque envers eux.

Mais pourquoi continuer? La vie maladive et pourtant si durement occupée de ce saint homme, n'est-elle pas un prodige de renoncement et de sacrifice? Le calme et le silence qu'il garda jusqu'au bout, parmi les plus cruelles vexations, ne démontrent-ils pas, à l'évidence, l'empire complet qu'il avait reconquis sur ses sens?

Nous nous arrêterons donc ici, quittant trop tôt, et saluant avec amour et vénération cette haute et humble personnalité chrétienne, ce vrai prêtre de Jésus-Christ, cet apôtre ardent de la saine doctrine et, pour tout dire en un mot, cet Alphonse de Liguori de la Savoie. Heureux si nous avons pu concourir à lui assurer parmi les hommes — et nous aimerions à ajouter et même dans l'Eglise — les honneurs dûs aux véritables serviteurs de Dieu.

FIN

LETTRES SPIRITUELLES

ET

DOCUMENTS

LETTRES SPIRITUELLES

ET

DOCUMENTS

LETTRES A MADAME BARAT.

Fac-similé écriture de M. Favre.

J. M. J.   Arith, le 15 décembre 1824.

Ma Fille,

Dieu vous appelle à une intime union avec lui. Il vous
faut surmonter tout ce qui s'oppose à cette union. Vos
RAPPORTS AVEC LES CRÉATURES ne sont pas un des moindres obstacles; rendez-les tant rares que possible, n'en ayez
que par nécessité, et déchargez-vous de tout ce qui ne
demande pas indispensablement votre intervention dans
l'exercice de votre charge. Unie à Dieu, vous ferez plus en
un quart d'heure, que dans un jour avec toute l'activité
naturelle que vous pouvez mettre à *contribution*. L'EMPRES-
SEMENT n'est pas non plus le moindre des obstacles :
modérez-vous et modérez-vous encore dans l'action et modérez-vous si bien que vous soyez plus attentive à Dieu qu'à
ce fatras d'affaires qui, quoique nécessaires, passent après
tout après votre grande affaire spirituelle ; et vous vous
devez à Dieu et à vous-même avant de vous devoir au pro-

chain ; et vous ne pouvez donner que de votre abondance. Si vous vous épuisez en nourrissant vos enfants, vous tomberez dans un *marasme* spirituel pire que la fièvre aiguë du péché mortel. Donnez aux exercices de la vie spiri- tuelle tout le temps qui n'est pas impérieusement réclamé par les fonctions de votre charge. Votre perfection fera la perfection de vos chers enfans ; et les enfans ressemblent ordinairement à leur mère : raison de plus pour vous de tendre à la plus haute perfection. Communiez aussi sou- vent que vous le pouvez : votre *pauvre* âme en a tant be- soin ; tous les jours sera le mieux ; suivez aussi fidèlement les deux voies de perfection que Dieu vous a inspirées dans votre dernière retraite. Vous avez reconnu sa voix dans le silence de cette retraite ; pourquoi feriez-vous difficulté d'y être docile ? Si, après avoir fait l'essai de ces moyens d'union, votre âme reste dans le trouble, l'agitation et le remords, vous exposerez votre état à un directeur zélé, éclairé et courageux, dans une retraite faite du mieux pos- sible, et vous saurez alors à quoi vous en tenir. Priez pour moi qui vous promets un petit *memento* dans mes SS. Sacri- fices.

Votre très humble.

l'abbé Favre

Fac-similé.

J. M. J.   Chambéry, le 25 janvier 1832.

     Ma Fille,

Ma réponse est un peu tardive, je ne sais pas si elle vous rencontrera à Lyon. Il y aurait de la témérité à me croire plus expert que les sages et éclairés guides qui me contre- disent, mais ce qui me rassure c'est qu'une âme voit rare- ment bien hors d'une retraite ce qui lui va le mieux, ce que Dieu lui demande. D'un autre côté, j'ai bien de la peine à me persuader que ces guides aient examiné, de près et à loisir, les besoins particuliers de votre âme, les attraits de la grâce qu'elle éprouve depuis longtemps, les indices assez certains du bon plaisir de Dieu à votre égard. Je crois

toujours que votre divin époux veut vous faire mourir à
tout pour vous faire vivre ensuite en lui, avec lui et pour
lui. C'est pour cette fin qu'il vous demande avec des instances réitérées que vous renonciez à toute satisfaction
humaine et que vous fassiez toujours ce que vous croyez le
plus parfait, à l'exemple de la fondatrice des Visitandines.
Vous avez été dirigée de cette façon dans le principe de
votre conversion. Votre âme ne respirait alors qu'amour
divin, qu'amour des croix, des humiliations, des souffrances, de la vie cachée, du st repos en Dieu. Vous vous unis-
siez à Dieu sans peine et presqu'habituellement ; mais
bientôt des occupations nombreuses, des emplois relevés,
des directions peut-être un peu trop prudentes, des rapports
trop fréquents et trop multipliés avec le grand monde, des
accueils trop flatteurs, des voyages continuels, votre impé-
tuosité naturelle dans l'action, votre amour-propre éveillé
par tant de réceptions honorables, par des correspondances
étendues et très rapprochées, les soins d'une santé trop
faible, peut-être portés trop loin, des conseils trop diver-
gens vous ont éloignée peu à peu de cette aimable simplicité, de cette union divine, de ce st repos, de cette voie
d'humiliations, d'esprit de prière, de vie cachée, dans
laquelle votre âme marchait avec tant de calme, de gaité,
de courage et de confiance ; et *Marie* est devenue un peu
Marthe. De là cette agitation intérieure, ces reproches de
la conscience, ce mécontentement de vous-même, ces remords cuisans, cette tristesse, cet abattement, cette défiance
et ce découragement qui ont plus fait de mal à votre tempérament que toutes les mortifications et humiliations
que vous avez laissées, par trop peut-être de prudence et
de ménagement. Vous avez fait une retraite dans laquelle
Dieu vous a appelée à votre premier genre de vie. Jamais
on ne connaît mieux la volonté de Dieu que dans une
retraite ; vous l'avez repris et vous vous en êtes bien trouvée, et vous vous en trouvez bien toutes les fois que vous
y revenez. Pourquoi ne le suivriez-vous pas autant que vos
forces physiques et vos occupations vous le permettent ?
Pour moi, je vous exhorte et je vous engage, autant qu'il
est en moi, à le suivre fidèlement, jusqu'à ce que vous
vous soyez assurée dans une bonne retraite et sous la
direction d'un bon directeur, que Dieu vous demande autre
chose. Jusque là ne changez rien dans le plan de vie que

Dieu vous a tracé. Dieu vous appelle à la vie unitive, vous y arriverez à coup sûr malgré vos infidélités passées, si vous mettez bien à profit les moyens qu'il a eu la bonté de vous suggérer dans votre dernière retraite. Donnez plus de temps à la prière et à l'union qu'à l'action ; agissez lentement et toujours en la présence de Dieu et menez une vie cachée autant que vos emplois vous en laisseront le loisir ; réglez vos mortifications selon vos occupations et l'état de votre santé ; ne faites pas tant de médecins spirituels, ce qui serait capable de ruiner votre tempérament spirituel ; bornez vos confessions à l'accusation simple de ce que vous croyez péché ; suivez ce qui a été réglé à la dernière retraite, et attendez à une seconde retraite pour y faire quelques changements.

La mission de Chambéry a échoué ? Je ne suis à Chambéry qu'en passant, je vais de nouveau faire de petites excursions dans la campagne. Priez pour moi.

Votre très humble...

L'abbé Favre.

J. M. J.   Chambéry, le 27 août 1832.

Ma Révérende Mère,

Votre digne fille et mère vient de m'apprendre que votre voyage de Chambéry est empêché. Je vais donc répondre à votre lettre datée du 6.

1. Vous me dites que l'obéissance vous coûte beaucoup. J'en suis bien aise ; vous aurez par là l'occasion de montrer à Jésus votre amour en Lui faisant le sacrifice qui vous coûte le plus, le sacrifice de votre volonté ; et par là-même, de tout votre être ; car l'obéissance est la consommation de tous les sacrifices, le suprême degré de l'abnégation, le renoncement à ce qu'on a de plus cher. Obéissez donc avant tout, par dessus tout, d'esprit, de cœur et de volonté, dans les petites choses comme dans les grandes, jusqu'à la mort et à la mort de la croix, si le bon Jésus vous en fesait la grâce. Rien de plus agréable à son divin cœur, de plus méritoire, de plus sûr pour vous, de plus rassurant pour le moment de la mort et de plus édifiant pour le prochain.

2. Vous ajoutez que la confiance ne vous est pas moins

pénible. La confiance et l'amour de Dieu dilatent le cœur, agrandissent l'âme et la rendent capable des plus grandes entreprises, tandis que la crainte et la défiance abattent et attristent l'âme, rétrécissent le cœur, hébètent l'esprit, ruinent la santé du corps et troublent toute l'économie de la vie spirituelle. Dieu n'est pas venu en ce monde pour se faire craindre mais pour se faire aimer. Comment, ma fille, pouvez-vous vous méfier d'un Dieu qui vous aime infiniment, qui veut votre salut et votre bonheur. Comment pouvez-vous vous méfier de votre cher et bon frère Jésus qui s'est donné tant de peine pour vous sauver, qui a fait tant de sacrifices pour vous faire part de sa gloire et de ses richesses? Comment pouvez-vous vous méfier de ce bon pasteur qui court après la brebis égarée, qui a accueilli avec tant de douceur votre patronne s^te Magdeleine, la femme adultère, la Samaritaine et tant d'autres pécheurs et pécheresses chargés de crimes? Comment pouvez-vous vous méfier de ce bon Sauveur qui ne veut la mort de personne, qui est venu appeler les pécheurs à la pénitence et à la vie? Comment pouvez-vous vous méfier de ce cœur aimant et aimable qui ne demande qu'à être aimé, pour aimer? Une telle méfiance ne peut venir que du démon. Une telle méfiance contriste votre cher époux, une telle méfiance éloigne son cœur du vôtre. Qu'elle ne soit jamais volontaire. Et, pour la couper dans sa racine :

1. Je vous ordonne en vertu de la s^te obéissance, de croire la confession que vous m'avez faite l'année passée suffisante, bonne, suffisamment expliquée, suffisamment comprise, et rassurante pour le moment de la mort, malgré tout ce que le démon ou votre tête pourront vous dire de contraire. Je vous défends de la refaire, même au moment de la mort. Je m'en charge et vous en décharge devant Dieu ; c'est moi seul qui en serai comptable au jour de vos rendements de comptes.

2. Je vous ordonne de vous exciter sans cesse à l'amour de Jésus et à la confiance en sa divine bonté et puissance, de chasser toute pensée capable de vous attrister, de vous inquiéter, de vous abattre, comme des pensées mauvaises et nuisibles à votre âme ; je vous ordonne d'aller à Dieu par l'amour et la confiance malgré l'abus des grâces, le nombre de vos péchés et de vos imperfections présentes et passées. Ne poussez jamais le travail jusqu'à accabler

votre corps et votre âme et vous mettre dans un état d'incapacité pour tout exercice spirituel. — Tenez-vous gaie —
prenez de la récréation chaque fois que vous sentez votre
tête devenir pesante, lourde, fatiguée ; ou variez vos occupations. — Qui fait trop ne fait rien.

Priez pour moi.

Votre très humble.

L'abbé FAVRE.

J. M. J.   Tamié, par Conflans, le 12 janvier 1834.

Ma bonne et digne Mère,

Je suis affligé et véritablement peiné de vous voir toujours la pauvre esclave de l'inquiétude, de la méfiance et
de la crainte qui vous rétrécissent l'âme, vous abattent le
courage, vous refroidissent le cœur, vous occupent péniblement et inutilement de votre *pauvre* rien, qu'il faut abîmer dans le tout, vous détournent de vos devoirs essentiels,
vous ôtent cette grâce de parole, cette douceur de procédés
qui gagnent les âmes, vous minent la santé de l'âme et du
corps sans aucun profit pour Dieu, ni pour vous, ni pour
le cher prochain. En vérité l'esprit de mensonge doit s'applaudir de voir que vous vous en prenez toujours à des
jeux, à des ruses qui ne peuvent faire des dupes que parmi
les commençants, et dont une âme *troupière* comme la vôtre
a une parfaite connaissance. Au nom de notre cher et bon
Sauveur, jetez toutes vos craintes, toutes vos inquiétudes,
dans son cœur brûlant d'amour pour vous. Plus de retours
inutiles sur le passé, plus d'examens volontaires sur vos
confessions, plus d'inquiétudes de propos délibéré. Jésus,
votre cher époux, me presse de vous le dire et de vous le
répéter jusqu'à ce que votre crainte *opiniâtre* capitule
devant l'obéissance et la confiance. En obéissant, vous
avez toute l'assurance qu'on peut avoir en ce monde, dit
saint Philippe de Néry, dont je vais vous citer les paroles
que je vous prie de bien peser : « *Nihil esse securius quam,
in operando, voluntati directoris obtemperare, nihilque
periculosius quam suiipsius judicio se dirigere.* » La triste
occupation que celle de penser éternellement à soi, de tourner sans cesse autour de sa conscience et de ses misères
spirituelles, comme une porte sur un gond ! Ce n'est pas là

la fin de l'homme qui est fait pour penser à son Dieu, pour vivre pour son Dieu, pour gagner des cœurs à son Dieu, pour aimer son Dieu, pour se confier en son Dieu, pour attendre tout de son Dieu, pour se réjouir de n'être rien et de voir que son Dieu est tout. — 1° Soyez fidèle à la méditation, aux examens, à l'exercice de la présence de Dieu, à la communion quotidienne, à réprimer l'activité naturelle, l'empressement dans vos occupations journalières. Nourrissez-vous bien pour nourrir vos enfants : donnez-leur de votre abondance et non pas de votre substance. 2° Déchargez-vous des détails qui vous accablent sur les personnes qui méritent votre confiance et faites le *général* et non pas le *soldat*. Tenez moins à une confiance de détails, mais visez au bien général, méditez-en les moyens, c'est là votre rôle essentiel. 3° Ne mettez pas tant d'importance à la mortification du corps, mais rapportez-vous-en au jugement de ceux qui sont chargés de votre santé, pour les soins de votre corps. Vous vous sanctifierez en mangeant par obéissance, comme tant de saints se sont sanctifiés en jeûnant par obéissance. L'application aux devoirs de votre charge et aux exercices de la vie intérieure, qui vont avant les devoirs de votre charge, est la mortification continuelle, essentielle, que le bon Sauveur vous demande ; et c'est à cette mortification que Jésus, votre Bien-Aimé, attache le prix de son cœur aimable et aimant. Je recommande à votre pauvre et chère *Addolorata*, votre ange gardien visible, de vous rendre exacte à ces avis que je viens de vous donner dans le désir ardent que j'ai de vous voir aimer et faire aimer Jésus, et les croix pour l'amour de Lui.

Je suis fixé en ce moment dans un joli désert qu'on appelle Tamié, ancien monastère de Bénédictins Cisterciens, à dix lieues de Chambéry. Jamais lieu plus propice au recueillement et à la méditation. Je fais le maître des novices, tout novice que je suis. Vous sentez combien j'ai besoin de vos prières et de celles de votre fidèle compagne et des âmes accréditées auprès de Dieu, pour commencer une œuvre si fort au-dessus de ma portée. Je vous demande ce secours par le cœur de Jésus, auquel vous ne pouvez rien refuser. Que Jésus, en récompense, vous remplisse de son divin amour et de l'amour des croix, vous et votre inséparable *Addolorata*, afin que, comme deux lampes ardentes, vous alliez partout allumer, attiser le feu du divin amour.

C'est le souhait de bonne année de celui qui est tout en
Jésus et Marie.

Votre tout dévoué serviteur.

L'abbé FAVRE, supérieur
des missionnaires de Tamié.

P. S. — Je ne puis pas quitter un seul jour cette charmante solitude, avant un an révolu.

J. M. J.　　　　　Tamié, par Conflans, le 27 juin 1834.

Ma digne Mère (1),

Malgré le désir extrême que j'avais de vous aller voir à
Chambéry, je ne l'ai pas pu en ce moment et j'en ai été
peiné peut-être plus que vous et votre chère *Addolorata*.
Je voudrais pouvoir vous être utile par lettres, mais que
cela est difficile! Tous les sujets de vos inquiétudes peuvent se réduire ce me semble à ceux-ci :

1. *Pouvez-vous vous rassurer et compter sur vos confessions passées ?* — Vous le pouvez, vous le devez par obéissance ; je vous l'ai commandé et je vous le commande
encore en ce moment de la part de notre bon Maître. Vous
devez en conséquence regarder toutes les inquiétudes et
tous les remords que vous éprouvez et éprouverez par rapport au passé, comme des tentations que le démon vous
suggère pour vous attrister, vous abattre et vous rétrécir
le cœur ; et les mépriser comme de vaines craintes. —
L'avez-vous fait, le faites-vous, le ferez-vous pour n'être
pas éternellement le jouet de l'imagination et du cœur,
deux facultés brutes et aveugles qui ne sauraient nous
diriger ?

2. *Êtes-vous dans la charge et l'emploi où Dieu vous veut ?*
Qui pourrait en douter, puisqu'il vous y a appelée par la
voix de vos supérieurs et de la société ? Reste donc à vous
en acquitter du mieux qu'il vous est possible et à repousser comme de véritables illusions les pensées d'abandonner ce poste que Dieu vous a confié pour suivre les *voca-*

_____

(1) On voit par l'ensemble de la lettre qu'elle est adressée à
Madame Barat.

tions de l'amour-propre. Ne regardez donc plus en arrière
pour ne pas vous exposer à être changée en statue de sel
comme la femme de Loth.

3. *Quel est le genre de vie auquel Dieu vous appelle dans
votre charge de Supérieure générale ?*

Saint Ignace a fait de la vie commune la vie de la société,
sans toutefois interdire la vie *extra* ordinaire ou les voies
extraordinaires à ceux qui y seraient véritablement appelés. Mais il faut à un jésuite une vocation certaine pour
s'écarter de la vie commune qui est de règle, et pour embrasser un genre de vie extraordinaire, contraire à la règle
à moins de la volonté de Dieu bien connue. Votre institut
a le même esprit que celui de saint Ignace. Il est donc certain, sûr, que d'après votre institut, vous êtes appelée, obligée à la vie commune qui n'est autre chose que l'observance ponctuelle, constante des constitutions et règles
générales et particulières de la société, à moins d'une
vocation certaine à un genre de vie extraordinaire. L'avez-
vous cette vocation ? Et si vous croyez l'avoir, a-t-elle été
reconnue, approuvée, par des guides aussi éclairés que
zélés pour la gloire de Dieu et le bien de la société ? C'est
la dernière question à résoudre.

1° Qui n'observe pas ponctuellement, exactement et constamment, autant que la fragilité humaine le permet, les
constitutions et les règles générales et particulières de son
institut ne peut prétendre à des voies extraordinaires, tant
qu'il est dans cet état, cette disposition : parce que ce serait
ridicule de vouloir faire de grands sacrifices quand on n'en
fait pas de petits. Ce serait imiter le marchand-quincailler
(et nous en sommes tous à un petit de ss. extraordinaires
près) qui ne voudrait pas faire de petits gains sous prétexte
d'en vouloir faire de grands. Ma digne Mère, êtes-vous
régulière, exacte observatrice des devoirs de votre état ? Si
vous ne l'êtes pas encore, commencez par le devenir avant
d'aller plus loin, et cela sous peine d'illusion. Si vous
l'êtes, reste à savoir si vous avez les forces physiques et
morales pour soutenir les voies extraordinaires. Si vous
n'avez de forces physiques que pour porter les peines de
votre état, ce serait une véritable illusion que d'embrasser
des pénitences extraordinaires qui vous feraient manquer
la première pénitence qui est l'accomplissement des devoirs
de sa charge, de son institut. Si vous avez la force de faire

des pénitences extraordinaires, reste à savoir si Dieu vous y appelle ; cette vocation se reconnaît à un attrait bien prononcé et approuvé par un guide zélé et expert. Avez-vous cet attrait ? Cet attrait, si vous l'avez, est-il reconnu venir de Dieu par un habile directeur ? Je sais que le démon peut contrefaire toutes les vertus excepté l'humilité et l'obéissance. Je sais que le démon inspire aux bonnes âmes de petits biens pour leur en faire manquer de grands ; raison bien propre à nous tenir dans l'obéissance. Je sais en outre que l'obéissance est le premier sacrifice à faire à Dieu ; plus agréable à ses yeux que toutes les austérités imaginables.

Mais votre vocation à la supériorité générale, n'est-elle pas une vocation à des voies extraordinaires ? — Non, mais une vocation à une plus grande régularité pour une plus grande édification, à moins d'une vocation divine bien reconnue.

Je vous engage de vous mettre à l'obéissance et à la régularité, de faire soigneusement chaque jour les exercices spirituels qui vous sont prescrits, afin de ne pas vous épuiser en voulant toujours nourrir vos enfants sans vous nourrir vous-même, de prendre le repos, le sommeil et les autres soulagemens que la santé réclame, de vous décharger le plus que vous pourrez, sur des religieuses de confiance, des détails de l'administration, afin de n'en être pas accablée, de communier chaque jour, si on vous le permet, de vous laisser conduire comme une petite enfant, jusqu'à ce que vous ayez reconnu, dans une retraite, d'après les lumières d'un bon directeur, que le Bon Dieu vous en demande davantage et vous appelle à des voies extraordinaires.

Votre tout dévoué.

Jean de la Croix †

J. M. J.

Ma digne Mère,

Votre fille bien-aimée, *Maria Addolorata*, m'a communiqué les lettres que vous lui avez écrites. Il me paraît que cette correspondance, cette dépendance mutuelle vous est d'une grande utilité et votre union, spirituelle et intime,

ne peut que tourner à la gloire du divin Epoux, au profit
de vos âmes et au bien de la Société. Cette union s'est commencée d'une manière toute miraculeuse et je ne doute pas
qu'elle n'entre dans les vues de Dieu. Votre chère fille de la
croix reçoit du Seigneur des grâces vraiment extraordinaires, et elle ne peut que vous être très utile par les lumières que son bien-aimé Jésus lui communique, et surtout
par sa franchise à vous dire ce qu'elle pensera, dans toutes
les questions que vous pourrez lui faire et dans tous les
avis que vous pourrez lui demander ; ce qui est un trésor
pour une supérieure, qui trouve rarement une âme qui lui
dise franchement la vérité. Ayez soin l'une et l'autre de
bannir de votre union tout ce qui pourrait ressentir la
chair et le sang et que l'amour de Jésus et la gloire de son
Sacré-Cœur en soient l'unique lien. Avec ces précautions,
soyez assurée, ma respectable Mère, que cette union ne
servira pas peu à vous faire avancer l'une et l'autre dans
l'amour de Jésus et des croix et à procurer la gloire des
Sacrés-Cœurs de Jésus et de Marie et la perfection des
religieuses de la société. J'approuve donc fort cette union
et je vous engage à la continuer, à la perfectionner et à
l'épurer. Je vous engage à continuer de profiter de la direction de votre chère Louise pour votre conduite personnelle
et particulière. Quant à l'exercice de votre charge de supérieure générale, vous ferez fort bien de la consulter dans
bien des cas et toutes les fois que vous le croirez expédient ;
mais vous serez libre de suivre ou de ne pas suivre ses
avis, selon que vous le croirez mieux devant Dieu. Votre
dépendance d'elle ne sera que pour votre direction privée
et personnelle, et non point pour la direction générale de
la société ; sur laquelle vous pourrez la consulter, sans être
obligée de suivre ses conseils. Peut-être serait-il avantageux pour votre soulagement spirituel et corporel de vous
l'associer comme compagne de voyage et comme conseil-
lère privée ? Je vous le propose, laissant à votre sagesse le
soin d'examiner ce qu'il y a de mieux à faire.

Il me paraît que votre âme et la société retireraient de
grands avantages de ce rapprochement, autant que j'en
puis juger à la distance où je me trouve. L'âme de votre
chère et bien-aimée fille n'en retirerait pas moins un grand
profit ; elle aurait un peu plus de temps pour se livrer un
peu plus à la contemplation pour laquelle elle a un attrait

si prononcé ; elle profiterait chaque jour de votre direction
qui lui est si utile. Je vous recommande de l'humilier
beaucoup, à cause des faveurs et des communications intimes qu'elle reçoit de N.-S. Je lui ai ordonné de vous faire
part de toutes ces grâces. Je vous invite, je vous engage à
entrer dans cette voie d'amour, d'obéissance, de confiance
et de sainte liberté que votre toute dévouée fille vous
montre, vous indique depuis longtemps. Plus d'inquiétudes,
plus de retour volontaire sur vos confessions passées. Plus
d'inquiétudes, de tristesses, de craintes volontaires. Mais
joie, confiance, amour, courage en notre bon, aimable et
aimant Jésus qui vous demande depuis si longtemps votre
cœur et qui n'attend que le moment où vous vous aban-
donnerez tout doucement, tout bonnement, tout simplement, comme une petite enfant, à sa divine et aimable conduite, à une confiance toute filiale, pour vous ouvrir et
vous communiquer les trésors ineffables de son cœur
enflammé d'amour pour vous.

Recommandez-moi aux B. apôtres S. Pierre et S. Paul.
Votre tout dévoué.

                                      JEAN DE LA CROIX †
P.-S. — Ne passez pas un jour sans communier. Confessez-vous aussi souvent que vous le pourrez, pourvu que ce
soit pour acquérir une plus grande pureté et non pas seulement pour apaiser vos remords.

Chambéry, jour de St Jean la † 24 novembre 1834.

        Ma digne Mère,
Je viens de demander à mon évêque la liberté de sortir
de son diocèse dans le dessein de vaquer à l'étude : il me
l'a refusée et m'a obligé d'aller faire des missions : j'espère
de l'obtenir sous peu, sans pouvoir vous dire où j'irai me
fixer pour me livrer à l'étude selon l'attrait que j'en éprouve.
Je reste, en attendant ce moment désiré, dans le diocèse de
Chambéry.

Quant à vous, ma bonne Mère, faites tous les jours une
guerre ouverte, une guerre à mort au démon de la crainte
et du découragement, et je vous promets, de la part de
notre bon Maître, un véritable triomphe sur vous-même et
le démon. Les conseils, les encouragemens de votre chère

Addolorata, vous seront d'un grand secours. Mais tenez fortement et invariablement à vos exercices de piété, et ne les sacrifiez pas à ce faux zèle qui nous porte à nous occuper sans cesse des autres pour nous faire oublier le soin de notre âme. Une mère qui ne se nourrit pas se tue elle-même et tue ses enfants. O que de prétextes le démon nous suggère pour nous faire omettre tantôt un exercice, tantôt un autre, et pour nous faire ainsi mourir à petit feu ! Pour vous, ma très honorée mère, tenez-vous en garde contre de pareilles illusions et signalez-les à toutes les supérieures de vos maisons. Dans le cours ordinaire de la Providence, Dieu ne fait des saints que par des saints. Il faut donc nous sanctifier pour sanctifier les autres et ne donner que de notre abondance, pour ne pas nous épuiser. Je ne connais point d'illusion qui fasse plus de ravages dans l'église de Dieu, plus de torts aux prêtres, aux supérieurs, que ce détestable zèle qui s'éloigne de Dieu et de l'esprit d'oraison en se livrant tout à l'action, à la correspondance, à la burocratie, au prétendu exercice de la charité et de la direction spirituelle. J'insiste beaucoup sur ce point parce que je le regarde comme la source de tous nos maux.

Je bénis notre bon Maître de ce qu'il a donné plus de calme à votre bien-aimée Addolorata, et de ce qu'il a renoué votre union d'une manière plus étroite, plus surnaturelle et plus utile à l'une et à l'autre. J'espère que ce divin Maître achèvera, perfectionnera, consommera ce qu'il a si bien commencé. Je me réjouis aussi de ce qu'Addolorata commence à se plaire sur la croix avec son époux crucifié, dans les aridités et les sécheresses.

Cette vie purifiera, perfectionnera, consommera son amour pour Jésus. Aimer en souffrant, souffrir en aimant sera notre devise. Je me recommande à vos prières et dirai une messe, le jour de Noël, selon vos intentions.

✝ JEAN DE LA CROIX.

J. M. J. Conflans, le 23 août 1835.

Ma très honorée Mère,

Notre bon Sauveur vient de vous faire passer par le creuset des maladies. Que vous devez lui en savoir bon gré ! Je me réjouis cependant de votre rétablissement et je L'en

remercie de toute mon âme pour le bien de la société. Que
ce cher Maître vous donne force, courage, santé et confiance pour travailler à l'avancement de sa gloire ; c'est là
toute votre ambition et la mienne, dans ce lieu d'exil. Mais
que nous avons besoin de ces alternatives de force et de
faiblesse, de consolations et d'épreuves, pour apprendre à
nous accommoder à tous les goûts de cet aimable média-
teur qui s'est Lui-même plié avec tant d'amour à toutes
les volontés de son Père chéri, *jusqu'à la mort et à la mort
de la croix.*

Je suis ici à remplir une tâche que le Maître m'a imposée par l'organe de mes guides. Elle me tiendra encore ici
huit à neuf mois, au bout desquels je me fixerai irrévocablement dans une Congrégation religieuse, active et contemplative, selon les attraits de la grâce, les besoins de
mon âme et les avis de quelques guides. Vous voyez, ma
digne Mère, le besoin que j'ai du secours de vos prières et
de celles de votre bien-aimée *Addolorata* pour ne pas me
tromper dans une pareille détermination. J'attends ce
secours de votre bonté. Mais avant ce terme, je n'ai ni la
pensée ni le désir d'aller à Paris ou ailleurs ; et il faudrait
une volonté de Dieu bien prononcée pour m'y déterminer.

Un des plus dignes prêtres que j'ai rencontrés en Savoie
désire depuis longtemps de passer quelques années à
Rome pour puiser la science ecclésiastique à sa véritable
source. Un obstacle l'a retenu jusqu'ici ; c'est le manque
de ressources temporelles. Il voudrait trouver à Rome un
emploi qui pût lui fournir de quoi subsister, et lui laisser,
en même temps, assez de loisirs pour vaquer à l'étude. Il
est âgé de trente-trois ans ; assez instruit et très désireux
de s'instruire pour pouvoir procurer ensuite la gloire de
Dieu et le salut des âmes. Il possède surtout la science des
saints : il est intérieur, laborieux, complaisant, d'un caractère bon, doux, affable, honnête ; d'une figure et d'un extérieur aimables, de mœurs irréprochables, d'une conduite
très régulière. Il a un grand désir de la perfection. C'est
un homme rare et un homme de confiance. Pourrait-il vous
être de quelque utilité à Rome et à quelles conditions ? Et,
dans la supposition négative, pourriez-vous lui procurer
un emploi dans cette ville tel qu'il le désire ? Vous pouvez
le proposer sans crainte. Il est véritablement d'une vertu
éprouvée. Il a été vicaire dans une ville et un bourg, et

curé dans deux paroisses assez difficiles. Il s'est partout
concilié l'estime, la confiance de ses paroissiens, qui le
regardaient comme un saint. Vous voudrez bien me donner un mot de réponse à cet égard, et exposer de temps à
autre mes besoins spirituels aux cœurs généreux de Jésus
et de Marie ; vous obligerez tant celui qui est toujours

  Ma digne Mère
 Votre tout dévoué.

       L'abbé Favre.

P.-S. — Ce monsieur sait le grec et surtout l'histoire (1).

 J. M. J.   Conflans, le 27 février 1835.

  Ma digne Mère,

Vous voilà sur la croix. Le bon Sauveur vous donne là
une marque bien privilégiée de son amour, de sa tendresse
pour sa chère Magdelaine. Que vous devez lui en savoir
bon gré ! Que vous devez l'aimer pour tant d'amour qu'il
vous porte ! Quelle confiance en un si bon père qui prend
un si grand soin de sa chère enfant ! Pourriez-vous encore
vous laisser aller à ces craintes, à ces inquiétudes, à ces
remords, à ces doutes, à ces anxiétés qui déplaisent tant
à son divin cœur ! Non, toutes ces vaines appréhensions
viennent du démon qui cherche à rétrécir nos cœurs et à
les fermer à l'amour et à la confiance, ou de l'amour-propre qui cherche à mettre sa confiance en ses bonnes œuvres.
Périsse la confiance en nous-mêmes ! périsse la confiance
en nos industries ! périsse la confiance en nos bonnes
œuvres ! Offrons à Jésus notre pauvreté, pour lui montrer
notre bon cœur, mais ne croyons pas l'enrichir ; ne comptons pas sur de pareilles misères. Nos misères sont grandes, mais la bonté de Jésus, qui se plait à enrichir les
misérables, est autant élevée au-dessus de notre indigence
que le ciel l'est de la terre. Jamais, avec la grâce de mon
bon Sauveur, jamais mes misères passées, présentes et
futures ne me feront perdre le moindre de confiance en un
cœur aussi bon que celui de la bonté incarnée pour l'amour

---

(1) Il est question ici de M. l'abbé Métral, mort à Moûtiers.

des misérables; crucifié pour l'amour des misérables. Ouvrez, ma fille, au nom et pour l'amour de Jésus votre cœur si longtemps froissé, rétréci, abattu, découragé à l'amour et à la confiance. Que ni les fautes passées, ni les imperfections présentes, ni l'abus des grâces ne vous portent à la moindre méfiance. Vous feriez un déplaisir des plus sensibles au cœur tout bon, tout miséricordieux, tout compatissant de votre époux. Tout en faisant vos petits efforts, comptez uniquement sur sa bonté, attendez tout de sa bonté, aimez sa bonté, confiez-vous en sa bonté sans vous laisser aller à des inquiétudes pour le passé, le présent et l'avenir. Un enfant bien élevé sert tout bonnement son père, sans s'inquiéter de ses intérêts, il en laisse le souci et tout le souci à son père, qui prend d'autant plus soin de son enfant que son enfant s'oublie plus. Abandonnez-vous avec une confiance toute filiale aux soins et à la conduite de votre bien-aimé Jésus ; obéissez, pour l'amour de lui, à votre chère *Addolorata ;* soumettez-vous de bon cœur à toutes les épreuves par lesquelles le Roi des Croix vous fait passer. Je vais demander à Jésus et à Marie votre guérison avec vos chers enfans par l'entremise du glorieux saint Joseph. Un mot à Jésus pour votre

     petit serviteur.

JEAN DE LA CROIX.

J. M. J.   Albertville, le 1er novembre 1836.

   Ma digne Mère,

Si je n'ai pas pris d'engagemens ce printemps prochain, comme je le crois, dans quelque couvent, j'irai volontiers vous donner votre retraite. Je suis resté dans le monde, jusqu'ici, dans l'espérance de pouvoir être utile à ma patrie en travaillant à combattre le rigorisme de direction encore plus que de principes, qui éloigne des sacremens et perd des milliers d'âmes. Mais il n'y a pas grande espérance, tant que les évêques n'attaqueront pas cet abus. Mgr d'Annecy lui a porté un coup cette année dans la retraite, mais c'est bien peu pour détruire un abus aussi enraciné. Ah ! que je désirerais pour le bien de mon pays, qu'on nommât au premier siège vacant Mr Revel, curé-archiprêtre de Sallanche, ancien aumônier de Mgr Bigex, professeur d'Ecri-

ture sainte au séminaire de Chambéry, du temps de
Mgr Billiet, le plus habile directeur d'âmes que j'ai connu,
homme capable d'administrer admirablement et prudem-
ment un diocèse et d'opérer la plus heureuse révolution en
fait d'instruction, de direction, de ministère en Savoie.
Mais malheureusement, il n'est pas connu à la Cour, et je
ne crois pas qu'il vienne en idée à nos dignes évêques de
le proposer au Roi, vu la coutume de ne proposer que des
chanoines ou des grands vicaires Pourriez-vous, ma digne
mère, dans vos rapports avec les personnes de la Cour ou
avec la reine, le faire connaître avec la prudence que l'esprit
du Seigneur vous inspirera ? Ah! quel service vous ren-
driez à nos pauvres *Savoyards* si vous aviez le bonheur
de leur procurer un tel évêque ! Je n'ai pas besoin de vous
recommander le secret sur cette ouverture ; vous en com-
prenez assez l'importance. Voyez et examinez dans votre
sagesse ce qu'il y a à faire pour la réussite de ce projet.
Sans doute si Dieu le veut, la chose réussira, mais pourquoi ne seconderions-nous pas la divine Providence? Mais
ce ne serait pas la seconder que de me nommer dans cette
affaire pour faire connaître le respectable curé de Sallanche, à cause des préventions et des préjugés, vrais ou faux,
qu'on a contre moi, préjugés qui nuiraient à la chose dont
je vous parle.

Quant à vous, ma très honorée Mère, ayez une confiance
en Dieu aussi grande, s'il était possible, que sa bonté et
sa puissance, je veux dire sans bornes ; que vos misères
spirituelles l'augmentent même en s'augmentant, pourvu
que vous travailliez toujours à vous en défaire. Au nom du
Bon Sauveur qui vous invite et vous attend tous les jours
à la sainte Table, recevez-le tous les jours. *Quotidie peccas
quotidie sume*, dit saint Ambroise. Abandonnez-vous à la
conduite de l'aimable Providence ; résignez-vous à tout,
même à vos misères, même à n'être pas résignée ; obéissez
comme une petite enfant, comme le charmant Enfant Jésus,
et vous trouverez la paix après laquelle vous soupirez. O
Dieu ! que le bon Jésus doit avoir pitié de nous, en nous
voyant chercher si loin cette paix qui est si près de nous,
cette paix qui est dans la résignation, l'obéissance et la
fidélité ! Tourmentons-nous moins et tout ira mieux. Laissons faire notre Bon Maître et Il fera en nous des merveilles, pourvu que nous n'allions pas Le troubler dans son

34.

ouvrage, comme Marthe l'empressée. Nous ressemblons à
la mouche qui croyait faire aller tout le train, tant nous
comptons sur nos *pauvres* industries (1).

Dites bien à votre chère Addolorata qu'elle veuille bien
se prêter aux occupations mais qu'elle ne se donne pas. On
fait plus d'ouvrage dans cinq minutes avec Jésus, que
dans cinq jours sans Jésus. Quand le comprendrons-nous ?

Un petit souvenir dans vos prières pour celui qui est
tant

Votre tout dévoué.

JEAN DE LA CROIX ✝

J. M. J.   Albertville, le 14 février 1837.

Ma très digne Mère,

J'ai appris avec une peine extrême que votre santé est en
fort mauvais état. L'intérêt que je prends à la gloire de
Jésus et au bien de votre société m'oblige de vous dire de
vous en rapporter entièrement et aveuglément aux avis de
ceux qui sont chargés de la soigner pour la rétablir. Prenez le repos, les délassemens, les remèdes qu'ils prescrivent,
laissez-vous traiter comme ils l'entendent et non pas comme
vous l'entendez. Ah, faites ce plaisir au cœur de Jésus qui
s'est mis à la merci, non pas des médecins, mais de ses
bourreaux, pour nous montrer jusqu'à quel point il a porté
l'amour de l'obéissance. Une once d'obéissance à ses yeux
vaut plus qu'un quintal de mortifications. Que sert-il de
Lui sacrifier son corps et sa santé s'il ne le veut pas et s'il
ne l'agrée pas ? Il ne l'agrée pas dès lors que ceux qui sont
ses interprètes ne le veulent pas. Ne vous faut-il pas une
santé forte, vigoureuse, pour remplir des obligations aussi
étendues, aussi variées, aussi compliquées, aussi *tuantes*
que celles dont vous êtes chargée ? Mon Dieu, ma Mère, en
vous faisant *languir* par des excès de travail, de veille, de
mortification, ne faites-vous pas languir toute la société ?

---

(1) On a vu, p. 525, combien M. Favre recommande et **exige**
— sous la rubrique *exercices* — ces industries. Ici, il ne les condamne point ni ne prétend infirmer leur utilité, mais il veut que
notre confiance repose en Dieu avant et par dessus tout.

Ne faites-vous pas même languir votre âme qui ne peut
guères s'unir à Dieu par des exercices spirituels réglés et
réguliers dans cet état de langueur et de nullité ? et une
mère qui n'a que peu de lait spirituel peut-elle bien nourrir des milliers d'enfants que le Sauveur lui a confiés ? Le
démon ne peut que rire de vos mortifications qui deviennent un obstacle à l'exercice de votre importante charge.
Passez-moi, je vous prie, la franchise avec laquelle je vous
parle. Le zèle de la gloire de notre bon Maître et de sa chère
société me l'a inspirée. — Le prêtre pour lequel vous vous
êtes si fortement intéressée partira sous peu. Mais je ne
crois pas qu'il soit longtemps à votre charge : son dessein
est d'entrer à la Compagnie de Jésus. Il se trouve absent
en ce moment ; je lui ferai votre commission à son retour.
Je ne puis assez vous remercier du bon service que vous
lui avez rendu.

Votre chère *Addolorata* m'a proposé de vous employer
pour m'obtenir quelques grâces, de Rome. J'accepte avec
reconnaissance votre offre. Je voudrais que vous eussiez la
bonté de m'obtenir 1º l'indulgence d'un autel privilégié
personnel. 2º le pouvoir d'indulgencier les chapelets, les
croix, médailles, dans les missions et hors des missions,
c. à. d. en tout temps, pendant sept ans. 3º le pouvoir d'ériger les chemins de croix dans les paroisses. 4º le pouvoir
de bénir les crucifix à l'effet de gagner les indulgences du
chemin de la croix, lorsqu'on ne peut pas le faire. Voilà
pour moi, voici pour mon pays.

Je désirerais avoir, dans un écrit bien authentique que
je pusse faire imprimer et faire circuler, la solution des
questions suivantes, relatives aux confréries, que je crois
nulles en bien des paroisses, par défaut de formalité. 1º La
distance de trois milles italiens (d'une lieue) est-elle requise,
sous peine de nullité à moins d'une dispense, pour l'institution des confréries du Rosaire et de Notre-Dame des
Carmes ? 2º Quelles sont les conditions et les pratiques et
prières indispensables pour être de ces confréries et en
gagner les indulgences ? Nous n'avons rien de sûr là-dessus. 3º L'envoi des noms à Munich est-il de rigueur pour
la confrérie de Notre-Dame auxiliatrice ? 4º La récitation
de l'Office, pour celui qui y est obligé par les Ordres sacrés,
peut-elle remplacer les prières et les pratiques des confréries du Rosaire, des Carmes et autres ? On le pense ainsi

dans nos pays. 2° Peut-on ériger le Chemin de la croix dans plusieurs chapelles rurales d'une même paroisse ?

Je désirerais enfin avoir, d'une manière bien authentique, la décision des questions suivantes qui intéressent si fort le bien des âmes. 1° Un évêque peut-il défendre ou improuver seulement la communion quotidienne dans son diocèse ? 2° Peut-il défendre d'absoudre les pécheurs d'habitude avant une cessation de toute rechute pendant quinze jours et même trois semaines? 3° Y a-t-il une morale propre à chaque diocèse et l'évêque a-t-il droit d'y astreindre son clergé? 4° La morale de saint Liguori ne convient-elle qu'au royaume de Naples? Ne peut-on pas la suivre dans tous les diocèses, comme ne contenant rien qui mérite censure au jugement de Rome? 5° Peut-on taxer d'absurde l'opinion du saint qui exempte de toute restitution un adultère lorsqu'il est douteux si l'enfant né de la femme adultère est réellement de son fait? 5° L'opinion du saint qui dispense les sexagénaires du jeûne, ne pourrait-elle pas être suivie dans un diocèse où l'on se serait constamment cru obliger de jeûner au-delà, lorsque les forces le lui permettent? 7° Un évêque peut-il condamner et défendre le probabilisme *mitigé* qui, dans le conflit de deux opinions également probables, dont l'une est pour la loi et l'autre pour la liberté, permet de suivre celle qui favorise la liberté, hors les cas exceptés par les docteurs? 8° Peut-il condamner et défendre le probabilisme *pur* qui, dans le conflit de deux opinions inégalement probables, permet encore, toujours hors des cas exceptés par les docteurs, de suivre la moins probable qui favorise la liberté, si elle est vraiment probable et assez probable pour déterminer un homme prudent? Voilà bien des embarras, ma digne Mère. Mais que de bien vous ferez à nos pays, si vous pouvez obtenir des décisions claires et précises pour toutes ces questions. Vous serez obligée de les faire proposer en latin aux congrégations compétentes, dans les formes voulues et en mon nom, afin qu'elles aient toute l'authenticité possible. J'aurais bien rédigé moi-même toutes ces suppliques, si j'avais su à quelle congrégation m'adresser pour chacune de ces décisions. Vous trouverez à Rome des secrétaires qui le feront bien mieux que moi. Vous n'épargnerez pas la dépense : je vous rembourserai tous vos déboursés, comme de juste. Vos démarches sont plus que suffisantes

pour votre quote-part à la bonne œuvre. Nous avons en
Savoie, comme en France, de l'arbitraire et un rigorisme
dont nous ne pouvons pas nous défaire. Les décisions sol-
licitées nous seront d'un grand secours pour faire ouvrir
les yeux à bien des prêtres. Je garderai un secret inviolable sur votre obligeance pour ne pas compromettre votre
société dans nos pays. L'odieux, s'il y en a sera tout et
uniquement pour moi : c'est pour cela qu'il faut faire rédiger les suppliques sous le nom de *Marie-Joseph Favre,
prêtre* (1), *missionnaire de Savoie*. Dites bien des choses de
ma part à votre digne *Addolorata*. Un petit souvenir dans
vos prières pour celui qui est tant

Votre tout dévoué.

JEAN DE LA CROIX †

LETTRES A MADAME DE LIMMINGHE.

J. M. J.   Chambéry, le 1er mars 1827.

Ma révérende Mère,

La M. Lavauden vient de me remettre vos lettres auxquelles je vais répondre en peu de mots pour gagner du
temps et vous en faire gagner.

Les sœurs coadjutrices ont plus d'exercices spirituels
qu'il ne leur en faut pour les sanctifier ; et rien de plus mal
fondé que leurs plaintes, s'ils sont les mêmes dans toutes
les maisons. Reste la seule difficulté des gages, qu'il me
paraîtrait raisonnable de payer aux sœurs renvoyées après
la première année de probation, qui devrait être gratuite.
Cette mesure est nécessaire pour ne pas donner prise à la
critique et pour ne pas décourager les vocations. Parlez-en
à votre digne supérieure.

Vous pouvez être parfaitement tranquille sur les confi-
dences que vous m'avez faites ou que vous pouvez me faire :

---

(1) M. Favre avait écrit *ci-derant missionnaire*, il remplaça le
mot *ci-derant* par celui de prêtre.

Je les tiendrai sous le secret le plus inviolable. Je croyais avoir trois semaines disponibles après la mission que nous allons ouvrir le second dimanche de Carême, et voilà que l'archev. vient de nous proposer des exercices pendant le Jubilé de Chambéry qui va commencer le dimanche de *Quasimodo*. A ce compte, je n'aurois que quinze jours à disposer. Quinze jours sont bien courts pour aller, venir et donner la retraite. Le mieux, si vous le pouviez, seroit de venir faire votre retraite au commencement de la Semaine-Sainte pendant laquelle je me trouverai à Chambéry. Cela accomoderoit si bien la M. Lavauden et la M. Nicoud qui désirent depuis long-temps en faire une sous ma pauvre direction, sans qu'elles sachent néanmoins votre dessein dont je ne leur ai rien dit.

Vous m'apporteriez, en venant, les pouvoirs que vous avez eu la bonté d'obtenir à Rome.

Vous êtes destinée à conduire, à diriger, à éclairer et à encourager votre digne et bien-aimée supérieure. La tâche est importante, délicate, mais Dieu la fera réussir tôt ou tard ; ayez bon courage et bonne confiance. Conservez l'autorité que la divine providence vous a donnée sur cette vénérée Mère pour rendre à elle et à la société d'importants services. Usez-en en toute liberté toutes les fois que vous le croirez convenable devant Dieu. Je vous conseille cependant de laisser quelques petites latitudes à cette âme habituée aux austérités corporelles, afin de gagner mieux sa confiance. C'est reculer pour sauter plus loin. Du reste, ma manière de voir s'accorde bien avec la vôtre. Je lui voudrais un peu plus d'abandon à la volonté de Dieu et de ses lieutenans, un peu moins d'attache aux pénitences corporelles, un peu plus de confiance, de courage et d'amour divin, et un peu moins de crainte et d'inquiétude sur son état, un peu moins de détails dans ses correspondances qui l'accablent ; en un mot, un peu de liberté d'esprit, de cœur et de conscience. Vous l'y amènerez peu à peu à force de prières et d'avis, sagement insinués.

Je me trouve pressé en ce moment ; je lirai à loisir vos lettres ; je vous les ferai passer dans quelques jours avec une réponse aux questions que vous me faites. Un petit souvenir dans vos prières.

Vous obligerez tant votre tout dévoué.

L'abbé FAVRE.

J. M. J.   Echelles, le 5 mars 1827.

Ma révérende Mère,

Je vous ai adressé une première réponse que vous aurez sans doute reçue. Je vous disois dans cette réponse que je n'aurois que 15 jours de disponible entre cette mission et le Jubilé de Chambéry ; qu'il seroit infiniment mieux et plus sûr de venir, si vous le pouviez, faire votre retraite à Chambéry pendant la Semaine-Sainte. Vous feriez un plaisir indicible à la M. Lavauden et à la M. Nicoud qui désirent depuis long-temps faire une retraite sous ma pauvre direction. Je ne leur ai rien dit de votre projet. Je crains d'ailleurs de trouver de nouveaux obstacles qui m'empêchent de vous rendre le petit service que vous me demandez, malgré l'envie extrême que j'ai de vous obliger en ce que je peux. Dans cette supposition, vous m'apporteriez en venant les pouvoirs que vous avez eu la bonté de m'obtenir de Rome. Je vous renvoye les lettres de votre digne supérieure.

Voici toute ma pensée sur votre état : vous devez vous laisser conduire quand Dieu vous conduit, et que vous êtes moralement sûre que c'est Dieu qui vous conduit.

1º Ce serait tout gâter que d'agir quand Dieu agit en vous ; ce serait arrêter le cours de la grâce, effacer les impressions de la grâce, étouffer la vie d'un Dieu dans votre âme. Et pour recevoir toutes les touches de la grâce que Dieu veut vous départir, réprimez l'empressement, modérez l'activité naturelle, ralentissez votre action, calmez votre intérieur, soyez aux *écoutes*, prêtez une oreille délicate à la voix de Dieu qui parle dans le silence de l'imagination et du cœur, dans le calme de toutes les passions ; et soyez passive et entièrement passive dès l'instant où Dieu agit en vous, tout le temps qu'il agit en vous. Alors vous pourrez dire avec saint Paul : *ce n'est pas moi qui vis, mais c'est Jésus qui vit en moi.*

2º Toute la difficulté se réduit à discerner l'esprit de Dieu d'avec l'esprit du démon, l'action de la grâce d'avec l'action du démon ou de la nature. L'esprit de Dieu, il est vrai, est toujours assez reconnaissable pour les âmes humbles et exercées dans les voies de la vie intérieure, du moins dans les cas ordinaires, mais dans les voies extraordinaires, il est des illusions qui ne ressemblent pas mal à l'action de Dieu, et il faut une finesse de tact assez rare pour ne pas s'y méprendre. Vous connoissez les règles du discernement des esprits tracées par saint Ignace ; elles peuvent vous être d'une grande utilité. Dans les cas difficiles, vous saurez douter et consulter des hommes habiles pour ne pas vous fourvoyer. D'après les connoissances que j'ai de votre genre de vie, il m'a paru que Dieu vouloit vous conduire par des voies assez semblables à celles de Marie M. Alacoque et je ne connois guère de vie de saints qui vous aille mieux que celle de Marie Alacoque, après la vie de N.-S. Je vous conseille de prendre cette sainte victime de l'amour de Jésus pour votre modèle et patronne. Il doit y avoir, si je ne me trompe, une grande sympathie entre votre esprit et le sien, entre votre cœur et le sien, entre votre piété et la sienne, entre votre vie et la sienne. Vous ne pouvez rien faire de mieux que d'en faire votre confidente, votre amie, votre protectrice, votre guide. Vous recevrez, j'en suis sûr, de grandes faveurs par sa puissante médiation auprès de Jésus dont elle a été une des plus ardentes amantes et épouses et une des copies les plus ressemblantes. Présentez à Jésus, par les mains de cette sainte Mère, votre cœur afin qu'il y inspire son amour crucifié. Vous serez, à coup sûr, si vous êtes docile aux desseins de sa divine providence, son épouse crucifiée en mille manières pour la gloire de son divin cœur, pour le bien de votre bien-aimée supérieure et de la société à laquelle vous avez le bonheur d'appartenir.

Priez pour moi, ma bonne Mère, afin que je suive au moins de loin Marie Alacoque dans son amour souffrant et victime.

L'abbé FAVRE de la Croix.

J. M. J.   Chambéry, le 27 août 1832.

Ma révérende Mère,

J'ai reçu vos deux lettres, et n'ai pas répondu à la première dans l'espérance de voir sous peu votre digne supérieure. La Providence en a disposé autrement ; j'en suis bien aise : son voyage de Rome n'en sera que plus sûr et plus facile. Votre manière de voir par rapport à cette bonne Mère est à peu près la mienne, si ce n'est en quelques

points de fort peu d'importance. Je vous renvoye l'agenda
que vous lui avez tracé avec les petites modifications que
j'ai jugées convenables, lesquelles j'insère à la suite de ces
lignes.

Art. 7. — L'heure du lever devra se régler d'après celle
du coucher, d'après son état de santé ou de maladie et
d'après la manière dont elle aura passé la nuit. L'essentiel
est qu'elle prenne assez de repos pour avoir la force de
s'unir à Dieu pendant le jour, de vaquer à ses exercices de
piété, de suivre la règle et de remplir ses devoirs importants de supérieure.

Art. 9. — Elle mangera indifféremment ce qui lui sera
présenté et même ce qui lui répugnera, si cela ne lui fait
pas mal, comme elle pourra s'en assurer d'après son expérience passée.

Art. 10. — Elle fera gras, tant que son médecin ne lui
permettra pas l'usage du maigre, dans les consultations
qu'on lui adressera de temps en temps.

Art. 12. — Elle ne refusera aucun soulagement qui ne sera
pas évidemment contraire à la pauvreté religieuse ou à
l'édification du prochain. Elle le refusera même, s'il devait
probablement en résulter une mésédification pour les personnes du dedans ou du dehors.

Pour tout le reste, elle le suivra fidèlement en attendant
que sa santé puisse lui permettre quelque chose de plus.
Sa soumission simple, aveugle et prompte lui tiendra lieu
des pénitences des Trapistes et des mérites des grands
pénitents.

Je vais être privé, ma bonne Mère, du plaisir de vous
accompagner à Rome. Des circonstances inattendues me
retiennent ici et je ne saurois m'absenter en ce moment
sans compromettre l'œuvre des missions. L'homme propose
et Dieu dispose. Je vous souhaite mille bénédictions dans
ce désiré voyage que vous allez faire dans l'intérêt de la
société. Recommandez-moi aux B. apôtres S¹ Pierre et
S¹ Paul en visitant leurs tombeaux.

Pour vous, ma Mère, unissez si bien le repos à l'action et
l'action au repos, que vous ne donniez que de votre abondance. N'agissez pas au point de vous épuiser. Vous épuise-
riez vos enfants que vous devez nourrir de la grâce puisée
sans cesse dans le cœur de Jésus et dans le cœur de Marie.
Allez souvent à ces deux sources pour faire couler dans

votre âme et dans les âmes que Jésus vous a confiées l'abondance de la vie.

Je joins à cette lettre une lettre pour votre bien-aimée supérieure. Un petit souvenir dans vos prières pour celui qui est, ma révérende Mère,

Votre très humble.

L'abbé FAVRE.

J. M. J.   Tamié, le 5 avril 1834.

Ma Fille,

J'ai reçu hier votre lettre datée du 20 mars. J'ignore la cause d'un pareil retard, et si ma réponse vous trouvera à Lyon. Il est bien difficile, pour ne pas dire presque impossible de quitter notre couvent de Tamié, vu que j'y fais la fonction de maître des novices, et que je n'ai personne pour me remplacer. Toutefois, eu égard aux raisons alléguées dans votre lettre, je me rendrai à Chambéry pour quelques jours, sitôt que vous m'aurez annoncé votre arrivée dans cette ville. Et pour que je reçoive sûrement et promptement votre lettre, il faudra recommander au conducteur de la diligence de Moûtiers de me la faire porter par quelque paysan de Frontenex. La maîtresse de l'auberge de cet endroit peut facilement trouver un pareil commissionnaire. Sans cet expédient, je ne recevrai que bien tard vos nouvelles, attendu que nous sommes dans une montagne et que nous ne fesons prendre les lettres que tous les samedis. Mon adresse : à M. Favre, supérieur des missionnaires à Tamié, par Conflans.

Votre beau nom d'Addolorata se réalise : preuve, marque bien consolante de l'amour tendre et privilégié que le bon Jésus vous porte. O que les croix sont précieuses, de quelle part qu'elles nous viennent ! Elles nous séparent des créatures et de nous-mêmes, et nous unissent intimément à notre Dieu.

Demandez pour moi l'amour de Jésus et des croix par la médiation de la mère des douleurs, et offrez mon respectueux dévouement à votre digne et bien-aimée supérieure.

Votre très humble.

JEAN DE LA CROIX.

J. M. J. Tamié, par Conflans, le 27 juin 1834.

Ma Fille,

J'ai été extrêmement peiné de n'avoir pas pu me rendre à Chambéry ; mais je ne le pouvois pas en ce moment. Je ne regarde point comme illusoires les communications que vous avez eues avec J.-C. crucifié et crucifiant, dans votre retraite de Chambéry. Notre bon Sauveur vous les a accordées pour vous préparer à toutes les croix que vous avez éprouvées jusqu'à ce jour. Vous aurez encore de ces communications au moins de temps à autre (quoiqu'il ne faille ni les désirer ni les chercher), et vous auriez plus de succès dans l'exercice de votre zèle, si vous vous adonniez un peu plus à l'oraison et moins à l'action, ou si votre action était une espèce d'oraison continuelle, d'union habituelle avec Jésus. Un peu plus de calme et de résignation dans la poursuite du bien ; un peu plus d'indifférence pour les abus auxquels vous ne pouvez pas remédier, un peu plus de réserve, de discrétion, de patience dans vos rapports avec votre digne mère, un peu plus de retenue et d'attention à la présence de Dieu dans vos communications avec les personnes du dedans et du dehors, un peu plus d'abandon et de soumission à la conduite si douce et si sage de l'aimable Providence, vous rendroit plus agréable à Dieu, plus utile au prochain et à vous-même. Je vous conseille de faire (si vos occupations et vos supérieures vous le permettent) une retraite de huit jours dans l'endroit le plus solitaire possible, avec le moins d'action et de méthode possible, mais avec une attention amoureuse à la divine présence et avec la générosité d'une âme qui se dévoue comme victime à la justice de Dieu : 1° pour vous remettre et vous établir dans la voie et la dépendance de la grâce, si vos voyages et vos occupations vous en ont fait sortir ; 2° pour reconnoître les moyens de vous y conserver dès que vous y serez rentrée ; 3° pour voir et examiner, lorsque vous serez calme, indifférente pour tout, dévouée aux volontés de Dieu, et en rapport et familiarité avec lui, s'il veut que vous continuiez à vivre auprès de votre digne supérieure, à la suivre dans ses voyages, à lui servir d'admonétrice, malgré que vous ayez perdu sa confiance, et que vous ayez eu si peu de succès dans les diverses représentations que vous lui avez faites, peut-être avec trop peu

de ménagement, de discrétion, d'à-propos, et peut-être de
fondement; si vous ne pourriez point lui être plus utile, et
être plus utile au prochain et à vous-même en vous en sé-
parant. Vous noterez les raisons *pour* et *contre* selon les
règles de l'élection ; et vous soumettrez votre résultat à moi
ou à tel autre guide que vous croirez le plus propre à décider une question qui intéresse de si près et votre perfection et celle de votre bien-aimée supérieure et le bien de la
Société. Il m'a semblé entrevoir dans les conversations
que j'ai eues avec vous, que notre bon Sauveur vous ap-
pelloit à la sainte folie de la croix pour laquelle vous
m'avez toujours montré un attrait prononcé, et qui seule,
ce me semble (à moins d'une grâce extraordinaire), peut
tuer l'amour de vous-même et des créatures, et vous unir
ainsi entièrement et constamment au cœur crucifié et crucifiant de Jésus. Mais rien ne s'oppose plus à l'action de la
grâce que votre action, votre empressement, l'activité
naturelle, l'inquiétude.

Pour écarter ces obstacles, je vous conseille de donner à
la prière, à l'oraison, à la visite au Saint Sacrement tout le
temps que vous pourrez dérober à vos occupations, sans
toutefois contrevenir à l'obéissance, et d'agir fort peu, le
moins possible, et toujours avec calme, jusqu'à ce que
vous soyez assez unie avec le Sacré Cœur de Jésus pour
agir en toute liberté sans perdre de vue entièrement la divine présence. Imitez les mères nourrices qui se nourris-
sent bien pour nourrir leurs petits nourrissons ; les réser-
voirs d'eau qui ne déversent que lorsqu'ils sont pleins ; et
gardez-vous de vous appauvrir, de vous épuiser par une
prodigalité mal entendue. Cette vérité fondamentale
échappe à notre pauvre siècle qui est tout à l'action, à
l'agitation, à la dissipation, et qui ne croit pouvoir servir
Dieu qu'avec les pieds et les mains. Vous pouvez arriver à
cette abnégation de vous-même, à cette union avec Jésus,
sans quitter la Société, et sans entrer dans la congrégation
des Passionistes, comme vous en avez quelquefois la tentation. (La première fois que vous m'écrirez vous aurez la
bonté de donner une idée de cette congrégation.) Vous
trouverez Jésus et la croix dans la Société de son divin
cœur, dans l'exercice de votre emploi, en tout et en tout
lieu. Je vous recommande par dessus tout de ne pas laisser
rétrécir votre cœur par la crainte, la défiance et la tris-

tesse ; mais de l'ouvrir aux impressions de la confiance, de l'amour de Dieu et de la sainte hardiesse.

Recommandez la dévotion à saint Joseph, saint si peu connu, quoiqu'il mérite tant de l'être, et demandez pour moi l'amour de Jésus et des croix comme la seule grâce que j'ambitionne sur la terre.

Votre tout dévoué.

JEAN DE LA CROIX.

P.-S. — J'ai votre lettre de Bordeaux qui m'engage à vous dire d'examiner au plus vite si Dieu vous veut auprès de votre chère supérieure.

NOTE DE DIRECTION (1).

POUR.

1° Cette direction étoit pour moi un exercice d'amour de N.-S. J.-C. Je brûlois, je me sentois consumée du désir d'établir sa vie dans l'âme qui m'étoit confiée, c'est-à-dire cette charité divine dont il est l'essence selon cette parole : *Dieu est charité.* Mon but et mon vœu le plus cher étoit d'en remplir tellement cette âme qu'elle pût nourrir elle-même les autres et remplir tous les membres de sa Société de cette *vie de Dieu*, de cette *vie d'amour*, qui est, ce me semble, tout le Sacré Cœur.

2° Les anéantissements de cette âme vis-à-vis de moi me remplissoient de douleur et de confusion. La foi me faisoit voir en elle la personne même de J.-C. qui exploit par cette humiliation mon détestable orgueil et m'instruisoit sur la manière de me conduire.

3° Ma présence auprès de cette âme.

CONTRE.

J'y ai ma famille établie dans le grand monde, qui me conserve un extrême attachement, pour laquelle mon affection se réveille aussi quand j'ai occasion de la voir et

---

(1) Mme de Limminghe expose les raisons qu'elle croit avoir pour ou contre sa charge d'assistante.

qui seroit, je ne puis en douter, l'occasion de beaucoup de
fautes et de fautes dangereuses pour moi ; à ce sujet je demande à mon Père de m'indiquer sur une petite feuille la
conduite que j'aurois à tenir si l'on vouloit me charger de
cette supériorité, et s'il ne me scroit pas permis de résister,
vu les dangers que je suis certaine d'y courir.

Les fautes déplorables que j'ai commises dans ma position actuelle, et sur lesquelles N.-S. a daigné m'éclairer,
me seront, il me semble, une leçon pour l'avenir. Cependant ma faiblesse, mon inconstance sont grandes ! J'étois
si bien disposée après ma retraite de Chambéry, j'avois
reçu tant de grâces et je suis si lourdement tombée... N'en
sera-t-il pas de même cette fois-ci ?

CONCLUSION.

Quoique, dans cet exposé, les raisons *pour* l'emportent
en nombre sur les raisons *contre*, je ne me sens néanmoins
inclinée que vers un seul parti, encore ce n'est, mon Père,
qu'autant qu'il sera sanctionné par votre jugement, dans
lequel je reconnoîtrai la très s^te volonté de Dieu que je
veux faire *uniquement* avec le secours de la grâce.

Il me semble donc que pour *l'intimité de direction* de
cette âme, je ne dois rien *rechercher*, rien *refuser* ; la recevoir, seconder l'attrait de la grâce, quand elle se présentera ; la laisser, me renfermer dans le silence, la souffrance et la prière, quand elle ne viendra pas ; me borner
alors aux avis généraux que demande ma charge sans entrer de moi-même dans l'intimité de l'âme. Surtout demeurer dans le calme, la patience et la douceur, sans plus jamais m'en écarter, soit que l'on fasse cas de ces avis, soit
qu'on n'en tienne pas compte ; en général, ne les donner
que lorsque j'aurai l'espoir fondé qu'*ils feront du bien*.

RÉPONSE DE M. FAVRE.

Après avoir lu tous vos écrits, pesé toutes vos raisons,
examiné la manière dont la divine Providence vous a unies
l'une à l'autre, je crois et je décide que cette union doit
subsister et continuer jusqu'à ce que des raisons bien fortes et un guide éclairé et bien au courant de tout, vous
disent le contraire.

Restez donc, ma Fille, dans le poste que le bon Dieu vous a confié et remplissez avec courage, avec amour, avec résignation et avec constance la charge d'admonétrice, telle qu'elle est expliquée dans vos règles et constitutions. Quant à la direction particulière, intime et surérogatoire de votre chère et bien-aimée Magdelaine, comme elle dépend entièrement de son bon vouloir et plaisir, de sa dévotion spéciale, de son attrait pour cette dépendance, que j'approuve et désire de toute mon âme, pour sa propre abnégation et perfection et pour l'avancement et le profit de la société, ne la reprenez que lorsqu'elle le désirera, la demandera et la sollicitera même avec instance. J'espère que Dieu lui en fera sentir vivement le besoin par les écarts, les indiscrétions, les misères dans lesquelles il la laissera tomber lorsqu'elle sera ainsi abandonnée à elle-même. Instruite et plus sage à ses dépends, elle se remettra, je le pense, à cette route d'obéissance, de dépendance *enfantine* avec un nouveau courage et une nouvelle confiance qui lui rendront votre direction plus douce et plus profitable. En attendant cet heureux moment, ce moment si désiré par Jésus, vous, et moi votre petit serviteur, priez, offrez-vous en victime pour lui obtenir la grâce de bien comprendre, de bien sentir que l'obéissance vaut plus que le sacrifice, et qu'une obéissance ponctuelle, universelle et constante ne va rien moins qu'à détruire, qu'à anéantir le vieil homme pour le transformer en J.-C. Mais jusqu'alors bornez-vous purement et simplement à votre emploi d'admonétrice tel qu'il est tracé, expliqué et réglé par vos constitutions, sans trop vous inquiéter de ses petites indiscrétions, excès de pénitences, craintes et inquiétudes qui lui feront comprendre tôt ou tard qu'une âme sans guide est comme un vaisseau sans pilote, exposé à tous les vents et tempêtes des passions, à tous les écueils de l'inconstance humaine, de l'amour-propre, de l'indécision, etc.

Sa direction n'a été utile ni à vous ni à son âme, du moins d'une manière satisfaisante. Vous avez mis trop de zèle, d'empressement, d'ardeur et d'inquiétude à l'y soumettre. Mais vos excès de zèle seront bien vite pardonnés, parce qu'ils partoient d'une intention droite, d'un excès d'amour pour l'âme que Jésus vous avoit confiée. Cette âme ne sentoit pas assez le besoin de la dépendance, de l'obéissance dans les plus petites choses pour en profiter et recevoir de bonne grâce et avec une sainte avidité vos avis et vos corrections.

J'approuve en tout votre manière de la diriger, si ce n'est votre peu de complaisance de lui accorder de temps en temps quelques pénitences, même un peu indiscrètes, pour condescendre tant soit peu à ses goûts et à ses penchans. Il faut accorder quelque chose à la faiblesse humaine pour en obtenir beaucoup. Il falloit lui laisser un peu plus de liberté pour l'amener à cette dépendance entière et absolue d'une manière lente et comme par degrés. C'est le moyen de tout gagner que de ne pas tout exiger à la fois. Mais j'espère que notre bien-aimé Sauveur renouera tôt ou tard, et plus fortement que jamais, ces liens que l'ennemi de tout bien a malheureusement rompus. Mais en rompant ces liens le démon ne rompra point, je l'espère, votre. union inséparable. Ce seroit un malheur pour la société. Je ne voudrois point que votre digne Mère vous envoyât en Belgique votre patrie, où des parents, des connoissances ne pourroient être qu'un grand sujet de distraction pour votre âme qui doit être toute et exclusivement à Jésus. Cependant si des raisons majeures que je ne connais pas, vous en faisoient un devoir, vous obéiriez, bien persuadée que notre bon Père vous conserveroit dans ce pays, dans la pureté de son amour comme les trois enfants dans la fournaise.

J. M. J.   Chambéry, le 14 septembre 1833.

Ma Fille,

Le bon Dieu vous éprouve, j'en suis bien aise, parce que je n'ai foi qu'à l'amour de Jésus, crucifié et crucifiant. De la résignation, de la patience, du courage, de l'obéissance, au nom de Jésus votre bien-aimé, au milieu des angoisses, des tribulations, des remords, des craintes, des ennuis, des incertitudes, des anxiétés qui vous accablent, c'est tout ce que Jésus vous demande. Mettez-vous entre les mains de votre chère supérieure, pour qu'elle fasse de vous ce que bon lui semble, supérieure, inférieure, *portière*, *marmiton*, si elle le juge à propos, renonçant à toutes vos vues, à toutes vos communications avec le Seigneur, s'il le faut, pour obéir, malgré votre mauvaise santé, jusqu'à la mort, et à la mort de la croix. Ah ! si vous pouviez être martyre de l'obéissance, que vous deviendriez agréable à votre cher époux, à votre Dieu victime qui a été sacrifié par le glaive de l'obéissance ! Vous avez fait vos représentations à votre digne Mère sur les réformes à faire ; vous les ferez encore quand vous le jugerez convenable, par écrit ou de vive voix ; vous prierez pour le succès de ces avis ; vous vous offrirez en victime au Dieu victime. Si Dieu bénit votre zèle, vous l'en bénirez ; s'il ne le bénit pas ou ne paroit pas le bénir, vous vous résignerez, sans jamais vous décourager dans votre travail. La persévérance a toujours le dessus.

Mais pour la pensée de sortir de la Congrégation, c'est une tentation, je vous le dis de la part du Seigneur, renoncez-y, et abandonnez-vous sans réserve, ni pour le temps, ni pour les lieux, ni pour les emplois, à la conduite de Jésus et de votre bien aimée supérieure qui est et qui sera toujours pour vous, ma pauvre Marie Addolorata, l'organe de Dieu, la voix de Dieu la plus claire, et qu'il faut préférer à toutes les inspirations intérieures quelque ardentes qu'elles puissent vous paroitre, à moins qu'elles ne fussent confirmées, approuvées par une autorité supérieure à celle de votre chère Magdelaine.

Quant aux communications que vous avez eues avec le Seigneur par le passé, elles sont vraiment de Dieu : et le bon Sauveur, et le cœur aimant et aimable de Jésus s'est communiqué à votre misérable cœur pour le préparer aux croix par lesquelles il le fait passer actuellement. Courage, enfant gâté du père bien-aimé ; le Seigneur sera avec vous, vous assistera, vous conduira par la main, si vous avez le bonheur de vous abandonner en toute confiance à son aimable providence. Oubliez-vous pour être toute à Jésus, toute à la croix. Demandez pour moi son amour et l'amour des croix, et la grâce de le faire aimer et de faire aimer les croix.

† JEAN DE LA CROIX.

J. M. J.   Chambéry, le 30 septembre.

Ma Fille,

Les épreuves par lesquelles le bon Sauveur vous fait passer sont le sceau des faveurs insignes qu'il vous a faites

35.

par le passé ; et les croix, les amertumes dont votre âme est abreuvée, me confirment dans l'opinion que les communications dont vous avez été favorisée viennent du Seigneur. Pourquoi en douteriez-vous encore, du moins de propos délibéré ? Pourquoi vous laisseriez-vous aller à des soupçons d'hypocrisie, de duplicité, contre la défense formelle que votre divin époux vous en a faite par l'organe de vos confesseurs ? Ne doutez plus comme une âme de peu de foi, de crainte d'enfoncer, comme saint Pierre. Croyez et marchez à l'aveugle par la route de la s⁺ᵉ obéissance, à travers les ténèbres de votre esprit, les troubles et les angoisses de votre cœur et les désolantes incertitudes de votre volonté. Cette voie est si crucifiante pour la nature humaine, et en même temps si agréable à notre cher Père commun, que vous ne sauriez la suivre long-temps sans être comblée de ses bénédictions, inondée de ses faveurs et rassurée par le consolant témoignage de son Esprit. Restez à votre poste tant qu'il plaira à votre digne supérieure de vous y laisser, en dépit des chagrins que vous aurez à dévorer, en dépit de l'inutilité de vos avis, en dépit des abus qu'on laisseroit subsister, malgré vos représentations que vous devez toujours faire par écrit, en forme de mémoire, rarement, avec poids, nombre et mesure, et jamais dans la vivacité du zèle, et rarement de vive voix, à moins d'en être requise. Votre patience, votre résignation, votre esprit de victime et de sacrifice, vos avis sagement réitérés feront plus de bien à la société que vos rapports les plus intimes avec le Seigneur dans le sein d'une vie cachée, solitaire et contemplative. L'obéissance a été et sera toujours le plus grand sacrifice qu'on puisse faire au Seigneur, surtout dans les choses qui répugnent le plus à notre misérable cœur.

Si votre bien-aimée supérieure vous retient auprès d'elle, restez-y donc : c'est le poste que votre Sauveur vous assigne. Si elle vous envoye à la tête d'une maison, représentez-lui par écrit, et après avoir imploré les lumières d'en haut, pour ne rien outrer, votre incapacité physique et morale. Si, après ces représentations, elle persiste dans sa première idée, allez sur sa parole tenter l'impossible que l'obéissance généreuse, prompte, aveugle et confiante rendra possible ; et si, alors, tout ne réussit pas à votre gré, vous aurez du moins la satisfaction d'avoir fait la très s⁺ᵉ volonté de Dieu. Que si la société venoit à se dissoudre par un bou-

leversement inattendu (ce qui n'est nullement probable),
vous recouvreriez votre primitive liberté ; vous pourriez
en profiter pour entrer dans un couvent de Carmélites
comme plus conforme à l'état de votre santé et à votre
attrait intérieur. C'est l'avis que je vous ai donné, seulement dans l'hypothèse d'un bouleversement. Vous pourriez
même suivre cet attrait pour la vie contemplative, si vos
supérieurs vous le permettoient, après leur avoir exposé
vos raisons et vos penchans pour ce genre de vie.

Croyez que les communications que vous avez eues avec
Dieu sont vraiment de Dieu. Ne vous inquiétez plus de
votre prétendue hypocrisie. — Continuez à faire vos représentations, malgré leur prétendue inutilité. — Restez auprès
de votre supérieure, tant qu'il lui plaira de vous y laisser.
— Faites lui connoitre les besoins de votre corps et de votre
âme et après cela remettez-vous aveuglément à sa conduite.
Vous pouvez cependant lui faire part de votre attrait pour
la vie contemplative, et même le suivre, si elle vous le
permet. Que si elle vous envoie à la tête d'une maison,
allez-y. Vous y ferez ce que vous pourrez, en commençant
toujours par soigner votre âme avant de soigner celles des
autres, selon l'ordre de la véritable charité. Vous vous
sanctifierez pour sanctifier les autres ; c'est là la marche
de l'esprit de Dieu.

Priez pour moi qui vous souhaite un grand amour pour
Jésus, un grand amour pour les croix et un grand courage
pour les porter avec joie pour l'amour de celui qui en a
porté de si grandes pour l'amour de vous.

JEAN DE LA CROIX ✝

P.-S. — Communiez tous les jours, malgré toutes vos
craintes.

J. M. J.   Chambéry, le 24 novembre 1834.

Ma bonne Mère,

Ma manière de voir sur votre digne Mère Barrat se rencontre bien avec la vôtre. Je voudrais, je désirerais de tout
mon cœur de voir cette âme agir en toute confiance, en
toute simplicité et, surtout, en toute liberté, dans les saintes
voies de l'obéissance, en dépit de ses craintes vaines, de ses
doutes éternels et de ses vues embarrassées. Cette conduite

franche, courageuse et soumise l'auroit débarrassée de ce maillot de scrupules qui l'absorbent presque toute entière et la détournent de ses devoirs les plus importans, l'éloignent de l'amour du Sacré-Cœur et de la perfection religieuse. Je joins à votre lettre une lettre pour cette âme peinée dans laquelle je lui donne les avis les plus convenables.

Quant à vous, ma respectable Mère, courage; vous triompherez de tous les obstacles avec la grâce de Dieu et la patience. Dieu vous a donné des assurances assez grandes de sa bonté dans la guérison miraculeuse de votre vénérée Supérieure et dans l'exécution du voyage de Rome si longtemps renvoyé. Dieu veut se servir de vous pour rendre des services importans à votre intéressante Société. Vous aurez bien des croix à porter, bien des traverses à essuyer, bien des humiliations à endurer; mais c'est là le chemin du succès. Courage et patiente résignation et la victoire est à vous. Mais je vous recommande de la part de Jésus, votre cher époux, de vous laisser moins aller à l'empressement, à l'inquiétude et à l'agitation. Tout en prenant les mesures qui sont en votre pouvoir, attendez doucement et dans une humble et amoureuse résignation, le moment de la grâce, dont les voies infiniment sages nous sont inconnues et paroissent lentes à nos désirs trop empressés. Après mille tentatives inutiles auprès de votre chère Mère, revenez à la charge avec une nouvelle confiance, employez l'arme de la prière et des bonnes œuvres et, tôt ou tard, vous aurez gain de cause, dans le temps où vous vous y attendrez le moins. Vous serez une victime de souffrances, d'ennuis, d'angoisses, immolée au cœur victime de Jésus. Mais par vos souffrances et vos prières et, surtout, votre amoureuse résignation, votre patiente et ardente confiance, vous élargirez le cœur rétréci de votre bien aimée Supérieure, vous avancerez la gloire du Sacré Cœur et la prospérité de votre Société naissante. Continuez à cette aimable Supérieure les soins d'une direction prudente et courageuse, patiente et résignée, et attendez le succès d'en haut: et quand vous ne pourrez plus le faire en personne, faites-le par lettres. Dieu se servira de vous pour en faire une supérieure selon son cœur. J'unirai mes foibles prières à vos efforts, et nous ferons tous les deux une s^te violence au cœur aimable et aimant et si peu aimé de notre bon frère Jésus.

Ne pourriez-vous point, ma digne Mère, m'obtenir par l'entremise des Jésuites, les pouvoirs suivans?

1° Le pouvoir de tenir le registre de ceux que j'admets à la confrérie du Scapulaire. Dans le bref qui m'autorise à admettre à cette confrérie, il m'est enjoint de faire passer au plus vite les noms des personnes agrégées au plus proche couvent des Carmes.

2° Le pouvoir de Brigittiner les chapelets, croix, médailles, pour sept ans. J'ai obtenu le pouvoir d'en bénir trois mille; et dans trois missions ce nombre est épuisé, outre l'embarras incroyable de les compter.

3° Le pouvoir de bénir quelques milliers de croix ou de crucifix à l'intention de gagner les indulgences du chemin de la croix en récitant les *pater, ave, credo, gloria,* prescrits devant les crucifix bénits. Des milliers de bergers pourroient faire le chemin de la croix dans nos montagnes de Savoie.

J'ai le pouvoir d'admettre à la confrérie de N. D. des sept douleurs et d'en bénir le petit habit. Mais je ne connois pas en quoi consiste la forme, la couleur et la matière de cet habit, ni les obligations et avantages de la confrérie. Veuillez bien vous en informer et m'en faire part.

4° Enfin le pouvoir de bénir et d'indulgencier le chapelet des cinq Plaies de J. C. que je désirerais tant répandre. Je serois moins importun à votre égard, si je vous connaissois moins zélée pour la gloire de Jésus et de Marie. Recommandez-moi, s'il vous plaît, sur les tombeaux des SS. Pierre et Paul, à ces deux grands apôtres, pour m'obtenir d'eux un zèle ardent pour le salut des âmes. Tout à vous dans les cœurs de Jésus et de Marie.

L'abbé FAVRE.

(Sans date; timbre, Les Echelles).

Madame,

Je vous propose ce parti et laisse à votre prudence le soin de voir ce qu'il y a de mieux à faire en pareille circonstance. Votre dévotion à la Mère des douleurs trouve un petit écho dans mon cœur. Je vous prie d'ajouter à toutes vos obligeances celle de m'obtenir un amour tendre et compatissant pour le Roi et la mère des douleurs. Inspirez

cette dévotion aux bonnes âmes que vous dirigez : c'est la
plus solide et celle qui peut mieux faire persévérer les âmes
qui en sont bien pénétrées. Car l'amour de Jésus et l'amour
des croix sont inséparables ; et si l'amour de Jésus n'est
pas attisé, perfectionné, épuré par le feu des croix, il n'est
ni fort, ni généreux, ni parfait, ni constant. Que Jésus vous
accorde son amour crucifié et l'accorde à toutes les âmes
à qui vous l'inspirerez. Demandez-le pour moi,

Votre tout dévoué.

L'abbé Favre de la Croix.

1835, 22 août.

Ma pauvre Addolorata,

Nous sommes toujours misérables, mais Jésus est toujours miséricordieux ; nous sommes toujours bien pauvres,
mais Jésus est toujours infiniment riche. O que ces pensées
font de bien à mon ame ! Puissent-elles en faire autant à la
vôtre, qui m'a tant recommandé de prêcher l'amour de
Jésus et la confiance, si elle s'en souvient bien : ses recommandations ne m'ont pas été inutiles. J'en ai profité peut-
être jusqu'à la présomption, et je travaille à *apprivoiser*, si
l'on peut ainsi parler, les bonnes savoisiennes avec le bon
Dieu dont elles ont tant peur qu'elles n'osent presque pas
s'en approcher en communiant. J'ai fabriqué un livre intitulé le *Ciel ouvert par la confession sincère et la communion
fréquente*, qui a levé quelques préjugés. Tenez-vous un peu
plus près de Jésus ; faites un peu plus l'office de Marie et
moins celui de Marthe ; tout n'ira que mieux. Les saints
agissoient moins et prioient un peu plus ; et ils faisoient
infiniment plus que nous qui sommes toute la journée dans
un mouvement et un empressement qui laissent à peine
respirer, comme si tout dépendoit de nous. O priez pour
que nous évitions un pareil écueil, et priez surtout pour
moi qui dois prendre dans quelques mois une dernière
détermination.

JEAN DE LA CROIX ✝

NOTE DE DIRECTION
de Madame de Limminghe.

Octobre 1885.

Le désir d'être fidèle à l'amour de Jésus, à *mon Vœu de victime*, pénètre de plus en plus mon cœur, mon digne Père.

Je viens donc vous supplier, par le cœur affligé de notre mère, si ce n'est pas trop vous avilir que de vous occuper ainsi de votre très indigne fille et servante, de vouloir me mettre par écrit les principaux moyens de persévérance que le Seigneur vous inspire, afin que je n'aie plus le malheur et la lâcheté de l'abandonner comme je l'ai fait tant de fois. Veuillez bien aussi répondre aux demandes et prières que je joins ici :

1. — Me donnez-vous l'ordre de communier tous les jours ?

2. — Permettez-vous que je me confesse aussi souvent que j'en puis trouver l'occasion, et que je ne parle qu'à vous seul des grâces que le bon Dieu peut m'accorder, vous écrivant pour cela de temps en temps, me dirigeant *uniquement* par votre conduite. Notre divin Jésus me presse de vous demander cette grâce à genoux et celle de m'interroger vous-même quelquefois, pour vous assurer que je ne m'écarte pas de la voie où son amour veut que je marche ;

3. — Quand j'aurai quelque bonne occasion, pourroi-je vous envoyer les lumières que je pourrois recevoir, afin que vous me préserviez par vos charitables avis de tomber dans le gouffre de l'orgueil et de l'illusion ? Ceci toutefois si vous croyez encore que je puisse me livrer aux communications du Seigneur, qu'elles ne sont point un jeu de l'imagination ni d'un cerveau malade.

4. — Me défendez-vous de croire que je suis une hypocrite ?

5. — Ne voulez-vous pas que je fasse de confession générale, ni que je me livre aux inquiétudes qui me reviennent sur mes confessions, celles que je vous ai faites à vous-même, mon digne Père, ou les autres !

6. — Approuvez-vous toujours cette union si intime qui s'est formée entre l'âme de ma sainte mère et ma pauvre et chétive âme ? Dans ce cas, daignez la confirmer

ainsi que nos rapports, par votre autorité, afin que nous soyions de plus en plus sûres de faire la sainte volonté de Dieu. Il me semble toujours davantage que nous sommes devenues nécessaires l'une à l'autre pour nous avancer dans la voie où l'amour de Jésus nous appelle. Si vous en jugez ainsi, mon digne Père, daignez le dire à ma bonne mère, afin qu'elle prenne en paix sa détermination. Si elle m'offriroit pour mon compte beaucoup de consolations, c'est aussi la source d'un vrai martyre et voilà ce qui me rassure. C'est toujours pour mon âme une même douleur que les actes d'humiliations de cette s^{te} mère à mon égard. Le seul désir de seconder l'attrait de la grâce et mon amour pour son âme peut me le faire supporter. Vous connaissez d'ailleurs l'autre motif qui me le rend un si grand supplice !

Je sens un grand besoin de me tenir dans une totale dépendance de cette s^{te} mère, seroit-ce infidélité, mon Père, de vous demander quelque chose de plus qu'elle m'accorde pour les pénitences ? et de vous prier de les régler vous-même, en vous rappelant que je *suis victime*.

7. — Permettrez-vous encore sans son avis que je me lève toutes les nuits du jeudi au vendredi pour faire l'heure S^{te} et que je ne me couche point avant minuit les premiers vendredis du mois ?

8. — A moins de *vraie* maladie, que je me lève au plus tard à cinq heures, afin d'avoir tous les jours au moins une heure et demie d'oraison avant la messe. Combien m'en permettez-vous le soir ?

9. — Dans un cas pressant vous consentez, je crois, mon Père, que mes lettres de direction à n^{re} s^{te} mère, qui sont toujours pour moi un exercice d'amour de Dieu, comptent pour ceux de mes exercices de piété que je n'aurois pas le temps de faire et dans la concurrence de bien à faire soit à elle soit à la communauté, que ce soit la mère g^{le} que je préfère.

10. — Quand je suis souffrante et fatiguée, puis-je me dispenser à moins de vraie maladie, de prendre ou demander certains adoucissements, tels qu'eau sucrée, de fleur d'orange, etc.?

11. — Permettez-vous que, pour prolonger mon action de grâce. je ne déjeûne pas avec la communauté, que je le fasse soit à ma chambre soit ailleurs ?

12. — Puis-je continuer à prendre pour sujet de mes examens particuliers les précieux avis que vous m'avez donnés à Turin et auxquels j'ai été si infidèle?

13. — Approuvez-vous que je fasse chaque mois un jour de retraite?

14. — Seroit-ce une infidélité de vous prier de me recevoir dans la confrérie de N. D. des sept douleurs, n'ayant pas demandé d'avance la permission de la mère gén^{le}?

15. — Puis je garder mon crucifix jour et nuit?

RÉPONSE DE M. FAVRE.

1º Je vous ordonne de communier tous les jours, et vous n'en laisserez pas une par votre faute.

2º Je vous permets et vous conseille de vous confesser aussi souvent que vous le pourrez, pour plaire à votre divin époux par une grande pureté de conscience.

3º Vous pourrez me faire part des faveurs que Dieu vous fait, toutes les fois que vous le jugerez à propos, et me demander tout ce que vous croirez utile pour le bien de votre âme et la gloire de Jésus. Vous ferez part de ces mêmes faveurs à votre digne fille et mère. Vous pourrez aussi en faire part à tout guide que vous croirez propre à vous donner aide et conseil.

4º Vous pourrez me faire passer vos petits écrits quand vous en aurez l'occasion, et je me ferai toujours un véritable plaisir de vous obliger en tout ce qui sera en mon pouvoir.

5º Je vous défends de vous croire hypocrite, et je vous ordonne de regarder cette pensée comme une ruse du démon qui ne cherche qu'à vous troubler et à vous inquiéter et à vous faire perdre du temps.

6º Je vous défends de refaire des confessions générales et même de revenir sur vos confessions passées, si ce n'est en général et sans détails circonstanciés; et je vous commande, au nom et pour l'amour de notre bon Maître, de regarder les inquiétudes qui vous viennent sur vos confessions comme des rêveries qu'il faut mépriser.

7º J'approuve comme venant de Dieu cette intimité de communication, de direction, de rapports, d'union spirituelle, de dépendance mutuelle, d'obéissance réciproque, de consultations entre vous et votre digne chère Mère. Une telle union ne peut que tourner à la gloire de Jésus et de Marie, au bien de vos deux âmes et à la perfection de la Société, pourvu que vous ayez soin d'en bannir tout le naturel et que vous n'écoutiez ni la chair, ni le sang dans les avis que vous donnerez mutuellement. Cette union s'est formée d'une manière inattendue et comme par miracle ; voilà le cachet de la Providence qui doit vous rassurer l'une et l'autre sur l'utilité et la bonté de cette alliance spirituelle contractée pour vous animer et vous porter à l'amour de Jésus et des croix ; pour y porter les religieuses de la Société et les personnes qui auront des rapports avec vous. La soumission de la bien aimée Magdelaine de la croix doit toutefois se circonscrire et se borner à la conduite et direction particulière et personnelle. Quant à la conduite et à la direction générale de l'ordre et à l'exercice de son emploi et de sa charge de Supérieure générale elle pourra et fera bien même de vous consulter ; mais elle ne sera point obligée de se rendre à votre avis, si elle croit meilleur l'avis contraire. Je lui recommande de vous consulter pour l'administration générale de Supérieure, bien convaincu que vous pouvez lui être d'une grande utilité par les lumières que J. C. vous communique et par la franchise avec laquelle vous lui direz toujours ce que vous pensez ; mais je dis en même temps que la Supérieure fera de vos avis le cas qu'elle jugera à propos, et qu'elle demeurera parfaitement libre dans le gouvernement de la Société, sauf à elle à voir, dans son âme et conscience et au pied du crucifix, ce qu'il y a de mieux à faire pour la gloire du Sacré-Cœur et la perfection de ses filles spirituelles.

8° Je suis d'avis que votre bonne Mère règle vos pénitences corporelles, comme étant à même de connaître mieux ce que vous pouvez en ce genre de sacrifices.

9° J'approuve volontiers vos heures d'adoration du jeudi au vendredi et du premier vendredi de chaque mois, mais je voudrais que mon approbation fût sanctionnée par celle de votre bien aimée supérieure. Elle sera de mon avis, j'en suis sûr, comme vous pouvez vous en assurer, en lui faisant les mêmes propositions.

10° Votre 8° seroit bien de mon goût, s'il était du goût de votre chère Mère. Soumettez-le lui.

11° Je ne voudrois point que votre correspondance

avec la Supérieure g^{le} se fît au détriment de l'oraison et
des examens, que vous ne devez jamais manquer, sauf le
cas de maladie pour l'oraison, et d'impossibilité pour les
examens ; j'approuve cependant que vous préfériez le bien
de la Mère générale au bien particulier de votre communauté, en cas de concurrence. Il faudroit pourtant vous
en tenir au strict nécessaire, plutôt que de manquer à vos
devoirs sacrés de Supérieure.

12° Votre dixième demande me plaît, et je l'approuve
telle qu'elle est conçue.

13° Quelle impression fera sur la communauté votre
absence du déjeûner, je ne puis en juger? Je vous renvoye
à votre digne Supérieure pour cette question.

14° Je vous conseille de faire de l'empressement et de
votre activité naturelle le sujet de vos examens particuliers. C'est le principal écueil que vous aurez à éviter après
votre rentrée à Turin.

15° Un jour de retraite chaque mois est tout-à-fait de
mon goût. Impossible de régler bien les autres, quand on
ne se règle pas bien soi-même.

16° Je n'ai pas encore pris une connaissance assez
exacte de la confrérie de N.-D. des Sept douleurs pour
vous en recevoir d'une manière sûre. Vous pourrez en parler à votre aimable Mère et vous en faire recevoir à Turin
où cette confrérie ne manquera pas d'être connue.

17° Gardez jour et nuit votre crucifix, comme le gage
et la marque perpétuelle de votre divine alliance avec votre cher, bon, aimable, aimant et si peu aimé époux Jésus
crucifié.

JEAN DE LA CROIX.

18° Je vous dis, de la part de votre bien-aimé Sauveur
et époux, que les opérations, les communications, les impressions d'amour crucifiant, que vous avez reçues pendant
votre retraite de Chambéry, sont vraiment de lui, et partent
de sa bonté et de son amour infini envers votre pauvre,
chétive, ingrate et misérable âme. Vous le croirez comme
s'il vous le disoit en personne, et regarderez tout doute là
dessus comme une tentation que vous mépriserez. Le souvenir touchant de ces grâces de prédilection vous portera
sans cesse, je l'espère, à bénir, louer, remercier, glorifier,
aimer, et faire aimer ce Dieu bon et grand qui a bien voulu

se communiquer avec tant de familiarité à une aussi chétive, infidèle créature.

19° Je vous défends au nom et pour l'amour de votre cher époux et ami Jésus, de vous inquiéter *volontairement* des pensées mauvaises, bizarres, extravagantes qui vous passeront par l'esprit. Vous vous en détournerez comme d'une simple distraction pour rentrer dans le cœur de votre bien aimé Sauveur.

20° Je vous défends enfin pour l'amour et au nom de ce Dieu immense qui s'est anéanti pour se mettre à la portée de votre petitesse, et qui vous a ouvert avec tant de générosité les trésors de son amour et de son cœur, de vous laisser aller *volontairement* à la plus petite méfiance, à la moindre inquiétude à cause de vos péchés passés, à cause de l'abus que vous avez fait et que vous faites encore, et que vous ferez encore de ses grâces, à cause de vos fautes, de vos imperfections, de vos infidélités présentes et futures. Vous ferez de vos misères habituelles et continuelles, un sujet habituel et continuel d'humiliation et en même temps de confiance envers le meilleur, le plus tendre, le plus compatissant des pères, des époux, des amis.

21° Confirmez-vous malgré mes infidélités tout ce qui est ici contenu ?

Je renouvelle et confirme tous les avis, conseils et règles contenus dans cet écrit, et prie notre bon Sauveur de vous y rendre attentive et fidèle, surtout à l'avis contenu dans le n° 6 du dernier écrit. Oh! ma fille, si vous avez le bonheur de mourir à vous-même, à l'amour des créatures, à l'activité naturelle, l'Esprit de Jésus s'emparera de votre âme, toute pauvre qu'elle est, la possèdera, la dirigera pour sa plus grande gloire, pour le plus grand bien de la Société, pour le profit et l'avancement spirituel de votre chère Magdelaine de la croix, pour la perfection d'un grand nombre d'âmes qui recourront à votre charité, et vous deviendrez ainsi l'objet des complaisances de votre bien aimé Jésus et l'instrument de ses miséricordes envers ses chers enfants !

Vous aurez sans doute encore bien des infidélités à vous reprocher dans vos correspondances à ses invitations paternelles, à ses grâces et à ses attraits divins, mais après mille et mille infidélités, recommencez toujours avec un

nouveau courage et une nouvelle confiance, et comme si
c'était pour la première fois. Cette confiance et ce courage
imperturbables feront tant plaisir au cœur aimant de Jésus qu'il vous prendra sous sa protection spéciale et fera
de vous son enfant chère et privilégiée. Il veut vous faire
marcher par la voie d'un amour crucifiant et crucifié ; par
la voie des contradictions, des humiliations, des épreuves
les plus rudes, de l'abandon même des créatures qui vous
seront les plus chères. Courage, enfant des douleurs de Jésus
et Marie, la Reine des Martyrs ; suivez la route que Jésus et
Marie vous ont tracée. Votre pauvre nature frémira à la
vue de tant de sacrifices, de croix et d'humiliations, mais la
grâce la fortifiera, et la mettra au-dessus de tout. Courage
et confiance, Jésus, votre époux de douleurs, vous appelle
à un amour héroïque, à un amour alimenté, purifié, perfectionné par les souffrances et les croix !

Je souhaite de toute àmon me de vous voir abandonnée
de Dieu et des hommes, comme Jésus sur la croix, n'ayant
pour appui que la résignation à sa sainte volonté dans ces
terribles épreuves. Jésus veut vous faire mère de bien des
âmes, mais il veut que vous soyez comme lui et comme sa
divine mère, une mère de douleurs et d'angoisses. La souffrance, l'humiliation et la pauvreté vont être votre élément,
comme l'eau est l'élément des poissons, l'air, celui des
oiseaux, *aut pati, aut mori*, direz-vous avec s[te] Thérèse,
pati et pro te contemni, direz-vous encore avec saint Jean
de la croix ! Abandon à la conduite douce et aimable de
Jésus, confiance inébranlable en sa bonté, fidélité et correspondance à ses grâces et à vos exercices de piété, et
courage après vos chûtes, voilà ce que Jésus demande de
vous pour vous conduire à cette union intime avec son
divin cœur.

J. M. J.   Albertville, le 22 janvier 1836.

Ma digne Mère,

Vous croirez peut-être, en voyant la date de ma lettre, que
j'ai changé de lieu ; mais il n'en est rien. C'est le changement de nom fait à deux villes (Hôpital et Conflans) réunies
par ordre du Roi sous son nom, qui explique cette date.

J'ai reçu vos deux lettres le même jour par suite d'un oubli de Madame Lavauden, comme elle vous l'écrira. Je vais y répondre point par point, selon mes faibles lumières.

1° Votre retraite ne pouvant avoir lieu qu'à Lyon ou à Turin, c'est bien un peu loin pour deux retraites. Lyon est à 26 lieues et Turin à 32 de ma demeure. Car pour Chambéry il ne faut pas y penser. J'ai tenu à sortir du diocèse et notre digne arch. tiendra à ne m'y donner aucun pouvoir comme je tiendrai de mon côté à ne point lui en demander, ni faire demander, parceque ma sortie s'est faite après examens et consultations et sans le moindre repentir jusqu'à ce jour, pour un genre de bien auquel je me sentais depuis long-temps un penchant.

2° Il me semble, ma très honorée Mère, que vous vous inquiétez trop sur l'obéissance de votre chère Magdelaine. Cette inquiétude ne peut qu'attrister, abattre et troubler votre âme, sans remédier au mal de votre ouaille. Elle n'est donc bonne qu'à nuire, et par là même vient du démon. Mon Dieu, ma pauvre Addolorata, imitez les anges qui nous dirigent, conduisent, conseillent, sans se troubler de nos résistances! C'est trop exiger de la faiblesse humaine et surtout de votre cœur ardent, bon, sensible; mais au moins approchez-en, sans vous ronger de remords sur ce qu'il peut y avoir de votre faute. La douce, humble soumission ou permission de Dieu dans toutes les contrariétés que vous éprouvez de la part de votre bien-aimée supérieure avancerait bien plus votre ouvrage auprès de la bonté divine que le monde d'avis que vous pouvez lui donner. Le changement du cœur n'est pas l'affaire de l'homme, mais celle de Dieu. Que Dieu n'y mette la main, nos efforts sont vains.

3° Je n'ai jamais approuvé qu'une nourrice se privât de manger ou oubliât de manger pour mieux nourrir ses enfants, le zèle si mal entendu, si infernal, qui fait qu'on s'occupe sans cesse des autres sans s'occuper de soi, est la peste des couvents et des religieux et des prêtres voués au service du prochain. Je ne connais pas d'illusion plus générale ni plus funeste. Saint Bernard veut que le zèle ressemble à un bassin de fontaine qui se remplit toujours avant de répandre son eau, et ne donne jamais que son superflu. Mon Dieu, ma fille, pour l'amour de Jésus et du prochain, ne vous oubliez pas pour les autres: auxquels vous deviendrez ou inutile ou peu utile en vous oubliant de la sorte. Suivez exactement les exercices prescrits par votre sainte règle, sans jamais y manquer, hormis quelques cas extraordin^res qui sont et doivent être toujours bien rares. Renforcez ces exercices par une attention spéciale à éviter l'empressement, l'activité, l'aigreur, l'impatience et à converser avec le cœur de Jésus.

4° Si vous travaillez tout de bon à observer cet avis, je vous recommande, engage, de la part de notre cher, bon Sauveur, d'aller tous les jours le recevoir pour en avoir la lumière et la force.

5° Je vous engage à ne pas oublier vos vœux, à les renouveler à chaque communion par un élan vers le cœur de Jésus.

6° Enfin, ma digne Mère, une illusion non moins générale ni moins funeste que celle d'un zèle qui s'épuise est celle de chercher une perfection qui n'est pas possible et laisser celle qui est de notre ciel et à notre portée.

Oh! quand est-ce, ma fille, que nous aimerons la volonté de Dieu plus que nos goûts, nos penchans, nos exercices, nos fantaisies! Quand est-ce que nous nous occuperons plus à lui plaire qu'à nous contenter! Quand est-ce que cette sainte, aimable volonté nous tiendra lieu de tout? Je le désire pour moi et pour vous. Et quand nous en serons là, nous serons les véritables enfants de Dieu, les vraies copies de Jésus, de Marie, de Joseph et des saints. Jusque là nous serons plus ou moins des Saül qui voulut servir Dieu non pas comme Dieu l'entendait, mais selon sa fausse dévotion. La volonté de Dieu par amour avant tout, avant sa perfection, avant ses goûts, etc. Priez bien votre digne et bien-aimée Magdelaine de la croix de faire ce plaisir au cœur de Jésus et à moi son petit serviteur; je lui en saurai tant bon gré pour Jésus. Et vous, ma digne Addolorata, moins d'activité, moins d'empressement, moins d'inquiétude, moins d'aigreur; mais plus d'union avec Jésus. plus de fidélité à vos exercices, plus d'attache à la volonté de Dieu. Je vous remercie bien toutes les deux de vos bons souvenirs dans vos prières. Je ne vous oublierai pas dans ma pauvreté. Un de nos évêques vient de défendre à ses prêtres de permettre plus de deux fois la semaine la communion aux simples fidèles. Jamais défense plus insolite, ni plus contraire à l'esprit de Jésus et de l'Eglise. La

communion dépend de ceux qui la reçoivent. Ah ; que le
bien a d'opposition.

✝ JEAN DE LA CROIX.

J. M. J.   Conflans, le 24 décembre 1837.

Ma très-honorée Mère,

Je remercie N. S. de votre bonne et intime union qui ne
peut que tourner à sa gloire et à l'avancement de la Société
de son Sacré-Cœur. Je désire ardemment qu'il l'épure, qu'il
la perfectionne et l'affermisse de plus en plus. Mais je
désire aussi, ma digne Addolorata, que vous usiez d'une
grande condescendance à l'égard de votre chère Magdelaine
de la Croix ; que vous supportiez avec une humble résignation les excès de pénitence que votre zèle ne pourra pas
réprimer. Votre patience, votre douceur, votre soumission
et vos prières obtiendront peu à peu, et à la longue, ce que
votre zèle ne saurait emporter avec toute son ardeur et
ses tristesses. Je dis peu à peu : Car ne croyez pas, ma
bonne Mère, qu'à moins d'un miracle de la grâce, votre
digne Mère quitte tout d'un coup cette longue habitude de
crainte et de pénitence qu'elle s'est faite. C'est une habitude
qu'il faut traiter comme une maladie chronique, avec douceur, avec soin, avec patience. Mais jamais, ma fille, de
découragement volontaire, ni la moindre défiance volontaire ; ce serait blesser le cœur de Jésus dans l'endroit le
plus sensible et donner au démon le plus beau sujet de
triomphe.

La grâce triomphe tôt ou tard de tous les obstacles, quelque grands qu'ils vous paraissent. Attendons-en les effets
avec une sainte ardeur, mais avec une humble résignation.
Je réunirai mes petits efforts aux vôtres pour faire une
sainte violence à notre bon et cher Jésus. J'offrirai tous les
jours vos deux cœurs et le mien à son divin cœur pendant
les deux moments où j'ai le bonheur de ten'r cet aimable
Sauveur entre mes mains. Je suis bien sûr que, en battant
tous les trois à sa porte, sa bonté ne pourra tenir longtemps. Tenez-vous, ma très honorée *Addolorata*, unie aux
cœurs crucifiés et martyrisés de Jésus, de Marie et de Joseph le plus que vous pourrez : 1° en modérant, en répri-
mant sans cesse l'activité, l'empressement qui nous sont si

naturels ; 2° en donnant aux exercices de la vie intérieure tous les moments que vous pourrez dérober aux créatures et aux affaires, sans blesser la justice ni la charité ; mais triste *charité que celle qui se tue par charité pour les autres* ; 3° en conversant avec votre bien-aimé Jésus, tout en conversant avec ses bien-aimés enfants. Vous serez par-là plus agréable au divin Cœur de Jésus et de Marie et plus utile au prochain.

Je permets à votre chère Magdeleine de faire vœu d'obéissance jusqu'à la fête de N.-D. des Sept douleurs, notre patronne chérie. Vous lui direz aussi que la pauvre Mauriannaise, qui s'est présentée à Chambéry pour être sœur converse, contre le gré de son père qui ne veut rien lui donner pour son trousseau, est sans contredit une des plus belles âmes de la maison. Dites-lui de garder pour l'amour de Jésus une enfant qui fera la consolation et la joie de toutes les communautés où elle pourra se trouver. Ç'a été pour moi une véritable consolation, et en même temps une cause de confusion pour moi que d'avoir eu un petit entretien avec elle. Elle possède l'esprit d'obéissance, de simplicité, de confiance, de dévouement et d'union habituelle avec Dieu, à un degré remarquable.

Je converse avec les morts, je veux dire avec les livres, en attendant une nouvelle vocation. Priez notre bon Sauveur de me diriger.

JEAN DE LA CROIX †

LETTRE DE M. FAVRE

A

MONSEIGNEUR DEVIE, ÉVÊQUE DE BELLEY

Concernant les Retraites ecclésiastiques et la manière d'*instruire*,
de *convertir* et de *maintenir* une paroisse.

J. M. J.   Le Villard de Beaufort, le 22 juin 1825.

Monseigneur,

J'avais promis à V. G. de m'aider à donner la retraite
ecclésiastique de votre diocèse. Malgré ma bonne volonté,
je ne me sens pas la force de tenir parole. Nous sommes à
la douzième mission, et ce cours de missions faites sans
interruption m'a épuisé à un tel point que j'aurai besoin
de toutes les vacances pour me rétablir et reprendre des
forces pour l'année suivante.

A cet épuisement de forces se joint encore le peu de goût
que j'ai pour les Retraites telles qu'elles se donnent. J'en
sens toute l'insuffisance et je les crois en grande partie
insignifiantes. Pour les rendre utiles il faudrait, ce me
semble, remplir les conditions suivantes :

1° Ne mettre qu'un prêtre par chambre : deux ensemble
se dissipent l'un et l'autre.

2° Surveiller et faire observer ponctuellement le silence
et la Règle, qui recueillent peu à peu ; autrement dissipation et retraite sans fruit.

3° Supprimer les conférences théologiques de l'après-
midi : rien ne dissipe tant que cet exercice litigieux et
bruyant. Les remplacer par des conférences spirituelles,
faites sur la méditation, le recueillement, la prière, l'examen, la manière de s'instruire, la manière de se former à
la vertu, la messe, l'office, etc.

4° Faire faire quatre méditations par jour d'une heure
chacune. En proposer le sujet pendant un quart d'heure ;
le faire ensuite méditer à chacun pendant une heure. Les
vraies conversions sont pour l'ordinaire le fruit de nos
propres réflexions. Les prêtres ont plus besoin de se recueillir et de méditer que d'entendre prêcher. C'est en rentrant
en eux-mêmes qu'ils peuvent se convertir. *In se reversus...*

surgam... et pour rentrer en soi-même ? le recueillement
intérieur et extérieur et la méditation.

5° Faire chaque jour une demi-heure d'examen de conscience sur les devoirs du chrétien et du prêtre. Les prêtres
se connaissent, pour l'ordinaire, moins que les laïcs, ils se
font illusion sur un grand nombre de devoirs essentiels.
Votre Grandeur a fait un examen pour les prêtres, elle leur
a rendu un grand service ; mais je voudrais en outre qu'on
fit un examen de vive voix pour entrer dans bien des détails qu'on ne saurait insérer dans un écrit. Voilà un
exercice essentiel qui manque dans les retraites.

6° Recommander aux prêtres fortement et souvent l'exercice de la prière continuelle. *Propitius esto mihi pecca-
tori... Fili David miserere mei...* ou telle autre oraison
jaculatoire répétée à l'infini, partout et avec l'ardeur d'un
pauvre affamé. Qu'il y en a peu qui prient ! Et c'est cependant par la prière qu'on attire la grâce qui éclaire, touche
et convertit !

7° Recommander surtout la dévotion, le recours à
Marie. Je ne conçois point de moyen plus prompt, plus sûr
et plus efficace que celui-là. Il y a des prêtres endurcis
par l'imp., le sacrifice et l'abus des grâces, Sans un miracle, ils sont perdus. Qui obtiendra ce miracle ? Notre-Dame
de tout pouvoir, comme elle l'a fait à l'égard de ce prêtre
apostat que le P. Bernard convertit par son entremise. Que
la dévotion à Marie est puissante ! Mais qu'elle est peu
connue ! Je voudrais qu'on exposât pendant la retraite une
statue ou une image de la Ste Vierge dans un lieu convenable et qu'on y envoyât les retraitans deux ou trois fois
par jour *mendier* leur conversion. Avec cette seule pratique : des merveilles ! j'en réponds.

8° Recommander et inculquer fortement la nécessité de
la mortification dans les repas, des privations, des jeûnes,
pour amollir les cœurs battus et rabattus mille fois par le
péché. De tous les temps, le jeûne a été regardé et pratiqué
comme le moyen unique de se recueillir, de méditer et surtout d'apaiser la colère de Dieu. Voilà encore un grand
déficit dans les retraites ecclésiastiques.

9° Nommer un certain nombre de confesseurs solidement
instruits, zélés, intérieurs, courageux, versés dans les exercices de la retraite et chargés uniquement de confesser,
sauf ensuite à faire leur retraite en particulier. Leur recom-

mander de confesser une fois ou deux par jour leurs pénitens, de leur demander un compte exact de tous les exercices de la retraite ; d'encourager ceux qui font bien,
d'éclairer, de diriger ceux qui ont bonne volonté sans
savoir comment s'y prendre pour bien faire, de harceler,
de gourmander ou de caresser les paresseux pour les mettre
en train. Si les confesseurs n'ont pas soin de surveiller le
travail de leurs pénitens, de les faire travailler, de diriger
leur travail, d'employer les voies de la douceur ou de la
rigueur pour les faire travailler, prier, méditer, etc. Chacun
fait ce qui lui plaît, la plupart ne font rien ou presque
rien et sortent de la retraite avec des idées et des impressions superficielles qui ne mènent à rien. Huit jours ou un
mois après, même train de vie qu'auparavant.

10° Sur la fin de la retraite, donner un bon règlement de
vie qui n'ait rien d'impraticable, et recommander instamment, à tous ceux qui confesseront des prêtres, de leur en
demander compte. Les points essentiels de ce règlement
seraient l'examen de prévoyance, l'examen de conscience,
la confession fréquente, le travail continuel, le chapelet, la
mortification, mais surtout une heure de méditation ; sans
cette heure de méditation, la plupart des prêtres vivront
ou mourront tièdes ou pécheurs, et feront du mal ou peu de
bien dans leurs paroisses.

Enfin, terminer la retraite par des conférences qu'on donnerait quatre à cinq fois par jour, le jour ou les deux jours
suivans, sur la manière d'instruire une paroisse, de la
convertir et de la soutenir et sur la discipline du diocèse.
Voici en abrégé le plan que nous suivons :

I. — INSTRUIRE UNE PAROISSE.

Pour ramener une paroisse, il est nécessaire de l'instruire, parce que *ignoti nulla cupido ;* et il faut même un
ensemble de lumières assez considérable pour la tirer de
l'ignorance, des préjugés et des ombres de la mort.

1. — CE QU'IL FAUT LUI APPRENDRE.

Il faut apprendre au pécheur à connaître :

I. — *Dieu ou le plan de la religion.*

1. — L'homme ne peut-être que l'ouvrage de Dieu.

2. — Dieu l'a fait non pas pour ce monde qui passe et qui ne contente pas, mais pour gagner le paradis et éviter l'enfer. Voilà sa destination.

3. — Pour gagner le paradis et éviter l'enfer, il faut connaître Dieu par le moyen du Symbole qu'il faut comprendre et méditer. Rien de plus important que d'apprendre à distinguer les personnes divines comme le fait le Symbole.

4. — Dès qu'on connaît Dieu par le moyen du Symbole, il faut le servir en observant sa loi. — Expliquer les commandements de Dieu et de l'Eglise d'une manière simple, précise, sans être trop sévère ni trop relâché. Que d'arbitraire dans l'enseignement de la morale ! Qu'il y a peu de consciences bien formées !

5. — Mais pour comprendre le Symbole et avoir la force d'observer la loi de Dieu, il faut la grâce qui : 1° purifie la conscience ; 2° éclaire l'esprit ; 3° touche, console le cœur et meut ainsi la volonté. Il est bien nécessaire de faire connaître par ses effets la grâce, qui est si peu connue.

6. — Pour avoir la grâce il faut : 1° prier. Expliquer avec ordre et précision la nécessité de la prière, la manière de prier ; la prière du matin et du soir, celle d'avant et après le repas, la pratique des oraisons jaculatoires, la manière de recourir à Dieu dans les tentations ; les difficultés à surmonter et, surtout, l'oraison dominicale. Qu'on prie peu et qu'on prie mal dans les paroisses ! A qui la faute ? aux prêtres ; — 2° recevoir les sacrements. Expliquer la nécessité des sacrements, les grâces qu'on reçoit de chaque sacrement et les dispositions nécessaires pour les recevoir. Que tout cela est peu connu ! Voilà ce que j'appellerois le plan de la religion. Avec ce plan simple et quelques explications courtes sur la prière et les sacrements on peut se passer tout vite des catéchismes. Les catéchismes changent trop souvent ; ils ne sont guère saisis dans leurs nombreux détails, encore moins saisis dans leur ensemble et bientôt oubliés. Dès qu'il connaît Dieu, il faut encore qu'il connoisse :

II. — *Sa dépendance de Dieu.*

1. — Dieu créateur — l'homme créature — l'ouvrage est à l'ouvrier.

2. — Dieu conservateur — l'homme conservé.

3. — Dieu rédempteur — l'homme racheté.

4. — Dieu source de tout bien — l'homme dénué de tout.

5. — Dieu source de toute justice — l'homme pécheur.

6. — Dieu souverainement puissant — l'homme faible.

Ce n'est qu'autant que le pécheur connoîtra sa souveraine dépendance de Dieu, qu'il s'attachera tout de bon à lui. Jusques-là il regardera la religion comme une pratique indifférente. Dès que le pécheur connoît sa dépendance de Dieu, il faut qu'il connoisse encore la manière dont il a rempli les devoirs qu'il lui a imposés, ou

III. — *Sa conscience.*

1. — Peu ou point de bien. — Enumérer le bien qu'on a fait chaque jour, chaque dimanche, chaque année et la manière dont on le fait.

Chaque jour
- 1° Prières du matin et du soir, avant et après le repas, et autres prières omises ou faites à moitié ou mal faites.
- 2° Travail fait ou par routine, ou par avarice, ou par vanité, ou par caprice.
- 3° Souffrances endurées ou en s'impatientant, ou en se plaignant, ou sans penser à Dieu.

Chaque dimanche
- 1° Messe manquée, ou entendue à moitié, ou mal entendue.
- 2° Vépres de même.
- 3° Bonnes œuvres omises ou mal faites.

Chaque année
- 1° Confession sans examen, sans contrition, sans changement, sans pénitences.
- 2° Communions nulles ou sacrilèges.
- 3° Aumônes omises ou mal faites.
- 4° Jeûnes omis ou mal faits.

Voilà le premier tableau à mettre sous les yeux du pécheur. Jusqu'à ce qu'il l'ait bien reconnu, il se croit *brave* et les grandes vérités ne sauroient le débusquer de sa présomption.

2. — Beaucoup de mal. Il a enfreint tous les commandements (les parcourir) :

1° Dans tous les temps :

     1° Péchés de l'enfance (ignorance, malice).

     2° Péchés de la jeunesse (dissip., org., libert.).

     3° Péchés de l'âge mûr (avarice, ranc., inj.).

     4° Péchés de la vieillesse (avarice, paresse).

2° Dans tous les lieux :
    1° Cabarets.
    2° Places publiques.
    3° Eglise.
    4° Maison, etc.
3° Par tous les sens de l'âme :
    1° Mémoire — pensées mauvaises.
    2° Jugement — erreur.
    3° Cœur — mauvais désirs.
4° Par tous les sens du corps :
    1° Yeux.
    2° Oreilles.
    3° Bouche.
    4° Mains.
    5° Pieds.
    6° Corps.

3. — Mal qu'il ne peut excuser. — Surveiller et raser toutes les excuses que le pécheur apporte pour justifier ses fautes. Pour cela, parcourir tous les commandemens : « Je ne sais rien, mais je ne sais pas lire ; je me suis mis en colère, mais je suis prompt ; j'ai porté rancune, mais on m'a fait tort ; j'ai trop bu, mais on m'a fait boire ! » C'est la confession d'Adam et d'Eve. Si l'on n'a pas soin d'ôter au pécheur toutes ses excuses, il ne se donne aucun tort et dès lors point de péchés, point de matière d'absolution. C'est encore là un point auquel on fait bien peu d'attention. De là, que de confessions nulles ! Que de confessions sans fruit !

4. — Un grand mal.
1° Mal de Dieu dont il anéantit :
    1° La sagesse, en la méprisant ;
    2° La bonté, en n'en faisant point de cas ;
    3° La justice, en s'en moquant ;
    4° Le souverain domaine en se faisant Dieu lui-même ;
    5° Le Fils, en le crucifiant.

Qu'il est important d'inculquer bien ces idées pour amener le pécheur au repentir !

2° Mal de l'homme. — Si le mal de Dieu le laisse insensible, son propre mal le touchera. Pour cela lui faire reconnoître :

IV. — *Son état actuel.*

N'ayant point fait de bien et beaucoup de mal, le pécheur a perdu :

1. — L'innocence du baptême, la parure de son âme.

2. — Avec l'innocence du baptême, le mérite des bonnes œuvres faites.

3. — Avec le mérite de ses bonnes œuvres, Dieu le meilleur et le plus riche des pères.

4. — Avec Dieu, les bonnes grâces de Dieu en ce monde, la paix de l'âme.

5. — Avec les bonnes grâces de Dieu en ce monde, le paradis en l'autre.

6. — En perdant Dieu, le pécheur est devenu l'esclave du démon.

7. — L'esclave du péché.

8. — L'esclave du remords.

9. — Héritier de l'enfer.

Il importe extrêmement de bien faire comprendre au pécheur le mal qu'il s'est fait, autrement il dira comme l'impie : *J'ai péché, quel mal m'est-il arrivé ?* Que lui reste-t-il ? les biens de ce monde qui ne sont rien, qui ne contentent pas et qui durent peu. Que va-t-il lui arriver ? Pour le savoir, il faut qu'il connoisse :

V. — *Ses destinées futures.*

1. — La mort certaine, incertaine, prochaine, qui convertit les amateurs du monde en les dégoûtant.

2. — Le jugement particulier dont la sévérité ouvre les yeux aux présomptueux.

3. — Le jugement universel qui convertit les hypocrites.

4. — L'enfer qui ramène surtout les impudiques.

5. — Le paradis qui inspire les plus grands sacrifices.

6. — L'éternité malheureuse qui est comme un coup de massue.

7. — Enfin les deux étendards, ou le choix du pécheur entre :

      1° J.-C. et le démon.

      2° Le vice et la vertu.

      3° La paix et le remords.

      4° Le paradis et la terre.

      5° Le paradis et l'enfer.

      6° Le temps et l'éternité.

Il est nécessaire de bien inculquer au pécheur tous ces motifs de conversion. Il n'y a que ces motifs qui puissent l'engager à s'instruire, à s'examiner, à restituer, à pardonner, à renoncer à ses habitudes. Les sacrifices d'une vraie conversion sont très pénibles ; jamais le pécheur ne les fera sans de bons motifs ; il n'y a que les fins dernières bien comprises qui puissent le déterminer à les faire avec générosité. Les renvois de quinze jours en quinze jours tels qu'on les pratique aujourd'hui n'opéreront jamais ce changement. Ils n'instruisent pas et, sans instruction, que peut-on obtenir ? Rien : *ignoti nulla cupido*. On ne peut vouloir que ce qu'on voit ou que ce que l'on goûte. La volonté suit toujours l'esprit ou le cœur. Un pécheur ignorant n'aura jamais de bonne volonté tant qu'il restera dans son ignorance. Il faut l'instruire pour le tirer de son état, et, pour y réussir, il faut une méthode.

2. — MÉTHODE A SUIVRE DANS L'INSTRUCTION.

1. — Disposer toutes les matières à apprendre dans un ordre analytique, de manière que les vérités naissent les unes des autres. Rien ne fait tant comprendre et retenir que l'ordre.

2. — Dans chaque instruction ne pas embrasser plus de choses qu'on en peut faire comprendre et retenir à perfection.

3. — Dans chaque instruction aller toujours : 1° du connu à l'inconnu, en faisant connoître à l'auditoire ce qu'il ne connoît pas par le moyen de ce qu'il connoît déjà ; 2° du certain à l'incertain, en lui faisant croire ce qu'il ne croit pas par le moyen de ce qu'il croit déjà ; 3° *du senti au non senti*, en lui faisant sentir ce qu'il ne sent pas par le moyen de ce qu'il sent déjà. Et pour ne pas se méprendre dans un procédé si important et si délicat, connoître à fond l'esprit, le cœur et la conduite de son auditoire.

4. — Dans chaque instruction tourner et retourner chaque vérité sous un assez grand nombre de formes différentes pour qu'elle soit saisie et retenue par le plus grand nombre.

5. — Se garder bien cependant de dégoûter de la parole de Dieu par des longueurs et des redites fatigantes.

6. — Commencer chaque instruction par la répétition de l'instruction précédente.

7. — Faire de temps en temps des répétitions plus amples pour inculquer mieux les vérités et en faire voir la liaison et l'ensemble. On ne sauroit trop répéter ; ceux qui craignent de répéter n'apprendront jamais grand chose à leurs paroisses.

8. — Demander compte de chaque instruction ou en public ou en particulier, mais avec prudence ; sans ce compte rien de compris, rien de retenu. Qu'apprendroit un professeur qui se contenteroit de pérorer comme tant de curés, sans jamais questionner ses élèves ? Oh ! qu'on enseigne mal la religion dans les paroisses !

9. — Faire méditer ou repasser tout ce qu'on explique à mesure qu'on l'explique, autrement connoissances de pure mémoire, connoissances superficielles et inutiles. C'est la réflexion qui réalise l'instruction.

10. — Confesser en même temps qu'on instruit, pour ôter le péché qui arrête la grâce, et, sans la grâce, l'instruction est naturelle et inutile. La confession fréquente recueille ceux qu'on instruit ; elle nous met à même de leur demander compte des instructions et de connoître leur capacité. Instruire sans confesser, c'est semer sans cultiver la terre. Qu'on connoît peu la manière d'apprendre la religion !

11. — Enfin instruire par classes ou individuellement tous ceux qui ne sont pas en état de suivre l'instruction de la paroisse. Qu'on prend peu de mesures pour instruire les peuples ! Aussi quelle ignorance !

RÉCAPITULATION.

Pour revenir à Dieu un pécheur doit connoître à fond :

   I. — Dieu.
  II. — Sa dépendance de Dieu.
 III. — Sa conscience.
 IV. — Son état actuel.
  V. — Ses destinées futures.

Pour les lui apprendre, il faut :

  I. — Suivre une méthode.
 II. — Le confesser.

L'instruction seule ramène tous les pécheurs qui n'ont fait le mal que par ignorance. Ce n'est pas le grand nombre. Le grand nombre peuvent dire : *Video meliora proboque, deteriora sequor*. La plupart des pécheurs sont passionnés pour le mal ; pour les convertir il faut les passionner pour le bien, parce que *Sua quemque trahit voluptas*.

II. — CONVERTIR UNE PAROISSE.

On passionne pour le bien en touchant le cœur :

1. — Par des sermons qui parlent à l'imagination et au cœur. Des sermons bien faits et bien à la portée de l'auditoire touchent et ramènent un petit nombre de pécheurs en les passionnant pour le bien. La prédication fait impression sur un petit nombre ; mais le grand nombre n'en sont point ou très peu touchés. Pour les toucher et les faire rentrer en eux-mêmes, il faut leur prescrire à propos :

2. — Des méditations. — La méditation bien prescrite à chacun, bien indiquée, bien inculquée, bien surveillée, ramène le grand nombre des pécheurs en les faisant rentrer peu à peu en eux-mêmes. C'est la dissipation qui perd le monde. *Desolatione desolata est, etc.* C'est le recueillement ou la méditation qui le ramène. *In se autem reversus...* Les justes vivent *en dedans*, les pécheurs *en dehors*. Sans méditation il ne peut y avoir ni conversion ni persévérance. Comment un pécheur pourra-t-il renoncer à l'injustice, à l'impureté, etc., sans la méditation profonde des grandes vérités ? Comment le juste pourra-t-il résister aux tentations qui l'assaillent s'il n'est pas constamment soutenu par la crainte des châtimens de Dieu et par le désir de ses récompenses ? Et la contrition, comment l'avoir sans méditation ? Comment pleurer d'avoir perdu Dieu, d'avoir perdu le paradis, d'avoir crucifié J.-C., d'avoir mérité l'enfer sans y penser et sans y penser long-temps ? Tant que les confesseurs ne feront pas rentrer en eux-mêmes les pécheurs par le recueillement et la méditation, ils n'obtiendront pas grand succès. Et qu'on ne me dise pas que les hommes, pour la plupart, ne sont pas capables de méditer. Tous peuvent plus ou moins bien se figurer, se représenter être ou à l'agonie, ou dans le Paradis ou dans l'enfer ou sur le Calvaire. Il faut seulement de l'adresse et du zèle pour

savoir expliquer, persuader, surveiller la pratique de la méditation. Elle est pénible ; mais elle est l'unique moyen de conversion. Avec de la pratique et bien des essais, tous les pécheurs s'y mettent et y réussissent. Une expérience de quatre ans ne nous laisse pas le moindre doute à cet égard. Qu'on l'essaye et bientôt l'on en conviendra.

3. — Mais la méditation ne touche qu'autant que la grâce vivifie. Pour avoir la grâce il faut :

1º Que le pécheur, tout en méditant, se recueille extérieurement, en regardant, parlant et écoutant peu. Qu'il est important de bien recommander le recueillement extérieur qui fait rentrer peu à peu en soi-même et mène ainsi doucement et insensiblement à la méditation ! Mais pour y amener les pécheurs dissipés, il faut le leur inculquer bien souvent et avec adresse ;

2º Que tout en se recueillant extérieurement, il prie intérieurement avec ardeur, en répétant sans cesse et partout : *Mon Dieu, pardon, ou ayez pitié de moi, ou convertissez-moi !* Lui interdire toute autre prière qui n'est, pour l'ordinaire, qu'une routine qui l'amuse. C'est la pratique de la prière continuelle et vive qui attire en peu de jours la grâce et change bientôt le pécheur. Mais il faut du zèle, de l'adresse pour savoir l'expliquer, la persuader, la surveiller et y amener le pécheur lâche et pesant ;

3º Que tout en recourant à Dieu il recoure encore à Marie pour obtenir plus vite et plus sûrement ce qu'il demande. Je ne connois point de moyen plus efficace et plus prompt pour obtenir des grâces, des miracles même que la dévotion à Marie. L'envoyer prier Marie, deux, trois, quatre fois par jour devant un tableau, devant une statue, devant un autel, devant une image de cette bonne mère. Lui faire répéter avec ardeur et en regardant le portrait de la Sᵗᵉ Vierge : *Sainte Vierge, priez pour moi !* Que ce précieux trésor est peu connu ! Béni soit celui qui le fera connaître aux pauvres pécheurs !

4º Que tout en priant Dieu et Marie, il jeûne ou se mortifie pour apaiser la colère de Dieu et regagner ses bonnes grâces. Le jeûne est si puissant auprès de Dieu !

5º Que pour obtenir promptement l'aumône de la grâce, il fasse l'aumône aux pauvres, du bien aux malheureux.

4. — Enfin confesser les pécheurs, qu'on veut convertir, le plus souvent possible, une, deux, trois fois par jour, s'il

est possible, pour leur demander compte de leur travail,
pour le surveiller, pour l'expliquer, le recommander et les
y animer. Sans ces fréquentes entrevues, le pécheur avance
et recule ; travaille un instant et puis le laisse ; s'anime et
puis s'abat ; se ranime et puis se décourage. Il y a des
pécheurs, il est vrai, dont Dieu fait tous les frais de la conversion ; mais le nombre de ceux que Dieu convertit seul
est si petit qu'il ne vaut pas la peine d'en parler. Le grand
nombre des pécheurs ne se convertissent qu'à la sueur de
leur front. C'est à les faire travailler, prier, méditer, se
recueillir, etc., que consiste l'occupation du confesseur.
Renvoyer de loin en loin un pécheur pour le convertir
sans s'appliquer à le faire travailler, c'est ou le rebuter ou
l'éloigner des sacrements, comme cela n'arrive que trop ;
ou le passer sans l'avoir converti ; car la simple absence
du péché n'est pas une note positive de conversion. Tant
que le cœur n'est pas changé, tant que l'affection au péché
n'est pas détruite, le pécheur est pécheur, quoiqu'il s'abs-
tienne des actes extérieurs. Or, on ne change pas le cœur
du pécheur par des renvois, mais en le faisant travailler,
prier, méditer... La plupart des prêtres crient, déclament,
s'irritent contre les désordres des paroisses et des pécheurs ;
ils voudroient les faire changer, sans changer le cœur.
Que gagnent-ils ? des critiques, des railleries, des préventions. Ils prennent les hommes à rebours ; ils ne voient pas
que tous les vices viennent du cœur, et que, tant que le
cœur n'est pas changé, touché, passionné pour le bien, les
vices subsistent. *Sua quemque trahit voluptas.* Attaquer le
cœur, avant d'attaquer les désordres qui en naissent, c'est
l'unique moyen. Que les prêtres connoissent peu l'homme !

RÉCAPITULATION.

Pour convertir les pécheurs passionnés pour le mal, il
faut les passionner pour le bien :

1° En les touchant par des prédications vives et touchantes ;

2° En les touchant par l'exercice de la méditation, qu'il
faut bien surveiller ;

3° En les faisant recueillir, prier, jeûner, faire des aumônes;

4° En les confessant souvent pour les encourager, les
pousser, les surveiller.

III. — SOUTENIR UNE PAROISSE CONVERTIE.

1. — Une fois que le pécheur est rentré en lui-même, il est disposé à tout. *Surgam...* Une fois qu'il est touché il a bonne *volonté*; *et pax hominibus bonæ voluntatis*. En conséquence, l'absoudre. Une fois absous, il se dissipera bientôt et retombera; le faire rentrer en lui-même et l'absoudre. Une fois rentré en lui-même, il en sortira bientôt et retombera encore; le faire rentrer en lui-même par les mêmes moyens et l'absoudre toutes les fois qu'il a bonne volonté, *usquè septuagies septiès*, puisque notre miséricorde envers le prochain est la mesure de celle de Dieu envers nous-mêmes. A part quelques âmes d'élite qui, une fois converties, ne retombent plus, le plus grand nombre des élus vont en paradis en boitant. La vie de l'homme, la vie du chrétien, se passe à se recueillir et à se dissiper; à rentrer en soi-même et en sortir; à avancer et reculer; à tomber et à se relever. Le grand nombre même des *braves gens* vont en paradis en boitant. Dieu veuille que le dernier pas ne soit pas un pas *boiteux*. La faiblesse de l'homme est inconcevable; jamais je ne l'aurois pu comprendre, si mon expérience ne me l'avoit fait toucher au doigt. L'inquiétude du temporel, les occupations de ce monde, les besoins du corps, la dissipation, la paresse, les mauvais exemples, les mauvais discours .... entraînent l'homme au mal presque malgré lui. Les docteurs qui ont étudié la morale ne sont pas rares; mais les docteurs qui ont étudié et pesé la faiblesse humaine le sont beaucoup. Qu'on y a peu égard dans la direction des âmes! Aussi on est dur et difficile à absoudre les pécheurs de rechûte: on leur impose souvent *onera importabilia*. Dès lors, on les éloigne et on les décourage. Le premier moyen de soutenir les pécheurs convertis, c'est de leur faire toujours un bon accueil, et de les absoudre toutes les fois qu'on trouve en eux de la bonne volonté; et la bonne volonté n'est pas tant rare. Mais, comme les payeurs pauvres, les pécheurs sont plus riches en promesses qu'en tenue. Dieu se contente de la bonne volonté. *Pax*, etc. Et pour l'exécution chacun va plus ou moins loin selon son plus ou moins de forces; mais jamais la conduite ou la réalité n'ira de niveau avec les promesses. Accueillir de bonne grâce tous les pécheurs et absoudre tous ceux

qui ont bonne volonté, malgré leurs chûtes et rechûtes,
voilà le premier moyen de soutenir une paroisse. La marche
opposée éloigne les pécheurs, les décourage.

2. — Une fois que le pécheur est guéri, il faut le fortifier
par la fréquente communion. Une fois guéri, le malade a
un appétit dévorant, et, pendant tout le temps de sa convalescence, point de repas réglés. Même régime pour le pécheur converti et absous. Pendant sa convalescence point
de communion réglée : mais le faire communier plus ou
moins souvent selon le besoin. Une fois rétabli, une fois
hors de convalescence, on règle alors le repas d'après l'appétit et la force du tempérament, pour l'âme comme pour
le corps. Que serviroit-il de guérir un malade, si après
l'avoir guéri on ne le fortifioit ? Que sert-il de convertir un
pécheur, si après l'avoir converti on ne le fortifie pas par la
communion fréquente ? Il y a quatre ans que nous sommes
dans la pratique de faire communier plusieurs fois les
pécheurs convertis, jusqu'à des dix fois dans une mission,
et ces fréquentes communions font un effet admirable.
Caro mea vere est cibus... L'essentiel est de bien faire rentrer
en lui-même un pécheur, de le bien convertir avant de l'admettre à la communion. Après la conversion, la fréquente
communion pour fortifier ; voilà le second moyen de soutenir l'œuvre de la conversion.

3. — le 3ᵉ moyen de soutenir un pécheur converti, c'est de
lui donner un règlement de vie. Ce règlement doit prescrire l'examen de prévoyance tous les matins, l'examen de
conscience tous les soirs ; la prière du matin et du soir
bien faite ; la méditation, la droiture d'intention dans le
travail et les souffrances ; un peu du chapelet ; la confession plus ou moins fréquente ; la résignation à tout. Le
règlement bien observé donne la paix, et la paix fait la
force de l'âme. Point important : demander compte de
l'observance de ce règlement jusqu'à parfaite observance.
Que ce point est négligé ! De là que de chûtes !

4. — Une fois que l'âme est bien réglée, la faire avancer
dans la vertu opposée à son vice dominant : parce que, qui
n'avance pas recule ; qui ne pense pas au bien pense au mal,
parce qu'il faut toujours penser ; qui n'aime pas de bonnes
choses en aime de mauvaises, parce qu'il faut toujours
aimer ; qui ne fait pas de bonnes choses en fait de mauvaises, parce qu'il faut toujours agir. Qu'on fait peu

attention à cette maxime capitale ! On ne sait pas occuper et faire avancer le juste ; et dès lors il recule et retombe.

On acquiert la vertu opposée au vice dominant :

1º En apprenant la pratique dans un livre qui en traite ;

2º En en surveillant la pratique :

    1º Par l'examen de prévoyance fait tous les matins sur les occasions de la pratiquer pendant la journée ;

    2º Par l'examen particulier fait avant midi ;

    3º Par la vigilance chrétienne sur les occasions courantes ;

    4º Par l'examen du soir sur les fautes commises à cet égard.

3º En la pratiquant toutes les fois que l'occasion s'en présente. Commencer par ce qu'il y a de plus facile ;

4º S'animer à la pratique de cette vertu en en méditant tous les matins les motifs ;

5º En en adoucissant la pratique par la grâce qu'il faut attirer, par la prière, les sacrements et les bonnes œuvres.

RÉCAPIPULATION.

Pour soutenir un pécheur converti :

1º Compatir à sa faiblesse et l'absoudre toutes les fois qu'il rentre en lui-même ;

2º Le fortifier et lui faire reprendre des forces par la fréquente communion ;

3º L'établir dans la paix de l'âme par un bon règlement ;

4º Le faire avancer par la pratique de la vertu opposée au vice dominant. Plus il avancera, plus il sera content, plus il s'affermira.

RÉCAPITULATION GÉNÉRALE

Avant tout instruire le pécheur aveugle, en lui apprenant avec méthode à connaître Dieu et à se connaître lui-même : *ignoti nulla cupido.*

Si l'instruction ne le ramène pas, toucher son cœur par des sermons et par des méditations et des bonnes œuvres prescrites à propos : *Sua quemque.*

L'ayant converti, le soutenir par la facilité à l'absoudre, par la fréquente communion, par un bon règlement et par la pratique de la vertu...

Voilà, Monseigneur, la méthode que nous suivons depuis quatre ans ; et l'expérience en montre tous les jours plus l'efficacité. Le mal, c'est que nous ne sommes pas encore assez en état de la mettre en pratique ; car pour la mettre en pratique il faut avoir l'esprit de Dieu avec abondance : *nemo dat quod non habet.*

1. — Pour instruire les autres, il faut être instruit soi-même : *nemo dat...* il faudrait savoir à perfection l'Ecriture, la théologie, l'histoire de l'Eglise. Par ce moyen on auroit sous la main d'excellents matériaux pour faire des instructions. Mais, malheureusement, dans les petits et les grands séminaires, on n'apprend rien de solide, rien avec méthode (1). Dès lors, prêtres ignorants, paroisses ignorantes.

2. — Pour savoir inspirer le goût et la pratique de la méditation, il faut les posséder soi-même à un degré éminent : *Nemo dat...* Malheureusement encore, on n'apprend à méditer ni dans les petits séminaires ni dans les grands séminaires. Et hors du séminaire on ne médite presque plus. Les prêtres ne méditent pas, les peuples non plus. Tels pères, tels fils.

3. — Pour savoir inspirer le goût et la pratique du recueillement, il faut les avoir soi-même à un degré suprème : *nemo dat...* Mais on n'en a pas contracté solidement l'habitude dans les séminaires. Une fois hors du séminaire on la perd, et on vit dans l'action et la dissipation. Les prêtres sont dissipés, curieux, grands parleurs ; les fidèles aussi. Tels pères, tels fils.

4. — Pour porter efficacement à la dévotion à Marie, il faut la posséder éminemment ; mais, malheureusement la plupart des prêtres ne la possèdent pas eux-mêmes, en parlent comme s'ils n'y croyaient pas ; dès lors, point d'ef-

---

(1) Ceux qui trouveraient excessive cette manière de voir doivent se rappeler que : autre temps, autres mœurs. Pour nous, notre conviction est que M. Favre, parlant de ce qu'il avait sous les yeux, disait vrai et frappait juste.   (L'auteur.)

fet, point de confiance en Marie dans les prêtres ; point de confiance en Marie dans les fidèles. Tels pères, tels fils.

5. — Pour savoir inspirer le goût et la pratique de la mortification, il faut l'aimer et la pratiquer soi-même plus que tous : *nemo dat...* Malheureusement les prêtres aiment leurs aises, leurs plaisirs : la plupart vivent dans la sensualité ; leurs paroisses de même. Tels pasteurs, tels fidèles.

6. — Pous savoir persuader l'amour et la pratique d'un règlement, il faut soi-même vivre dans l'observance d'un bon règlement. Mais la plupart des prêtres vivent sans ordre, sans règles, les peuples de même : *Totius forma gregis...*

7. -- Pour persuader l'amour et la pratique de la vertu, il faut soi-même la posséder éminemment. On ne peut pas indiquer une route qu'on ne connaît pas. Mais peu ou point de vertu dans les prêtres, peu ou point de vertu dans les fidèles.

8. — Enfin, pour rendre la religion aimable, il faut avoir le cœur plein de charité et d'amour pour le prochain ; mais la plupart des prêtres sont tièdes, froids, vides, secs, âpres, durs, dans leurs corrections, en chaire, au tribunal et partout. Dès lors le joug du Seigneur paroit insupportable. Tout le mal vient des prêtres ; je le sens à le toucher au doigt. Qu'on forme de bons prêtres, et le diocèse se renouvellera. Je pourrai communiquer à votre Grandeur un plan relativement aux grands et aux petits séminaires, qui ne sont point de mon goût. En attendant, je me recommande à vos ferventes prières et je vous prie d'agréer les sentiments du plus profond respect avec lequel je suis, Monseigneur, de V. Gr. le tout dévoué.

L'abbé FAVRE, *directeur des missions dans le diocèse de Chambéry.*

COPIE DU PROCÈS-VERBAL

de l'exhumation des restes de R⁴ Marie-Joseph Favre, missionnaire, de l'ancien cimetière d'Albertville (Savoie).

ÉVÊCHÉ
de
TARENTAISE   Albertville, 26 septembre 1900.

L'an mil neuf cent, le vingt-six septembre,

Nous soussignés :

Joseph-Emile Borrel, chanoine honoraire et vicaire capitulaire du diocèse de Tarentaise,

Jean-Baptiste Biolley, chanoine honoraire et curé-archiprêtre d'Albertville,

Henri Ancenay, docteur en droit, président du Conseil de fabrique d'Albertville,

Louis Miédan, chanoine titulaire de Tarentaise et aumônier de la Maison-Mère des religieuses de Saint-Joseph de Moûtiers,

R⁴ Père Elzéar, gardien du couvent des RR. Pères Capucins de Conflans,

Docteur Bergeret, médecin consultant, domicilié à Albertville,

Hérod, commissaire de police d'Albertville,

P. Chrysostôme, religieux capucin du couvent de Conflans,

Joseph-François Borrel, licencié en théologie et vicaire de la paroisse d'Albertville,

Avons fait procéder, sous nos yeux, à l'exhumation des restes de R⁴ Marie-Joseph Favre, ancien supérieur des missionnaires de Savoie, décédé au presbytère d'Albertville, le 16 juin 1838, à six heures du soir, et sépulturé le dix-huit, dans l'ancien cimetière d'Albertville, part du nord-ouest, comme l'indique une inscription placée sur le mur de l'église, au-dessus du tombeau.

Nous avons retrouvé les ossements dans leur position naturelle ; leur authenticité nous a été démontrée par les débris de galons de la chasuble avec laquelle R⁴ Favre a été enseveli. Ces galons avaient la couleur verte de l'oxyde de cuivre, métal qui était entré dans leur composition.

Ces ossements. recueillis avec soin, ont été déposés dans une bière neuve en châtaignier et munie d'une plaque en cuivre portant l'inscription suivante :

R^d FAVRE, MISSIONNAIRE

laquelle a été ensuite scellée du sceau du chapitre de Tarentaise, le siège épiscopal étant vacant.

La bière, ainsi fermée et scellée, a été accompagnée par nous jusqu'au cimetière actuel d'Albertville. Elle a été déposée dans le caveau destiné à la sépulture des prêtres, placé au pied de la croix plantée au centre du cimetière.

Après récitation des prières pour les défunts, le caveau a été fermé et nous avons immédiatement rédigé et signé le présent procès-verbal.

Fait au presbytère d'Albertville les an et jour susdits.

Signé à l'original :
J^h Em. BORREL,
B^{te} BIOLLEY,   L^{is} MIÉDAN, aumôn.,
H. ANCENAY,   Fr. ELZÉAR, cap.,
Doct. BERGERET,   J^h BORREL,
P. CHRYSOSTOME,   HÉROD.

Pour copie conforme :

Moûtiers, 1er octobre 1900.

L^{is} MIÉDAN, chan. aumônier.

TABLE DES MATIÈRES

Lettres spirituelles et Documents.

OUVRAGES DU MÊME AUTEUR

En vente chez le Directeur de l'*Apôtre du Foyer*
à Saint-Etienne (Loire).

Vocation religieuse. Stances (épuisé)........ **0 50**

Le Prieuré de Contamine-sur-Arve *et les*
Sœurs du même lieu, 1 vol. in-8º (épuisé)..... **9 fr.**

Les Ruines de Faucigny (Haute - Savoie),
plaquette in-12, *franco*.................... **1 fr.**

Pratique des Vertus ou *Méthode pour travailler*
à la perfection chrétienne et religieuse au moyen
d'un exercice de vertu chaque jour (nouvelle
édition), 3 vol. in-8º, *franco*............... **15 fr.**

Introduction à la Vie Sacerdotale *(Ascé-*
tisme ou *Vie dévote du Clergé)*, 3º mille. —
Un fort vol. in-8º carré, *franco*............. **5 35**

Retraite Sacerdotale, *religieuse et apostolique*
(nouvelle édition), 1 vol. in-12, *franco* **3 50**

Cantiques et Chants divers, 1 vol. in-18, *franco* **1 fr.**

Chambéry. — Imprimerie Savoisienne, 5, rue du Château.

Imprimé en France
FROC021635230120
23251FR00010B/124/P